Mystic River

Dennis Lehane

Mystic River

Traduit de l'anglais (États-Unis)
par Isabelle Maillet

Collection dirigée par
François Guérif

Rivages/Thriller

Titre original : *Mystic River*

© 2001, Dennis Lehane
© 2002, Éditions Payot & Rivages
pour la traduction française
106, boulevard Saint-Germain - 75006 Paris

ISBN : 2-7436-0962-1
ISSN : 0990-3151

À ma femme, Sheila

[Il] ne comprenait pas les femmes. Non comme les barmen ou les comédiens ne comprennent pas les femmes, mais plutôt comme les pauvres ne comprennent pas l'économie. Ils pourraient très bien se poster devant l'immeuble de la Girard Bank tous les jours que Dieu fait, et pourtant, ne jamais avoir la moindre idée de ce qui se passe à l'intérieur. Raison pour laquelle, au fond de leur cœur, ils préfèrent encore braquer un 7-Eleven.

Pete Dexter, *God's Pocket*

Il n'existe pas de rue aux pavés muets
Ni de maison sans échos.

Góngora

I

Les Petits Garçons qui Echappèrent aux Loups
(1975)

1

Ceux du Point et ceux des Flats

Quand Sean Devine et Jimmy Marcus étaient gosses, leurs pères travaillaient tous les deux à la confiserie Coleman, d'où ils rentraient imprégnés de l'odeur écœurante du chocolat chaud. Cette odeur était devenue une partie intégrante de leurs vêtements, des lits dans lesquels ils dormaient, des dossiers en vinyle de leurs sièges de voiture. Chez Sean, la cuisine sentait la crème glacée au chocolat, et la salle de bains, le caramel. À l'âge de onze ans, Sean et Jimmy vouaient aux bonbons une haine si féroce qu'ils ne mangeaient jamais de dessert et devaient toute leur vie boire leur café sans sucre.

Le samedi, le père de Jimmy passait chez les Devine prendre une bière avec le père de Sean. Il amenait Jimmy, et pendant que ladite bière se transformait en six, plus deux ou trois verres de Dewar, les deux copains jouaient dans le jardin, où les rejoignait parfois Dave Boyle, un garçon avec des poignets de fille et des yeux de myope, qui racontait toujours des blagues apprises auprès de ses oncles. De l'autre côté de la moustiquaire qui protégeait la fenêtre de la cuisine, ils entendaient le *pschitt* des languettes arrachées aux boîtes de bière, de brusques éclats de rire sonores et le claquement sec des Zippo quand M. Devine et M. Marcus allumaient leurs Lucky Strike.

C'était le père de Sean qui, en tant que contremaître, avait la meilleure place. Grand et blond, il se distinguait par ce sourire décontracté, nonchalant, que Sean avait vu plus d'une fois apaiser la colère de sa mère, la calmer d'un coup comme si on avait pressé un interrupteur en elle. Le père de Jimmy, lui, chargeait les camions. Il était petit, avec des cheveux noirs qui lui retombaient en désordre sur le front et quelque chose dans le regard qui semblait vibrer en permanence. Il avait aussi une façon bien particulière de se déplacer à toute vitesse ; vous aviez à peine cillé qu'il se trouvait déjà à l'autre bout de la pièce. Quant à Dave Boyle, il n'avait pas de père, juste une tripotée d'oncles, et s'il était en général présent ces samedis-là, c'était uniquement à cause de ce don qu'il avait de se coller à Jimmy comme un pansement sur une plaie ; à peine l'avait-il aperçu qui sortait de chez lui avec son père qu'il apparaissait à côté de leur voiture, pantelant, en demandant « Alors, quoi de neuf, Jimmy ? » d'un pauvre ton plein d'espoir.

Ils vivaient tous à East Buckingham, à l'ouest du centre-ville, un quartier où se côtoyaient épiceries encombrées, petits terrains de jeu et boucheries avec de la viande encore toute rose de sang suspendue dans les vitrines. Les bars avaient des noms irlandais et des Dodge Dart étaient garées devant l'entrée. Les femmes se coiffaient de foulards noués dans la nuque et rangeaient leurs cigarettes dans des sacs à main en similicuir. Il y avait encore deux ou trois ans, les garçons plus âgés disparaissaient des rues, comme enlevés par des vaisseaux spatiaux, pour être envoyés à la guerre. Ils en revenaient au bout d'un an environ, vides et maussades, ou n'en revenaient pas du tout. Le jour, les mères parcouraient les journaux à la recherche de coupons de réduction. La nuit, les pères se rendaient dans les pubs. Tout le monde connaissait tout le monde ; personne, à l'exception de ces gars partis au front, n'avait jamais quitté le quartier.

Jimmy et Dave habitaient les Flats, près du Penitentiary Channel, dans la partie sud de Buckingham Avenue. Douze pâtés de maisons seulement les séparaient de la rue où logeait Sean, mais celle-ci se trouvait au nord de cette même avenue, en plein dans la zone du Point ; or ceux du Point et ceux des Flats ne se mélangeaient pas beaucoup.

Non que le Point se distinguât par des rues pavées d'or et des cuillères en argent partout. C'était juste le Point – classe ouvrière, cols bleus, Chevy, Ford et Dodge devant des pavillons tout simples, ponctués ici et là par un petit édifice victorien. Mais les habitants du Point achetaient. Ceux des Flats louaient. Les familles du Point allaient à l'église, restaient entre elles, brandissaient des pancartes au coin des rues en période électorale. Dans les Flats, en revanche, qui sait ce qu'ils fabriquaient, tous ces gens qui vivaient parfois comme des bêtes, à dix dans un appartement, en laissant des tas d'ordures dans leurs rues ? À « Cradeville », ainsi que Sean et ses copains de Saint Mike avaient baptisé les Flats, les foyers touchaient les allocations chômage, envoyaient leurs gosses à l'école publique, divorçaient. Alors, pendant que Sean allait à l'école paroissiale Saint Mike en pantalon noir, cravate noire et chemise bleue, Jimmy et Dave allaient à l'école Lewis M. Dewey, dans Blaxton Street. Les gosses de Looey & Dooey pouvaient porter leurs vêtements normaux, ce qui était plutôt cool, sauf qu'ils les portaient en général quatre jours sur cinq, ce qui l'était moins. Ils semblaient en permanence enveloppés d'une aura de crasse – cheveux crasseux, peau crasseuse, cols et poignets crasseux. Pas mal de garçons avaient le visage couvert d'acné et abandonnaient leurs études en cours de route. Quelques filles, quand elles passaient le bac, arboraient des robes de grossesse.

Aussi, sans leurs pères, les trois garçons ne se seraient-ils sans doute jamais rencontrés. Pendant la semaine, ils ne traînaient pas ensemble, mais il y avait les samedis, et quelque chose lors de ces journées-là, qu'ils restent à jouer dans le jardin, errent parmi les tas de gravats derrière Harvest Street, ou sautent dans le métro pour aller en ville – pas pour voir quelque chose de particulier, juste pour le plaisir de se déplacer dans les tunnels sombres et d'entendre le bruit de ferraille et le sifflement des freins lorsque les wagons prenaient les tournants et que les lumières s'allumaient puis s'éteignaient –, donnait toujours à Sean le sentiment que le monde entier retenait son souffle. Quand on était avec Jimmy, il pouvait se passer n'importe quoi. S'il était au courant qu'il existait des règles – dans le métro, dans la rue, au cinéma –, il ne le montrait jamais.

Un jour, sur le quai de South Station, ils s'amusaient à s'envoyer une balle de hockey orange lorsque Jimmy avait manqué le lancer de Sean ; la balle avait alors atterri sur la voie. Avant même que Sean ait pu deviner ce que Jimmy avait en tête, celui-ci avait sauté en contrebas, au milieu des souris, des rats et des rails.

Dans la station, les gens étaient devenus hystériques. Ils appelaient Jimmy en hurlant. Une femme, le visage couleur de cendre, s'était penchée vers lui pour crier : « Remonte ! Remonte *tout de suite*, bonté divine ! » Et puis, Sean avait entendu un grondement sourd – peut-être produit par un train entrant dans le tunnel au niveau de Washington Street, ou peut-être par les camions roulant dans la rue au-dessus de leurs têtes –, et tout autour de lui, les gens l'avaient entendu aussi. Ils avaient agité les bras, jeté des regards frénétiques partout à la recherche d'un agent de police. Un homme avait placé sa paume devant les yeux de sa fille.

La tête baissée, Jimmy scrutait toujours la pénombre en-dessous du quai, où était partie la balle. Et puis, il avait fini par la retrouver. Il avait alors essuyé avec sa manche les saletés noirâtres à la surface, ignorant les gens agenouillés sur la ligne jaune, qui lui tendaient la main.

– Waouh, la vache ! avait lancé Dave d'une voix trop forte, en poussant Sean du coude.

Jimmy marchait au milieu des rails, en direction de l'escalier tout au bout de la plate-forme, près de l'ouverture béante et sombre du tunnel, lorsqu'un grondement plus puissant encore avait ébranlé la station, amenant les gens à littéralement *faire des bonds*, à taper du poing sur leurs hanches. Jimmy avait pris son temps – il se baladait, ni plus ni moins –, puis jeté un coup d'œil par-dessus son épaule et, accrochant le regard de Sean, il s'était fendu d'un grand sourire.

– Et il rigole, en plus ! s'était exclamé Dave. Il est complètement cinglé. Tu crois pas ?

Au moment où Jimmy atteignait la première marche en ciment, plusieurs mains l'avaient agrippé pour le hisser en sécurité. Sean avait vu les jambes de son copain se balancer vers la gauche, sa tête plonger vers la droite ; il avait l'air incroyablement petit et léger par rapport à l'homme corpulent qui l'avait saisi, comme s'il n'était qu'un pantin de paille, et pourtant, il serrait toujours fermement la balle contre sa poitrine, et il ne l'avait pas lâchée alors même que les gens lui attrapaient le coude et qu'il se cognait le tibia contre le bord de la plate-forme. À côté de lui, Sean avait senti Dave trembler, perdu. Puis il avait de nouveau regardé le visage des gens qui remontaient Jimmy, mais ce n'était plus l'angoisse ni la peur qui s'y reflétaient désormais, ni cette impuissance qu'il y avait décelée à peine une minute plus tôt. Non, il avait découvert la rage à l'état pur, des figures de monstres, des traits convulsés, déformés par la férocité – une meute déchaînée prête à s'abattre sur Jimmy pour lui arracher un morceau de chair, avant de le tabasser à mort.

Après avoir ramené Jimmy sur le quai, ses sauveteurs l'avaient maintenu un moment, leurs doigts s'enfonçant dans ses épaules, leurs regards exprimant l'indécision, comme s'ils attendaient qu'on leur dise ce qu'ils devaient faire. Quand le train avait surgi du tunnel, quelqu'un avait hurlé, mais tout de suite après, quelqu'un d'autre avait éclaté de rire – émettant une sorte de piaillement perçant qui avait évoqué pour Sean l'image de sorcières autour d'un chaudron –, car le train arrivait par l'autre côté de la station, en direction du nord, et Jimmy avait alors levé la tête vers tous les gens qui le retenaient, l'air de dire *Vous voyez ?*

Dave avait laissé échapper un gloussement suraigu avant de vomir dans ses mains.

Près de lui, Sean avait détourné les yeux en se demandant où était sa place dans tout cela.

Ce soir-là, le père de Sean le fit asseoir dans l'atelier, au sous-sol. L'atelier, c'était une pièce exiguë, avec des étaux noirs, des boîtes de café remplies de clous et de vis, du bois rangé en piles bien nettes sous l'établi balafré qui divisait la pièce en deux, des marteaux glissés dans des ceintures de charpentier comme des pistolets dans des holsters, une scie électrique pendue à un crochet. Le père de Sean, souvent sollicité dans le voisinage pour toutes sortes de travaux de bricolage, y descendait pour construire des nichoirs et des étagères à mettre aux fenêtres pour les fleurs de sa femme. Il y avait tracé les plans de la véranda à l'arrière de la maison, qu'il avait construite avec des copains lors d'un été torride quand Sean avait cinq ans. Il s'y réfugiait quand il aspirait au calme et à la tranquillité, et parfois aussi, Sean le savait, quand il était furieux – furieux contre son fils, contre sa femme ou contre son boulot. Les nichoirs – répliques miniatures d'édifices dans le style Tudor, colonial, victorien ou même de chalets suisses – finissaient entassés dans un coin de la cave, et il y en avait tellement qu'il leur aurait sans doute fallu vivre en Amazonie pour trouver assez d'oiseaux susceptibles d'en avoir l'utilité.

Sean se jucha sur le vieux tabouret de bar rouge et caressa l'intérieur de l'épais étau noir devant lui, sentant sous son index le mélange de graisse et de sciure sur l'acier, jusqu'au moment où son père prit la parole.

– Combien de fois il faudra que je te le dise, Sean?

Celui-ci retira son doigt, qu'il essuya sur la paume de son autre main.

Son père ramassa quelques clous épars sur l'établi et les plaça dans une boîte jaune.

– Je sais que tu aimes bien Jimmy Marcus, mais à partir de maintenant, si vous voulez jouer tous les deux, vous le ferez près de la maison. La tienne, je précise, pas la sienne.

Sean acquiesça d'un mouvement de tête. Discuter avec son père ne servait à rien quand il s'exprimait ainsi, avec calme et lenteur, comme s'il attachait une petite pierre à chacune de ses paroles pour leur donner plus de poids.

– On s'est bien compris, Sean?

Il poussa la boîte jaune vers sa droite avant de reporter son attention sur son fils.

De nouveau, Sean acquiesça en le regardant frotter ses doigts épais pour faire tomber la sciure collée au bout.

– Pendant combien de temps, Pa?

Son père leva le bras pour ôter une épaisse traînée de poussière sur un crochet fixé au plafond. Il secoua ensuite sa main au-dessus de la poubelle sous l'établi.

– Oh, a priori, un bon moment. Et, Sean?

– Oui, Pa?

– Évite d'aller te plaindre à ta mère sur ce coup-là. Elle ne veut même plus que tu revoies Jimmy après ses acrobaties d'aujourd'hui.

– Il est pas méchant, tu sais. Il est...

– Je n'ai pas dit le contraire. C'est juste que c'est une tête brûlée, et que les têtes brûlées, ta mère en a soupé dans sa vie.

Sean avait vu quelque chose briller dans le regard paternel quand il avait parlé de « tête brûlée », et compris que c'était l'autre Billy Devine qui lui était apparu, celui qu'il avait dû imaginer à partir de bribes de conversation surprises entre ses oncles et ses tantes : « ce bon vieux Billy », comme ils l'appelaient, « le cogneur », comme avait lancé un jour l'oncle Colm avec un sourire, le Billy Devine qui avait disparu avant la naissance de Sean, cédant la place à cet homme tranquille et pondéré dont les gros doigts agiles construisaient trop de nichoirs.

– N'oublie pas ce qu'on s'est dit, surtout, lui conseilla son père, avant de lui tapoter l'épaule pour lui signifier qu'il pouvait partir.

Après avoir quitté l'atelier, Sean traversa le sous-sol frais en se demandant s'il appréciait la compagnie de Jimmy pour la même raison que son père appréciait celle de M. Marcus, quand ils buvaient tous les deux du samedi jusqu'au dimanche, riaient trop brusquement et trop fort, et si c'était ce qui effrayait sa mère.

Quelques samedis plus tard, Jimmy et Dave Boyle se présentèrent chez les Devine sans le père de Jimmy. Les deux garçons frappèrent à la porte de derrière alors que Sean finissait son petit déjeuner, et il entendit sa mère ouvrir, puis dire « B'jour, Jimmy. B'jour, Dave », de ce ton poli réservé en général aux gens qu'elle n'était pas certaine d'avoir envie de voir.

Ce jour-là, Jimmy était calme. Toute cette énergie débridée était comme tassée à l'intérieur de son corps, au point que Sean avait presque l'impression de la sentir se cogner contre les parois de sa poitrine, forçant Jimmy à avaler pour l'empêcher de s'échapper. Il semblait plus petit, plus ténébreux aussi, et prêt à exploser à la moindre piqûre d'épingle. Sean l'avait déjà vu dans cet état. Jimmy avait toujours été lunatique. Pourtant, Sean était chaque fois désarçonné, et il en venait à se demander si Jimmy possédait un certain contrôle sur ces changements d'humeur, ou s'ils lui tombaient dessus à l'improviste, comme un mal de gorge et les cousins de sa mère, que ce soit le bon moment ou pas.

Et quand Jimmy était dans cet état, Dave Boyle devenait carrément insupportable. Il semblait penser que c'était à lui de se débrouiller pour que tout le monde soit content, ce qui finissait à la longue par porter sur les nerfs des uns et des autres.

Alors qu'ils se tenaient sur le trottoir, essayant de déterminer ce qu'ils allaient faire – Jimmy toujours replié sur lui-même, Sean toujours en train de se réveiller et tous trois gagnés par l'impatience à l'idée qu'ils avaient la journée devant eux mais ne pouvaient pas franchir les limites de la rue –, Dave lança soudain :

– Hé, vous savez pourquoi les chiens se lèchent les couilles ?

Ni Sean ni Jimmy ne se donnèrent la peine de répondre. Celle-là, ils l'avaient entendue, oh, peut-être mille fois.

– Parce que, eux au moins, ils y arrivent ! piailla Dave Boyle, qui se prit le ventre à deux mains, comme s'il avait mal tellement c'était drôle.

Jimmy se dirigea vers les tréteaux placés à l'endroit où les employés municipaux avaient remplacé plusieurs dalles de trottoir. Les ouvriers avaient attaché un ruban rouge et blanc à quatre tréteaux afin de former un rectangle, de créer une barrière protectrice autour des nouvelles dalles, mais Jimmy le cassa net en avançant droit dedans. Puis il s'accroupit, gardant ses Keds sur l'ancien trottoir, et se servit d'un bâton pour graver dans le ciment frais de fines lignes qui rappelèrent à Sean des doigts de vieillard.

– Mon père travaille plus avec le tien, annonça-t-il.

– Ah bon ? Pourquoi ?

Sean alla s'accroupir près de Jimmy. Il n'avait pas de bâton, mais il aurait bien aimé en avoir un. Il avait toujours envie d'imiter Jimmy, même s'il ne comprenait pas pourquoi, même s'il était sûr de recevoir une bonne raclée au cas où il céderait à la tentation.

Jimmy haussa les épaules.

– Bah, il était plus malin qu'eux. Il connaissait tellement de trucs que ça leur flanquait la frousse.

– Des trucs vachement intelligents, en plus, intervint Dave Boyle. Pas vrai, Jimmy ?

Pas vrai, Jimmy ? Pas vrai, Jimmy ? Certains jours, Dave se comportait comme un vrai perroquet.

– Quel genre de trucs ? s'enquit Sean en se demandant bien ce qu'il y avait tant à savoir sur les bonbons et quelle valeur pouvait avoir ce genre d'informations.

– Des trucs pour mieux faire tourner la baraque, répondit Jimmy. (Il n'avait pas l'air très convaincu, et il haussa de nouveau les épaules.) Des tas de trucs, quoi. Des trucs super-importants.

– Oh.

– Mouais, pour mieux faire tourner la baraque, renchérit Dave. Pas vrai, Jimmy ?

Celui-ci se remit à creuser le ciment. Dave Boyle, ayant déniché un bâton à son tour, commença à dessiner un cercle dans le ciment frais. Les sourcils froncés, Jimmy jeta son propre bout de bois. Dave s'interrompit et le dévisagea d'un air interrogateur, genre « Ben, qu'est-ce que j'ai fait ? »

– Vous savez ce qui serait cool ?

La voix de Jimmy avait monté d'un cran dans les aigus, causant une certaine effervescence dans le sang de Sean, sans doute parce que l'idée qu'avait Jimmy de ce qui était cool ne ressemblait en rien à celle de tout le monde.

– Non, quoi ?

– Conduire une bagnole, répondit Jimmy.

– Mouais, approuva lentement Sean.

– Tu vois, reprit Jimmy en ouvrant les paumes vers le ciel, le bâton et le ciment frais déjà oubliés, juste pour faire le tour du pâté de maisons.

– Juste le tour du pâté de maisons, répéta Sean.

– Ce serait cool, hein ? insista Jimmy, un sourire jusqu'aux oreilles.

Peu à peu, Sean sentit lui aussi un sourire naître, puis s'épanouir sur son visage.

– Sûr, ce serait cool.

– Même que ce serait, ben, plus cool que tout.

Jimmy sauta sur place, arqua les sourcils en direction de Sean, et sauta encore une fois.

– Rudement cool, confirma Sean, s'imaginant déjà placer les paumes sur le grand volant.

– Ouais, ouais, ouais, fit Jimmy en donnant un coup de poing dans l'épaule de Sean.

– Ouais, ouais, ouais, fit Sean en le lui rendant, galvanisé par cette force qui montait en lui, lui donnait le sentiment que tout était plus rapide, soudain, plus fluide aussi.

– Ouais, ouais, ouais, fit Dave, mais son coup de poing manqua l'épaule de Jimmy.

Pendant quelques instants, Sean avait complètement oublié sa présence. C'était souvent le cas, avec Dave Boyle. Sean ne savait pas pourquoi.

– Vachement cool, mouais ! lança Jimmy, qui éclata de rire et sautilla de plus belle.

De son côté, Sean s'y voyait. Ils étaient à l'avant (et Dave à l'arrière, si tant est qu'il se trouvait avec eux) et ils roulaient – deux gamins de onze ans sillonnant Buckingham, klaxonnant leurs copains, défiant les grands sur Dunboy Avenue, démarrant en trombe dans un grand crissement de pneus, laissant derrière eux des traces de caoutchouc sur l'asphalte et des nuages de fumée. Il avait même l'impression de sentir l'air s'engouffrer par la vitre et lui soulever les cheveux.

Jimmy fouilla du regard la rue.

– Y a pas quelqu'un dans le coin qui laisse ses clés dans sa bagnole ?

Ils étaient même plusieurs à le faire, Sean ne l'ignorait pas. M. Griffin cachait ses clés sous le siège, Dottie Fiore les rangeait dans la boîte à gants et le vieux Makowski, l'ivrogne qui écoutait trop fort des disques de Sinatra à toute heure du jour et de la nuit, ne pensait pas à les enlever du contact, la plupart du temps.

Mais alors qu'il suivait le regard de Jimmy et repérait les voitures qu'il savait abriter des clés, Sean fut assailli par une douleur sourde au niveau des yeux, et dans l'éclat du soleil impitoyable réfléchi par les capots et les coffres, il lui sembla soudain mesurer la pression de la rue, de ses maisons, du Point tout entier et des attentes placées en lui, Sean Devine. Il n'était pas du genre à voler des bagnoles. Un jour, il irait à l'université, et il se débrouillerait pour faire de sa vie quelque chose de grand, de mieux, que celle d'un contremaître ou d'un débardeur. C'était ça, son plan, et Sean était persuadé que les plans pouvaient fonctionner à condition de réfléchir, de se montrer patient aussi. Un peu comme quand on s'obligeait à regarder un film jusqu'à la fin, même s'il était ennuyeux ou confus. Parce qu'à la fin, il arrivait parfois que les choses soient expliquées, ou que le dénouement lui-même se révèle suffisamment intéressant pour ne pas regretter d'avoir supporté tout le reste avant.

Il faillit le dire à Jimmy, mais ce dernier, talonné par Dave, remontait déjà la rue en s'arrêtant près de chaque voiture pour jeter un coup d'œil à l'intérieur.

– Pourquoi pas celle-là ?

Jimmy posa la main sur la Bel Air de M. Carlton, et sa voix résonna avec force dans l'air balayé par un vent sec.

– Hé, Jimmy ? (Sean le rejoignit.) Une autre fois, peut-être. D'accord ?

La mine de Jimmy s'allongea, son visage parut s'affaisser.

– Qu'est-ce que tu racontes, Sean ? On a dit qu'on allait le faire maintenant. Ce sera marrant. Super cool. Tu te rappelles plus ?

– Ouais, super cool, répéta Dave.

– On peut même pas voir au-dessus du tableau de bord, objecta Sean.

– Des annuaires, déclara Jimmy en souriant dans la lumière du soleil. Suffit d'aller se servir chez toi.

– Ben oui, des annuaires, lança Dave. Génial !

Sean écarta les bras.

– Non. Sérieux, les gars.

Le sourire de Jimmy s'évanouit. Il regarda les bras de Sean comme s'il avait envie de les trancher net au niveau des coudes.

– Pourquoi tu veux jamais faire des trucs juste pour se marrer, hein ?

Il actionna la poignée de la Bel Air, mais elle était verrouillée. Pendant quelques secondes, les joues de Jimmy frémirent et sa lèvre inférieure se mit à trembler, puis il leva vers Sean un visage empreint d'une telle expression de solitude désespérée que celui-ci eut pitié de lui.

Dave tourna la tête vers Jimmy, et ensuite vers Sean. Soudain, son bras se détendit maladroitement et son poing atteignit Sean à l'épaule.

– Ouais, pourquoi tu veux jamais faire des trucs marrants, d'abord ? répéta-t-il à l'adresse de Sean.

Celui-ci n'arrivait pas à le croire. Dave venait de le frapper. Dave Boyle.

Il lui expédia en retour un direct dans la poitrine, et Dave tomba sur les fesses.

– Hé, qu'est-ce que tu fous ? s'écria Jimmy en bousculant Sean.

– Il m'a frappé, répondit Sean.

– Il t'a pas frappé, rétorqua Jimmy.

Incrédule, Sean écarquilla les yeux, pour être aussitôt imité par Jimmy.

– Il m'a frappé, je te dis.

– *Il m'a frappé*, répéta Jimmy d'une voix de fille, avant de bousculer de nouveau Sean. C'est mon putain de copain, t'entends ?

– Moi aussi, je suis ton copain, dit Sean.

– Moi aussi, chantonna Jimmy. Moi aussi, moi aussi, moi aussi...

Dave Boyle se releva en riant.

– Ça suffit ! lança Sean.

– Ça suffit, ça suffit, ça suffit... (Jimmy poussa Sean encore une fois, lui plaquant ses paumes sur les côtes.) Vas-y, casse-moi la gueule. Tu veux me casser la gueule ?

– Tu veux lui casser la gueule ?

À présent, c'était au tour de Dave de bousculer Sean.

Ce dernier n'avait aucune idée de la façon dont ils en étaient arrivés là. Il ne se rappelait même plus ce qui avait déclenché la colère de Jimmy ni pourquoi Dave avait été assez bête pour s'en prendre à lui. Ils étaient là, près de la voiture, et puis, il s'était passé quelque chose, et maintenant, ils se retrouvaient au milieu de la rue, où Jimmy le cherchait, le visage plissé et déformé par la rage, le regard noir et les yeux rétrécis, pendant que Dave y allait aussi de son grain de sel.

– Vas-y, insista Jimmy.

– Je ne...

Nouvelle bourrade.

– Allez, lopette.

– Écoute, Jimmy, on pourrait pas...

– Non, on peut pas. T'es qu'une poule mouillée, hein, Sean ? Pas vrai ?

Jimmy s'apprêtait à le pousser encore une fois quand soudain il se figea ; la même expression de solitude désespérée (et lasse, Sean s'en rendit soudain compte) s'inscrivit sur ses traits alors qu'il concentrait toute son attention sur un point dans la rue, derrière Sean.

C'était une voiture marron foncé, rectangulaire et tout en longueur, comme celles utilisées par les patrouilles de police – une Plymouth peut-être, ou quelque chose dans le genre –, dont le pare-chocs s'arrêta près de leurs jambes. Les deux flics à l'intérieur les regardèrent à travers le pare-brise, le visage rendu flou par le reflet ondoyant des arbres sur la vitre.

Sean eut soudain l'impression d'un brusque changement dans l'atmosphère de cette matinée, d'une altération dans la douceur de l'air.

Et puis, le conducteur descendit. Il ressemblait à un flic – cheveux blonds coupés en brosse, visage rougeaud, chemise blanche, cravate en nylon noir et or, le gros de sa bedaine retombant par-dessus son ceinturon comme une pile de pneus. L'autre avait l'air malade. Maigre, manifestement éreinté, il resta assis sur son siège, à se tenir la tête d'une main plaquée sur ses cheveux noirs et gras, observant dans le rétroviseur les trois garçons qui contournaient le véhicule pour s'approcher de la portière côté conducteur.

Le gros replia l'index, puis leur fit signe d'avancer jusqu'à ce qu'ils soient juste devant lui.

– Je vais vous poser une question, les gars, O.K. ? (Quand il se pencha, sa tête énorme emplit entièrement le champ de vision de Sean.) Vous trouvez ça bien de vous bagarrer en pleine rue ?

À cet instant, Sean remarqua le badge doré accroché au ceinturon du flic, près de sa hanche droite.

– Comment ? reprit l'homme, une main en coupe derrière son oreille. Vous avez dit quelque chose ?

– Non, m'sieur.

– Non, m'sieur.

– Non, m'sieur.

– Z'êtes vraiment qu'une bande de petits voyous. (De son énorme pouce, il indiqua le passager de la voiture.) Mon partenaire et moi, on en a ras la casquette des vauriens d'East Bucky qui chassent de la rue les honnêtes gens. Voyez ce que je veux dire ?

Sean et Jimmy ne bronchèrent pas.

– On regrette, murmura Dave Boyle, qui semblait sur le point de fondre en larmes.

– Vous vivez ici, les mômes ?

L'homme parcourut du regard toutes les maisons sur le trottoir de gauche, comme s'il en connaissait chaque occupant, comme s'il risquait d'embarquer les trois copains en cas de mensonge.

– Mouais, marmonna Jimmy, qui jeta par-dessus son épaule un coup d'œil en direction de la maison de Sean.

– Oui, m'sieur, répondit Sean.

Dave garda le silence.

Le flic reporta son attention sur lui.

– Hein ? T'as dit quelque chose, gamin ?

– Quoi ? fit Dave en cherchant le regard de Jimmy.

– T'occupe pas de ton pote. Occupe-toi de moi. (Le gros flic respirait bruyamment par les narines.) Alors, t'habites ici ?

– Euh, non.

– Non? répéta l'homme, qui se pencha vers lui. Dans ce cas, où t'habites, gamin?

– À Rester Street.

Regard toujours fixé sur Jimmy.

– La racaille des Flats vient traîner au Point? (Les lèvres rouge cerise du flic se tordirent comme s'il mangeait une sucette.) C'est forcément mauvais pour les affaires, ça, pas vrai?

– Comment, m'sieur?

– Ta mère est chez toi?

– Oui, m'sieur.

En voyant une larme rouler sur la joue de Dave, Sean et Jimmy détournèrent les yeux.

– Bon, on va causer un peu avec elle, la mettre au courant des exploits de son voyou de fils.

– Je... je ne..., bredouilla Dave.

– Monte.

Quand le flic ouvrit la portière arrière, Sean sentit soudain une odeur de pommes – une senteur piquante d'octobre.

Dave implora encore une fois Jimmy en silence.

– Monte, répéta le flic. Ou tu préfères que je te passe les menottes, peut-être?

– Je...

– *Quoi*, à la fin? (Le flic paraissait en rogne, à présent. Du plat de la main, il frappa le haut de la portière ouverte.) Monte dans cette putain de bagnole!

En pleurant, Dave grimpa sur la banquette arrière.

L'homme pointa un index boudiné en direction de Jimmy et de Sean.

– Allez donc raconter à vos chères mamans ce que vous fabriquiez. Et que je vous reprenne plus à vous bagarrer dans mes rues, sales petits merdeux!

Jimmy et Sean reculèrent, le flic se glissa au volant et démarra. Les deux garçons suivirent des yeux la voiture qui se dirigeait vers le croisement puis bifurquait vers la droite, alors que l'éloignement et les ombres rendaient de plus en plus indistinct le visage de Dave tourné vers eux. Et soudain, la rue fut de nouveau déserte, comme réduite au silence par le claquement de la portière. Jimmy et Sean, postés à l'endroit où la voiture s'était arrêtée, regardèrent leurs pieds, regardèrent à droite et à gauche, regardèrent partout pour éviter de se regarder.

De nouveau, Sean éprouva cette sensation de changement brutal d'atmosphère, accompagnée cette fois par un goût de piécettes sales dans la bouche. Son estomac lui semblait creux, comme évidé à la cuillère.

Et puis, Jimmy lâcha :

– C'est toi qui as commencé.

– C'est pas vrai, c'est lui.

– Non, c'est toi. Et maintenant, il est foutu. Sa mère a pas toute sa tête. Je te dis pas ce qu'il va prendre quand elle va le voir débarquer chez eux entre deux flics.

– N'empêche, c'est pas moi qui ai commencé.

Jimmy le bouscula, et cette fois, Sean le bouscula en retour, et en moins de temps qu'il ne fallait pour le dire, ils étaient de nouveau par terre, à rouler l'un sur l'autre et à se bourrer de coups de poing.

– Hé !

Sean s'écarta de Jimmy et tous deux se relevèrent, s'attendant à affronter une nouvelle fois les flics, au lieu de quoi ils virent M. Devine descendre les marches du perron pour se diriger vers eux.

– Qu'est-ce que vous fabriquez, bon sang ?

– Rien.

– Rien ? Tiens donc. (Le père de Sean fronça les sourcils en atteignant le trottoir.) Restez pas au milieu de la rue.

Les deux garçons le rejoignirent.

– Z'étiez pas trois, tout à l'heure ? demanda M. Devine en scrutant les alentours. Où est Dave ?

– Hein ?

– Dave. (Le père de Sean regarda tour à tour son fils et Jimmy.) Il n'était pas avec vous ?

– On s'est battus.

– Quoi ?

– On s'est battus, et après, les flics sont arrivés.

– Y a combien de temps ?

– Cinq minutes, à peu près.

– O.K. Donc, les flics sont arrivés.

– Et ils ont emmené Dave.

De nouveau, le père de Sean fouilla du regard la rue.

– Ils ont fait quoi ? Ils l'ont emmené, c'est ça ?

– Pour le reconduire chez lui, expliqua Jimmy. Moi, j'ai menti. J'ai dit que j'habitais ici. Mais Dave, il a dit qu'il habitait dans les Flats, et ils ont...

– Mais qu'est-ce que tu racontes, à la fin ? Sean ? À quoi ils ressemblaient, ces flics ?

– Hein ?

– Ils avaient un uniforme ?

– Non. Non, ils...

– Alors, comment t'as su que c'étaient des flics ?

– J'en savais rien. Ils...

– Ils quoi ?

– Y en avait un qui avait un badge, répondit Jimmy. À la ceinture.

– Quel genre de badge ?

– Euh, doré ?

– D'accord, mais qu'est-ce qu'il disait ?

– Comment ça ?

– Les mots écrits dessus. T'as pu les lire ?

– Non. Je me rappelle pas.

– Billy ?

D'un même mouvement, ils se tournèrent vers la mère de Sean qui venait d'apparaître sur la véranda, l'air à la fois tendu et intrigué.

– Chérie ? Appelle le poste de police, d'accord ? Demande-leur si deux de leurs hommes n'auraient pas embarqué un gosse sous prétexte qu'il se battait dans la rue.

– Quel gosse ?

– Dave Boyle.

– Oh, Seigneur ! Sa pauvre mère...

– On verra ça plus tard, O.K. ? Pour l'instant, ce qui compte, c'est d'avoir l'avis de la police.

Elle rentra. Sean leva les yeux vers son père. Il ne semblait pas savoir où mettre ses mains. Il les fourra dans ses poches, les en retira, puis les essuya sur son pantalon.

– Merde, c'est pas croyable, dit-il tout doucement en scrutant le bout de la rue comme si Dave y était toujours, tel un mirage tremblotant invisible pour Sean.

– Elle était marron.

– Pardon ?

– La voiture, précisa Sean. Elle était marron foncé. Et elle ressemblait à une Plymouth, je crois.

– Rien d'autre ?

Sean essaya de se la remémorer, mais en vain. Il ne la voyait que comme quelque chose qui avait bloqué son champ de vision sans y pénétrer. Elle avait masqué la Pinto orange de Mme Ryanet et la moitié inférieure de ses haies, et pourtant, Sean ne parvenait pas à la distinguer.

– Elle sentait la pomme, ajouta-t-il.

– Quoi ?

– La pomme. La voiture sentait la pomme.

– Elle sentait la pomme, répéta son père.

Une heure plus tard, dans la cuisine des Devine, deux autres flics posèrent à Sean et à Jimmy toute une flopée de questions, puis un troisième les rejoignit, qui ébaucha le portrait des hommes dans la voiture marron en se basant sur les indications fournies par les deux garçons. Le gros flic blond paraissait encore plus sournois sur la feuille de dessin, et son visage était trop large, mais hormis ces détails, c'était bien lui. Le second type, celui qui avait gardé les yeux fixés sur le rétroviseur, ne ressemblait pas à grand-chose – juste à une tache floue surmontée d'une chevelure noire –, car ni Sean ni Jimmy n'en conservaient un souvenir précis.

Arrivé sur ces entrefaites, le père de Jimmy se tenait dans un coin de la cuisine, l'air à la fois furieux et absent, les yeux larmoyants, le corps oscillant légèrement comme si le mur derrière lui ne cessait de bouger. Il n'adressa pas la parole au père de Sean et personne ne la lui adressa. Privé de sa capacité habituelle à se mouvoir rapidement, il semblait plus petit à Sean, moins réel aussi, d'une certaine manière, comme s'il risquait à tout moment de se fondre dans le papier peint.

Après avoir passé en revue les faits au moins quatre ou cinq fois, tout le monde s'en alla – les flics, le type qui avait dessiné les portraits, Jimmy et son père. La mère de Sean s'enferma dans sa chambre, et quelques minutes plus tard, Sean entendit des pleurs assourdis derrière la porte.

Il alla s'asseoir sur la véranda, où son père lui assura qu'il n'avait rien à se reprocher, que Jimmy et lui avaient été bien avisés de ne pas monter dans cette voiture. Il lui tapota le genou en disant que tout finirait par s'arranger. *Dave sera chez lui ce soir. Tu verras.*

Et puis, son père se tut. Il était toujours assis près de lui, à boire sa bière, mais Sean le sentait ailleurs, peut-être dans la chambre du fond avec sa femme, ou peut-être dans son atelier, au milieu de ses nichoirs.

Sean laissa son regard se perdre parmi les rangées de voitures garées dans la rue, accrocher le reflet éblouissant de leurs tôles. Et il se dit que ce qui venait de se produire – tout ce qui venait de se produire – s'inscrivait dans une logique. C'était juste qu'il ne comprenait pas encore laquelle. Mais un jour, il y parviendrait. Le flot d'adrénaline qui circulait dans ses veines depuis le départ de Dave et le moment où Jimmy et lui avaient roulé sur la chaussée reflua enfin, s'évacuant par tous ses pores aussi soudainement que s'il avait tiré la chasse pour l'éliminer.

Il posa les yeux à l'endroit où, avec Jimmy et Dave Boyle, ils s'étaient battus près de la Bel Air, et il attendit que se remplissent de nouveau les vides laissés en lui quand l'adrénaline avait déserté son corps. Il attendit que les pièces du puzzle se rassemblent pour former un tout cohérent. Il attendit, observa la rue, en éprouva la vibration et attendit encore, jusqu'à ce que son père se lève, jusqu'à ce qu'ils rentrent tous les deux.

Jimmy se dirigeait vers les Flats à la suite de son père. Celui-ci titubait légèrement, fumait ses cigarettes jusqu'au bout, qu'il pinçait entre deux doigts, et marmonnait dans sa barbe. De retour à la maison, il lui collerait peut-être une raclée, ou peut-être pas, il était encore trop tôt pour se prononcer. Quand il avait perdu son boulot, son paternel lui avait ordonné de ne plus jamais remettre les pieds chez les Devine, et Jimmy se disait qu'il allait devoir payer pour cette infraction à la règle. Mais plus tard, sans doute. Jimmy percevait chez son père cette ivresse somnolente habituelle, signifiant qu'il allait s'asseoir à la table de la cuisine dès qu'ils rentreraient, et boire jusqu'à s'écrouler, la tête sur les bras.

Il marchait cependant à quelques pas de distance, par précaution, et jetait en l'air une balle qu'il rattrapait dans le gant volé chez Sean alors que les flics faisaient leurs adieux aux Devine, et que personne ne disait ne serait-ce qu'un mot à Jimmy et à son père qui s'engageaient dans le couloir pour quitter la maison. En passant devant la chambre de Sean, dont la porte était ouverte, Jimmy avait vu le gant abandonné par terre, avec une balle à l'intérieur, et il l'avait ramassé prestement avant de sortir. Il n'avait pas la moindre idée de ce qui l'avait poussé à voler ce gant. Certainement pas le désir de voir cette étincelle de fierté étonnée qu'il avait remarquée dans les yeux de son père au moment où il s'en emparait. Ça, il s'en foutait. Son vieux, il s'en foutait.

Non, c'était plutôt en rapport avec la réaction de Sean frappant Dave Boyle, son refus de voler la bagnole, et aussi d'autres trucs du même genre qui s'étaient produits depuis un an qu'ils étaient copains, avec ce sentiment que tout ce que donnait Sean – des cartes de base-ball, la moitié d'une barre chocolatée, n'importe quoi – s'apparentait à une aumône.

Au début, quand il était parti avec le gant, Jimmy exultait. Il triomphait. Un peu plus tard, au moment de traverser Buckingham Avenue, il s'était senti envahi par une honte et un embarras familiers, comme chaque fois qu'il volait quelque chose, et aussi par la colère contre ce qui le forçait à agir de la sorte. Et puis, encore un peu plus tard, alors qu'il descendait Crescent Street en direction des Flats, c'était un élan de fierté qu'il avait éprouvé en voyant les petits immeubles minables et le trophée dans sa main.

Jimmy avait pris ce gant, et il s'en voulait. Sean le chercherait partout. Jimmy avait pris ce gant, et il s'en réjouissait. Sean le chercherait partout.

Il regarda son père zigzaguer devant lui, menaçant de s'écrouler à tout moment ou de se liquéfier, et il comprit qu'il détestait Sean.

Oui, il le détestait, et il avait été stupide de penser qu'ils auraient pu devenir copains. Ce gant, il le garderait toute sa vie, il en prendrait soin, ne le montrerait à personne, et surtout, il ne s'en servirait jamais. Pas une fois. Plutôt crever.

Il contempla les Flats qui s'étendaient devant lui au moment où il passait avec son père dans l'ombre du métro aérien, puis se rapprochait de l'endroit où Crescent Street atteignait son plus bas niveau, accompagné par le grondement des trains de marchandises sur la voie ferrée près du vieux drive-in miteux et du Penitentiary Channel au-delà, et il sut soudain, au plus profond de lui, tout au fond de son cœur, qu'il ne reverrait plus Dave Boyle. Là où habitaient les Marcus, à Rester Street, il y avait des vols en permanence. Jimmy s'était fait faucher son tricycle quand il avait quatre ans, son vélo quand il en avait huit. Son paternel y avait laissé une voiture. Et sa mère mettait désormais le linge à sécher à l'intérieur tellement on lui avait piqué de vêtements sur la corde d'étendage dehors. Mais se faire voler un truc, ce n'était pas comme le perdre. On avait alors cette certitude en soi qu'il ne réapparaîtrait jamais. Et c'était exactement ce qu'il ressentait vis-à-vis de Dave. Et peut-être ce que ressentait Sean en ce moment même vis-à-vis de son gant de base-ball, alors qu'il regardait l'endroit où il l'avait laissé, sachant déjà, en dehors de toute logique, qu'il ne le reverrait pas.

Et c'était vraiment triste, car Jimmy aimait bien Dave, pour des raisons qui lui échappaient en grande partie. Mais c'était juste qu'il avait quelque chose d'attachant – peut-être sa façon d'être toujours là, même si la plupart du temps, on ne s'en apercevait pas.

2

Quatre jours

En l'occurrence, Jimmy se trompait.

Dave Boyle reparut dans le quartier quatre jours après sa disparition. Il revint installé à l'avant d'une voiture de police. Les deux flics qui le ramenaient le laissèrent jouer avec la sirène et toucher la crosse du fusil fixé sous le tableau de bord. Ils lui donnèrent un badge à titre honorifique, et lorsqu'ils arrivèrent devant l'immeuble de sa mère à Rester Street, les journalistes de la presse et de la télévision étaient là pour immortaliser l'événement. Un des policiers, l'agent Eugene Kubiaki, prit Dave dans ses bras pour le faire sortir de la voiture et lui balança les jambes bien haut au-dessus du trottoir avant de le déposer devant sa mère qui pleurait, riait et tremblait tout à la fois.

Il y avait foule à Rester Street ce jour-là – parents, enfants, un facteur, les deux frères rondouillards qui possédaient la sandwicherie à l'angle de Rester et de Sydney, et même miss Powell, l'institutrice de Dave et de Jimmy à Looey & Dooey. Jimmy se tenait près de sa mère. Celle-ci lui plaquait l'arrière du crâne contre son ventre et lui pressait une paume moite sur le front comme pour s'assurer qu'il n'attraperait pas ce qui avait contaminé Dave, et Jimmy éprouva un pincement de jalousie quand l'agent Kubiaki souleva Dave dans les airs, quand tous deux se mirent à rire tels de vieux copains tandis que la jolie miss Powell battait des mains.

« J'ai failli monter dans cette voiture, moi aussi », avait envie de dire Jimmy à qui voulait l'entendre. Surtout, il avait envie de le dire à miss Powell. Elle était si jolie, si soignée, et lorsqu'elle éclatait de rire, elle révélait une dent du haut légèrement de travers, ce qui la rendait encore plus belle aux yeux de Jimmy. Il avait envie de lui dire qu'il avait failli monter dans cette voiture pour voir si son regard se nuançait de cette même expression dont elle gratifiait Dave en cet instant. Il avait envie de lui dire qu'il pensait à elle tout le temps, et que dans ses pensées, il était plus vieux, capable de conduire, de l'emmener en des lieux où elle lui souriait beaucoup, où ils pique-niquaient, où elle s'esclaffait à chacune de ses remarques, exposant cette dent, et lui effleurait le visage de sa paume.

Mais miss Powell ne se sentait pas à l'aise, Jimmy s'en rendait bien compte. Après avoir adressé quelques mots à Dave, caressé sa figure et embrassé sa joue – elle l'embrassa *deux fois* –, elle s'écarta pour laisser d'autres personnes s'approcher, puis demeura immobile sur le trottoir fissuré, à observer les petits immeubles penchés dont le papier goudronné se détachait, révélant la charpente en dessous, et Jimmy lui trouva l'air plus jeune, plus dur aussi, avec soudain quelque chose d'une bonne sœur, alors qu'elle se touchait les cheveux comme s'il s'agissait d'un voile et plissait son petit nez retroussé, manifestement prête à porter un jugement.

Jimmy aurait aimé la rejoindre, mais sa mère le serrait toujours contre elle, ignorant ses contorsions pour se dégager, et brusquement, miss Powell se dirigea vers le croisement entre Rester et Sydney, où elle fit de grands signes à quelqu'un. Quelques instants plus tard, un gars style hippie arrêta près d'elle une décapotable jaune style hippie avec des fleurs violet délavé peintes sur ses portières décolorées par le soleil, miss Powell y prit place et ils s'éloignèrent tous les deux sous les yeux de Jimmy, qui songea : Oh non.

Enfin, il parvint à se libérer de l'étreinte maternelle. Planté au milieu de la rue, il contempla la foule massée autour de son copain, et il en vint à regretter de ne pas être monté dans cette voiture, ne serait-ce que pour sentir lui aussi cette adoration dont Dave faisait l'objet, pour voir tous ces regards braqués sur lui comme s'il était spécial.

Une atmosphère de fête régnait sur Rester Street, tout le monde courant de caméra en caméra avec l'espoir de passer à la télé ou de figurer dans les journaux du matin – « Sûr, je connais Dave, c'est mon meilleur copain, on a grandi ensemble, vous comprenez, il est formidable, béni soit le Seigneur de nous l'avoir rendu sain et sauf... »

Et puis, quelqu'un ouvrit une bouche d'incendie, l'eau gicla sur la chaussée avec la force d'un soupir de soulagement, et les plus jeunes abandonnèrent leurs chaussures dans le caniveau, retroussèrent leurs bas de pantalon et se mirent à danser sous le jet puissant. Quand le marchand de glaces arriva, Dave eut le droit de choisir tout ce qu'il voulait, cadeau de la maison, et même M. Pakinaw – un vieux veuf méchant comme la gale qui tirait sur les écureuils avec une carabine à air comprimé (et parfois aussi sur les enfants quand leurs parents ne regardaient pas) et criait tout le temps aux gens « d'arrêter leur putain de boucan, merde ! » – s'en mêla, ouvrant ses fenêtres et plaçant ses enceintes près des moustiquaires, de sorte que bientôt, on entendit Dean Martin chanter *Memories Are Made of This*, *Volare* et toutes sortes de trucs guimauve qui, en temps normal, auraient fait vomir Jimmy, mais semblaient parfaitement appropriés ce jour-là. Ce jour-là, la musique flottait sur Rester Street telles des banderoles multicolores en papier crépon. Elle se mélangeait au jaillissement de l'eau crachée par la bouche d'incendie. Certains des gars qui organisaient les parties de cartes au fond de la sandwicherie des deux frères apportèrent une table pliante ainsi qu'un petit barbecue, quelqu'un d'autre alla chercher des glacières pleines de Schlitz et de Narragansett, et l'air ne tarda pas à se charger des odeurs de saucisses et de merguez grillées – des odeurs de fumée et de viande cuite qui, combinées à celle des boîtes de bière ouvertes, évoquaient pour Jimmy le stade de Fenway Park, les dimanches d'été et cette joie fébrile qui lui serrait la poitrine lorsque les adultes se détendaient enfin et se comportaient plutôt comme des mômes, tous riant, tous paraissant plus jeunes, plus gais et heureux d'être ensemble.

C'était ce que Jimmy, même au plus fort de ses accès de haine pure – quand son père lui avait collé une raclée, ou quand il s'était fait voler un truc auquel il tenait –, aimait dans ce quartier : la façon dont ses habitants pouvaient soudain effacer une année de souffrances, de récriminations, de lèvres fendues, de soucis de boulot ou de vieilles rancunes et juste décider d'en profiter, comme si rien de mauvais ne s'était jamais produit dans leur vie. Pour la Saint-Patrick, Buckingham Day et parfois aussi le 4 Juillet, ou quand les Sox jouaient bien en septembre, ou encore, comme maintenant, lorsque quelque chose de collectivement perdu était retrouvé – et surtout dans ces moments-là –, il arrivait qu'une sorte de folie s'empare des Flats.

Ce qui n'était pas du tout le cas dans le Point. Dans le Point, ils organisaient aussi des fêtes entre voisins, évidemment, mais elles étaient toujours prévues longtemps à l'avance, les autorisations nécessaires étaient toujours obtenues, et chacun veillait à ce qu'on fasse attention aux voitures, à ce qu'on fasse également attention aux pelouses – « Méfiez-vous, je viens juste de repeindre cette clôture. »

Dans les Flats, la moitié des habitants n'avaient pas de pelouses, et toutes les clôtures s'affaissaient, alors pourquoi s'emmerder la vie ? Quand on voulait faire la fête, on la faisait, un point c'est tout, parce que, merde, on l'avait bien mérité. Pas de patrons dans les parages aujourd'hui. Pas d'enquêteurs des services sociaux ni de gros bras envoyés par les usuriers. Quant aux flics, eh bien, il y en avait ce jour-là, qui s'amusaient comme tout le monde, l'agent Kubiaki allant se servir lui-même une saucisse épicée sur le barbecue, son partenaire empochant une bière pour plus tard. Les journalistes étaient tous retournés chez eux, et le soleil se couchait, baignant la rue d'une clarté annonciatrice du dîner, mais aucune femme ne s'activait à ses fourneaux, et tout le monde était dehors.

Sauf Dave. Dave avait disparu, constata Jimmy alors qu'il s'écartait du jet d'eau, puis essorait ses bas de pantalon et enfilait de nouveau son

T-shirt avant d'aller prendre place dans la file en attente d'un hot-dog. La fête en son honneur battait son plein, mais Dave avait dû rentrer avec sa mère, et lorsque Jimmy leva les yeux vers leurs fenêtres au deuxième étage, il découvrit les stores baissés, comme abandonnés.

Pour quelque obscure raison, ces stores baissés lui firent penser à miss Powell quand elle avait grimpé dans la décapotable style hippie, et au souvenir de sa cheville droite entraperçue juste avant qu'elle ne claque la portière, il se sentit à la fois sale et triste. Où allait-elle ? Est-ce qu'elle roulait sur l'autoroute en ce moment même, avec le vent qui déferlait dans ses cheveux comme la musique déferlait dans Rester Street ? La nuit allait-elle se refermer sur eux dans cette décapotable hippie alors qu'ils se dirigeaient vers... où, au juste ? Jimmy aurait bien voulu le savoir, mais en même temps, il n'y tenait pas. Il la verrait à l'école le lendemain – à moins qu'on ne leur accorde un jour de congé pour célébrer le retour de Dave –, et il aurait envie de lui poser la question, mais il ne le ferait pas.

Jimmy alla s'asseoir sur le trottoir en face de chez Dave pour manger tranquillement son hot-dog. Il en avait avalé la moitié lorsqu'un des stores se releva, révélant son copain derrière la vitre, qui le regardait. Jimmy brandit la moitié de son hot-dog en guise de salut, une première fois, puis une seconde, mais sans que Dave réagisse. Il se contentait de le regarder. Il le regardait, et bien que Jimmy ne puisse pas distinguer ses yeux, il devinait le vide en eux. Le vide, et aussi la culpabilité.

Et puis, Dave s'écarta de la fenêtre quand la mère de Jimmy s'assit à côté de lui sur le trottoir. C'était une petite femme menue aux cheveux d'un blond presque blanc. Malgré sa minceur, elle se déplaçait avec peine, donnant l'impression qu'elle portait des tonnes de briques sur les épaules, et elle soupirait beaucoup, et de manière telle que Jimmy la soupçonnait de ne même pas s'en rendre compte. Il lui arrivait parfois de jeter un coup d'œil aux photos d'elle prises avant qu'elle ne soit enceinte de lui, où elle avait l'air beaucoup moins maigre et beaucoup plus jeune, comme une adolescente (ce qu'elle était alors, lorsqu'il faisait le calcul). Son visage était plus rond sur les clichés, dépourvu de rides au coin des yeux ou sur le front, et elle arborait ce beau sourire épanoui qui semblait juste teinté d'un soupçon de peur, ou peut-être de curiosité, Jimmy n'aurait su le dire. Son père lui avait répété un bon millier de fois qu'il avait bien failli la tuer en venant au monde, qu'elle avait saigné, et saigné encore, au point que les médecins s'étaient demandé si l'hémorragie allait s'arrêter. L'épreuve l'avait anéantie, avait ajouté son père. Sans compter, bien sûr, qu'il n'y aurait plus de bébés. Personne ne voulait revivre des moments pareils.

Elle posa une main sur le genou de Jimmy.

– Alors, comment ça va, G.I. Joe ? demanda-t-elle.

Sa mère lui donnait toujours différents surnoms, souvent surgis de nulle part, sans que Jimmy sache, la plupart du temps, à qui elle faisait allusion.

Il haussa les épaules.

– Ça va.

– Tu n'as pas adressé la parole à Dave.

– Tu m'as pas lâché, m'man.

Elle ôta sa main, puis croisa les bras pour se protéger de la fraîcheur qui s'accentuait avec la tombée de la nuit.

– Je voulais dire, après. Quand il était encore dehors.

– Je le verrai en classe demain.

Sa mère retira ses Kent de la poche de son jean, en alluma une et se dépêcha de souffler la fumée.

– À mon avis, demain, il n'ira pas.

Jimmy termina son hot-dog.

– Ben, alors, une autre fois. D'ac ?

Elle hocha la tête, souffla encore un peu de fumée, appuya le coude dans sa paume et leva les yeux vers les fenêtres de Dave.

– Comment s'est passée l'école, aujourd'hui ? s'enquit-elle, sans paraître vraiment intéressée par la réponse.

De nouveau, Jimmy haussa les épaules.

– Pas trop mal.

– J'ai rencontré ton institutrice, tout à l'heure. Elle est mignonne.

Jimmy garda le silence.

– Mouais, drôlement mignonne, répéta sa mère dans un long ruban gris de fumée exhalée.

Jimmy se taisait toujours. La plupart du temps, il n'avait rien à dire à ses parents. Sa mère était tellement usée... Elle contemplait des endroits invisibles pour lui, fumait ses cigarettes, et le plus souvent, il devait répéter plusieurs fois la même chose avant qu'elle ne l'entende. Son père était en général d'une humeur massacrante, et même quand il ne l'était pas, quand il lui arrivait de se montrer plutôt drôle, Jimmy le savait capable de se transformer à tout moment en ivrogne hargneux et de le gifler pour quelque chose dont il aurait pu rire une demi-heure plus tôt. Et Jimmy savait aussi qu'il aurait beau vouloir à toute force prétendre le contraire, il mêlait en lui des aspects de sa mère et de son père – les longs silences maternels et les brusques accès de colère paternels.

Lorsque Jimmy ne se demandait pas ce qu'il ressentirait à être le petit ami de miss Powell, il se demandait parfois ce qu'il ressentirait à être son fils.

Sa mère l'observait, désormais, la cigarette immobile à hauteur de son oreille, les yeux rétrécis et le regard scrutateur.

– Quoi ? fit-il, avant d'esquisser un sourire embarrassé.

– Tu as un sourire du tonnerre, Cassius Clay.

Elle le lui rendit.

– Ah bon ?

– Mouais. Tu seras un vrai bourreau des cœurs.

– Si tu le dis, répliqua Jimmy, ce qui les fit rire tous les deux.

– Tu pourrais te montrer un peu plus bavard, reprit sa mère.

« Toi aussi », eut-il envie de répondre.

– Mais c'est pas grave, reprit-elle. Les femmes aiment les hommes du genre taciturne.

Par-dessus l'épaule de sa mère, Jimmy vit son père tituber en sortant de chez eux, les vêtements fripés et le visage bouffi par le sommeil, l'alcool, ou les deux réunis. Il le vit ensuite contempler la foule devant lui comme s'il ne parvenait pas à comprendre la raison de toute cette animation.

Sa mère suivit son regard, et lorsqu'elle reporta son attention sur lui, elle avait de nouveau l'air vidé, toute expression de joie ayant si totalement disparu de son visage qu'on se demandait si elle avait su sourire un jour.

– Hé, Jim ?

Il adorait qu'elle l'appelle « Jim ». Il avait alors l'impression qu'ils étaient tous les deux complices de quelque chose.

– Oui ?

– Je suis vraiment contente que tu ne sois pas monté dans cette voiture, bébé.

Quand elle se pencha pour l'embrasser sur le front, Jimmy remarqua qu'elle avait les yeux brillants, mais déjà, elle se levait pour aller rejoindre d'autres mères, le dos tourné à son mari.

Jimmy leva la tête et aperçut de nouveau Dave posté à la fenêtre, éclairé désormais par une douce lumière jaune quelque part dans la pièce derrière lui. Cette fois, Jimmy ne tenta même pas de le saluer. Maintenant que la police et les journalistes avaient déserté les lieux, et que la fête en était arrivée au stade où personne ne se rappelait plus ce que l'on fêtait au juste, Jimmy avait l'impression de sentir Dave dans cet appartement, seul avec sa folle de mère, environné de murs bruns et de faibles lumières jaunes, complètement coupé des réjouissances dans la rue en contrebas.

Une nouvelle fois, il fut heureux de ne pas être monté dans cette voiture.

« Foutu. » C'était ce que le père de Jimmy avait dit à sa mère la veille au soir :

– Même si on le retrouve vivant, ce pauvre gosse est foutu. Il ne sera jamais plus le même.

Et puis, Dave leva une main. Il la maintint au niveau de son épaule un long moment, et quand Jimmy agita la sienne en retour, il sentit une étrange tristesse s'insinuer en lui, se frayer un chemin jusqu'au plus profond de son cœur puis se répandre dans tout son être par petites vagues. Il ne savait pas si cette tristesse était liée à son père, à sa mère, à miss Powell, à cet endroit ou à Dave qui gardait sa main immobile derrière la vitre, mais quelle qu'en soit la cause – une de ces choses ou toutes –, elle ne le quitterait plus jamais, il en avait la certitude. Jimmy, assis sur ce trottoir, avait onze ans, mais il n'avait plus l'impression d'être un enfant. Il avait l'impression d'être vieux. Aussi vieux que ses parents, aussi vieux que la rue.

Foutu, songea Jimmy, qui laissa retomber son bras. Il vit encore Dave lui adresser un léger hochement de tête, puis baisser le store avant de retourner dans cet appartement aux murs bruns dont seul le tic-tac des pendules troublait le silence, et Jimmy sentit la tristesse s'enraciner en lui, se blottir parmi ses entrailles comme dans un nid douillet, et cette fois, il ne tenta même pas de souhaiter qu'elle s'en aille, car une partie de lui avait déjà compris que cela ne servait à rien.

Il se redressa, sans avoir la moindre idée de ce qu'il comptait faire. Il était démangé par le besoin de casser quelque chose ou de se lancer dans quelque chose d'inédit et de dingue. Mais son estomac gargouilla, lui rappelant qu'il avait toujours faim, et il retourna chercher un autre hot-dog, espérant qu'il en resterait.

Pendant quelques jours, Dave Boyle devint une célébrité mineure, non seulement dans le quartier, mais aussi dans tout l'État. Le lendemain matin, le *Record American* titrait : LE PETIT DISPARU EST RETROUVÉ SAIN ET SAUF. La photographie au-dessus de la pliure montrait Dave assis devant chez lui, les bras maigres de sa mère serrés sur sa poitrine, entouré par une bande de gamins des Flats grimaçant devant l'objectif, et tout le monde avait l'air heureux – sauf la mère de Dave, qui semblait avoir raté son bus par une journée glaciale.

Moins d'une semaine plus tard, ces mêmes gosses qui figuraient avec lui à la une du journal le traitaient comme un pestiféré. Lorsque Dave les regardait, il décelait sur leurs visages une malveillance dont il n'était pas certain qu'ils comprennent la cause mieux que lui. Sa mère affirmait qu'ils la tenaient vraisemblablement de leurs parents – « ... et ne fais pas attention à eux, Davey, ils vont finir par se lasser, par oublier toute cette histoire, et l'année prochaine, vous serez de nouveau tous copains. »

Dave se bornait à acquiescer en se demandant toutefois s'il y avait quelque chose en lui – une marque sur ses traits invisible pour lui – qui donnait envie aux autres de lui faire du mal. Comme ces hommes dans la voiture.

Pourquoi l'avoir choisi, lui ? Comment avaient-ils su qu'il les accompagnerait, mais que Jimmy et Sean refuseraient ? Avec le recul, c'est ainsi que Dave voyait les choses : ces hommes (et il connaissait leurs noms, ou du moins, les noms dont ils se servaient entre eux, mais il ne pouvait se résoudre à les employer) avaient deviné que ni Sean ni Jimmy ne seraient montés dans leur voiture sans résister. Sean se serait précipité chez lui, sûrement en criant, et quant à Jimmy... Eh bien, il leur aurait fallu l'assommer pour pouvoir l'emmener. Gros Loup avait même dit, après quelques heures de route :

– T'as vu ce môme avec le T-shirt blanc ? Comme il me regardait, sans vraiment avoir peur ni rien ? Ce gosse-là, un de ces jours, il va foutre en l'air quelqu'un, et il en perdra pas le sommeil pour autant.

Son partenaire, Loup Miteux, avait souri.

– J'aime bien qu'on me donne un peu de fil à retordre.

Gros Loup avait remué la tête.

– Il aurait été capable de t'arracher le pouce d'un coup de dents si t'avais essayé de le faire monter dans la bagnole. Il l'aurait tranché net, ce petit merdeux.

C'était plus facile pour Dave de leur donner des noms stupides : Gros Loup et Loup Miteux. C'était plus facile de les considérer comme des monstres, des loups déguisés en êtres humains, et de se considérer lui-même comme le personnage d'une histoire : le Petit Garçon Enlevé par les Loups. Le Petit Garçon qui s'était Échappé en se frayant un chemin à travers bois jusqu'à une station Esso. Le Petit Garçon Malin qui était resté Calme, à l'affût d'une issue.

Mais à l'école, il n'était que le Petit Garçon Enlevé, et tout le monde essayait d'imaginer ce qui avait bien pu se passer au cours de ces quatre journées perdues. Dans les toilettes, un matin, un élève de CM2 nommé Junior McCaffery se glissa à côté de Dave en lançant :

– Ils t'ont obligé à sucer ?

Et tous ses copains de rire et d'émettre des bruits mouillés.

Les doigts tremblants, les joues en feu, Dave baissa sa braguette puis se tourna vers Junior McCaffery en s'efforçant de prendre un air mauvais. Fronçant les sourcils, Junior le gifla en pleine figure.

Le claquement résonna avec force dans les toilettes. Un autre élève gloussa comme une fille.

– T'as quelque chose à me dire, tapette ? persifla Junior. Hein ? Tu veux encore une baffe, pédé ?

– Il chiale, cria quelqu'un.

– C'est vrai, en plus ! piailla Junior McCaffery.

Les larmes de Dave redoublèrent. L'engourdissement de sa joue se muait peu à peu en brûlure, mais ce n'était pas la douleur qui l'affectait. Il n'y avait jamais été vraiment sensible, et il n'avait jamais pleuré à cause d'elle, même le jour où il était tombé de son vélo et s'était ouvert la cheville en accrochant la pédale dans sa chute, ce qui lui avait valu sept points de suture. Non, c'était toute la gamme d'émotions émanant des garçons dans les toilettes qui l'atteignait de plein fouet. Haine, dégoût, colère, mépris. Autant d'armes dirigées contre lui. Sans qu'il puisse se l'expliquer. Il n'avait jamais cherché d'ennuis à personne de toute sa vie. Pourtant, les autres le haïssaient. Et cette haine le plaçait en position d'orphelin. Le forçait à se sentir sale, coupable et minuscule, et il pleurait parce qu'il ne voulait pas éprouver ce genre de sentiments.

Tous se moquaient de ses sanglots. Junior dansa autour de lui un moment, les traits déformés par une série de grimaces tandis qu'il singeait les hoquets de Dave. Lorsque celui-ci parvint enfin à se ressaisir, à réduire ses pleurs à quelques reniflements, Junior le gifla de nouveau, sur la même joue, avec la même force.

– Regarde-moi, ordonna-t-il à Dave, qui ne put réprimer un nouvel afflux de larmes. Regarde-moi.

Dave leva les yeux, espérant voir un peu de compassion, d'humanité ou même de pitié sur le visage de son assaillant – il allait finir par avoir pitié de lui –, mais il n'eut droit qu'à une expression de hargne moqueuse.

– Mouais, reprit Junior, t'as sucé.

Il fit mine de lui décocher une autre claque, et Dave baissa la tête en se raidissant, mais déjà, Junior s'éloignait avec ses copains dans un concert de gros rires.

Dave se souvint alors d'une remarque que M. Peters, un ami de sa mère qui venait coucher chez eux de temps à autre, lui avait faite un jour : « Y a deux choses qu'on doit jamais accepter d'un homme : ses crachats ou ses gifles. Les deux sont pires qu'un coup de poing, et si un homme t'inflige l'un ou l'autre, tue-le si tu peux. »

Assis par terre dans les toilettes, Dave en vint à souhaiter l'avoir en lui, ce désir de tuer. Il commencerait sans doute par régler son compte à Junior McCaffery, puis s'en prendrait à Gros Loup et à Loup Miteux s'il croisait de nouveau leur chemin. Mais à vrai dire, il ne s'en croyait pas capable. Il ne savait pas pourquoi les gens se montraient aussi méchants les uns envers les autres. Il ne comprenait pas. Non, il ne comprenait pas.

Après l'incident des toilettes, tout le monde parut se donner le mot dans l'école, et il n'y eut pas un élève de primaire pour ignorer ce que Junior McCaffery avait fait à Dave et comment celui-ci avait réagi. Ils aboutirent à une condamnation sans appel, et Dave découvrit que même les quelques garçons se disant plus ou moins ses copains après son retour en classe le traitaient désormais comme un lépreux.

Tous ne chuchotaient pas « Homo » sur son passage, ni ne lui adressaient des gestes obscènes. De fait, pour la plupart, les autres se contentaient de l'ignorer. Mais d'une certaine façon, c'était plus terrible encore. Il se sentait exclu par leur silence.

S'il le rencontrait le matin en partant, Jimmy Marcus cheminait en silence avec lui jusqu'à l'école, car il aurait trouvé gênant de ne pas le faire, et il le gratifiait d'un « Salut ! » chaque fois qu'il le voyait dans le couloir ou attendait à côté de lui d'entrer en classe. Quand leurs regards se croisaient, Dave percevait un étrange mélange de pitié et d'embarras sur le visage de Jimmy, comme s'il cherchait à dire quelque chose sans pouvoir formuler sa pensée – après tout, même au plus fort de leur complicité, Jimmy n'avait jamais été du genre loquace, à moins d'être démangé par une folle envie de sauter sur les rails dans le métro ou de faucher une bagnole. Et il avait alors l'impression que leur amitié (si tant est qu'ils aient jamais été amis ; Dave ne se rappelait que trop bien, avec une certaine honte, le nombre de fois où il avait dû imposer sa présence à Jimmy) était morte lorsqu'il était monté dans cette voiture et que Jimmy était demeuré au milieu de la rue.

Quoi qu'il en soit, Jimmy ne devait pas rester très longtemps à l'école avec Dave, si bien que même ces trajets ensemble n'auraient plus lieu d'être. Dans les couloirs, Jimmy était toujours flanqué de Val Savage, un petit gabarit complètement cinglé qui avait redoublé deux fois et pouvait se transformer en un véritable tourbillon de violence affolant pour tout le monde, aussi bien les professeurs que les élèves. Une blague circulait à son sujet (jamais formulée en sa présence), selon laquelle ses parents n'économisaient pas pour lui payer des études, ils économisaient pour payer sa caution. Bien avant que Dave ne monte dans cette voiture, Jimmy traînait déjà avec Val. Parfois, il permettait à Dave de les suivre quand ils avaient décidé de faire un raid sur la cantine à la recherche d'un en-cas ou découvert un nouveau toit à escalader, mais après l'enlèvement, il n'en fut plus question. Et lorsqu'il ne lui en voulait pas pour son soudain bannissement, Dave avait pu constater que le nuage sombre qui semblait parfois peser sur Jimmy était devenu permanent, comme une sorte de halo en négatif. Jimmy semblait plus âgé, depuis quelque temps, plus triste aussi.

Au bout du compte, il finit par voler une voiture. Presque un an après leur première tentative dans la rue de Sean, ce qui lui valut d'être renvoyé de Looey & Dooey et expédié de l'autre côté de la ville, au lycée Carver, où il apprit ce que devait endurer un gamin blanc d'East Bucky dans un établissement fréquenté presque exclusivement par des Noirs. Mais Val était lui aussi du voyage, et Dave entendit bientôt dire qu'ils n'avaient pas tardé à devenir la terreur de Carver – deux jeunes Blancs tellement dingues qu'ils ignoraient la peur.

La voiture, c'était une décapotable. Certaines rumeurs laissaient supposer qu'elle appartenait à l'ami d'un de leurs maîtres, mais Dave ne sut jamais lequel. Jimmy et Val la volèrent sur le parking pendant que les enseignants, leurs conjoints et leurs connaissances assistaient à la fête de fin d'année organisée après les cours dans la salle des profs. Jimmy prit le volant, et avec Val, ils s'offrirent une sacrée virée dans Buckingham, klaxonnant comme des fous, sifflant les filles et faisant rugir le moteur jusqu'au moment où une voiture de police les repéra, et où ils achevèrent leur course contre une benne à ordures derrière les Zayres dans Rome Basin. Val se tordit la cheville en s'extirpant du véhicule, et Jimmy, déjà à cheval sur la clôture qui les séparait d'un terrain vague, revint l'aider – un épisode que Dave devait toujours associer à une scène dans un film de guerre, où le vaillant soldat rebroussait chemin pour porter secours à son copain tombé à terre, alors que les balles leur sifflaient aux oreilles (si Dave doutait que les flics aient tiré ce jour-là, il lui semblait plus cool d'intégrer ce détail). Les policiers les avaient arrêtés tous les deux, et ils avaient passé une nuit en maison de redressement. On les avait tout de même autorisés à finir leur année scolaire, car il ne restait plus que quelques jours de classe, puis on avait conseillé à leurs familles de les inscrire dans un autre établissement.

Après cet incident, Dave ne revit plus Jimmy qu'une ou deux fois par an jusqu'à l'adolescence. Sa mère ne le laissait plus sortir de chez eux, sauf pour aller à l'école. Elle était persuadée que les deux hommes rôdaient toujours dans les parages, attendant leur heure, conduisant cette voiture qui sentait la pomme, prêts à fondre sur Dave tels des missiles guidés par la chaleur.

Mais Dave, lui, savait bien qu'ils n'étaient plus là. C'étaient des loups, après tout, et les loups hument l'air de la nuit à la recherche de la proie la plus proche, la plus faible, et ils la traquent sans relâche. Le souvenir de Gros Loup et de Loup Miteux, en revanche, le hantait souvent, de même que les images de ce qu'ils lui avaient fait subir. Ces images ne s'insinuaient que très rarement dans ses rêves, profitant plutôt du calme terrible qui régnait dans l'appartement maternel pour le prendre au dépourvu, de ces longues plages de silence durant lesquelles il essayait de lire des bandes dessinées, de regarder la télé ou de contempler Rester Street par la fenêtre. Quand elles affluaient, Dave tentait de les refouler en fermant les yeux et en essayant d'oublier que Gros Loup s'appelait Henry, et Loup Miteux, George.

Henry et George, criait une voix dans sa tête en même temps que se bousculaient les images. Henry et George, Henry et George, Henry et George, espèce de sale morveux !

Dave disait alors à la voix dans sa tête qu'il n'était pas un sale morveux. Il était le Petit Garçon qui avait Échappé aux Loups. Et parfois, pour s'efforcer de chasser les visions, il rejouait son évasion en esprit, détail après détail – la fissure qu'il avait remarquée près de la charnière dans la porte de la cave, le bruit de leur voiture qui s'éloignait alors qu'ils allaient boire un verre, la vis sans tête dont il s'était servi pour élargir la fissure jusqu'à ce que la charnière rouillée cède, entraînant avec elle un morceau de bois en forme de lame de couteau. Il avait réussi à sortir, ce Petit Garçon qui était Malin, et il s'était précipité droit dans les bois en suivant le soleil de fin d'après-midi jusqu'à une station Esso, environ deux kilomètres plus loin. Il avait reçu un choc en la découvrant, cette enseigne ronde bleue et blanche déjà éclairée pour la nuit alors qu'il faisait encore jour. La vue du néon lui avait fait l'effet d'un coup de poignard. Il en était tombé à genoux à la limite entre la forêt et le vieux bitume gris. Et c'était dans cette position que Ron Pierrot, le propriétaire de la station-service, l'avait trouvé : agenouillé, les yeux levés vers l'enseigne. Ron Pierrot était maigre, avec des mains qui paraissaient capables de briser un tuyau en plomb, et Dave se demandait parfois ce qui serait arrivé si le Petit Garçon qui avait Échappé aux Loups avait vraiment joué dans un film. Eh bien, Ron et lui se seraient pris d'amitié, Ron lui aurait enseigné tout ce que les pères enseignent à leurs fils, ils auraient sellé leurs chevaux, chargé leurs fusils et seraient partis pour d'innombrables aventures. Ils auraient fait de grandes choses, Ron et le Petit Garçon. Et ils seraient devenus des héros, là-bas, dans les vastes contrées sauvages, à force de vaincre tous ces loups.

Dans le rêve de Sean, la rue bougeait. Il regardait par la portière ouverte l'intérieur de la voiture qui sentait la pomme, et la rue lui attrapait les pieds et l'entraînait inexorablement vers le véhicule. Dave était déjà à l'intérieur, blotti contre la portière à l'autre extrémité de la banquette, la bouche ouverte sur un hurlement silencieux. Tout ce que Sean voyait dans son rêve, c'était cette portière ouverte et la banquette arrière. Il ne voyait pas le type qui ressemblait à un flic. Il ne voyait pas l'autre, celui assis sur le siège passager. Il ne voyait pas Jimmy, bien que Jimmy ne se soit pas éloigné de lui un seul instant. Il ne voyait que la banquette, Dave, la portière et les saletés sur le plancher. Emballages de fast-foods, sachets de chips tout froissés, boîtes de bière et de soda, gobelets en polystyrène, un T-shirt vert crasseux. Sean ne comprit qu'après son réveil, quand il se remémora ce songe, que le plancher de cette voiture imaginaire était identique à celui de la véritable voiture, et qu'il avait jusque-là oublié la présence des détritus. Même quand les flics étaient venus chez lui pour lui demander de réfléchir, de réfléchir vraiment, à tous les détails qu'il aurait pu omettre de mentionner, Sean n'avait pas précisé que l'arrière de la voiture était sale, parce qu'il ne s'en souvenait plus. Mais dans son rêve, l'image avait resurgi, et c'était sans doute cet aspect-là, plus que tout, qui lui avait fait sentir confusément quelque chose de louche chez ce « flic », son « partenaire » et leur voiture. Sean n'avait jamais vu l'arrière d'une voiture de flics dans la réalité – du moins, jamais d'aussi près –, mais une partie de lui savait qu'il ne serait pas crasseux. Peut-être y avait-il eu des trognons de pomme dissimulés sous toutes les cochonneries, d'où cette odeur caractéristique dans l'habitacle.

Son père devait le rejoindre dans sa chambre un an après l'enlèvement de Dave pour lui dire deux choses.

La première, c'était que Sean avait été accepté à la Boston Latin School et qu'il y rentrerait au mois de septembre. Pour la plus grande fierté de ses parents. La Boston Latin School, c'était là où on allait quand on voulait devenir quelqu'un.

La seconde, il la dit à Sean au moment de franchir le seuil, comme si elle venait juste de lui traverser l'esprit :

– Ils en ont attrapé un, Sean.

– Quoi ?

– Un des ravisseurs de Dave. Ils l'ont coincé. Il est mort. Il s'est suicidé dans sa cellule.

– Ah oui ?

Son père se tourna de nouveau vers lui.

– Oui. Tu ne feras plus de cauchemars, maintenant.

– Et l'autre ? demanda Sean.

– Celui qu'ils ont coincé a raconté aux flics que l'autre était mort, lui aussi. Tué dans un accident de voiture l'année dernière. O.K. ? (À la façon dont son père le regardait, Sean comprit que c'était l'ultime discussion qu'ils auraient sur le sujet.) Alors, va te débarbouiller avant le dîner, mon grand.

Son père sortit, et Sean demeura assis sur son lit, à contempler la bosse du matelas à l'endroit où il avait caché son nouveau gant de base-ball, avec une balle à l'intérieur et de gros élastiques rouges serrés autour du cuir.

L'autre était mort aussi. Dans un accident. Sean espérait qu'il conduisait cette maudite bagnole puant la pomme, et qu'il l'avait précipitée d'une falaise droit en enfer.

II

Les Sinatra au regard triste
(2000)

3

Des larmes dans ses cheveux

Brendan Harris aimait Katie Marcus comme un fou, il l'aimait comme au cinéma, avec l'impression qu'un orchestre symphonique lui faisait bouillonner le sang et lui emplissait les oreilles. Il l'aimait quand il se réveillait, il l'aimait quand il allait se coucher, il l'aimait toute la journée, à chaque seconde. Brendan Harris aurait aimé Katie Marcus grosse et laide. Il l'aurait aimée avec une peau grêlée, une épaisse moustache au-dessus de la lèvre et pas de seins. Il l'aurait aimée édentée. Il l'aurait aimée chauve.

Katie. Lorsque les sonorités chantantes de son prénom lui résonnaient dans la tête, Brendan avait la sensation que de l'acide nitreux circulait dans ses veines, qu'il pouvait marcher sur l'eau ou soulever un semi-remorque et l'expédier de l'autre côté de la rue après en avoir terminé avec lui.

Brendan Harris aimait tout le monde aujourd'hui, parce qu'il aimait Katie et parce que Katie l'aimait. Brendan aimait les embouteillages, le smog et le bruit des marteaux-piqueurs. Il aimait son minable de père qui ne lui avait pas envoyé une seule carte d'anniversaire ou de vœux depuis qu'il était parti, abandonnant sa femme et son fils alors âgé de six ans. Il aimait les lundis matin, les sitcoms qui ne feraient même pas rire un attardé mental, la file d'attente au service des cartes grises. Il aimait même son boulot, bien qu'il ne compte pas y retourner.

Car Brendan Harris s'en irait le lendemain matin, il quitterait sa mère, franchirait la porte délabrée, descendrait l'escalier fendillé, déboucherait dans la rue principale avec ses voitures garées en double file partout et ses habitants assis devant chez eux, il s'en irait comme s'il était dans une de ces fichues chansons de Springsteen – pas le Springsteen de Nebraska-Ghost-of-Tom-Joad, mais le vrai Bruce, celui de Born-to-Run-Two-Hearts-Are-Better-Than-One-Rosalita – (Won't-You-Come-Out-Tonight), le Bruce des hymnes. Mouais, un hymne ; c'est ce qu'il serait lui-même quand il marcherait en plein milieu de la chaussée sans se soucier des pare-chocs derrière ses jambes ou des coups de klaxon, quand il avancerait tout droit dans cette rue jusqu'au cœur de Buckingham pour aller chercher sa Katie, et ensuite, quand ils laisseraient tout cela derrière eux pour de bon, quand ils monteraient dans cet avion qui les emmènerait à Las Vegas où ils s'uniraient, les doigts entremêlés, devant Elvis lisant la Bible, demandant s'il voulait prendre cette femme pour épouse, et Katie répondant qu'elle prenait cet homme pour époux, et après – après, ils ne se poseraient même plus de questions, ils seraient mariés, libres, et ils ne reviendraient jamais, c'est sûr, ce serait juste Katie et lui, avec leur vie toute propre et toute neuve déployée devant eux, comme nettoyée du passé, nettoyée du reste du monde.

Du regard, Brendan parcourut la chambre. Il avait pensé à emporter ses vêtements. Les traveller's chèques American Express. Ses baskets. Des photos de Katie et lui. Le lecteur de CD portable, des CD, ses affaires de toilette.

Puis il considéra tout ce qu'il abandonnait. Un poster de Bird et de Parrish. Un poster de Fisk frappant la balle pour un *home run* en 75. Un poster de Sharon Stone en robe blanche moulante (roulé et fourré sous son lit depuis la première nuit où il avait attiré Katie ici, mais n'empêche...) La moitié de ses CD. Merde, il n'en avait pas écouté la plupart plus de deux fois. MC Hammer, bordel ! Billy Ray Cyrus. My Gawd. Une paire d'enceintes Sony démentes pour compléter une chaîne Jensen, deux cents watts au total, payées l'été précédent quand il avait bossé sur cette toiture avec l'équipe de Bobby O'Donnell.

C'était d'ailleurs à cette occasion qu'il s'était retrouvé suffisamment près de Katie pour pouvoir engager la conversation. Bonté divine. Ça faisait tout juste un an. Parfois, il lui semblait la fréquenter depuis au moins une décennie, mais dans le bon sens, et parfois, depuis *une minute* seulement. Katie Marcus. Il avait entendu parler d'elle, bien sûr ; dans le quartier, tout le monde avait entendu parler de Katie. C'est dire à quel point elle était belle. Mais rares étaient ceux qui la connaissaient vraiment. Il arrive que la beauté ait cet effet sur les autres ; elle les effraie, leur donne envie de garder leurs distances. Ce n'est pas comme dans les films, où la caméra tend à rendre la beauté accueillante, pareille à une invite. Dans le monde réel, la beauté est une barrière qui maintient à l'écart, qui exclut.

Mais Katie, mince, elle lui avait paru tellement simple, tellement *normale*, depuis le tout premier jour où elle était arrivée avec Bobby O'Donnell, qui l'avait ensuite laissée sur le site où travaillait Brendan pendant qu'il partait avec quelques-uns de ses gars régler une affaire urgente de l'autre côté de la ville, qui l'avait abandonnée comme s'il avait oublié jusqu'à sa présence. Et elle, elle était restée avec lui pendant qu'il appliquait un revêtement sur la toiture, se comportant de manière aussi naturelle que s'ils étaient entre hommes. Elle savait son nom, et à un certain moment, elle lui avait demandé : « Dis-moi, Brendan, comment ça se fait qu'un mec aussi gentil que toi bosse pour Bobby O'Donnell ? » Brendan. Le prénom avait glissé sur ses lèvres comme si elle le prononçait tous les jours, et Brendan, là-haut, les genoux au bord du toit, s'était cru sur le point de fondre. Ouais, de fondre. Sérieux. C'était l'effet qu'elle lui faisait.

Et le lendemain, dès qu'elle aurait appelé, ils partiraient. Ensemble. Pour toujours.

Brendan s'allongea de nouveau et imagina le visage de Katie flottant au-dessus de lui. Il ne pourrait pas dormir, il en était sûr. Il se sentait beaucoup trop survolté. Mais il s'en fichait. Il se contenterait de rester étendu sur son lit, à évoquer le sourire de Katie et ses yeux brillant dans la pénombre derrière ses propres paupières closes.

Ce soir-là, après le travail, Jimmy Marcus alla boire une bière avec son beau-frère, Kevin Savage, au Warren Tap où, assis près de la fenêtre, les deux hommes regardèrent une bande de gosses jouer au hockey dans la rue. Ils étaient six à s'obstiner malgré la tombée de la nuit, le visage rendu indistinct par la pénombre. Le Warren Tap était tapi dans une rue trans-versale de l'ancien quartier des abattoirs – un terrain de jeu aussi formi-dable le jour, car il n'y avait pas beaucoup de circulation, qu'inadapté la nuit, car aucun lampadaire ne fonctionnait depuis une bonne dizaine d'années.

Kevin représentait le compagnon idéal, dans la mesure où il n'était guère plus loquace que Jimmy, et tous deux se contentèrent donc d'avaler leur bière à petites gorgées en écoutant le raclement des semelles et des crosses en bois sur le goudron, ainsi que le brusque claquement métallique de la balle en caoutchouc dur qui rebondissait contre un enjoliveur de temps à autre.

À trente-six ans, Jimmy Marcus en était venu à apprécier le calme de ses samedis soir. Il n'avait aucune envie d'affronter les bars bondés et bruyants, ni de recevoir des confidences éthyliques. Treize ans après sa sortie de prison, il possédait sa propre épicerie, vivait avec sa femme et ses trois filles, et pensait avoir laissé derrière lui le gamin surexcité qu'il était autrefois pour devenir un homme capable de savourer les menus plaisirs de l'existence – une bière dégustée lentement, une promenade matinale, un match de base-ball retransmis à la radio.

Il jeta de nouveau un coup d'œil dehors. Quatre des gamins étaient maintenant rentrés chez eux, mais deux se trouvaient toujours dans la rue, environnés par l'obscurité, se disputant la balle. Jimmy ne les voyait pas très bien, mais il mesurait leur débordement d'énergie à leur façon de brandir leurs crosses, à leurs piétinements frénétiques.

Il fallait bien qu'elle aille quelque part, toute cette exubérance de la jeunesse. Quand lui-même était gosse, songea Jimmy – à vrai dire, jusqu'à ce qu'il ait vingt-trois ans –, cette même énergie lui avait dicté tous ses actes. Et puis... et puis, arrivait le moment où il devenait nécessaire de la ranger dans un coin, supposait-il. De la mettre au rebut.

Sa fille aînée, Katie, traversait une phase de ce genre. Dix-neuf ans, jolie comme un cœur et toutes ses hormones en alerte. Depuis quelque temps, néanmoins, il avait remarqué chez elle une grâce nouvelle. Il ne savait pas vraiment à quoi l'attribuer – certaines gamines devenaient des femmes gracieuses, d'autres restaient des gamines toute leur vie –, mais il y avait soudain quelque chose chez Katie qui tenait de l'apaisement, presque de la sérénité.

Au magasin, dans l'après-midi, au moment de s'en aller, elle l'avait embrassé sur la joue en disant « À plus tard, papa », et cinq minutes après son départ, Jimmy s'était aperçu qu'il sentait encore la voix de Katie vibrer dans sa poitrine. Elle avait maintenant la même voix que sa mère, s'était-il rendu compte, légèrement plus grave et plus assurée que celle dont il gardait le souvenir, et il s'était demandé quand s'était opéré le changement et pourquoi il n'y avait pas prêté attention jusque-là.

La même voix que sa mère, Marita. Marita, morte depuis maintenant près de quatorze ans, et qui s'adressait à Jimmy à travers leur fille. Qui lui disait : C'est une femme aujourd'hui, Jim. Elle a grandi.

Une femme. Waouh. Comment était-ce arrivé?

Dave Boyle n'avait même pas eu l'intention de sortir ce soir-là.

On était samedi soir, d'accord, au terme d'une longue semaine de travail, d'accord, mais il avait atteint un âge où le samedi ne semblait guère différent du mardi, où traîner dans un bar ne semblait guère plus attrayant que traîner chez soi. D'autant que chez soi, au moins, on gardait le contrôle de la télécommande.

Alors, il se dirait plus tard, une fois toute l'histoire terminée et derrière lui, que le Destin y avait joué un rôle. Le Destin s'était déjà manifesté dans la vie de Dave Boyle – ou du moins, surtout la malchance –, mais jamais Dave n'avait encore eu cette impression qu'on lui montrait *la voie à suivre*. Avant, c'était plutôt l'intervention d'une force lunatique et aigrie qu'il percevait. Comme si quelqu'un, en croisant le Destin assis parmi les nuages, lui demandait : « On s'ennuie aujourd'hui, Destin? » Et le Destin de répondre : « Mouais, un peu. Je me disais que j'allais peut-être semer un peu le bordel dans la vie de Dave Boyle, histoire de me changer les idées. » Et qu'est-ce qu'on pouvait y faire?

Aussi Dave avait-il appris à reconnaître le Destin quand il le voyait.

Mais peut-être que ce samedi soir-là, le Destin était parti à un anniversaire, ou quelque chose comme ça, qu'il avait finalement décidé de laisser ce bon vieux Dave souffler un peu, relâcher la pression sans avoir à en supporter les conséquences, qu'il lui avait glissé à l'oreille un truc du genre : « Vas-y, Davey, défoule-toi. Je te promets de ne pas te le faire payer, pour une fois. » Comme si Lucy, qui tenait le ballon de foot pour Charlie Brown, exceptionnellement résolue à ne pas se conduire en garce, lui avait enfin permis de tirer dedans. Parce que rien n'avait été prévu. Non, rien. Dave, quand il se retrouverait seul, tard le soir les jours suivants, ouvrirait les mains en feignant de s'adresser à un jury et déclarerait d'une voix douce dans la cuisine vide : « Il faut me comprendre. Ce n'était pas prévu. »

Ce soir-là, il venait de descendre l'escalier après avoir embrassé son fils, Michael, et il allait chercher une bière dans le réfrigérateur quand sa femme, Celeste, lui rappela que c'était sa Soirée entre Copines.

— Encore ? lança-t-il en ouvrant le frigo.

— Ça fait quatre semaines, répliqua-t-elle de ce ton chantant qui portait parfois sur les nerfs de Dave.

— C'est vrai ? (Dave s'appuya contre le lave-vaisselle pour tirer la languette sur sa boîte de bière.) C'est quoi, le programme ?

— *Ma meilleure ennemie*, répondit Celeste, les yeux brillants, les mains jointes.

Une fois par mois, Celeste et trois de ses collègues du salon de coiffure Ozma se réunissaient chez les Boyle pour se tirer les cartes, boire quantité de vin et essayer une recette inédite. Elles terminaient la soirée en regardant un film mélo à souhait, en général sur une femme ambitieuse mais solitaire qui finissait par connaître le grand amour avec un vieux cow-boy à grosse bite et couilles flasques, voire sur deux filles qui découvraient le véritable sens de la féminité et la profondeur de leur amitié juste avant que l'une d'elles n'attrape une longue maladie au troisième acte et ne meure, superbe et impeccablement coiffée, sur un lit de la taille du Pérou.

Dave avait trois options lors de la Soirée entre Copines : s'installer dans la chambre de Michael pour regarder son fils dormir, se réfugier dans la chambre du fond qu'il partageait avec Celeste et zapper sur le câble, ou filer sans demander son reste et se trouver un endroit où il n'aurait pas à écouter quatre femmes renifler parce que Grosse Bite décidait en fin de compte qu'il ne voulait pas d'attaches et repartait à cheval dans ses collines en quête d'un bonheur simple.

La plupart du temps, Dave choisissait la troisième issue.

Ce soir-là ne fit pas exception à la règle. Dave termina sa bière, embrassa Celeste, sentit une petite onde de chaleur se propager au creux de son estomac quand elle lui agrippa les fesses pour lui rendre son baiser avec fougue, puis il franchit la porte, descendit l'escalier, passa devant l'appartement de M. McAllister et déboucha dans l'atmosphère typique d'un samedi soir en plein cœur des Flats. Il songea à marcher jusqu'au Bucky ou au Tap, demeura indécis quelques minutes devant l'immeuble, et se résolut enfin à prendre sa voiture. Peut-être irait-il se balader un peu dans le Point, histoire de jeter un coup d'œil aux nuées d'étudiantes et de jeunes cadres dynamiques qui envahissaient le quartier depuis quelque temps ; de fait, ils étaient si nombreux à s'y bousculer que certains avaient même entamé une percée dans les Flats.

Ils s'arrachaient les immeubles en brique de trois étages qui, soudain, n'avaient plus l'air d'immeubles de trois étages, mais d'édifices dans le style Queen Anne. Emprisonnés dans des échafaudages, ils étaient évidés par des ouvriers travaillant jour et nuit jusqu'au moment où, trois mois plus tard, les BCBG garaient leurs Volvo devant et emportaient à l'intérieur tous leurs cartons arborant la marque de magasins chic. Du jazz s'échappait alors en sourdine de leurs fenêtres protégées par des moustiquaires, ils achetaient toutes sortes de cochonneries style porto, promenaient leurs petits chiens ridicules autour du pâté de maisons, faisaient aménager leurs minuscules pelouses en jardins paysagés. Jusque-là, le changement n'affectait que ces immeubles en brique près de Galvin Street et de Twooney Avenue, mais si le Point avait la moindre valeur d'indicateur, on verrait bientôt fleurir des Saab et des sacs en provenance d'épiceries fines par dizaines jusqu'au canal, au pied des Flats.

Une semaine plus tôt, M. McAllister, le propriétaire de Dave, lui avait confié avec nonchalance, comme en passant :

– Les prix de l'immobilier grimpent. Je dirais même, ils s'envolent.

– Alors, attendez encore, ne vendez pas pour l'instant, avait répliqué Dave en jetant un coup d'œil au bâtiment où il louait son appartement depuis dix ans. Plus tard, vous pourrez toujours...

– Plus tard ? (McAllister l'avait regardé.) Dave, toutes ces taxes foncières vont finir par avoir ma peau ! Je touche que ma pension, nom de Dieu ! Si je vends pas bientôt – dans quoi, deux ou trois ans ? –, ce putain de fisc risque de tout me prendre !

– Et vous iriez où ? s'était renseigné Dave en pensant : Où est-ce que j'irais ?

McAllister avait haussé les épaules.

– Sais pas. Peut-être à Weymouth. J'ai des amis à Leominster.

Il avait répondu comme s'il avait déjà donné quelques coups de fil et visité deux ou trois maisons-témoin.

Alors qu'il conduisait son Accord dans le Point, Dave tentait de se rappeler s'il connaissait encore des gens de son âge, voire plus jeunes, qui vivaient par ici. Lorsqu'il s'arrêta à un feu rouge, il vit deux BCBG vêtus des mêmes polos ras le cou couleur groseille et des mêmes bermudas en toile assis sur le trottoir devant ce qui était autrefois la pizzeria Primo. L'endroit s'appelait maintenant le Café Society, et les deux yuppies, aussi androgynes que musclés, mangeaient à la petite cuillère un pot de glace ou de yaourt, leurs jambes bronzées tendues devant eux sur le bitume et croisées au niveau des chevilles, leurs VTT étincelants appuyés contre la vitrine de l'établissement, sous un flot de néon blanc.

Dave se demanda une nouvelle fois où il allait bien pouvoir s'installer si l'invasion se poursuivait, si les bars et les pizzerias continuaient à se transformer en cafés chic. Avec ce qu'ils gagnaient, Celeste et lui, ils n'auraient plus qu'à postuler pour un trois-pièces dans les HLM de Parker Hill. À se faire inscrire sur une liste avec une attente de dix-huit mois pour pouvoir emménager dans un endroit où les cages d'escalier empestaient la pisse, où la puanteur des cadavres de rats pourrissants traversait les murs moisis, où les junkies et les artistes du cran d'arrêt hantaient les couloirs, guettant le moment où les petits Blancs s'endormaient.

Depuis qu'un voyou de Parker Hill l'avait menacé d'une arme pour essayer de lui faucher sa voiture alors qu'il s'y trouvait avec Michael, Dave conservait un calibre .22 sous le siège. Il ne s'en était jamais servi, pas même dans un club de tir, mais il l'épaulait souvent, faisant mine de viser quelque chose. En imaginant la tête de ces deux clones BCBG à l'autre bout du canon, il sourit.

Mais le feu était passé au vert, il était toujours à l'arrêt et des coups de klaxon retentirent derrière lui. Les deux yuppies levèrent les yeux et contemplèrent sa voiture cabossée, cherchant la raison de tout ce tumulte dans leur nouveau quartier.

Dave traversa le carrefour, étouffant soudain sous leurs regards réprobateurs – injustement réprobateurs.

Ce soir-là, Katie Marcus partit avec ses deux meilleures amies, Diane Cestra et Eve Pigeon, célébrer sa dernière nuit dans les Flats, et très certainement sa dernière nuit à Buckingham. Elles comptaient faire la fête comme si des gitanes les avaient saupoudrées de poussière d'or en leur disant que tous leurs rêves allaient se réaliser. Comme si elles avaient acheté en commun un billet de loterie gagnant ou obtenu le même jour un résultat négatif à leur test de grossesse.

Elles posèrent leurs paquets de cigarettes mentholées sur une table au fond du Spires Pub, éclusèrent quelques babies bien tassés ainsi que des Mich Light, et hurlèrent de rire chaque fois qu'un beau gosse décochait à l'une d'entre elles Le Regard qui Tue. Elles s'étaient offert un repas d'enfer au East Coast Grill une heure plus tôt, puis elles étaient revenues à Buckingham et avaient allumé un joint sur le parking avant d'entrer dans le bar. Tout – les vieilles histoires qu'elles s'étaient déjà raconté une bonne centaine de fois, le récit de la dernière raclée que son salaud de petit copain avait collé à Diane, la trace de rouge à lèvres apparue brusquement sur la joue d'Eve, les deux types grassouillets qui se dandinaient autour de la table de billard – leur paraissait hilarant.

Une fois l'endroit bondé au point que les clients se pressaient sur trois rangées devant le comptoir et qu'il fallait une bonne vingtaine de minutes pour avoir une boisson, elles décidèrent d'aller au Curley's Folly, dans le Point. Alors qu'elles fumaient un autre joint dans la voiture, Katie sentit les pointes acérées de la paranoïa lui griffer le crâne.

– Y a une bagnole qui nous suit.

Eve jeta un coup d'œil aux phares dans le rétroviseur.

– Mais non.

– Elle est derrière nous depuis qu'on a quitté le bar.

– Hé, Katie, ça doit faire trente secondes qu'on est parties.

– Oh.

– Oh, répéta Diane, avant de lui tendre le joint en hoquetant de rire.

– C'est drôlement tranquille, par ici, fit Eve d'une voix soudain grave.

Katie vit tout de suite où elle voulait en venir.

– Tais-toi.

– Mouais, beaucoup trop tranquille, renchérit Diane, qui éclata de rire.

– Salopes, marmonna Katie en essayant de feindre la contrariété.

Au lieu de quoi, elle fut prise d'une crise de fou rire et retomba sur la banquette, l'arrière de la tête atterrissant entre l'accoudoir et le siège, les joues parcourues par cette étrange sensation de picotement qu'elle éprouvait toujours les rares fois où elle fumait de l'herbe. Peu à peu, cependant, son fou rire se calma, et tandis qu'elle contemplait le dôme pâle du plafonnier, elle devint toute rêveuse, et songea que c'était pour ça qu'on vivait, en fin de compte, pour glousser comme une folle avec ses meilleures copines gloussantes la veille d'épouser l'homme qu'on aimait. (À Las Vegas, O.K. Avec une bonne gueule de bois, O.K.) C'était ça, l'important. C'était ça, le rêve.

Quatre bars, trois verres et quelques numéros de téléphone sur des serviettes en papier plus tard, Katie et Diane étaient tellement allumées qu'elles grimpèrent sur le comptoir au McGills et dansèrent au rythme de *Brown Eyed Girl* alors que le juke-box était silencieux. Quand Eve entonna *Slipping and a sliding*[1], Katie et Diane firent mine de glisser, ondulant des hanches, secouant leurs chevelures jusqu'à ce qu'elles leur recouvrent le visage. Au McGills, les clients furent subjugués, mais vingt minutes plus tard, au Brown, les trois amies ne purent même pas passer la porte.

À ce stade, Diane et Katie soutenaient une Eve qui chantait toujours (le *I Will Survive* de Gloria Gaynor, cette fois), ce qui représentait une moitié du problème, et qui oscillait comme un métronome, ce qui représentait l'autre.

Elles furent donc refoulées du Brown avant même d'avoir pu y entrer, ce qui signifiait, pour trois filles d'East Bucky déjà bien parties et peu désireuses de s'arrêter en si bon chemin, se rabattre sur le Last Drop, un bouge étouffant dans la pire zone des Flats – un véritable musée des horreurs qui s'étendait sur trois pâtés de maisons, où les frangines et les michetons les plus décatis effectuaient leur rituel d'accouplement, où toute voiture dépourvue d'alarme ne restait pas plus d'une minute et demie.

Les trois amies y étaient attablées lorsque Roman Fallow fit son apparition avec sa dernière conquête en date – une fille qui avait tout d'un guppy, Roman ayant une préférence pour les jolies petites blondes avec des yeux immenses. Son arrivée était toujours accueillie avec joie par les barmen, car il donnait des pourboires avoisinant les cinquante pour cent, mais elle ne le fut par Katie, car il était comme cul et chemise avec Bobby O'Donnell.

– Tu serais pas un peu bourrée, Katie ? lança-t-il.

Elle sourit, parce que Roman l'effrayait. Roman Fallow effrayait à peu près tout le monde. Séduisant, malin en diable, il savait se montrer drôle quand il en avait envie, mais il y avait une sorte de néant en lui, une absence totale de tout ce qui pouvait s'apparenter à de véritables sentiments, aussi manifeste dans son regard que s'il y avait écrit « Logement vacant ».

– Je suis pompette, admit-elle.

La réponse parut amuser Roman. Il partit d'un petit rire, révélant des dents parfaites, puis avala une gorgée de Tanqueray.

– Pompette, hein ? Mouais, O.K., Katie. Laisse-moi te poser une question, ajouta-t-il avec douceur. Tu crois que Bobby sera content d'apprendre que tu t'es donné en spectacle au McGills, ce soir ? Tu crois que ça lui fera plaisir ?

– Non.

_____

1. Littéralement : « glisser et déraper ». (*N.d.T.*)

– Parce que moi, ça m'a pas fait plaisir, Katie. Si tu vois ce que je veux dire.

– Je vois.

Roman approcha la main de son oreille.

– Qu'est-ce t'as dit, là ?

– Je vois.

La main toujours à la même place, il se pencha vers elle.

– Désolé. T'as dit quoi ?

– Je vais rentrer, déclara Katie.

Un sourire éclaira le visage de Roman.

– T'es sûre ? Parce que je voudrais pas t'obliger à partir si t'en as pas envie.

– Non, non. J'en ai assez, de toute façon.

– Bien. Hé, tu permets que je règle l'addition ?

– Non. Merci, Roman, mais on a déjà payé.

Il passa un bras autour des épaules de sa pin-up.

– Je t'appelle un taxi, Katie ?

Elle faillit se vendre et répondre qu'elle était venue avec sa voiture, mais elle se ressaisit de justesse.

– Non, c'est pas la peine. À cette heure-là, ce sera facile d'en trouver un.

– Mouais, j'en doute pas. Alors, à la prochaine, Katie.

Eve et Diane l'attendaient à la porte, vers laquelle elles s'étaient précipitées dès l'instant où elles avaient aperçu Roman.

Dehors, sur le trottoir, Diane lança :

– Bon sang ! Tu crois qu'il va prévenir Bobby ?

Bien qu'incertaine, Katie fit non de la tête.

– Ça m'étonnerait. Roman n'est pas du genre à apporter les mauvaises nouvelles. Il se charge de régler lui-même les problèmes.

Elle se couvrit quelques instants le visage de ses mains, submergée par la sensation que l'alcool se transformait dans ses veines en un épais liquide visqueux et que la solitude l'accablait de tout son poids. Katie s'était toujours sentie seule depuis la mort de sa mère, et il y avait très, très longtemps que sa mère était morte.

Dans le parking, Eve vomit, éclaboussant l'une des roues arrière de la Toyota bleue. Quand ses spasmes se furent calmés, Katie lui tendit le petit flacon de solution pour bain de bouche qu'elle avait retiré de son sac.

– Tu te sens capable de conduire ? demanda Eve.

Katie hocha la tête.

– D'ici, ça fait quoi ? Deux kilomètres maximum ? Pas de problème.

Au moment de démarrer, elle ajouta :

– Encore une bonne raison de partir. Une raison de plus pour foutre le camp de cette ville de merde.

Diane laissa échapper un « Mouais » sans conviction.

Katie roula prudemment en traversant les Flats, ne dépassant pas les quarante kilomètres/heure, restant bien à droite, se concentrant sur la route. Elle suivit Dunboy sur un bon kilomètre, puis bifurqua dans Crescent, les rues alentour lui paraissant plus sombres, plus calmes par là. À la sortie des Flats, elle longea Sydney Street pour se rendre chez Eve. Pendant le trajet, Diane avait décidé de s'échouer sur le canapé d'Eve plutôt que d'aller passer la nuit chez son petit copain Matt et d'en prendre plein la figure pour être rentrée dans un tel état, si bien qu'elles furent deux à descendre sous le lampadaire cassé de Sydney Street. Il s'était mis à pleuvoir, les gouttes s'écrasaient sur le pare-brise de Katie, mais Diane et Eve ne semblaient pas s'en apercevoir.

Du trottoir, elles se penchèrent toutes les deux pour regarder Katie par la vitre baissée côté passager. La tournure amère qu'avaient pris les choses en fin de soirée avait amené leurs visages à s'affaisser, leurs épaules à se voûter, et Katie avait conscience de leur tristesse alors qu'elle contemplait la pluie à travers le pare-brise. Elle sentait peser sur elles le reste de leurs vies étriquées et malheureuses. Elles étaient les meilleures amies du monde depuis le jardin d'enfants, et elles risquaient de ne plus jamais se revoir.

– Ça va aller ? demanda Diane d'une voix trop aiguë, trop gaie.

Katie tourna la tête et sourit en y mettant tout son cœur, malgré l'impression que sa mâchoire allait se briser sous l'effort.

– Oui. Bien sûr. Je vous appellerai de Vegas, d'accord ? Vous viendrez me voir.

– Les billets d'avion sont pas chers, déclara Eve.

– Ils sont donnés, tu veux dire.

– Donnés, convint Diane, dont la voix se perdit dans un murmure alors qu'elle baissait les yeux vers le trottoir défoncé.

– O.K., reprit Katie, et le mot parut exploser hors de sa bouche. Bon, je vous laisse avant que quelqu'un se mette à pleurer.

Eve et Diane passèrent chacune une main par la vitre, Katie les pressa longuement, puis ses amies s'écartèrent de la voiture. Elles lui adressèrent de grands signes d'adieu. Katie leur fit signe à son tour, klaxonna et s'éloigna.

Les deux autres demeurèrent sur le trottoir, immobiles, longtemps après que les feux arrière de la Toyota eurent disparu lorsque Katie avait négocié un virage serré dans Sydney Street. Il leur semblait qu'elles avaient encore des choses à se dire. Elles sentaient la pluie et l'odeur métallique du Penitentiary Channel, dont les eaux sombres s'écoulaient en silence de l'autre côté du parc.

Toute sa vie, Diane regretterait de ne pas être restée dans cette voiture. Elle accoucherait d'un fils moins d'un an plus tard, et elle lui dirait quand il serait encore jeune (avant qu'il ne devienne comme son père, avant qu'il ne devienne méchant, avant qu'il ne prenne le volant complètement ivre et ne renverse une femme qui attendait de traverser la rue dans le Point) qu'elle se croyait destinée à rester dans cette voiture, et qu'en décidant de descendre, sur un coup de tête, elle pensait avoir altéré quelque chose, dévié le cours normal des événements. Cette certitude ne devait jamais la quitter, pas plus que le sentiment tout-puissant d'être une spectatrice passive des impulsions tragiques chez les autres, des impulsions qu'elle ne parviendrait jamais à réfréner malgré ses efforts. Elle répéterait tout cela à son fils, encore et encore, les jours de visite à la prison, et lui se contenterait de hausser les épaules, de changer de position sur sa chaise et de demander :

– T'as pensé à m'apporter des clopes, m'man ?

Eve épouserait un électricien et irait s'installer dans un ranch à Braintree. Parfois, tard le soir, elle poserait une main sur le torse large et accueillant de son époux pour lui parler de Katie, de cette nuit-là, et il écouterait en lui caressant les cheveux et le dos, mais il ne dirait pas grand-chose, car il n'y avait rien à dire. Parfois, Eve aurait juste besoin de prononcer le nom de son amie, de l'entendre, de le sentir sur sa langue. Ils auraient des enfants. Eve irait les voir jouer au football, elle se tiendrait sur la ligne de touche, et de temps à autre, ses lèvres s'entrouvriraient, et elle articulerait le nom de Katie, en silence, pour elle-même, sur les terrains mouillés d'avril.

Mais ce soir-là, elles n'étaient que deux filles éméchées d'East Bucky, et Katie les vit disparaître dans son rétroviseur quand elle tourna dans Sydney pour rentrer chez elle.

La nuit, il régnait une atmosphère sinistre dans cette partie de Buckingham, la plupart des habitations bordant le Pen Channel Park ayant été ravagées quatre ans plus tôt par un incendie qui les avait transformées en carcasses noircies, condamnées par des planches. À présent, Katie n'avait plus qu'une envie : s'écrouler sur son lit, dormir, puis se lever au matin et mettre le plus de distance possible entre elle et cette ville avant que son père ou Bobby ne songent à la chercher. Elle voulait se défaire de cet endroit comme on se défait de vêtements trempés par une pluie d'orage. Elle voulait le rouler en boule, le jeter, ne plus jamais le voir.

Soudain, un souvenir lui revint, auquel elle n'avait pas repensé depuis des années. Elle se rappela ce jour, quand elle avait cinq ans, où sa mère l'avait emmenée au zoo. Il n'y avait aucune raison particulière pour qu'elle se remémore cette scène, mais les dernières émanations du hasch et de l'alcool dans son cerveau avaient dû bousculer les cellules de sa mémoire. Sa mère la tenait par la main alors qu'elles descendaient Columbia Road en direction du zoo, et Katie pouvait sentir les os près du poignet maternel, sous la peau parcourue de tremblements. À un moment donné, elle avait regardé la figure amaigrie de sa mère, avec ses yeux immenses, son nez transformé en bec par la perte de poids, son menton réduit à une pointe minuscule. Et Katie, curieuse et triste du haut de ses cinq ans, avait demandé : « Comment ça se fait que t'es tout le temps fatiguée ? »

Le visage de sa mère, anguleux et desséché, avait paru se désagréger. Elle s'était accroupie près de Katie, lui avait encadré les joues de ses paumes et l'avait fixée de ses yeux rougis. Katie avait tout d'abord cru qu'elle était en colère, et puis, elle avait souri, mais son sourire s'était presque aussitôt mué en grimace tandis que son menton se mettait à trembler. « Oh, ma puce », avait-elle dit, avant d'attirer Katie à elle. La tête appuyée contre l'épaule de sa fille, elle avait répété « Oh, ma puce », et Katie avait senti des larmes couler dans ses cheveux.

Elle eut soudain l'impression de les sentir, ces larmes qui lui mouillaient les cheveux comme la pluie mouillait le pare-brise, et elle essayait de se rappeler la couleur des yeux maternels quand elle découvrit le corps allongé au milieu de la route. Il gisait tel un sac juste devant son capot, et elle n'eut que le temps de braquer violemment à droite, mais sa roue arrière gauche heurta quelque chose, et elle songea : Oh Seigneur, Oh mon Dieu, non, faites que je ne l'aie pas touché, je vous en prie, mon Dieu, non.

La Toyota alla buter contre le trottoir de droite, le pied de Katie glissa de la pédale d'embrayage, un brusque à-coup secoua encore la voiture, et le moteur toussota, puis cala.

– Hé, ça va ? lui lança quelqu'un.

En le voyant approcher, Katie commença à se détendre, car il lui semblait familier et inoffensif, jusqu'au moment où elle remarqua le revolver dans sa main.

À trois heures du matin, Brendan Harris finit par s'endormir.

Il souriait à Katie qu'il imaginait toujours flottant au-dessus de lui, disant qu'elle l'aimait, chuchotant son nom, lui caressant l'oreille de son souffle tiède, doux comme un baiser.

4

J'sors plus beaucoup

Dave Boyle avait fini au McGills ce soir-là, assis près de Stanley le Géant à l'angle du comptoir, à regarder les Sox jouer à l'extérieur. Pedro Martinez régnait sur le monticule, permettant aux Sox de coller une sacrée dérouillée aux Angels ; il lançait la balle à une telle vitesse qu'au moment de traverser la plaque du lanceur, elle avait la forme ovoïde d'un comprimé d'Advil. Au troisième tour de batte, les joueurs des Angels avaient l'air affolés ; au sixième, ils avaient juste l'air de vouloir rentrer chez eux et de faire des projets pour la soirée. Lorsque Garret Anderson frappa la balle sans force, mais réussit néanmoins son coup, privant du même coup Pedro de la possibilité d'un jeu blanc, le peu d'excitation suscitée par un score de 8 à 0 mourut dans les gradins, et Dave se surprit à prêter plus d'attention aux lumières, aux supporters et au stade Anaheim lui-même qu'au match en cours.

Il observait surtout les visages dans l'assistance – le dégoût et la fatigue résignée qui s'inscrivaient sur leurs traits, les fans paraissant prendre la défaite plus à cœur que les joueurs dans l'abri. Et c'était peut-être le cas. Pour certains d'entre eux, supposa Dave, ce serait le seul match de l'année auquel ils assisteraient. Ils étaient venus avec femme et enfants, ils avaient quitté leur domicile californien en début de soirée, l'arrière du break chargé de glacières pour le pique-nique sur le parking, en emportant les cinq places à trente dollars qui, si elles ne leur garantissaient pas de bien voir, leur permettraient néanmoins de coiffer de casquettes à vingt-cinq dollars la tête de leurs gosses, de s'offrir des mauvais hamburgers à six dollars et des hot-dogs à quatre dollars cinquante, du Pepsi coupé d'eau et des esquimaux poisseux qui couleraient dans les poils sur leurs poignets. Ils étaient venus faire l'expérience de l'euphorie, se sentir élevés, Dave le savait, transportés hors de leur existence par le rare spectacle de la victoire. Raison pour laquelle les arènes et les stades de base-ball évoquaient toujours des cathédrales vibrant de lumière, de prières chuchotées et des battements de quarante mille cœurs unis par le même espoir collectif.

Gagnez pour moi, les gars. Gagnez pour mes gosses. Gagnez pour mon mariage, afin que je puisse rapporter votre triomphe dans la voiture avec moi et m'en imprégner avec ma famille pendant qu'on retourne à nos petites vies sans gloire.

Gagnez pour moi. Gagnez. Gagnez. Gagnez.

Mais lorsque l'équipe perdait, ce grand espoir collectif s'effondrait, et toute illusion de solidarité avec les autres paroissiens se dissipait en même temps. Votre équipe vous avait trahi, vous rappelant ainsi qu'en général, chaque fois que vous tentiez quelque chose, vous perdiez vous aussi. Que vos rêves finissaient toujours par se briser. Alors, vous demeuriez assis là, parmi les débris d'emballages en cellophane, les restes de pop-corn et les gobelets détrempés, à contempler de nouveau le naufrage de votre existence, confronté à la perspective d'une longue marche sinistre dans un long parking sinistre parmi des hordes d'étrangers aussi ivres que furieux, en compagnie de trois gosses renfrognés et d'une épouse silencieuse faisant le compte de vos échecs. Et tout ça pour finalement rentrer chez vous, à l'endroit même d'où cette cathédrale avait promis de vous extraire.

Dave Boyle, ancien arrêt-court vedette pour les glorieuses équipes de base-ball au lycée technique Bon Bosco entre 1978 et 1982, savait que rien au monde n'était plus versatile que les supporters. Il savait ce que c'était d'avoir besoin d'eux, de les haïr, de tomber à genoux devant eux en implorant encore une clameur d'approbation, de baisser la tête quand on leur avait fendu le cœur – ce cœur qu'ils partageaient et qui grondait désormais de colère.

– T'as vu ces nanas ? lança soudain Stanley le Géant.

Dave leva les yeux, pour découvrir deux filles debout sur le comptoir, en train de danser tandis qu'une troisième chantait faux *Brown Eyed Girl* – les deux sur le comptoir remuant les fesses et ondulant des hanches. Celle de droite avait une peau charnue, des yeux gris brillants qui semblaient inviter à la baise, et Dave se dit qu'elle avait atteint le stade éphémère de la fleur de l'âge, qu'elle serait encore un super-coup pendant peut-être six mois. Mais d'ici à deux ans – c'était visible à son menton –, cette belle jeunesse serait sans aucun doute grosse, flasque et vêtue d'une blouse d'intérieur, et personne ne pourrait imaginer un seul instant qu'il n'y avait pas si longtemps, elle suscitait une telle convoitise.

L'autre, en revanche...

Dave la connaissait depuis toute petite ; c'était Katie Marcus, la fille de Jimmy et de cette pauvre Marita, et qu'avait élevée Annabeth, sa belle-mère et cousine de la défunte –, Katie, devenue adulte aujourd'hui, toute ferme, fraîche et défiant les lois de la gravité. Alors qu'il la regardait danser, se déhancher, pivoter et rire, ses cheveux blonds lui balayant le visage comme un voile, puis voltigeant autour de sa tête quand elle la rejetait en arrière pour exposer la peau laiteuse de son cou gracile, Dave éprouva un élan de désir fou, aussi ardent qu'une flamme, et qui ne surgissait pas de nulle part. Il émanait d'elle. Il circulait entre le corps de Katie et le sien, alimenté par la soudaine expression sur sa figure en sueur montrant qu'elle l'avait reconnu lorsque leurs yeux se croisèrent, lorsqu'elle lui sourit et lui adressa un petit signe de la main qui se fraya un chemin dans la poitrine de Dave pour lui aiguillonner le cœur.

Il jeta un coup d'œil aux autres clients, qui regardaient d'un air ahuri les deux filles danser comme s'il s'agissait d'apparitions envoyées par Dieu. Dave lisait sur leurs visages la même attente désespérée qu'il avait vue sur ceux des supporters des Angels lors des premiers tours de batte, un mélange d'espoir sans espoir et de résignation pathétique à l'idée qu'ils allaient rentrer chez eux insatisfaits. Qu'ils n'auraient plus qu'à se branler tout seuls dans la salle de bains à trois heures du matin, pendant que femme et enfants ronflaient à l'étage.

En voyant Katie ondoyer sur ce bar, pareille à un mirage, Dave se rappela soudain Maura Keaveny nue en dessous de lui, le front emperlé de gouttes de sueur, le regard vague, embrumé par l'alcool et le désir. Le désir qu'il lui inspirait. Lui, Dave Boyle. La star du base-ball. L'orgueil des Flats pendant trois courtes années. À cette époque, personne ne le considérait plus comme le pauvre gosse qui s'était fait enlever quand il avait dix ans. Non, désormais, c'était le héros du quartier. Avec Maura dans son lit. Et le Destin dans son camp.

Dave Boyle. Ignorant, alors, combien l'avenir est de courte durée, parfois. À quelle vitesse il peut disparaître, ne vous laissant rien sinon un interminable présent sans surprises, sans raisons d'espérer, réduit à une succession de jours qui se fondent les uns aux autres, tellement semblables en fin de compte que l'année s'achève alors que le calendrier de la cuisine en est toujours au mois de mars.

« Je ne rêverai plus, aviez-vous décrété. Je ne me mettrai plus en situation de souffrir. » Et puis, votre équipe remportait un match de barrage, ou vous regardiez un film, ou une affiche publicitaire pour Aruba baignée par la clarté orange du crépuscule, ou bien une fille qui entretenait plus qu'une vague ressemblance avec une de vos anciennes conquêtes au lycée – une de celles que vous aviez aimées et perdues – dansait au-dessus de vous, les yeux brillants, et vous vous disiez : « Et merde, pourquoi ne pas rêver encore une fois, juste une ? »

Un jour, quand Rosemary Savage Samarco était à l'agonie (la cinquième sur dix au total), elle avait confié à sa fille, Celeste Boyle :

– Je t'le jure devant Dieu, le seul plaisir que j'aie jamais eu dans c'te foutue vie, ç'a été de casser les couilles à ton père.

Celeste l'avait gratifiée d'un vague sourire avant d'essayer de se détourner, mais les doigts arthritiques de sa mère s'étaient refermés telles des griffes sur son poignet, qu'ils avaient serré à lui broyer les os.

– Écoute-moi, Celeste. Je vais mourir, alors, je pourrais pas être plus sérieuse. Y a ce qui t'arrive de bien dans cette vie, si t'as de la chance, et ça représente jamais grand-chose. Je serai plus de ce monde demain, et je veux que ma fille le comprenne : T'as droit à un truc. Tu m'entends ? Un seul truc au monde qui te donne du plaisir. Pour moi, c'était de casser les couilles à ton père chaque fois que j'en avais l'occasion. (Ses yeux brillaient, la salive moussait sur ses lèvres.) Et tu veux que j'te dise ? Ben, il a fini par adorer ça.

Celeste avait épongé le front de sa mère avec une serviette. Elle lui avait souri en murmurant « M'man » d'une voix douce, cajoleuse. Elle avait essuyé la salive sur ses lèvres et lui avait caressé l'intérieur de la main sans cesser de songer : Il faut que je me tire d'ici. Que je quitte cette maison, que je quitte ce quartier, que je quitte ce trou à rats où les gens ont le cerveau complètement rongé par la pourriture à force d'être trop pauvres, trop hargneux, trop impuissants depuis trop longtemps pour pouvoir y changer quoi que ce soit.

Sa mère avait survécu, pourtant. Elle avait survécu aux colites, aux crises de diabète, à une insuffisance rénale, à deux infarctus du myocarde, à des tumeurs cancéreuses au sein et au colon. Son pancréas avait arrêté de fonctionner un jour – comme ça, d'un coup –, puis avait brusquement repris le boulot une semaine plus tard, impatient de s'y remettre, au point que les médecins demandaient régulièrement à Celeste s'ils pourraient étudier le corps de sa mère après sa mort.

– Quelle partie ? avait-elle voulu savoir au début.

– Tout.

Rosemary Savage Samarco avait un frère dans les Flats qu'elle haïssait, deux sœurs en Floride qui ne lui adressaient plus la parole, et elle les avait tellement bien brisées à son mari qu'il s'était précipité dans la tombe avant l'heure pour lui échapper. Celeste était le seul enfant qui lui restait après huit fausses couches. Quand elle était petite, Celeste s'imaginait ces presque frères et sœurs flottant dans les limbes autour d'elle, et elle ne pouvait s'empêcher de penser : Vous au moins, vous vous en êtes bien sortis.

Adolescente, Celeste ne doutait pas que quelqu'un viendrait la sauver, l'emmènerait loin de tout cela. Elle n'était pas laide. Elle n'était pas aigrie, elle possédait une bonne nature et riait facilement. Alors, elle se disait :

Tout bien considéré, c'est ce qui devrait m'arriver. Le problème, c'était que si elle avait effectivement rencontré quelques candidats éventuels, aucun n'était du genre renversant. Pour la plupart, ils étaient originaires de Buckingham ; il y avait surtout eu des paumés du Point et des Flats, quelques-uns de Rome Basin aussi, et un garçon des quartiers chic qu'elle avait rencontré à l'école de coiffure de Blaine, mais il était gay, bien qu'il ne le sache pas encore.

L'assurance maladie de sa mère ne couvrant pas grand-chose, Celeste avait dû rapidement trouver du travail afin de pouvoir payer sa participation à des frais médicaux monstrueux relatifs à des maux monstrueux, mais pas tout à fait assez monstrueux pour mettre un terme définitif aux misères maternelles. Non que sa mère ne se complaise pas dans ses misères, d'ailleurs. Chaque défaillance de son corps lui fournissait un nouvel atout à brandir dans ce que Dave appelait le grand jeu de La Vie de Rosemary Est Encore Plus Nase Que la Vôtre. Pour peu qu'on leur montre au journal télévisé une mère en deuil qui pleurait et gémissait sur le trottoir après que sa maison et ses deux enfants eurent disparu dans un incendie, Rosemary faisait claquer sa langue dans sa bouche édentée avant de déclarer :

– Des gosses, tu pourras en avoir d'autres, ma vieille. Mais essaie un peu de tenir le coup quand tu te retrouves la même année avec des colites et un poumon en rade.

Dave lui adressait un sourire crispé avant d'aller se chercher une autre bière.

En entendant la porte du réfrigérateur s'ouvrir dans la cuisine, Rosemary disait à sa fille :

– Toi, ma chérie, t'es que sa maîtresse. Sa femme s'appelle Budweiser.

– Arrête, m'man.

– Ben, quoi ? répliquait Rosemary d'un ton innocent.

C'était finalement Dave que Celeste avait décidé (s'était contentée ?) d'épouser. Il était séduisant, drôle, et il n'y avait pas grand-chose pour le désarçonner. Quand ils s'étaient mariés, Dave avait une bonne place chez Raytheon, où il était responsable du courrier, et après l'avoir perdue pour cause de restrictions budgétaires, il en avait décroché une autre comme manutentionnaire dans un hôtel du centre-ville (pour environ la moitié de son précédent salaire), ce dont il ne s'était jamais plaint. De fait, Dave ne se plaignait jamais de rien et ne parlait pratiquement jamais de son enfance avant le lycée, ce que Celeste n'avait commencé à trouver bizarre que depuis la mort de sa mère.

Au bout du compte, c'était une crise cardiaque qui avait eu raison de Rosemary. En rentrant du supermarché, Celeste l'avait découverte morte dans la baignoire, la tête inclinée, les lèvres retroussés haut du côté droit de son visage comme si elle avait mordu dans un fruit trop acide.

Au cours des mois qui avaient suivi les funérailles, Celeste s'était consolée à la pensée qu'au moins, la vie serait un peu plus facile maintenant qu'elle n'aurait plus à supporter les reproches continuels et les apartés cruels de sa mère. Mais les choses ne s'étaient pas passées tout à fait comme elle l'espérait. Le travail de Dave lui rapportait autant que le sien, soit environ un dollar de plus à l'heure que chez McDonald, et si les honoraires médicaux accumulés du vivant de Rosemary n'avaient heureusement pas échu à sa fille, il lui avait fallu en revanche assumer les frais d'obsèques. Lorsque Celeste considérait l'état désastreux de leurs finances – les factures qu'ils payaient depuis des années, l'absence de revenus, le total des dépenses, la nouvelle montagne de factures générée par la scolarité de Michael, le crédit auquel ils n'avaient plus droit –, il lui semblait qu'ils étaient condamnés à vivre en retenant leur souffle. Ni Dave ni elle n'avaient de diplômes ou d'espoir d'en obtenir un jour, et alors qu'il était toujours question aux informations du taux de chômage particulièrement bas et du sentiment de sécurité éprouvé par la nation tout entière, personne ne précisait que le phénomène touchait principalement le travail qualifié et les gens prêts à faire de l'intérim sans couverture sociale ni perspectives de carrière.

Alors, il arrivait parfois à Celeste d'aller s'asseoir sur la cuvette des W.-C., à côté de la baignoire où elle avait trouvé sa mère. Elle restait dans le noir. Elle restait dans le noir, à se demander en essayant de ne pas pleurer comment elle avait bien pu en arriver là, et c'était exactement ce qu'elle faisait à trois heures le dimanche matin quand Dave surgit dans la salle de bains couvert de sang.

Manifestement choqué de la voir, il recula d'un bond lorsqu'elle se leva.

– Chéri ? Qu'est-ce qui s'est passé ? demanda-t-elle, la main tendue vers lui.

De nouveau, il recula, et son pied heurta l'embrasure de la porte.

– Je... j'ai reçu un coup de couteau.

– Quoi ?

– J'ai reçu un coup de couteau.

– Mon Dieu, Dave ! Mais qu'est-ce qui s'est passé ? répéta-t-elle.

Il souleva sa chemise, révélant une longue balafre pourpre sur sa cage thoracique.

– Oh, Seigneur, il faut que tu ailles à l'hôpital !

– Non, non. Je t'assure, ce n'est pas très profond. C'est juste que ça a beaucoup saigné.

Il avait raison. En y regardant de plus près, Celeste constata que la blessure ne mesurait guère plus de deux ou trois millimètres de profondeur.

Mais elle était longue. Et elle saignait toujours. Pas assez, cependant, pour expliquer la quantité de sang sur la chemise et dans le cou de Dave.

– Qui t'a fait ça ?

– Une espèce de cinglé de Nègre shooté au crack, répondit-il, avant d'enlever sa chemise pour la fourrer dans le lavabo. J'ai... j'ai merdé, chérie.

– T'as quoi ? Comment ça ?

Il leva vers elle des yeux fous.

– Ce type me cherchait, O.K. ? Alors, je l'ai cogné. Et c'est à ce moment-là qu'il m'a poignardé.

– Tu as cogné un type armé d'un *couteau*, Dave ?

Celui-ci ouvrit le robinet, inclina la tête vers la cuvette et avala de l'eau.

– Je sais pas ce qui m'a pris. J'ai pété les plombs. Je veux dire, j'ai vraiment pété les plombs, bébé. Je l'ai bousillé.

– Tu l'as... ?

– Je l'ai démoli, Celeste. Quand j'ai senti la lame s'enfoncer dans ma chair, je suis devenu complètement dingue. Tu comprends ? Je l'ai frappé jusqu'à ce qu'il s'écroule, je me suis jeté sur lui, et après... après, j'ai disjoncté.

– C'était de la légitime défense, alors ?

Dave esquissa un geste vague, comme pour dire : « Plus ou moins. »

– Je suis pas sûr que le tribunal verrait les choses de cette façon.

– Je n'arrive pas à le croire. Chéri ? (Elle lui saisit les poignets.) Raconte-moi exactement ce qui est arrivé.

Et pendant un quart de seconde, alors qu'elle scrutait les traits de Dave, elle éprouva une brusque sensation de nausée. Il lui semblait voir l'expression d'une joie mauvaise dans son regard, quelque chose de survolté et de satisfait tout à la fois.

C'était la lumière, conclut Celeste, le reflet du néon directement au-dessus de lui, car lorsqu'il laissa retomber son menton sur sa poitrine en lui caressant les mains, son visage recouvra son aspect normal – effrayé, mais normal –, et Celeste sentit son malaise refluer. Elle s'assit de nouveau sur le siège des toilettes tandis que Dave s'agenouillait devant elle.

– Je retournais à la voiture, commença-t-il d'un ton plus calme, quand ce mec s'est approché de moi pour me demander du feu. Je lui ai dit que je ne fumais pas. Et il m'a répondu que lui non plus.

– Lui non plus.

Dave acquiesça.

– Du coup, j'ai le cœur qui a fait un sacré bond, parce qu'il n'y avait personne dans les parages, à part lui et moi. Et c'est là qu'il a sorti son couteau en lâchant : « Ton portefeuille ou ta vie, connard. Je te laisse un des deux. »

– C'est vraiment ce qu'il a dit ?

Il se redressa, puis inclina la tête.

– Pourquoi ?

– Non, rien.

Pour une raison qui lui échappait, Celeste trouvait la phrase bizarre, un peu trop élaborée, comme sortie tout droit d'un film. Mais bon, tout le monde voyait des films aujourd'hui, surtout depuis le développement du câble, et peut-être l'agresseur s'en était-il inspiré pour ses répliques, les répétant tard dans la nuit devant sa glace jusqu'à s'imaginer qu'il parlait à la manière de Wesley ou de Denzel.

– Alors..., continua Dave. Alors, j'ai lancé : « Déconne pas, vieux. Je vais reprendre ma bagnole et rentrer chez moi, O.K. ? » Ce qui était stupide, évidemment, parce qu'après, il a voulu aussi les clés de la voiture. Et moi, j'ai... j'ai juste... Je sais pas, chérie, au lieu d'avoir la trouille, j'ai vu rouge. Possible que ce soit le whiskey qui m'ait dopé, je pourrais pas dire, mais je l'ai un peu bousculé, et c'est à ce moment-là qu'il m'a planté.

– Je croyais qu'il s'était précipité sur toi.

– Tu peux me laisser finir ma putain d'histoire ?

Elle lui effleura la joue.

– Désolé, bébé.

Il lui embrassa la paume.

– C'est vrai, il m'a plus ou moins repoussé contre la voiture, et après, il a essayé de me balancer un coup de poing, mais je... j'ai réussi à l'éviter, et c'est là qu'il a sorti sa lame, et quand je l'ai sentie me fendre la peau, j'ai... j'ai déjanté. Je l'ai frappé à la tempe alors qu'il s'y attendait pas. Il a crié « Oh, putain ! », et je l'ai encore cogné, à la gorge cette fois. Il s'est écroulé en lâchant son foutu couteau, je me suis jeté sur lui, et, et, et...

La bouche toujours ouverte, les lèvres légèrement avancées, Dave tourna la tête vers la baignoire.

– Et quoi ? le pressa Celeste, s'efforçant d'imaginer l'agresseur en train de frapper Dave d'une main et de brandir un couteau de l'autre. Qu'est-ce que tu as fait ?

Dave reporta son attention sur elle, puis baissa les yeux vers ses genoux.

– Je me suis déchaîné, bébé. Si ça se trouve, je l'ai tué. Je lui ai tapé le crâne par terre, je lui ai mis la gueule en bouillie, je lui ai cassé le nez... Va savoir ce que je lui ai encore fait. J'étais tellement fou de rage, tellement terrorisé... Et je ne pensais plus qu'à toi, et à Michael, et je me disais que j'aurais pu ne jamais arriver vivant à ma voiture, que j'aurais pu crever dans ce parking de merde juste parce qu'un cinglé était trop fainéant pour gagner sa croûte en bossant. (Il la regarda droit dans les yeux avant de répéter :) Si ça se trouve, je l'ai tué.

Il avait l'air si jeune, avec ses yeux exorbités, son visage blême et en sueur, ses cheveux collés au crâne par la transpiration, la terreur et – est-ce que c'était du sang ? – oui, du sang.

Le sida, songea-t-elle soudain. Et si l'assaillant avait le sida ?

Non, se dit-elle aussitôt. Pour le moment, il y a plus urgent à régler.

Dave avait besoin d'elle. Ce n'était pas dans ses habitudes. À cet instant-là seulement, elle comprit pourquoi le fait qu'il ne se plaigne jamais avait commencé à la perturber. Quand on se plaint à quelqu'un, c'est plus ou moins une façon d'implorer l'aide de cette personne, de lui demander une solution à un problème. Or Dave n'avait jamais eu besoin d'elle auparavant, il n'avait jamais formulé aucun grief, ni après la perte de son travail ni du vivant de Rosemary. Mais à présent, agenouillé devant elle, quand il lui répétait désespérément qu'il avait peut-être tué un homme, il lui demandait de lui certifier que tout allait bien.

Et c'était le cas, après tout, non ? Lorsqu'un voyou s'en prend à un honnête citoyen, tant pis si les choses ne se passent pas comme prévu. Tant pis s'il y laisse la vie. Je veux dire, songeait Celeste, désolée, mais bon. T'as joué, t'as perdu, mon gars.

Elle embrassa Dave sur le front.

– Va prendre une douche, bébé, murmura-t-elle. Je m'occupe de tes vêtements.

– T'es sûre ?

– Je suis sûre.

– Qu'est-ce que tu comptes en faire ?

Celeste n'en savait rien. Les brûler ? D'accord, mais où ? Certainement pas chez eux. Dans la cour de l'immeuble, alors ? Sauf que quelqu'un ne manquerait pas de s'interroger en la voyant brûler des vêtements dehors à trois heures du matin. Ou à n'importe quelle heure, d'ailleurs.

– Les laver, répondit-elle, sous le coup d'une inspiration subite. Je vais bien les nettoyer, et ensuite, on les mettra dans un sac-poubelle qu'on ira enterrer quelque part.

– Tu crois ?

– Ou on le portera à la décharge, si tu préfères. Ou, non, attends... (Ses pensées affluaient plus vite que ses paroles, à présent.) On n'aura qu'à cacher le sac jusqu'à mardi matin. C'est le jour des ordures, pas vrai ?

– Euh, oui.

Tout en la regardant d'un air interrogateur, Dave fit couler la douche, et quand l'entaille sur son flanc se remit à saigner, Celeste sentit renaître ses craintes au sujet du sida, de l'hépatite, de toutes les façons dont le sang d'un autre peut contaminer ou tuer.

– Je sais à quelle heure ils arrivent. Sept heures et quart pile, chaque semaine sauf la première de juin, quand les étudiants qui partent en vacances laissent tous ces détritus en plus, mais...

– Celeste, bébé, qu'est-ce que tu voulais dire ?

– Oh, eh bien, quand j'entendrai le camion, je me précipiterai en bas comme si j'avais oublié un sac, et je le jetterai directement à l'arrière, dans le compacteur. D'accord ?

Elle sourit, bien qu'elle n'en ait pas la moindre envie.

Le corps toujours tourné vers sa femme, Dave plaça une main sous le jet de la douche.

– D'accord. Écoute...

– Quoi ?

– Ça ne te pose pas de problème ? T'en es sûre ?

– Oui.

Hépatite A, B et C, pensait-elle. Ebola. Virus des régions tropicales.

Les yeux de Dave s'agrandirent de nouveau.

– J'ai peut-être tué quelqu'un, chérie. Oh, Seigneur.

Elle aurait voulu s'approcher de lui, le toucher. Elle aurait voulu aussi sortir de cette pièce. Elle aurait voulu lui caresser le cou, lui assurer que tout irait bien. Elle aurait voulu aussi s'enfuir, se réfugier quelque part, le temps de remettre de l'ordre dans ses pensées.

Elle resta où elle était.

– Je vais laver tes vêtements, murmura-t-elle.

– O.K. Si tu veux.

Celeste récupéra ses gants en caoutchouc sous le lavabo, ceux dont elle se servait pour nettoyer les toilettes, et en les enfilant, elle vérifia qu'il n'y avait pas de déchirures dans le caoutchouc. Une fois rassurée sur ce point, elle prit la chemise de Dave dans la cuvette et son jean par terre. Celui-ci, également maculé de sang, laissa une traînée sombre sur le carrelage blanc.

– Comment se fait-il qu'il y en ait autant sur ton jean ?

– Quoi ?

– Du sang.

Dave regarda le pantalon dans les mains de sa femme. Il regarda le carrelage.

– J'étais à cheval sur lui. (Il haussa les épaules.) Aucune idée. Ça a dû gicler dessus comme sur la chemise, j'imagine.

– Ah.

Il croisa les yeux de Celeste.

– Comme tu dis. Ah.

– Bon..., reprit-elle.

– Oui ?

– Je vais aller nettoyer tout ça à la cuisine.

– O.K.

– O.K., répéta-t-elle en sortant de la salle de bains, alors que Dave avançait une main sous le jet de la douche pour vérifier si c'était assez chaud.

À la cuisine, elle fourra les habits dans l'évier, puis fit couler l'eau, observant le sang, les fins fragments de peau et, oh Seigneur, les débris de cervelle, elle en était presque sûre, qui s'écoulaient par la bonde. Elle n'en revenait pas de la quantité de sang que pouvait perdre un corps humain. Il était censé en contenir une vingtaine de litres, mais Celeste avait toujours eu l'impression qu'il y en avait beaucoup plus. Elle devait avoir une dizaine d'années quand, un jour, elle avait trébuché en courant dans un parc avec des amis. Alors qu'elle tentait d'amortir sa chute, elle s'était transpercé la paume avec un tesson de bouteille qui émergeait de l'herbe. Toutes les principales artères et veines de sa main avaient été sectionnées, et seule sa jeunesse avait permis qu'elles se reconstituent au cours des dix années suivantes. Celeste avait cependant dû attendre d'avoir vingt ans pour récupérer des sensations au bout des doigts. Mais ce qui l'avait surtout frappée, à l'époque, c'était le sang. Quand elle avait relevé son bras, le coude parcouru de picotements comme si elle s'était donné un coup dans l'os, le sang avait jailli de sa paume déchirée, et deux de ses camarades avaient hurlé. Chez elle, elle en avait rempli un plein évier pendant que sa mère appelait une ambulance. Dans l'ambulance, on lui avait enveloppé la main d'un bandage aussi épais que sa cuisse, mais en moins de deux minutes, les différentes couches de tissu étaient devenues rouge sombre. À l'hôpital, allongée sur une civière, elle avait vu un liquide pourpre circuler dans les petits canyons formés par les plis du drap. Et lorsqu'ils avaient débordé, le sang avait dégouliné sur le sol, où il s'était accumulé en flaques jusqu'à ce que sa mère ait crié assez longtemps et assez fort pour qu'un des urgentistes décide de faire passer Celeste en tête de file. Et tout ce sang à cause d'une blessure à la main.

Et maintenant, tout ce sang à cause d'une blessure à la tête. À cause des coups que Dave avait assenés au visage d'un autre être humain, des chocs répétés d'un crâne sur le goudron. La peur avait dû le rendre fou, se figurait-elle. Elle plaça ses mains gantées sous l'eau et vérifia une nouvelle fois qu'il n'y avait pas de trous. Non, aucun. Elle versa du liquide vaisselle sur la chemise de Dave, qu'elle frotta à la paille de fer, puis essora avant de renouveler l'opération jusqu'au moment où l'eau ne se teinta plus de rose. Ensuite, elle fit la même chose avec le jean. Quand elle eut terminé, Dave l'avait rejointe et, assis à la table de la cuisine, une serviette nouée autour de la taille, il l'observait en buvant une bière et en fumant une des longues cigarettes blanches que Rosemary avait laissées dans le placard.

– Fait chier, dit-il dans un souffle.

Elle hocha la tête.

– Tu vois ? chuchota-t-il. Tu sors un samedi soir, le temps est doux, tu t'imagines que tu vas passer un bon moment, et puis... (Il se leva, s'approcha d'elle, s'appuya contre le four et la regarda essorer la jambe droite de son jean.) Pourquoi tu ne l'as pas mis dans la machine à laver ?

Celeste remarqua que la peau, le long de l'entaille sur le flanc de Dave, était devenue toute blanche et plissée. Elle éprouva soudain l'envie irrépressible de glousser. S'efforçant de la réprimer, elle répondit :

– À cause des preuves, chéri.

– Quelles preuves ?

– Eh bien, je n'en suis pas sûre, mais j'ai pensé que le sang et... tout le reste avaient plus de chance de rester collés au tambour d'une machine à laver qu'au siphon d'un évier.

Il laissa échapper un petit sifflement.

– Les preuves.

– Les preuves, oui, répéta-t-elle en s'autorisant un sourire grimaçant, avec le sentiment d'être une dangereuse conspiratrice impliquée dans quelque complot énorme, digne de ses efforts.

– Bon sang, ma puce, dit-il. T'es géniale.

Elle acheva d'essorer le jean, puis coupa l'eau et gratifia Dave d'une petite révérence.

Il était quatre heures du matin, et elle se sentait plus réveillée qu'elle ne l'avait été depuis des années. Un peu comme un gosse de huit ans quand il se lève le matin de Noël. Comme si de la caféine pure circulait dans ses veines.

Toute sa vie, on aspire à ce genre de chose. On a beau essayer de se persuader du contraire, c'est vrai. On rêve de vivre un drame. Pas celui des factures impayées ou des chamailleries domestiques. Non. Ce drame-là était bien réel, et en même temps, il dépassait la réalité. Il était hyperréaliste. Dave avait peut-être tué un voyou. Auquel cas, la police chercherait le coupable. Et si la piste les menait jusqu'ici, jusqu'à Dave, les enquêteurs auraient besoin de preuves.

Elle les voyait déjà assis à la table de la cuisine, calepins ouverts, dégageant l'odeur du café et des bars visités au cours de la nuit, leur posant des questions, à Dave et à elle. Ils seraient polis, ce qui ne les rendrait pas moins effrayants. De leur côté, Dave et elle leur opposeraient une politesse égale, sans se laisser démonter.

Parce que tout se jouait sur des preuves. Or, elle venait de les expédier dans le conduit d'évacuation sous l'évier, lequel débouchait dans l'obscurité des égouts. Dès le lendemain matin, elle démonterait le siphon pour le nettoyer aussi, passerait l'intérieur à l'eau de Javel et remettrait tout en place. Elle glisserait la chemise et le jean dans un sac-poubelle qu'elle dissimulerait jusqu'au mardi matin, puis irait jeter à l'arrière du camion des éboueurs, où il serait écrasé, broyé et mêlé aux œufs pourris, aux restes de poulet et au pain rassis. Et elle sortirait de sa mission grandie, meilleure qu'elle n'était maintenant.

— Tu te sens drôlement seul, après, dit soudain Dave.

— Après quoi ?

— Après avoir fait du mal à quelqu'un.

— Tu n'avais pas le choix.

Il hocha la tête. Dans la pénombre de la cuisine, il avait le teint gris. Pourtant, il avait l'air encore plus jeune que tout à l'heure, comme s'il venait de sortir du ventre maternel et cherchait son souffle.

— Je sais. C'est vrai. N'empêche, tu te sens seul. Tu te sens...

Elle lui effleura le visage, et il déglutit, faisant saillir sa pomme d'Adam.

— ... étranger à toi-même, ajouta-t-il.

5

Des rideaux orange

À six heures le dimanche matin, soit quatre heures et demie avant la première communion de sa fille Nadine, Jimmy Marcus reçut un appel de Pete Gilibiowski au magasin lui disant qu'il était déjà débordé.

– Comment ça, débordé ? (Jimmy se redressa dans son lit et jeta un coup d'œil au réveil.) Bon sang, Pete, il est six heures du mat' ! Si Katie et toi, vous arrivez pas à assurer le service maintenant, comment vous allez faire à huit heures, quand les premiers clients vont sortir de la messe ?

– C'est bien le problème, Jim. Katie est pas là.

– Elle est pas quoi ?

Jimmy repoussa drap et couvertures, puis se leva.

– Elle est pas là, répéta Pete. Normalement, elle aurait dû arriver à cinq heures et demie, pas vrai ? Bon, y avait le livreur de beignets qui klaxonnait dans la cour, derrière, et j'ai plus de café au chaud à cause de...

– Mmm, marmonna Jim, qui longeait le couloir en direction de la chambre de Katie, conscient des courants d'air froid sur ses pieds nus, les petits matins de mai conservant la fraîcheur mordante des après-midi de mars.

– ... de tous ces frappadingues d'ouvriers du bâtiment qu'ont débarqué à six heures moins vingt après avoir fait la tournée des bars et descendu quelques bouteilles dans le parc et qui nous ont dévalisé tous nos stocks de Pur Colombie et d'Arabica. En plus, c'est un vrai foutoir dans la boutique. Combien tu paies ces gamins pour bosser le samedi soir, Jim ?

– Mmm, répéta Jimmy en poussant la porte de Katie après avoir frappé un coup bref.

Non seulement son lit était vide, mais il était fait ; autrement dit, elle n'y avait pas dormi de la nuit.

– Parce qu'à mon avis, faut qu'tu les augmentes, ou qu'tu leur secoues sacrément les puces, reprit Pete. J'ai au moins une heure de boulot supplémentaire pour tout préparer avant de pouvoir... Oh, bonjour, comment allez-vous, madame Carmody ? Oui, le café sera bientôt prêt, y en a pour une seconde.

– J'arrive, déclara Jimmy.

– Sans compter que les piles de journaux du dimanche sont pas défaites, que tous les suppléments sont entassés dessus, et qu'avec tout ce bordel...

– J'arrive, j'ai dit.

– Oh. Sérieux, Jim ? Merci.

– Pete ? Appelle Sal, demande-lui s'il peut venir à huit heures et demie plutôt qu'à dix heures.

– Tu crois ?

À l'autre bout de la ligne, Jimmy entendit des coups de klaxon furieux.

– Et, Pete, ouvre la porte au gosse de chez Yser, nom d'un chien ! Il va pas passer la journée là avec ses beignets !

Après avoir raccroché, Jimmy retourna dans sa chambre. Assise sur leur lit, le corps découvert par les draps, Annabeth bâillait.

– C'était le magasin... ? demanda-t-elle en même temps qu'elle laissait échapper un autre long bâillement.

Jimmy acquiesça.

– Katie nous a lâchés.

– Aujourd'hui ? Elle choisit bien son moment, tiens ! Le jour de la première communion de Nadine, elle se défile pour le boulot. Et si elle nous faisait le coup à l'église ?

– Elle sera là, j'en suis sûr.

– Je n'en sais rien, Jimmy. Si elle a trop bu hier soir, et vu qu'elle a déjà laissé tomber le magasin, on peut se poser la question...

Jimmy haussa les épaules. Il était inutile de discuter avec elle quand il s'agissait de Katie. Annabeth ne connaissait que deux modes de fonctionnement vis-à-vis de sa belle-fille : exaspérée et glaciale, ou ravie d'être sa meilleure amie. Il n'y avait pas d'entre-deux, et Jimmy avait bien conscience – en même temps qu'il en éprouvait un certain sentiment de culpabilité – que cette situation s'expliquait en grande partie par l'arrivée d'Annabeth dans leur vie quand Katie, alors âgée de sept ans, commençait tout juste à se familiariser avec son père et à se remettre de la mort de sa mère. La fillette s'était ouvertement et sincèrement réjouie de cette nouvelle présence féminine dans l'appartement solitaire qu'elle partageait avec son père. Mais elle avait également été blessée par la disparition de Marita – sinon de façon irrémédiable, du moins profonde –, et chaque fois que la douleur de cette perte parvenait à trouver le chemin de son cœur, Katie s'en prenait à sa belle-mère qui, l'ayant élevée au quotidien, ne pouvait rivaliser avec le fantôme de Marita.

– Bon sang, Jimmy ! s'exclama Annabeth en le voyant enfiler un sweat par-dessus le T-shirt avec lequel il avait dormi, puis se mettre en quête de son jean. Tu ne vas pas y aller, quand même !

– Rien qu'une heure. (Jimmy ramassa son pantalon au pied du lit.) Deux maximum. Sal était censé remplacer Katie à dix heures, de toute façon. Pete doit essayer de le joindre en ce moment même pour lui demander de venir plus tôt.

– Il a soixante-dix ans et des poussières.

– Justement. Tu crois qu'il dort encore ? Je parie que sa vessie l'a réveillé à quatre heures, et qu'il est devant sa télé depuis.

– C'est pas vrai ! (Annabeth rejeta les draps et se leva.) Ce qu'elle peut être chiante ! Elle a encore décidé de nous emmerder, ou quoi ?

Jimmy sentit une bouffée de chaleur au niveau de la gorge.

– Pourquoi « encore » ? Elle nous a emmerdés, récemment ?

Alors qu'elle atteignait la salle de bains, Annabeth balaya la question d'un revers de main.

– T'as la moindre idée d'où elle pourrait être ? lança-t-elle.

– Sûrement chez Diane ou chez Eve, répondit Jimmy, toujours sidéré par cette main dédaigneuse qu'elle avait levée au-dessus de son épaule. Annabeth – l'amour de sa vie, incontestablement – ne paraissait pas mesurer sa froideur, parfois, ni (et c'était typique de la famille Savage au grand complet) l'effet corrosif que ses mouvements d'humeur pouvait avoir sur les autres.

– Ou chez un petit copain, ajouta-t-il.

– Mmm ? Tu sais avec qui elle sort, en ce moment ? demanda Annabeth.

Elle fit couler la douche, puis retourna se poster près du lavabo en attendant que l'eau soit chaude.

– Je pensais que t'étais mieux placée que moi pour le savoir.

Annabeth fit non de la tête tout en fouillant l'armoire à pharmacie à la recherche du dentifrice.

– Elle a arrêté de voir le petit César en novembre. Pour moi, c'est tout ce qui compte.

Jimmy, qui enfilait ses chaussures, sourit. Annabeth appelait toujours Bobby O'Donnell « le petit César », quand elle ne lui donnait pas d'autres surnoms plus fleuris, parce que c'était un aspirant-caïd au regard froid, et aussi parce qu'il était petit et grassouillet comme Edward G. Robinson dans le film. Il y avait eu quelques mois tendus l'été précédent, quand Katie avait commencé à le fréquenter, au point que les frères Savage s'étaient dits prêts à lui flanquer une bonne raclée au besoin, sans que Jimmy puisse déterminer à l'époque s'ils étaient indignés à l'idée qu'une telle ordure ose sortir avec leur nièce chérie ou si Bobby O'Donnell menaçait de devenir un rival gênant pour leurs affaires.

Et puis, Katie avait rompu, et hormis une avalanche de coups de téléphone à trois heures du matin et une tentative avortée de vendetta aux

73

environs de Noël, quand Bobby et Roman Fallow avaient débarqué devant l'immeuble, cette séparation n'avait pas provoqué trop de remous.

La haine que vouait Annabeth à Bobby O'Donnell amusait Jimmy, dans une certaine mesure, car il se demandait parfois si elle le détestait parce qu'il ressemblait à Edward G. et avait couché avec sa belle-fille, ou parce que c'était un minable amateur au regard de pros comme ses frères ou, elle en était certaine, comme son mari avant la disparition de Marita.

Celle-ci était morte quatorze ans plus tôt, alors que Jimmy purgeait une peine de deux ans au pénitencier de Deer Island, à Winthrop. Un samedi, pendant les heures de visite, avec leur fille de cinq ans gigotant sur ses genoux, Marita avait expliqué à Jimmy qu'un grain de beauté sur son bras avait récemment foncé, et qu'elle allait passer voir le docteur à l'hôpital. Juste pour se rassurer, avait-elle dit. Quatre samedis plus tard, elle commençait la chimiothérapie. Six mois après avoir mentionné ce grain de beauté, elle était morte, après que Jimmy eut été obligé d'assister à la déchéance de sa femme samedi après samedi, assis de l'autre côté de cette table en bois sombre marquée par les brûlures de cigarettes, les auréoles de sueur, les taches de foutre et plus d'un siècle de conneries et de lamentations déversées par les taulards.

Le dernier mois de sa vie, Marita était trop malade pour se rendre à la prison, trop faible pour écrire, et Jimmy avait dû se contenter de lui parler au téléphone, alors qu'elle était exténuée, shootée par les médicaments, ou les deux. Les deux, en général.

– Tu sais de quoi je rêve ? avait-elle demandé un jour d'une voix pâteuse. Tout le temps, maintenant ?

– Non, ma chérie. De quoi ?

– De rideaux orange. De grands rideaux orange bien épais qui... (Elle s'était humecté les lèvres, puis Jimmy l'avait entendue avaler de l'eau.) ... qui claquent au vent, étendus sur ces longues cordes à linge. Ils claquent, c'est tout. Ils ne font jamais rien d'autre. *Flap, flap, flap.* Il y en a des centaines dans ce champ immense. Qui claquent...

Il avait attendu la suite, mais elle n'avait apparemment rien à ajouter, et comme il ne tenait pas à ce qu'elle s'endorme au beau milieu de la conversation, ce qui s'était déjà produit à plusieurs reprises, il avait demandé :

– Comment va Katie ?

– Quoi ?

– Comment va Katie, ma chérie ?

– Ta mère s'occupe bien de nous, tu sais. Elle est triste.

– Qui ? Ma mère ou Katie ?

– Les deux. Jimmy ? Faut que je te laisse. Je suis... malade. Fatiguée.

– D'accord, ma chérie.

– Je t'aime.

– Moi aussi, je t'aime.

– Jimmy ? On n'a jamais eu de rideaux orange, hein ?

– Non.

– Bizarre, avait-elle conclu, avant de raccrocher.

C'était le dernier mot qu'elle lui avait dit : Bizarre.

Sûr, que c'était bizarre. Un grain de beauté que vous aviez sur le bras depuis le berceau changeait de couleur, et vingt-quatre semaines plus tard, presque deux ans après vous être couchée pour la dernière fois auprès de votre mari et avoir entremêlé vos jambes aux siennes, on vous allongeait dans une boîte pour vous ensevelir sous terre, alors que votre mari se tenait à une cinquantaine de mètres, chevilles et poignets menottés, flanqué de gardiens armés.

Libéré deux mois après l'enterrement, Jimmy s'était retrouvé dans sa cuisine, vêtu de la même tenue qu'il portait à sa sortie de prison, en train de sourire à cette enfant qu'il ne connaissait presque pas. S'il se rappelait les quatre premières années de Katie, elle en revanche n'en gardait pratiquement aucun souvenir. Elle n'avait à l'esprit que les deux dernières, avec peut-être quelques images de l'homme qui vivait là autrefois, avant qu'elle ne puisse plus le voir que le samedi de l'autre côté de cette vieille table, dans un endroit humide et malodorant construit sur un ancien cimetière indien peuplé de fantômes et battu par les vents, où les murs suintaient et les plafonds étaient trop bas. Jamais Jimmy ne s'était senti aussi impuissant que dans cette cuisine ce jour-là. Jamais il ne s'était senti aussi seul ni aussi effrayé que lorsqu'il s'était accroupi près de Katie pour prendre ses petites mains dans les siennes, avec l'impression de se regarder d'en haut, comme s'il flottait quelque part au-dessus d'eux. Et cet autre, lui, songeait : Ben, je les plains, ces deux-là. Deux étrangers dans une cuisine minable, en train de se jauger, essayant de ne pas se détester parce qu'une femme était morte, les obligeant à cohabiter sans avoir la moindre idée de ce qu'ils allaient devenir.

Sa fille – cet être qui vivait, respirait et était déjà partiellement formée à bien des égards – dépendait maintenant de lui, que l'un et l'autre le veuillent ou non.

– Elle nous sourit du paradis, avait-il dit à Katie. Elle est fière de nous. Vraiment fière.

– Il faut que tu retournes dans cet endroit, après ?

– Non. Plus jamais.

– Tu vas aller ailleurs ?

En cet instant, Jimmy aurait volontiers accepté de purger six autres années dans un trou à rats comme Deer Island, voire dans un endroit

75

encore plus répugnant, plutôt que de demeurer encore quelques heures dans cette cuisine avec cette enfant inconnue, cet avenir affolant d'incertitude, cette impression d'un couvercle refermé sur ce qui subsistait de sa jeunesse.

– Sûrement pas, avait-il répondu. Maintenant, je ne te quitte plus.

– J'ai faim.

Et c'est alors que Jimmy avait été frappé par une révélation subite – Nom d'un chien, il va falloir que je nourrisse cette gosse chaque fois qu'elle a faim. Pour le restant de mes jours. Bonté divine.

– Eh bien, d'accord, avait-il lancé en sentant son sourire vaciller. On va manger.

Jimmy arriva à Cottage Market, son magasin, à six heures et demie, et s'occupa de la caisse et du terminal du loto pendant que Pete garnissait la vitrine des beignets de chez Yser Gaswami, sur Kilmer Street, et des divers gâteaux et feuilletés livrés par la pâtisserie de Tony Buca. Durant les moments de creux, il se chargea de transvaser le café préparé dans les cafetières au fond de la boutique dans de grandes thermos qu'il posa sur le comptoir, et de couper la ficelle autour des piles de *Globe*, de *Herald* et de *New York Times*. Il inséra les suppléments à l'intérieur, puis les disposa devant les présentoirs de bonbons en dessous de la caisse.

– Sal doit venir à quelle heure, déjà ?

– Pas avant neuf heures et demie, répondit Pete. Sa voiture l'a lâché, elle est bonne pour la casse. Faut qu'y prenne deux trains de banlieue et un bus pour venir jusqu'ici, et il était même pas encore habillé quand j'l'ai appelé.

– Merde.

Vers sept heures et quart, ils eurent à gérer un certain afflux de clients qui avaient terminé leur service de nuit – des flics pour la plupart, mais aussi quelques infirmières de Saint Regina et plusieurs filles employées par les clubs illégaux de l'autre côté de Buckingham Avenue, dans les Flats, et plus haut dans Rome Basin. Tous étaient las, mais aussi joyeux, survoltés et dégageaient une impression d'intense soulagement, comme s'ils venaient d'émerger du même champ de bataille couverts de boue et de sang, et pourtant toujours indemnes, toujours debout sur leurs deux jambes.

Au cours des cinq minutes d'accalmie précédant l'arrivée en fanfare des fidèles sortis de la première messe dominicale, Jimmy téléphona à Drew Pigeon pour lui demander s'il avait vu Katie.

– Je crois qu'elle est là, mouais, répondit Drew.

– Ah oui ?

En entendant la pointe d'espoir dans sa voix, Jimmy prit conscience à cet instant seulement d'être plus inquiet qu'il ne voulait bien l'admettre.

– Je crois, répéta Drew. Attends, je vais voir.

– Merci, Drew. C'est sympa.

Le combiné collé à l'oreille, Jimmy écouta les pas lourds de Drew résonner sur le plancher du couloir pendant que lui-même encaissait deux grilles de loto pour la vieille lady Harmon en essayant de chasser les larmes que l'assaut brutal de son parfum de vieille dame lui faisait monter aux yeux. Enfin, les pas lourds de Drew résonnèrent de nouveau, et Jimmy sentit s'accélérer légèrement les battements de son cœur lorsqu'il tendit ses quinze dollars de monnaie à la vieille lady Harmon, puis agita la main en signe d'adieu.

– Jimmy ?

– Je suis toujours là, Drew.

– Désolé. C'est Diane Cestra qui a passé la nuit ici. Elle a dormi par terre dans la chambre d'Eve, mais Katie est pas avec elles.

Les palpitations dans la poitrine de Jimmy cessèrent brusquement, comme si on lui avait soudain immobilisé le cœur.

– Ah. Tant pis, qu'est-ce que tu veux.

– Eve m'a dit que Katie les avait déposées vers une heure. Elle a pas précisé où elle allait.

– O.K., vieux, répondit Jimmy d'un ton faussement enjoué. Je vais enquêter ailleurs.

– Elle a un copain, en ce moment ?

– Avec ces gamines de dix-neuf ans, comment veux-tu t'y retrouver ?

– C'est rudement vrai, confirma Drew en bâillant. Prends Eve, tiens. Avec tous ces types qui l'appellent, je suis sûr qu'elle a besoin de faire une liste pour pas se mélanger les pinceaux.

Jimmy força un petit rire.

– Sûr. Bon, merci encore, Drew.

– À ton service, Jimmy. À bientôt.

Jimmy raccrocha, fixant du regard les touches de la caisse enregistreuse comme si elles pouvaient lui apprendre quelque chose. Ce n'était pas la première fois que Katie passait la nuit dehors. Loin de là, même. Et ce n'était pas non plus la première fois qu'elle manquait une journée de boulot, sauf qu'en général, dans les deux cas, elle téléphonait pour prévenir. Mais si elle avait rencontré un gars avec un physique style vedette de cinéma et tout le charme de la grande ville... ? L'époque où lui-même avait dix-neuf ans n'était pas suffisamment éloignée pour que Jimmy ait oublié ce qu'il en était. Et s'il n'avait jamais laissé supposer à Katie qu'il fermait les yeux, au fond de lui-même il ne pouvait être hypocrite au point de condamner son comportement.

La clochette au bout du ruban punaisé à l'encadrement de la porte tinta soudain, et Jimmy leva les yeux, pour voir les premières permanentes bleutées appartenant au clan du rosaire faire irruption dans le magasin, jacassant à tout-va sur la diction du prêtre et les saletés dans la rue.

Devant sa vitrine, Pete redressa la tête, puis s'essuya les mains avec la serviette dont il se servait pour nettoyer son plan de travail. Après avoir flanqué une boîte pleine de gants chirurgicaux sur le comptoir, il passa derrière la seconde caisse enregistreuse et se pencha vers Jimmy pour lui glisser à l'oreille « Bienvenue en enfer! » au moment où le deuxième groupe de Bigoudis Bigots déboulait sur les talons du premier.

Il y avait maintenant presque deux ans que Jimmy ne travaillait plus le dimanche matin, et il avait oublié l'ampleur de la tornade qui balayait le magasin ce jour-là. Pete avait raison. Les fanatiques aux cheveux bleus, qui s'étaient pressés à Saint Cecilia pour la messe de sept heures quand les gens normaux dormaient encore, libéraient leur frénésie biblique de consommation dans le magasin de Jimmy, décimaient les plateaux de gâteaux et de beignets, vidaient le café, dépouillaient le rayon de produits laitiers et réduisaient de moitié les piles de journaux. Ils bousculaient les présentoirs, écrasaient allègrement les sachets de chips ou de cacahouètes qui tombaient à leurs pieds. Ils réclamaient à tue-tête des pâtisseries, des bulletins de loto, des billets de loterie, des Pall Mall et des Chesterfield sans tenir compte de leur place dans la queue. Puis, alors qu'un océan de tête bleues, blanches et chauves s'agitaient derrière eux, ils lambinaient au comptoir, demandaient à Jimmy et à Pete des nouvelles de leur petite famille, cherchaient à faire l'appoint jusqu'au dernier centime récupéré au fond de leurs poches et mettaient un temps incroyable à soulever leurs achats avant de s'écarter pour laisser avancer la foule grondant d'impatience.

Jimmy n'avait pas vu un tel chaos depuis la dernière fois où il avait assisté à un mariage irlandais avec boissons à volonté, et lorsqu'il consulta enfin l'horloge, à neuf heures moins le quart, alors que les derniers fous furieux se dirigeaient vers la sortie, il sentait la sueur tremper le T-shirt sous son sweat et coller le tissu à sa peau. Il regarda le magasin qui semblait avoir été dévasté par une bombe, puis regarda Pete, et il ressentit envers lui un soudain élan d'amitié et de solidarité – quelque chose qui lui rappela le groupe des flics, des infirmières et des putes de sept heures et quart –, comme si le simple fait d'avoir survécu à l'attaque des gérontes en folie à huit heures du matin avait permis à leurs relations d'accéder à un niveau supérieur d'intimité.

Pete lui décocha un sourire fatigué.

– Ça va se calmer pendant une demi-heure environ. Ça t'embête si je sors m'en griller une ?

Jimmy éclata de rire. Il se sentait bien, à présent, et étrangement fier de ce commerce dont il avait su faire une institution dans le quartier.

– Merde, Pete, fume tout le paquet si tu veux !

Il avait remis de l'ordre dans le magasin, réapprovisionné le rayon des produits laitiers et pratiquement terminé de regarnir de beignets les présentoirs quand la clochette tinta une nouvelle fois. Levant les yeux, il vit Brendan Harris et son petit frère, Ray le Muet, longer le comptoir pour se diriger vers les rayons plus petits où étaient entreposés les pains, les détergents, les biscuits et les thés. Jimmy entreprit alors de recouvrir de cellophane les pâtisseries, tout en déplorant d'avoir donné à Pete l'impression qu'il pouvait s'accorder un mois de congé dehors et en souhaitant qu'il ramène ses fesses au plus vite.

Soudain, il remarqua que Brendan observait furtivement les caisses enregistreuses par-dessus les gondoles, comme s'il songeait à un braquage ou espérait apercevoir quelqu'un. L'espace de quelques secondes irrationnelles, Jimmy se demanda s'il devrait virer Pete pour avoir vendu du hasch sur son lieu de travail. Mais il se rappela presque aussitôt que Pete l'avait regardé droit dans les yeux quand il avait juré de ne jamais rien faire qui puisse mettre en péril le magasin. Et Jimmy avait su qu'il disait la vérité, car à moins d'être Le Plus Grand Champion des Raconteurs de Craques, il était pratiquement impossible de mentir à Jimmy Marcus quand il vous observait après avoir posé une question ; il repérait tous les plus infimes tics nerveux et mouvements de la prunelle capables de vous trahir. Ce talent-là, il l'avait acquis à force de vivre avec un père incapable de tenir ses promesses d'ivrogne – au bout d'un moment, on reconnaissait l'expression chaque fois qu'elle affleurait à la surface. Alors, quand Pete l'avait regardé droit dans les yeux en promettant de ne jamais dealer, Jimmy n'avait pas douté un seul instant de sa sincérité.

Dans ce cas, comment expliquer l'attitude de Brendan ? Était-il assez stupide pour envisager un hold-up ? Ayant connu le père de Brendan, Juste Ray Harris, Jimmy était bien placé pour savoir qu'une bonne dose de bêtise circulait dans les gènes de la famille, mais quel gars serait assez bête pour essayer de braquer un magasin sur la frontière entre les East Bucky Flats et le Point avec un gosse de treize ans pendu à ses basques ? De plus, si quelqu'un avait un minimum de cervelle chez les Harris, Jimmy devait bien admettre que c'était Brendan. Il était timide malgré sa belle gueule, mais Jimmy avait appris depuis longtemps à distinguer un homme qui se tait parce qu'il ne connaît pas la signification des mots et un homme juste introverti, qui observe, écoute, enregistre tout. Brendan appartenait à cette seconde catégorie, aucun doute ; on sentait qu'il comprenait un peu trop bien les gens, et que cette faculté le rendait nerveux.

Brusquement, leurs regards se croisèrent, et Brendan gratifia Jimmy d'un sourire à la fois gêné et amical, comme s'il cherchait à se faire pardonner d'avoir d'autres choses en tête.

– Je peux t'aider, Brendan ?

– Euh, non, monsieur Marcus. Je suis juste venu chercher, euh, une boîte de ce thé irlandais que ma mère aime bien.

– Le Barry ?

– C'est ça, oui.

– Dans l'allée d'à côté.

– D'accord. Merci.

Jimmy retournait derrière les caisses lorsque Pete rentra, apportant avec lui l'odeur nauséabonde d'une cigarette fumée en hâte.

– À quelle heure arrive Sal, déjà ? s'enquit Jimmy.

– Il devrait être là d'une minute à l'autre, maintenant. (Avec un soupir, Pete s'adossa au présentoir de cigarettes.) Il est lent, Jimmy.

– Qui, Sal ? (Jimmy regardait les deux frères communiquer en langage des signes au milieu de l'allée centrale, Brendan avec une boîte de Barry coincée sous le bras.) Hé, c'est qu'il va sur ses quatre-vingts piges !

– Je sais *pourquoi* il est lent. J'te le dis, c'est tout. Si c'était lui qu'avait assuré le service de huit heures avec moi, Jim, ben, on y serait encore.

– C'est pour ça que je lui demande de venir seulement pendant les périodes creuses. De toute façon, ce matin, il était pas prévu que tu bosses avec moi ou Sal. Normalement, c'était toi et Katie.

Entre-temps, Brendan et Ray le Muet s'étaient approchés du comptoir, et Jimmy vit soudain une lueur briller dans les yeux de Brendan lorsqu'il prononça le nom de sa fille.

– Ce sera tout, Brendan ? lança Pete en s'écartant du présentoir de cigarettes.

– Je... Je... Je..., bégaya Brendan, avant de reporter son attention sur son cadet. Euh, oui, je crois. Mais je vais quand même vérifier avec Ray.

Leurs mains voltigèrent de nouveau, les deux frères s'exprimant manifestement à une telle vitesse qu'il aurait sans doute été difficile de les suivre même s'ils avaient émis des sons. Les traits de Ray le Muet, pourtant, étaient aussi figés que ses doigts étaient actifs. Jimmy l'avait toujours trouvé un peu inquiétant, plus influencé par sa mère que par son père, l'absence d'expression sur sa figure lui apparaissant comme une sorte de défi. Il en avait parlé un jour à Annabeth, qui l'avait accusé d'être insensible à la détresse des handicapés, mais Jimmy n'était pas convaincu. Il y avait quelque chose de mauvais sur le visage mort du jeune Ray, dans sa bouche silencieuse, quelque chose qui vous donnait envie de l'écrabouiller à coups de marteau.

Enfin, Brendan se pencha pour attraper une barre chocolatée, et de nouveau, Jimmy songea à son père, à cette puanteur insupportable qu'il promenait partout avec lui l'année où il avait travaillé à la confiserie.

– Et le *Globe*, aussi, ajouta Brendan en prenant le journal.

– C'est parti, dit Pete, qui fit le total sur la caisse.

– Je, euh, je croyais que Katie travaillait, le dimanche, reprit Brendan en lui tendant un billet de dix dollars.

Pete haussa les sourcils au moment où le tiroir-caisse venait buter contre son ventre.

– T'aurais pas un faible pour la fille de mon boss, Brendan ?

Celui-ci évita le regard de Jimmy.

– Non. Non, c'est pas ça... (Brendan laissa échapper un petit rire qui mourut presque aussitôt sur ses lèvres.) Je me posais la question, c'est tout, parce qu'en général, elle est là quand je viens ici le dimanche.

– Sa petite sœur fait sa première communion aujourd'hui, l'informa Jimmy.

– Oh, Nadine ?

Brendan tourna la tête vers Jimmy, les yeux trop écarquillés, le sourire trop large.

– Nadine, oui, répondit-il, surpris que Brendan ait mentionné ce prénom sans la moindre hésitation.

– Eh bien, monsieur Marcus, vous lui direz qu'on la félicite, Ray et moi.

– Entendu.

Reportant son attention sur le comptoir, Brendan hocha la tête à plusieurs reprises pendant que Pete glissait dans un sac le thé et la barre chocolatée.

– Bon, ben, je suis content de vous avoir vus, déclara Brendan. Ray ? Tu viens ?

Ray, qui ne le regardait pas, le suivit aussitôt, rappelant à Jimmy qu'il n'était pas sourd, mais seulement muet, ce que la plupart des gens oubliaient souvent pour n'avoir sans doute jamais rencontré quelqu'un comme lui auparavant.

– Hé, Jimmy ? lança Pete après le départ des deux frères. Je peux te demander quelque chose ?

– Vas-y, je t'écoute.

– Pourquoi tu le détestes autant, ce gosse ?

Jimmy haussa les épaules.

– Je sais pas si c'est de la haine, vieux. C'est juste... Hé, il te fait pas froid dans le dos, ce petit connard de muet ?

– Oh, *lui* ? Mouais. Il est bizarre, ce merdeux, toujours à te reluquer comme si t'avais un truc sur la figure qui lui plaisait pas et qu'il avait envie d'arracher. Mais je parlais pas de lui. Je parlais de Brendan. Je veux dire, il m'a plutôt l'air d'un brave garçon. Correct, même s'il est timide. T'as remarqué qu'il utilise le langage des signes avec son frangin même quand c'est pas nécessaire ? Juste pour que le môme se sente pas isolé. C'est gentil, non ? Mais bon sang, Jimmy, tu le regardes toujours comme si t'étais à deux doigts de lui trancher le nez et de le forcer à l'avaler.

– Non.

– Oh, si.

– C'est vrai ?

– Je t'assure.

Jimmy tourna la tête vers la vitre poussiéreuse par-delà le terminal du loto, vers l'étendue grise et mouillée de Buckingham Avenue sous le ciel matinal. Il avait encore l'impression de voir le visage de Brendan et ce putain de sourire qui lui portait sur les nerfs.

– Jimmy ? C'était pour blaguer, que je disais ça. Je voulais pas...

– Voilà Sal, l'interrompit Jimmy qui, la tête toujours détournée, garda les yeux rivés sur le vieil homme qui remontait lentement la rue. C'est pas trop tôt, bordel.

6

Parce qu'il est brisé

Pour Sean Devine, ce dimanche-là – le premier jour où il reprenait le travail après une semaine de mise à pied – commença lorsqu'il fut arraché à son rêve par la sonnerie du réveil, suivie de près par la conscience brutale que, tel le bébé expulsé du ventre maternel, il ne pourrait plus jamais y retourner. Il ne se souvenait plus de tous les détails, juste de quelques bribes décousues, et de toute façon, il ne lui semblait pas qu'il y ait eu de fil directeur à proprement parler. Mais des images éclatées s'étaient fichées dans son crâne telles des pointes acérées, qui devaient le rendre fébrile toute la matinée.

Sa femme, Lauren, figurait dans ce rêve, et il lui semblait toujours percevoir l'odeur de sa peau. Sa chevelure emmêlée était couleur de sable mouillé, plus sombre et plus longue que dans la réalité, et elle portait un maillot de bain blanc encore humide. Elle était toute bronzée, et il y avait de fines traînées de sable sur ses chevilles et ses pieds nus. Elle sentait la mer et le soleil, et, assise sur les genoux de Sean, elle lui embrassait le bout du nez en lui chatouillant la gorge de ses longs doigts. Ils étaient sur la terrasse d'une maison au bord de la plage, mais si Sean entendait les vagues, il ne les voyait pas. À la place de l'océan, il y avait un écran de télévision éteint aussi vaste qu'un terrain de football. Lorsqu'il le regardait, Sean ne distinguait que son reflet, et non celui de Lauren, comme s'il étreignait le vide. Pourtant, c'était bien un être de chair – de chair tiède – qu'il caressait.

Il se rappelait ensuite s'être tenu sur le toit de la maison, le corps de Lauren dans ses bras ayant cédé la place à une girouette en métal lisse. Il la serrait avec force, tandis qu'en contrebas, au pied de la façade, un gouffre immense s'ouvrait dans le sol, avec au fond un voilier échoué à l'envers. L'instant d'après, il s'était retrouvé nu sur un lit auprès d'une femme qu'il n'avait jamais rencontrée auparavant, il sentait sa chaleur, et en même temps, par une sorte de logique propre aux rêves, il savait Lauren dans une autre pièce, en train de les observer sur un écran vidéo, et soudain, une mouette était venue se fracasser contre la vitre, projetant sur le matelas des éclats de verre pareils à des glaçons, et Sean, de nouveau habillé, s'était penché vers l'oiseau.

La mouette avait laissé échapper un hoquet. Elle avait dit : « Mon cou me fait mal », et Sean avait été tiré du sommeil avant de pouvoir répondre : « C'est parce qu'il est brisé. »

Il se réveilla avec l'impression que le rêve circulait en lui comme l'huile de moteur dans une voiture, disséminant des saletés au coin de ses paupières et sur sa langue. Il garda les yeux fermés tout le temps que sonnait le réveil, espérant qu'il s'agissait seulement d'un nouveau songe et qu'il dormait toujours, que la sonnerie ne retentissait que dans sa tête. Et puis, il finit par soulever les paupières, l'esprit encore empli par la sensation du corps ferme de l'inconnue et l'odeur de la mer sur la peau de Lauren, et il comprit alors que ce n'était ni un rêve, ni un film, ni une chanson infiniment triste.

Non, c'était la réalité. La réalité de ces draps, de cette chambre, de ce lit. De cette boîte de bière vide sur le rebord de la fenêtre, du soleil qui l'éblouissait, du bip insistant du réveil sur la table de chevet. De ce robinet qui gouttait, et qu'il oubliait toujours de réparer. La réalité de sa vie, et uniquement de la sienne.

Il éteignit le réveil, mais ne se leva pas immédiatement. Il n'osait pas encore se redresser, car il ignorait s'il avait la gueule de bois. Or, s'il avait la gueule de bois, cette première journée de reprise allait lui paraître deux fois plus longue – quand elle serait déjà sans doute très très longue, compte tenu de tout ce qu'il allait se prendre dans la tronche, de toutes les mauvaises blagues qu'il aurait à subir après sa mise à pied.

Immobile dans son lit, il écouta les bruits de la rue, le bruit des tarés d'à côté qui faisaient hurler la télévision du matin au soir, le bruit du ventilateur au plafond, du micro-ondes et des climatiseurs, et aussi le bruit du réfrigérateur. Au boulot, il y avait le bruit des ordinateurs. Partout, on entendait le bip des téléphones portables, des agendas électroniques, des appareils ménagers divers et variés, au point qu'un bip-bip-bip constant semblait monter de la rue, du poste de police, de tous les immeubles de Faneuil Heights et des East Bucky Flats.

Tout bipait, aujourd'hui. Tout était rapide, fluide, conçu pour aller vite. Et tout le monde suivait le rythme, s'y adaptait, réglait son allure sur celle du monde.

Quand est-ce que ça avait commencé, bordel ?

Au fond, c'était la seule chose que Sean voulait savoir. À quel moment le tempo s'était-il accéléré, l'abandonnant à la traîne, loin derrière les autres ?

Il ferma les yeux.

Quand Lauren était partie.

Oui, c'était à ce moment-là que ça avait commencé.

Brendan Harris regarda le téléphone en souhaitant de toutes ses forces qu'il sonne. Puis il consulta sa montre. Déjà deux heures de retard. Bon, ce n'était pas vraiment surprenant, dans la mesure où Katie avait toujours eu des problèmes avec la ponctualité, mais un jour comme celui-là, tout de même... Brendan n'aspirait qu'à *partir*. Et où était-elle, puisqu'elle n'était pas au magasin ? Il était prévu qu'elle l'appelle pendant son service à Cottage Market, qu'elle assiste à la première communion de sa demi-sœur, et ensuite, qu'elle vienne le retrouver. Mais elle n'était pas allée travailler. Et elle n'avait pas téléphoné.

De son côté, il n'avait pas la possibilité de la joindre. C'était d'ailleurs un des aspects les plus problématiques de leur relation depuis ce premier soir où ils étaient sortis ensemble. Katie pouvait se trouver dans trois endroits : chez Bobby O'Donnell quand elle avait commencé à fréquenter Brendan, dans l'appartement où elle avait grandi à Buckingham Avenue avec son père, sa belle-mère et ses deux demi-sœurs, ou dans celui du dessus, où vivaient tous ses cinglés d'oncles, dont deux, Nick et Val, étaient de véritables monuments de folie furieuse aux pulsions vraiment incontrôlables. Et puis, il y avait son père, Jimmy Marcus, qui le détestait sans que ni Brendan ni Katie puissent se l'expliquer. En attendant, Katie s'était montrée on ne peut plus claire – au fil des années, son père en avait fait une loi : « Reste à l'écart des Harris ; si tu t'avises d'en ramener un chez nous, je te renie. »

D'après Katie, pourtant, son père était plutôt du genre rationnel, mais un soir, alors que ses larmes coulaient sur le torse de Brendan, elle lui avait confié :

– Il devient dingue quand on parle de toi. Complètement dingue. Un soir, je me rappelle, il était bourré et... Enfin, il était parti, tu vois ? Et il a commencé à me parler de ma mère, à me raconter combien elle m'aimait et tout, et à un moment, il a dit... il a dit : « Foutus Harris. Tous de la racaille, Katie. »

Racaille. Brendan avait eu l'impression de recevoir un crachat en pleine figure.

– « Reste à l'écart de ces gens-là. C'est la seule chose que je te demanderai jamais. S'il te plaît, Katie. »

– Comment ça se fait que tu sois avec moi, alors ?

Elle s'était tournée vers lui, avant de lui adresser un sourire triste.

– T'en sais rien ?

85

En vérité, Brendan n'en avait pas la moindre idée. Katie était tout à ses yeux. Une déesse. Brendan, lui, n'était que, eh bien, que Brendan.

– Non, j'en sais rien.

– T'es gentil.

– Ah bon ?

Elle avait hoché la tête.

– Je te vois souvent avec Ray, ou ta mère, ou même n'importe qui dans la rue, et t'es tellement gentil...

– Comme beaucoup de gens.

– Faux. Beaucoup sont juste polis. C'est pas la même chose.

En y réfléchissant, Brendan avait bien été obligé d'admettre que tout le monde l'appréciait – sans doute pas au point de lui accorder le premier prix de popularité, mais plutôt d'une façon toute simple, style « Il est sympa, le petit Harris ». Il n'avait jamais eu d'ennemis, ne s'était plus retrouvé mêlé à une bagarre depuis la fin de l'école primaire et ne se souvenait même pas de la dernière fois où on lui avait parlé durement. Alors, peut-être que Katie avait raison, qu'il était *réellement* gentil et que c'était rare. Ou peut-être qu'il n'était pas du genre à irriter les gens.

Sauf le père de Katie. C'était un mystère pour Brendan. Et c'était de la haine qu'il lui inspirait, inutile de se voiler la face.

Une demi-heure plus tôt, Brendan l'avait sentie dans le magasin de M. Marcus – cette haine tranquille installée en lui, qu'il lui transmettait comme une infection virale. Il en avait perdu contenance. Il en avait bégayé. Il n'avait pas osé croiser les yeux de Ray sur le trajet du retour tant cette haine lui donnait l'impression d'être sale, d'avoir les cheveux pleins de poux, les dents souillées. Et que cette hostilité n'ait aucun sens pour lui – non seulement il n'avait jamais rien fait à M. Marcus, mais il le connaissait à peine – ne rendait pas les choses plus faciles. En regardant Jimmy Marcus, Brendan avait vu un homme qui ne prendrait même pas la peine de lui pisser dessus s'il était en train de brûler vif.

Il ne pouvait donc appeler Katie, au risque que quelqu'un identifie son numéro et se demande pourquoi ce garçon tant détesté cherchait à la joindre. Il avait failli lui téléphoner au moins un million de fois, mais la seule pensée d'entendre la voix de Jimmy Marcus, de Bobby O'Donnell ou d'un des frères Savage à l'autre bout de la ligne avait suffi à lui faire reposer d'une main moite le combiné sur son socle.

À vrai dire, Brendan avait du mal à déterminer qui l'effrayait le plus. M. Marcus était juste un type normal, propriétaire du magasin d'alimentation où lui-même était allé la moitié de sa vie, mais il y avait quelque chose en lui – en plus de sa haine évidente pour les Harris –, une sorte de potentiel que Brendan n'aurait pu définir, mais qui le perturbait, l'obligeait à baisser la voix en sa présence et à éviter son regard. Bobby O'Donnell était un de ces voyous dont personne ne savait au juste comment il gagnait sa vie. Quant aux frères Savage, ils étaient à des années-lumière de ce que la plupart des gens considéraient comme des êtres normaux au comportement acceptable. Les frères Savage, sans doute les types les plus déjantés, les plus allumés à avoir jamais vu le jour dans les Flats, avaient le regard fixe et le sang tellement chaud qu'on aurait pu remplir un livre aussi épais que l'Ancien Testament avec la liste de ce qui les faisait exploser. Leur père, un cinglé de première lui aussi, et leur mère d'une maigreur ascétique les avaient pondus les uns après les autres, à onze mois d'intervalle, comme s'ils les produisaient à la chaîne. Les frères avaient grandi serrés comme des sardines dans une chambre de la taille d'un transistor japonais, à côté du métro aérien qui dominait autrefois les Flats, masquant le soleil, et avait été démoli lorsque Brendan était encore petit. Les sols de leur appartement penchaient singulièrement vers l'est et les trains défilaient sous leurs fenêtres vingt et une heures sur vingt-quatre chaque foutue journée que Dieu faisait, ébranlant leur petit immeuble minable avec tant de force que la plupart du temps, les frères dégringolaient de leur lit et se réveillaient le matin empilés les uns sur les autres, aussi hargneux qu'une bande de rats affamés, et commençaient la journée en se mettant une bonne peignée pour pouvoir s'extirper de l'amas humain.

Quand ils étaient gosses, les autres ne les voyaient pas comme des individus distincts. C'étaient juste les Savage, une troupe, une meute, une mêlée confuse de membres, d'aisselles, de genoux et de tignasses broussailleuses qui semblait se déplacer dans un tourbillon de poussière comme le diable de Tasmanie. Si jamais le tourbillon s'approchait de vous, mieux valait libérer le passage en espérant qu'il s'abattrait sur quelqu'un d'autre avant de vous atteindre, ou se bornerait à passer son chemin, tout à son obsession pour sa propre démence crasse.

À dire vrai, jusqu'à ce qu'il sorte avec Katie, Brendan ne savait même pas combien ils étaient au juste, alors qu'il était né dans les Flats. Mais Katie avait tout récapitulé pour lui : il y avait Nick, l'aîné, disparu du quartier depuis six ans pour purger une peine de dix années incompressibles à Walpole ; Val était le suivant, et d'après Katie, le plus gentil ; venaient ensuite Chuck, Kevin, Al (que l'on confondait souvent avec Val), Gerard, tout juste sorti de Walpole lui aussi, et enfin Scott, le petit dernier et le chouchou de leur mère quand elle était encore vivante, qui était aussi le seul à avoir un diplôme et à ne pas vivre dans les appartements réquisitionnés par ses frères – après qu'ils eurent réussi à faire fuir les précédents locataires – au premier et au troisième étages de l'immeuble où habitaient les Marcus.

— D'accord, ils ont une sale réputation, avait dit Katie à Brendan, mais je t'assure, ils sont vraiment sympas. À part Scott. C'est un peu difficile de s'entendre avec lui.

Scott. Le seul membre « normal » de la famille.

Brendan regarda de nouveau sa montre, puis le réveil près de son lit, puis le téléphone.

Et aussi le lit où il s'était endormi l'autre nuit en contemplant les petits cheveux blonds dans la nuque de Katie, un bras passé sur sa hanche, la main posée sur son ventre chaud, environné par l'odeur de ses cheveux, de son parfum et de sa sueur.

Il regarda encore le téléphone.

Appelle, bordel. Appelle.

Deux gamins découvrirent la voiture. Ils alertèrent le 911, et celui qui parla au téléphone paraissait essoufflé, comme entraîné dans quelque chose qui le dépassait alors que les mots se bousculaient dans sa bouche :

— Y a cette voiture avec du sang dedans et, ben, la portière est ouverte et, euh...

— Elle est où, cette voiture ? l'interrompit l'opérateur du 911.

— Dans les Flats. Près de Pen Park. Avec mon copain, on l'a vue, et...

— Tu connais le nom de la rue ?

— Sydney Street, lâcha le gosse dans le combiné. Y a du sang dedans, et la portière est ouverte.

— Comment tu t'appelles, fiston ?

— Hé, y veut savoir comment elle s'appelle ! lança le gosse à son copain. Et y m'a appelé « fiston » !

— Fiston ? reprit l'opérateur. C'est à toi que j'ai posé la question. Comment tu t'appelles ?

— On se tire, vieux. Bonne chance.

Le gosse raccrocha, et l'opérateur constata sur l'écran de son ordinateur que l'appel émanait d'une cabine téléphonique à l'angle de Kilmer et de Nauset, dans les East Bucky Flats, à environ cinq cents mètres de l'entrée de Penitentiary Park sur Sydney Street. Il relaya l'information au standard de la police, qui envoya aussitôt sur les lieux une voiture radio.

Un des agents rappela pour demander des renforts, suggérer de prévenir la police scientifique et, mouais, peut-être aussi la Criminelle. Juste une idée, comme ça.

— Vous avez trouvé un corps, Trente-trois ? À vous.

— Négatif.

— Trente-trois ? Pourquoi mettre la Criminelle sur le coup s'il n'y a pas de corps ? À vous.

– C'est que, en voyant la voiture, je me suis dit qu'on n'allait pas tarder à en trouver un.

Sean commença sa première journée de reprise en se garant dans Crescent Street, puis en contournant les herses placées à l'angle de Sydney Street. Lesdites herses comportaient le sigle du Boston Police Department, parce que les hommes du BPD étaient les premiers sur les lieux, mais Sean se doutait déjà, pour avoir écouté les scanners sur le trajet, que cette affaire serait confiée à la brigade criminelle de la police d'État, dont il faisait partie.

D'après ce qu'il avait compris, la voiture avait été retrouvée dans Sydney Street, qui était placée sous la juridiction de la ville, mais il y avait des traces de sang jusque dans Penitentiary Park, qui dépendait de l'État. Alors qu'il longeait le parc, Sean ne tarda pas à remarquer une fourgonnette de la police scientifique garée à une centaine de mètres de l'entrée.

En se rapprochant, il aperçut son sergent, Whitey Powers, près d'une voiture dont la portière côté conducteur était ouverte. Souza et Connolly, promus à la Criminelle depuis seulement une semaine, fouillaient les broussailles alentour, un gobelet de café à la main, et deux véhicules de patrouille étaient arrêtés sur l'accotement gravillonné à côté de la fourgonnette. Les techniciens de la scène du crime examinaient la voiture abandonnée en jetant des regards mauvais en direction de Souza et de Connolly, qu'ils soupçonnaient manifestement de piétiner d'éventuels indices et de vouloir jeter dans l'herbe le couvercle de leurs gobelets en polystyrène.

– Tiens, voilà le sale môme ! lança Whitey Powers, qui haussa les sourcils de surprise en voyant Sean. On vous a déjà averti ?

– Mouais, répondit Sean. Mais je n'ai plus de partenaire, sergent. Adolph est HS.

Whitey Powers hocha la tête.

– Vous vous prenez une tape sur les doigts, et cet imbécile de boche tombe malade, comme par hasard. (Il plaça un bras autour des épaules de Sean.) Vous allez faire équipe avec moi, fils. Pour la durée de votre mise à l'épreuve.

C'était donc ainsi que les choses se passeraient, songea Sean. Whitey allait garder un œil sur lui jusqu'à ce que les huiles décident s'il était à la hauteur ou pas.

– J'espérais profiter d'un week-end tranquille, moi aussi, dit Whitey en faisant pivoter Sean vers la voiture à la portière ouverte. Tout le comté était plus mort qu'un rat mort, hier soir, Sean. Juste une agression au couteau à Parker Hill, une autre à Bromley Heath, et une étudiante qui s'est pris une raclée à coups de bouteille de bière ici, à Allston. Mais rien de fatal, et que des trucs pour les collègues de la ville. Quant à la victime de Parker Hill... Ben, le gars est arrivé seul aux urgences de MGH, un grand couteau à steak planté dans la clavicule, en demandant à l'infirmière de service où est-ce qu'ils planquaient le distributeur de Coca dans c'te baraque.

– Elle lui a répondu ? demanda Sean.

Whitey sourit. Il souriait beaucoup, sans doute parce que c'était l'un des gars les plus brillants de la Crim', et ce, depuis toujours. Il ne devait pas être en service quand on l'avait prévenu, car il portait un pantalon de survêtement, un maillot de hockey visiblement emprunté à son fils, et sur lequel il avait accroché son badge doré, une casquette de base-ball repoussée sur son crâne et des tongs d'un bleu irisé aux pieds.

– Jolie tenue, commenta Sean, ce qui lui valut un autre sourire nonchalant.

Au même moment, un oiseau venu du parc décrivit un cercle au-dessus d'eux en laissant échapper un cri perçant qui fit courir des frissons le long de la colonne vertébrale de Sean.

– Et merde, reprit Whitey. Dire qu'y a une demi-heure, j'étais sur mon canapé...

– Devant les dessins animés ?

– En plein entraînement de catch. (De la main, Whitey indiqua les herbes et le parc au-delà.) À mon avis, on la retrouvera quelque part par-là. Mais bon, on vient juste de lancer les recherches, et Friel nous a demandé de parler de Personne Disparue tant qu'on n'a pas de corps.

Lorsque l'oiseau les survola de nouveau, un peu plus bas, ses piaillements stridents s'insinuèrent cette fois dans le cerveau de Sean.

– C'est pour nous ? s'enquit-il.

Whitey hocha la tête.

– Sauf si la victime est ressortie du parc pour se faire buter.

Sean leva les yeux. L'oiseau avait une grosse tête et des pattes courtes repliées sous un corps blanc rayé de gris au milieu. Sean n'était pas capable de déterminer à quelle espèce il appartenait, mais il n'avait pas tellement l'habitude de se promener dans la nature pour observer les petites bêtes.

– Vous savez ce que c'est ? demanda-t-il.

– Un martin-pêcheur, répondit Whitey.

– N'importe quoi.

Le sergent leva la main.

– Je le jure devant Dieu.

– Vous avez beaucoup regardé *La Vie sauvage* quand vous étiez gosse ?

Le volatile piailla encore une fois, et Sean eut envie de le descendre.

– Voulez jeter un coup d'œil à la voiture de la fille ? s'enquit Whitey.

– La fille ? répéta Sean en se baissant à son tour pour passer sous le ruban jaune délimitant la scène du crime.

– Les gars du labo ont récupéré les papiers du véhicule dans la boîte à gants. La propriétaire est une certaine Katie Marcus.

– Merde, marmonna Sean.

– Vous la connaissez ?

– C'est sûrement la gosse d'un gars que je connais.

– Vous êtes proches, tous les deux ?

Sean fit non de la tête.

– On se dit bonjour quand on se croise dans le quartier, c'est tout.

– Ça ne va pas plus loin ? insista Whitey, comme s'il avait besoin d'un prétexte pour se débarrasser de l'affaire sur-le-champ.

– Non, répondit Sean.

Ils venaient d'atteindre la voiture, et Whitey indiquait à Sean la portière côté conducteur quand une femme des services scientifiques s'en écarta, puis se redressa avant de s'étirer, les bras levés vers le ciel, les doigts entremêlés.

– Touchez à rien, les gars. Qui est le responsable ?

– En principe, c'est moi, répondit Whitey. Le parc appartient à l'État.

– Mais la voiture est sur le territoire de la ville.

De la main, Whitey montra les broussailles sur le bas-côté.

– Ce sang, là, est tombé sur une propriété de l'État.

– Franchement, tout ça me dépasse, conclut son interlocutrice avec un soupir.

– L'assistant du procureur est en route, dit Whitey. Lui, il pourra trancher. Jusque-là, c'est l'affaire de la police d'État.

Tournant la tête vers le parc, Sean comprit que s'ils devaient trouver un corps, ce serait là-bas.

– Qu'est-ce que vous pouvez nous dire sur cette bagnole ? demanda-t-il.

La femme étouffa un bâillement.

– La portière était ouverte quand on l'a découverte. Les clés étaient toujours sur le contact, et les phares, allumés. Comme un fait exprès, la batterie a lâché dix secondes après notre arrivée.

Sean remarqua des traces de sang au-dessus du haut-parleur encastré dans la portière ouverte. Une partie, désormais noire et desséchée, avait coulé sur le haut-parleur lui-même. Il s'accroupit, pivota sur ses talons et vit une autre tache sombre sur le volant. Une troisième, plus longue et plus large, s'étalait sur le pourtour d'un trou creusé par une balle dans le siège en vinyle du conducteur, au niveau de l'épaule. Sean pivota de nouveau, jeta un coup d'œil aux broussailles à gauche de la voiture, puis tendit le cou pour examiner l'extérieur de la portière, où il nota la marque récente d'un choc.

Il leva la tête vers Whitey, qui opina.

– L'agresseur devait se tenir à côté du véhicule. La petite Marcus – si c'est bien elle qui conduisait – l'a certainement heurté avec la portière. Du coup, cette espèce de fumier lui a tiré dessus, et il l'a touchée, ben, je sais pas, à l'épaule, peut-être au niveau du biceps ? En tout cas, elle a réussi à s'enfuir. (Il indiqua quelques touffes d'herbe récemment aplaties.) Y a des broussailles écrasées jusqu'à l'entrée du parc. Sa blessure ne devait pas être trop grave, parce qu'on n'a retrouvé que quelques gouttes de sang dans le coin.

– On a envoyé des unités dans le parc ? demanda Sean.

– Jusque-là, deux.

La femme des services scientifiques ricana.

– Ils sont plus doués que ces deux-là, j'espère.

Elle avait le regard fixé sur Connolly qui, comme le constatèrent Sean et Whitey, venait de renverser son café dans l'herbe et insultait son gobelet.

– Hé, soyez indulgente, ils sont nouveaux, fit Whitey.

– Faut que je continue à prendre les empreintes, les gars.

– Vous avez trouvé des papiers d'identité dans la voiture ? demanda Sean en s'écartant pour lui céder le passage.

– Ouais. Un portefeuille sous le siège, un permis de conduire au nom de Katherine Marcus. Il y avait aussi un sac à dos derrière le siège passager. Billy est en train d'en vérifier le contenu.

Sean jeta un coup d'œil par-dessus le capot à l'homme qu'elle désignait d'un mouvement de tête. Il était agenouillé sur la chaussée, avec un sac à dos bleu foncé posé à côté de lui.

– Sur le permis de conduire, vous avez regardé quel âge elle avait ?

– Dix-neuf ans, sergent.

– Dix-neuf ans, répéta Whitey à l'adresse de Sean. Et vous connaissez le père ? Merde, mon vieux, ce gars-là le sait pas encore, mais il se prépare à vivre un enfer.

Sean tourna la tête, vit l'oiseau solitaire retourner vers le canal en piaillant et un rayon de soleil percer les nuages. Les cris stridents du volatile lui vrillèrent les tympans, se frayèrent un chemin jusqu'à son cerveau, et soudain, Sean fut transpercé par le souvenir de cette solitude désespérée qu'il avait surprise sur les traits du petit Jimmy Marcus à onze ans, le jour où ils avaient failli voler une voiture. Il lui semblait la ressentir maintenant dans toute sa force, cette solitude à la fois vaincue, rageuse et implorante ancrée en Jimmy Marcus telle la maladie au cœur d'un arbre mourant, comme si les vingt-cinq années le séparant de cette journée n'avaient pas duré plus longtemps qu'une publicité à la télévision. Pour tenter de l'oublier, il pensa à Lauren, cette Lauren avec ses longs cheveux châtains et sa peau fleurant bon la mer qui lui était apparue en songe le matin même. Et au moment où il l'évoquait, il regretta de ne pouvoir retourner dans ce rêve, fermer la porte derrière lui et disparaître à jamais.

7

C'est dans le sang

Nadine Marcus, la plus jeune fille de Jimmy et d'Annabeth, reçut pour la première fois le sacrement de la communion le dimanche matin à Saint Cecilia, dans les East Bucky Flats. Les mains jointes de la base de la paume jusqu'au bout des doigts, vêtue d'une robe blanche et d'un voile également blanc qui lui donnait l'air d'une toute jeune fiancée ou d'un ange des neiges, elle remonta l'allée au milieu d'une procession de quarante bambins, glissant avec grâce quand les autres trébuchaient à chaque pas.

C'était du moins l'impression qu'avait Jimmy, et même s'il était prêt à reconnaître que, bon, d'accord, il avait un certain parti pris en faveur de ses enfants, il était néanmoins presque sûr d'avoir raison. Aujourd'hui, les jeunes parlaient ou criaient chaque fois qu'ils en avaient envie, juraient en présence de leurs parents, exigeaient ceci ou cela, ne manifestaient absolument aucun respect envers les adultes et avaient ce regard légèrement ahuri, légèrement fiévreux aussi, des intoxiqués de la télévision, ou de l'ordinateur, ou des deux. Pour Jimmy, ils étaient comme des boules de flipper – indolentes à un moment donné, frénétiques un instant plus tard, fonçant dans tous les obstacles en vue, faisant retentir diverses sonneries électroniques et rebondissant d'un côté à l'autre. Il leur suffisait en général de réclamer quelque chose pour l'obtenir. S'ils ne l'obtenaient pas, ils réclamaient plus fort. Si la réponse était toujours un non hésitant, ils hurlaient. Et leurs parents – de vraies mauviettes, de l'avis de Jimmy – finissaient presque toujours par céder.

Jimmy et Annabeth adoraient leurs filles. Ils ne ménageaient pas leurs efforts pour les rendre heureuses, les distraire et leur donner le sentiment d'être aimées. Mais il existait une limite entre ce genre d'attitude et tout accepter de leur part, et Jimmy tenait à s'assurer que les trois sœurs la situaient bien.

Ce qui n'était manifestement pas le cas de ces deux petits voyous qui approchaient avec les autres communiants du banc de Jimmy – deux garçons se poussant du coude, riant trop fort, ignorant les réprimandes des bonnes sœurs, jouant leur numéro pour l'assistance et arrachant de fait un sourire à quelques adultes. Bon sang. Du temps de Jimmy, les parents en question auraient quitté leurs places, attrapé les deux lascars par les cheveux pour les soulever du sol et leur chauffer les fesses tout en leur promettant à l'oreille d'autres réjouissances avant de les reposer par terre.

Jimmy, qui avait grandi dans la haine de son père, ne se faisait pas d'illusions non plus sur les vieilles méthodes, mais bonté divine, il devait bien y avoir une solution intermédiaire que la plupart des gens paraissaient ignorer... Une sorte de terrain neutre où l'enfant savait que ses parents l'aimaient, mais aussi que c'étaient eux les patrons, que les règles existaient pour une bonne raison, que non voulait dire non, et qu'être qualifié de « mignon » ne voulait pas forcément dire que tout était permis.

Mais bien sûr, on pouvait aussi leur transmettre toutes ces valeurs, élever des gosses méritants et tout de même souffrir de leur comportement. Comme avec Katie ce jour-là. Non seulement elle n'était pas venue travailler, mais à présent, elle semblait également partie pour manquer la première communion de sa cadette. Qu'est-ce qui avait pu lui passer par la tête, nom d'un chien ? Rien de spécial, sans doute, et c'était bien là le problème.

Quand il se retourna pour regarder Nadine remonter l'allée, Jimmy éprouva une telle fierté qu'il sentit refluer un peu sa colère contre Katie (et aussi son inquiétude, ce sentiment mineur mais persistant qui le tourmentait), conscient toutefois qu'elle ne tarderait pas à revenir. La première communion, c'était un événement de taille dans la vie d'un jeune catholique – l'occasion de mettre de beaux vêtements, d'être chouchouté, complimenté et emmené ensuite au Chuck E. Cheese [1] –, et Jimmy croyait en la nécessité de célébrer les événements de ce genre dans la vie de ses enfants, de les rendre heureux et mémorables. Raison pour laquelle l'absence de Katie le contrariait autant. Elle avait dix-neuf ans, O.K., de sorte que l'univers de ses deux jeunes sœurs ne soutenait sans doute pas la comparaison avec le sien, dominé par les garçons, les fringues et les expéditions dans les bars qui n'étaient pas trop regardants sur l'âge de leur clientèle. Jimmy pouvait le comprendre, aussi lui laissait-il souvent une grande autonomie, mais une telle défection, surtout après tout ce qu'il avait lui-même fait pour marquer les événements importants dans la vie de Katie quand elle était plus jeune, c'était vraiment lamentable.

À mesure que la colère le gagnait de nouveau, Jimmy comprit que dès le retour de Katie, ils auraient un autre de leurs « débats », comme les appe-

1. Chaîne de pizzerias aux États-Unis, où l'on propose toutes sortes de divertissements pour les enfants. (N.d.T.)

lait Annabeth – une situation qui se renouvelait assez fréquemment depuis deux ou trois ans.

Mais peu importait. Laisse tomber pour le moment, songea-t-il.

Parce que Nadine était presque à la hauteur de leur banc, à présent. Annabeth lui avait fait promettre de ne pas regarder son père quand elle passerait près de lui, au risque de gâcher la solennité du sacrement par quelque chose de puéril, mais Nadine lui jeta quand même un rapide coup d'œil à la dérobée – un tout petit coup d'œil, juste pour lui signifier qu'elle était prête à encourir les foudres de sa mère par amour pour lui. À aucun moment elle ne chercha à attirer l'attention de son grand-père, Theo, ou des six oncles qui occupaient le banc derrière ses parents, et Jimmy apprécia ; elle flirtait avec la limite, mais sans la franchir. En la voyant l'épier du coin de l'œil à travers son voile, Jimmy lui adressa un salut avec trois doigts à hauteur de son ceinturon en articulant un large « Hello » silencieux.

Le sourire éclatant de Nadine révéla des dents plus blanches que son voile, sa robe ou ses chaussures, et Jimmy en ressentit l'impact dans son cœur, ses yeux et ses jambes. Les femmes de sa vie – Annabeth, Katie, Nadine et sa sœur Sara – avaient ce pouvoir sur lui ; un seul de leurs sourires ou de leurs regards, et il sentait ses genoux se dérober, une immense faiblesse s'emparer de lui.

Nadine baissa la tête et crispa son petit visage pour dissimuler son sourire, mais sa mère l'avait vu. Elle enfonça son coude entre les côtes de Jimmy et sa hanche gauche. Il se tourna vers elle, conscient de rougir, et demanda :

– Mmm ? Quoi ?

Annabeth le gratifia d'une expression laissant supposer qu'il allait en prendre pour son grade une fois de retour chez eux. Puis elle regarda droit devant elle, les lèvres pincées, mais agitées d'un léger tressaillement, et Jimmy comprit qu'il lui suffirait de lancer « Un problème ? » d'une voix de petit garçon pour qu'elle pouffe malgré elle, car il y avait toujours quelque chose dans une église qui vous donnait envie de rire, et c'était un des grands talents de Jimmy : il savait faire rire les femmes, quelles que soient les circonstances.

Il évita ensuite de regarder Annabeth, se bornant à suivre la messe et les rites sacramentels tandis que chaque enfant recevait pour la première fois l'hostie dans ses mains en coupe. Jimmy avait roulé le programme, et le papier s'imprégnait de la sueur dans sa paume alors qu'il le tapotait contre sa cuisse en observant Nadine, qui plaça l'hostie sur sa langue, puis se signa, tête basse, et soudain, Annabeth se pencha pour lui glisser à l'oreille :

– C'est notre bébé. Mon Dieu, Jimmy, tu te rends compte ? Notre bébé.

Jimmy l'enlaça, avant de l'attirer à lui en regrettant de ne pouvoir figer de tels moments comme des instantanés, de ne pouvoir rester en eux, hors du temps, jusqu'à se sentir prêt à en sortir, quel que soit le nombre d'heures ou de jours nécessaires pour en arriver là. Lorsqu'il tourna la tête pour embrasser Annabeth sur la joue, elle s'appuya un peu plus fort contre lui, sans que ni l'un ni l'autre ne quittent des yeux leur fille, leur enfant aux allures d'ange descendu du Ciel.

L'homme au sabre de samouraï se tenait à la lisière du parc, le dos tourné à Pen Channel, gardant une jambe en l'air tandis qu'il pivotait lentement sur l'autre, l'arme brandie selon un angle bizarre derrière le sommet de son crâne. Sean, Whitey, Souza et Connolly s'approchèrent avec prudence en échangeant des regards interrogateurs, genre « C'est quoi, ce cirque ? » L'inconnu continua sa lente rotation, ignorant les quatre individus plus ou moins alignés qui foulaient l'herbe dans sa direction. Il leva haut l'épée, puis entreprit de l'amener devant sa poitrine. Les quatre policiers n'étaient plus qu'à six mètres de lui – il leur tournait le dos, à présent, ayant pivoté de cent quatre-vingts degrés –, quand Sean vit Connolly porter la main à sa hanche droite, ouvrir son holster et caresser la crosse de son Glock.

Avant que l'incident ne dégénère, que quelqu'un ne reçoive une balle ou que l'inconnu ne décide de leur faire hara-kiri, Sean s'éclaircit la gorge pour demander :

– Excusez-moi, monsieur. Monsieur ? Excusez-moi.

L'interpellé inclina légèrement la tête, comme s'il avait entendu, mais continua sa rotation délibérée, se déplaçant vers eux centimètre par centimètre.

– Monsieur ? Il faudrait que vous posiez votre arme par terre.

L'homme laissa retomber son pied, puis leur fit enfin face, ouvrant de grands yeux qui s'arrêtèrent sur chacun d'eux – un, deux, trois, quatre automatiques –, et il tendit son sabre, peut-être pour les menacer, peut-être pour le leur donner, Sean n'aurait su le dire.

– Vous êtes sourd, bordel ? lança Connolly. Par terre !

– Du calme, ordonna Sean.

Il s'immobilisa à trois mètres de l'inconnu en songeant aux gouttes de sang qu'ils avaient suivies le long de la piste de jogging à une soixantaine de mètres environ, tous parfaitement conscients de ce qu'elles signifiaient, pour finalement découvrir Bruce Lee armé d'une épée grande comme un petit avion. Sauf que Bruce Lee était asiatique et que ce type-là était incontestablement blanc, plutôt jeune – dans les vingt-cinq ans –, avec des cheveux noirs bouclés, des joues rasées de frais, et un T-shirt immaculé rentré dans un pantalon de survêtement gris.

Il était pétrifié, à présent, et Sean ne doutait pas que c'était la peur qui, bloquant son cerveau, le rendant incapable de commander son corps, le forçait à maintenir le sabre pointé vers eux.

– Monsieur ? répéta Sean d'un ton suffisamment autoritaire pour attirer son attention. Vous voulez bien me faire plaisir ? Posez cette épée par terre. Ouvrez les doigts et laissez-la tomber.

– Mais vous êtes qui, à la fin ?

– Des policiers. (Whitey Powers lui montra son badge.) Vous voyez ? Alors, écoutez-moi, monsieur, et posez cette épée.

– Euh, oui, bien sûr.

Une seconde plus tard, le sabre chutait sur l'herbe avec un bruit mouillé.

S'apercevant que Connolly se déplaçait sur sa gauche, prêt de toute évidence à plonger sur l'inconnu, Sean l'arrêta d'un geste et, le regard rivé à celui de son interlocuteur, interrogea :

– Comment vous appelez-vous ?

– Hein ? Euh, Kent.

– Comment ça va, Kent ? Je suis l'agent Devine. Voilà, j'aimerais juste que vous vous écartiez de cette arme.

– Quelle arme ?

– L'épée, Kent. Faites quelques pas en arrière. Quel est votre nom de famille, Kent ?

– Brewer, répondit-il, avant de reculer, bras écartés et paumes tournées vers le ciel, comme s'il s'attendait à ce qu'ils dégainent tous leurs Glock en même temps et vident leur chargeur sur lui.

Sean sourit, puis esquissa un mouvement de tête à l'adresse de Whitey

– Hé, Kent, qu'est-ce que vous fabriquiez, tout à l'heure ? On aurait dit une espèce de ballet. (Il haussa les épaules.) Avec un sabre, d'accord, mais...

Kent regarda Whitey se pencher vers l'épée et la ramasser par la poignée avec un mouchoir.

– Du kendo.

– C'est quoi ?

– Du kendo, répéta Kent. Un art martial. Je prends des cours le mardi et le jeudi, et je viens m'entraîner le matin. Je m'entraînais, c'est tout. Rien de plus.

Connolly soupira, et Souza tourna la tête vers lui.

– Il déconne, là ?

Whitey montra la lame à Sean. Elle était huilée, brillante et si propre qu'on l'aurait crue tout juste sortie de la presse.

– Z'avez vu ça? (Whitey la fit glisser sur sa paume ouverte.) J'ai déjà eu des *petites cuillères* plus coupantes.

– Elle n'a jamais été affûtée, expliqua Kent.

Sean eut de nouveau l'impression d'entendre dans sa tête le cri rauque de l'oiseau.

– Ça fait longtemps que vous êtes là? s'enquit-il.

Kent jeta un coup d'œil en direction du parking, à une centaine de mètres derrière eux.

– Un quart d'heure. Maximum. Mais pourquoi vous me demandez ça? (Sa voix gagnait en assurance, désormais, et se nuançait d'indignation.) Ce n'est pas illégal de pratiquer le kendo dans un parc public, que je sache, monsieur l'agent.

– On étudie la question, figurez-vous, répliqua Whitey. Et appelez-moi sergent, Kent.

– Pouvez-vous nous dire où vous étiez hier soir et tôt ce matin? intervint Sean.

De nouveau, Kent parut nerveux. L'air de quelqu'un qui se triture les méninges, il ferma les yeux quelques secondes, puis relâcha son souffle.

– Oui, oui. Hier soir, j'étais... j'étais à une soirée avec des copains. Je suis rentré avec ma petite amie. On a dû se coucher vers trois heures. J'ai pris un café avec elle ce matin, et tout de suite après, je suis venu ici.

Sean se pinça l'arête du nez et hocha la tête.

– Nous allons confisquer ce sabre, Kent, et nous souhaiterions que vous passiez au poste avec un de nos hommes pour répondre à quelques questions.

– Où ça?

– Au poste, répéta Sean.

– Pourquoi?

– Pourriez-vous juste accepter de venir?

– Euh, d'accord.

Sean jeta un coup d'œil à Whitey, qui grimaça. Ils savaient pertinemment tous les deux que Kent était bien trop effrayé pour raconter des histoires, ils savaient aussi que le labo ne trouverait rien sur le sabre, mais ils devraient quand même suivre toutes les pistes et rédiger ensuite des montagnes de rapports qui feraient ressembler leurs bureaux à des chars de parade.

– Je serai bientôt ceinture noire, dit Kent.

D'un même mouvement, tous se tournèrent vers lui.

– Comment?

– Samedi, reprit Kent, le visage radieux sous les gouttes de sueur dont il était couvert. Il m'a fallu trois ans pour en arriver là, mais, eh bien, c'est pour ça que je suis venu ce matin, pour m'assurer que ma technique était au point.

– Ah, fit Sean.

– Hé, Kent ? lança Whitey, s'attirant un sourire de la part de l'intéressé. C'est pas pour dire, mais qu'est-ce qu'on en a à foutre ?

Maintenant que les petits communiants sortaient de l'église, Jimmy se sentait beaucoup moins furieux contre Katie, et beaucoup plus inquiet. Elle avait beau rentrer souvent tard le soir et traîner avec des garçons qu'il ne connaissait pas, Katie n'était pas du genre à laisser tomber ses demi-sœurs. Celles-ci l'adoraient, et de son côté, elle le leur rendait bien, les emmenant souvent au cinéma, faire du roller ou manger des glaces. Quelques jours plus tôt, elle avait éveillé leur enthousiasme pour la parade du dimanche suivant, agissant comme si Buckingham Day était une véritable fête nationale au même titre que la Saint-Patrick et Noël. Revenue de bonne heure à la maison le mercredi soir, elle avait entraîné les deux fillettes à l'étage pour les aider à choisir ce qu'elles allaient mettre, et organisé pour l'occasion un mini-défilé du lit où elle était assise, regardant ses sœurs exhiber leurs tenues, répondant à leurs questions sur leur coiffure, leurs yeux, leur façon de marcher. Bien sûr, la chambre partagée par les deux petites s'était rapidement transformée en véritable capharnaüm, mais Jimmy n'y attachait aucune importance, car Katie aidait ses sœurs à marquer un autre événement et se servait dans ce but de tous les trucs enseignés par son père pour faire paraître importantes, voire exceptionnelles, même les choses les plus insignifiantes.

Alors, pourquoi aurait-elle ignoré la première communion de Nadine ?

Peut-être qu'elle s'était offert une cuite mémorable. Ou peut-être qu'elle était vraiment tombée sur ce gars avec un physique de star et des manières à l'avenant. À moins qu'elle n'ait oublié, tout simplement.

Jimmy quitta son banc, puis s'engagea dans l'allée avec Annabeth et Sara, Annabeth lui pressant la main, devinant à la crispation de ses mâchoires et à son regard distant ce qui le tracassait.

– Je suis certaine qu'elle va bien, déclara-t-elle. Elle doit avoir une bonne gueule de bois, mais rien de plus méchant. Elle va bien.

Il sourit, hocha la tête et lui pressa la main à son tour. Avec sa façon de lire en lui tel un devin, ses pressions rassurantes de la main au moment opportun, son bon sens plein de tendresse, Annabeth fondait l'univers de Jimmy. Elle était sa femme, sa mère, sa meilleure amie, sa sœur, sa maîtresse et son confesseur. Sans elle, Jimmy savait avec une certitude absolue qu'il aurait fini par retourner à Deer Island, ou pis, dans des pénitenciers de haute sécurité comme Norfolk ou Cedar Junction, où il aurait été mis aux travaux forcés, où ses dents auraient pourri.

Quand il l'avait rencontrée, un an après sa sortie de prison, alors qu'il lui restait deux ans de mise à l'épreuve, ses relations avec Katie commençaient tout juste à prendre forme. La fillette semblait s'habituer à la présence permanente de son père – si elle restait méfiante, elle sortait toutefois petit à petit de sa réserve –, et Jimmy s'était habitué à vivre en permanence fatigué – fatigué de travailler dix heures par jour, de traverser la ville pour aller chercher Katie et la déposer chez sa grand-mère paternelle, à l'école, à la garderie. Il était fatigué, et il avait peur ; c'étaient les deux constantes œ sa vie à l'époque, et il avait fini par se dire qu'il ne s'en débarrasserait jamais. Il se réveillait terrifié – terrifié à l'idée que Katie ait pris une mauvaise position dans son sommeil et se soit étouffée, que l'économie continue à se dégrader et qu'il perde son job, que sa fille tombe de la cage d'écureuil à l'école pendant la récréation, qu'il ne puisse lui offrir ce dont elle aurait besoin, que sa propre existence se réduise pour toujours à un mélange de crainte, d'amour et d'épuisement.

C'était d'ailleurs épuisé qu'il s'était rendu à l'église le jour où l'un des frères d'Annabeth, Val Savage, avait épousé Terese Hickey – une union entre deux fiancés aussi laids, renfrognés et petits l'un que l'autre. Jimmy les avait imaginés engendrant une portée de créatures étranges plutôt que des enfants, des boules de nerfs au nez camus impossibles à distinguer, appelées à hanter Buckingham Avenue au cours des années à venir, à exploser au moindre prétexte. Val Savage avait tenu sa place dans l'équipe de Jimmy du temps où celui-ci en avait une, et il lui vouait une reconnaissance éternelle pour avoir accepté de prendre deux ans ferme et trois avec sursis au nom de toute la bande quand il aurait très bien pu s'en tirer en les balançant tous. Val, corps de nain et cervelle de moineau, aurait probablement idolâtré Jimmy si celui-ci n'avait pas épousé une Portoricaine – étrangère au quartier, qui plus est.

Après la mort de Marita, les rumeurs dans le voisinage avaient dit : « Voilà, tu es bien avancé, maintenant. C'est ce qui arrive quand on va contre l'ordre des choses. Mais ta Katie, c'est une sacrée belle gosse. Comme tous les métis. »

Lorsque Jimmy était sorti de Deer Island, les propositions avaient afflué. C'était un pro, l'un des plus grands as de la cambriole jamais issu d'un quartier qui pouvait se targuer par ailleurs d'un véritable panthéon d'as de la cambriole. Et même quand Jimmy avait répondu que non, merci, il préférait se ranger, pour la petite, vous comprenez, les gens avaient souri et hoché la tête d'un air entendu, sachant pertinemment qu'il n'hésiterait pas à reprendre du service dès que les choses se corseraient et qu'il aurait à

101

choisir entre le paiement d'une traite pour sa voiture et un cadeau de Noël pour Katie.

Pourtant, ça ne s'était pas passé comme ça. Jimmy Marcus, génie de l'effraction en douceur, chef de bande avant même d'avoir l'âge légal de boire, l'homme qui était derrière le braquage de Keldar Technics et une tonne d'autres coups fumants, mettait un tel acharnement à rester dans le droit chemin qu'on l'avait soupçonné de jouer la carte de la provocation. On racontait même qu'il envisageait de racheter l'épicerie d'Al DeMarco, permettant ainsi au vieux bonhomme de prendre sa retraite avec une bonne part du butin soi-disant planqué après l'opération Keldar. Jimmy Marcus en épicier, avec un tablier ? C'est ça, on y croit, disaient les gens.

Et puis, à la réception organisée par Val et Terese au K of C de Dunboy Street, Jimmy avait invité Annabeth à danser, et tout le monde l'avait bien vu : leurs corps enlacés pour mieux suivre la musique, l'inclinaison de leurs têtes alors qu'ils se regardaient droit dans les yeux, fiers comme des paons, la façon dont la paume de Jimmy lui effleurait légèrement les reins et dont elle s'abandonnait à cette caresse. Ils se connaissaient depuis tout gosses, avait dit quelqu'un, bien qu'il soit un peu plus vieux qu'elle. Peut-être qu'il y avait toujours eu quelque chose entre eux, qui n'attendait pour se déclarer que le départ de la Portoricaine – qu'elle fasse les valises de son plein gré ou que Dieu les fasse pour elle.

C'était sur une chanson de Rickie Lee Jones qu'ils avaient dansé, une chanson dont un couplet avait toujours ému Jimmy, pour une raison qui lui échappait : « Well, good-bye, boys/Oh my buddy boys/Oh my sad-eyed Sinatras [1]... » Détendu et à l'aise pour la première fois depuis des années, il avait fredonné les paroles à l'oreille d'Annabeth pendant qu'ils oscillaient, puis chanté le refrain en même temps que le filet de voix mélancolique de Rickie, « So long, lone-ly ave-nue [2] », un sourire aux lèvres alors qu'il contemplait les grands yeux vert émeraude d'Annabeth souriant elle aussi, avec une douceur et une discrétion qui l'avaient touché droit au cœur, tous deux se comportant comme si c'était leur centième danse ensemble, et non la première.

Ils avaient été les derniers à partir ; assis à l'entrée de l'établissement, ils avaient bu des bières sans alcool, fumé des cigarettes et salué de la tête les autres invités qui rejoignaient leurs voitures. Lorsque la fraîcheur de la nuit s'était fait sentir, Jimmy avait enveloppé Annabeth de son manteau ; il lui avait parlé de la prison, de Katie, du rêve de Marita sur les rideaux orange, et elle lui avait parlé de sa jeunesse, de la difficulté d'être la seule

---

1. « Alors, au revoir, les gars/ Oh, mes p'tits gars/Oh, mes Sinatra au regard triste... » (*N.d.T.*)

2. « Adieu, avenue solitaire ». (*N.d.T.*)

fille dans une maison pleine de frères à moitié dingues, de cet hiver où elle était partie danser à New York avant de comprendre qu'elle n'était pas assez douée, de ses études d'infirmière.

Lorsque la direction du K of C avait fini par les chasser, ils avaient flâné jusque chez Val et Terese, où ils étaient arrivés juste à temps pour assister à leur première joute verbale en tant que couple marié. Munis d'un pack de six trouvé dans le frigo de Val, ils s'étaient réfugiés dans l'obscurité du drive-in Hurley où, installés au bord du canal, ils avaient écouté le clapotis maussade de l'eau. Le drive-in était fermé depuis quatre ans, et des convois de grosses pelleteuses jaunes et de camions-bennes du Service des espaces verts et de la Régie des transports arrivaient sur les lieux tous les matins, transformant la zone le long du canal en un chantier de terre et de gravats. Il était question d'aménager un parc, mais à ce stade, ce n'était encore qu'un drive-in saccagé, avec son écran blanc toujours dressé derrière des monceaux de terre brune et des amas de bitume noir et gris.

— Ils racontent que t'as ça dans le sang, avait soudain déclaré Annabeth.

— Quoi ?

— Le vol, le crime. (Elle avait haussé les épaules.) Tu sais bien.

Pour toute réponse, Jimmy lui avait souri par-dessus le goulot de sa bouteille, avant d'avaler une gorgée de bière.

— C'est vrai, Jimmy ?

— Peut-être. (À son tour, il avait haussé les épaules.) J'ai pas mal de trucs dans le sang, mais ça ne veut pas dire qu'ils doivent se manifester.

— Je ne te juge pas. Crois-moi.

Incapable de déchiffrer l'expression d'Annabeth, ni même son intonation, Jimmy se demanda ce qu'elle voulait entendre – qu'il était toujours dans le milieu ? Qu'il ne l'était plus ? Qu'il la rendrait riche ? Qu'il ne commettrait plus jamais de crimes ?

De loin, le visage d'Annabeth paraissait calme, presque sans intérêt, mais de près, il donnait l'impression de receler une foule de choses incompréhensibles, laissant deviner un esprit incroyablement actif, jamais en sommeil.

— Je veux dire, toi, tu as bien la danse dans le sang, non ?

— Je ne sais pas. Je suppose.

— Mais depuis qu'on t'a conseillé de ne pas continuer, tu as arrêté, pas vrai ? Ça t'a peut-être fait mal, et pourtant, tu as tenu le choc.

— Possible...

— Possible, oui, avait-il répété, avant de sortir une cigarette du paquet posé entre eux sur le banc de pierre. O.K, j'étais plutôt bon dans ma partie. Mais les flics m'ont coincé, ma femme est morte, et tout ça a bien failli foutre en l'air ma gosse. (Il avait allumé sa cigarette, puis en avait tiré une longue bouffée en essayant de formuler des pensées qu'il avait tournées une bonne centaine de fois dans sa tête.) Je ne veux plus courir le risque de bousiller la vie de ma fille, Annabeth. Tu comprends ? Si j'en reprends pour deux ans, qu'est-ce qu'elle deviendra ? Ma mère n'a pas la santé. Imagine qu'elle meure pendant que je suis en taule. Ils emmèneraient Katie, feraient d'elle une pupille de l'État et l'enfermeraient dans une sorte de Deer Island pour mômes. Je ne pourrais pas le supporter. Voilà, c'est comme ça. Et que j'aie ça dans le sang ou pas, rien à foutre. Aujourd'hui, je me suis rangé.

Jimmy avait soutenu le regard d'Annabeth qui scrutait ses traits. Il voyait bien qu'elle cherchait la faille dans ses explications, le signe indiquant qu'il la menait en bateau, et il espérait sincèrement avoir rendu son discours convaincant. Il le préparait depuis suffisamment longtemps, en prévision d'un moment tel que celui-ci. Et de fait, la plus grande partie de ce qu'il lui avait dit était vrai. Il n'avait omis qu'une seule chose, celle qu'il s'était juré de ne jamais révéler à personne. Alors, il avait rivé ses yeux à ceux d'Annabeth le temps qu'elle prenne sa décision, s'efforçant d'ignorer les images de cette nuit-là au bord de la Mystic River – l'homme à genoux, la salive qui lui dégoulinait sur le menton, ses supplications stridentes –, des images qui, telles les mèches d'une perceuse, tentaient de se frayer un chemin dans sa tête.

Annabeth avait pris une cigarette. Lorsqu'il lui avait donné du feu, elle avait lancé :

– Y a eu une époque où j'avais un sacré béguin pour toi. Tu le savais ?

Il était parvenu à demeurer imperturbable malgré le soulagement qui déferlait en lui avec la force d'un raz de marée ; il avait réussi à lui faire admettre une demi-vérité. Si les choses fonctionnaient avec elle, il n'aurait plus jamais besoin de recourir à ce genre de ruse.

– Sérieux ? T'avais le béguin pour moi ?

Elle avait hoché la tête.

– T'étais passé à la maison voir Val, et moi, j'avais, quoi, quatorze ou quinze ans ? Bon sang, Jimmy. Rien que d'entendre ta voix dans la cuisine, j'en avais des frissons partout.

– Mince. (Il lui avait effleuré le bras.) Tu ne frissonnes plus, aujourd'hui.

– Oh si, Jimmy. Tu peux me croire.

Alors, Jimmy avait eu l'impression que les eaux de la Mystic River refluaient, se dissolvaient dans les profondeurs glauques du Pen et retournaient vers le passé, là où était leur place.

Quand Sean revint sur la piste de jogging, la femme des services scientifiques était là. Par radio, Whitey Powers ordonna aux unités sur place d'appréhender tous les éventuels vagabonds dans le parc, puis il s'accroupit près de Sean et de leur collègue.

– Les traces de sang vont par là, dit-elle en indiquant la piste de jogging qui passait sur un petit pont, puis sinuait avant de s'enfoncer dans une partie boisée, d'où elle émergeait pour contourner le vieil écran du drive-in tout au bout. Et il y en a d'autres par ici, ajouta-t-elle.

De son stylo, elle désigna un point derrière Sean et Whitey, qui se retournèrent pour découvrir des gouttes plus petites dans l'herbe près du pont, les feuilles d'un grand érable les ayant protégées de l'averse tombée pendant la nuit.

– À mon avis, elle s'est réfugiée dans ce ravin, conclut-elle.

Au même instant, la radio de Whitey crépita, et il la porta à ses lèvres.

– Powers.

– Sergent ? On a besoin de vous près des jardins.

– J'arrive.

Sean vit son supérieur s'engager en trottinant sur la piste de jogging et se diriger vers les jardins ouvriers au détour du virage suivant, le maillot emprunté à son fils voltigeant autour de sa taille.

Après s'être redressé, Sean examina le parc, conscient de son étendue, de l'abondance des buissons, des tertres, de la présence de toute cette eau. Il reporta ensuite son attention sur le petit pont de bois qui enjambait un minuscule ravin où coulait un ruisseau deux fois plus sombre et pollué que le canal. Recouvert en permanence d'une pellicule grasse, il grouillait de moustiques l'été. Soudain, Sean remarqua une tache rouge entre les fins arbustes qui poussaient sur les flancs du ravin, et il s'en approcha. L'ayant vue elle aussi, sa collègue le rejoignit.

– Comment vous appelez-vous ? demanda Sean.

– Karen, répondit-elle. Karen Hughes.

Ils échangèrent une poignée de main, les yeux toujours fixés sur la tache rouge alors qu'ils traversaient la piste de jogging, et ils n'entendirent pas Whitey Powers avant que celui-ci les eût rattrapés.

– On a trouvé une chaussure, annonça-t-il, hors d'haleine.

– Où ?

Le sergent leur montra l'endroit où la piste faisait le tour des jardins ouvriers.

– Là-bas. Une chaussure de femme. Pointure 39.

– Ne la touchez pas, surtout, avertit Karen.

– Sans déconner, répliqua Whitey, s'attirant de la part de Karen Hughes un de ces regards capables de glacer n'importe qui. Oups, excusez-moi. Je voulais dire, sans déconner, *madame*.

Sean poursuivit son chemin vers les arbres, et constata que la tache rouge était en réalité un bout de tissu déchiré en forme de triangle, accroché à une petite branche à hauteur d'épaule. Tous trois l'observèrent un moment, puis Karen Hughes recula et prit des photos sous quatre angles différents, avant de chercher quelque chose dans son sac.

C'était du nylon, Sean en était presque sûr, sans doute arraché à une veste et luisant de sang.

Karen se servit d'une pince à épiler pour le décrocher, l'étudia un instant et le glissa dans un sachet en plastique.

Penché vers le ravin, Sean tendit le cou pour mieux examiner les lieux. Soudain, de l'autre côté, il distingua ce qui ressemblait à une empreinte de talon creusée dans le sol meuble.

D'un coup de coude, il attira l'attention de Whitey, qui finit par la voir lui aussi. Karen Hughes les rejoignit et effectua quelques prises de vue avec son Nikon. Ensuite, elle se redressa, traversa le pont, descendit sur la rive et prit encore plusieurs photos.

Accroupi, Whitey scrutait le dessous du pont.

– Je dirais qu'elle a dû se cacher là un moment. Quand le tueur s'est pointé, elle a filé de l'autre côté et s'est remise à courir.

– Mais pourquoi s'enfoncer dans le parc ? répliqua Sean. Je veux dire, elle se tenait de dos par rapport à l'eau, sergent. Pourquoi n'est-elle pas retournée vers l'entrée ?

– Peut-être qu'elle était désorientée. N'oubliez pas qu'il faisait nuit, et qu'elle avait une balle dans le corps.

Whitey haussa les épaules, puis appela le dispatcher par radio.

– Sergent Powers. On est peut-être bons pour un code cent quatre-vingt-sept. Il nous faudrait tous les hommes disponibles pour une fouille de Pen Park. Tâchez de voir si vous pouvez aussi envoyer des plongeurs.

– Des plongeurs ?

– Affirmatif. On aura aussi besoin du lieutenant Friel et d'un représentant du bureau du procureur sur les lieux le plus vite possible.

– Le lieutenant est en route. Le bureau du procureur est déjà prévenu. À vous.

– Compris. Terminé.

Sean regardait toujours l'empreinte de talon, et il remarqua soudain des griffures sur la gauche, la victime ayant vraisemblablement enfoncé ses doigts dans la terre en escaladant la berge.

– Vous avez une petite idée de ce qui a bien pu se passer ici hier soir, sergent ?

– Pas la moindre, répondit Whitey. Et je préfère même pas y penser.

Du haut des marches devant l'église, Jimmy distinguait tout juste le Penitentiary Channel. Celui-ci formait un ruban violet foncé par-delà le pont de la voix express, le parc voisin constituant la seule touche de vert de ce côté du canal. Au milieu de la verdure, Jimmy repéra une bande blanche – le sommet de l'écran du drive-in – au-dessus de l'autopont. L'écran était toujours là, longtemps après que l'État eut racheté tout le lot aux enchères pour une bouchée de pain et l'eut confié au Service des espaces verts. Lequel service avait passé les dix années suivantes à l'embellir, arrachant les poteaux qui soutenaient les haut-parleurs, aplanissant le terrain et faisant des plantations, traçant des pistes cyclables et des pistes de jogging le long de l'eau, aménageant des jardins ouvriers entourés de clôtures, allant même jusqu'à construire un hangar à bateaux et une rampe d'accès pour les canoéistes qui ne pouvaient pas aller bien loin, bloqués comme ils l'étaient à chaque extrémité par des écluses. Mais personne n'avait touché à l'écran, qui émergeait désormais au fond d'une sorte de cul-de-sac délimité par des arbres déjà adultes importés pour la circonstance du nord de la Californie. L'été, une troupe de théâtre locale jouait du Shakespeare devant cette surface blanche, qui s'ornait alors de décors médiévaux peints, et les comédiens sautillaient sur scène avec leurs épées de pacotille en disant tout le temps « Oyez ! », « Ciel ! » et autres conneries du même acabit. Jimmy y était allé avec Annabeth et les filles deux ans plus tôt, et Annabeth, Nadine et Sara avaient piqué du nez avant la fin du premier acte. Mais Katie, assise sur la couverture, était restée éveillée, penchée en avant, les coudes sur les genoux, le menton dans la paume, de sorte que Jimmy s'était senti obligé de garder lui aussi les yeux ouverts.

Ils donnaient *La Mégère apprivoisée* ce soir-là, et non seulement Jimmy avait eu du mal à suivre – il était question d'un type qui corrigeait sa fiancée jusqu'à ce qu'elle devienne une servante acceptable –, mais il s'était bien demandé où était l'art là-dedans, avant de se dire que la traduction devait nuire au texte. Katie, en revanche, n'en perdait pas une miette. Elle avait éclaté de rire à plusieurs reprises, paru littéralement captivée à plusieurs autres, et confié à son père après coup que c'était « magique ».

Jimmy n'avait pas la moindre idée de ce qu'elle entendait par là, et Katie n'avait pu s'expliquer. Elle avait juste dit qu'elle se sentait « transportée », et pendant six mois, elle avait parlé de s'installer en Italie après son bac.

Le regard toujours fixé sur la limite des East Bucky Flats, Jimmy pensa : L'Italie. Ben voyons.

– Papa ! Papa !

Nadine s'écarta de son groupe d'amis au moment son père descendait sur le trottoir et courut vers lui de toute la force de ses petites jambes en criant toujours : « Papa ! Papa ! »

Il la prit dans ses bras, respirant au passage une bouffée de l'amidon dont sa robe était imprégnée, puis l'embrassa sur la joue.

– Ma petite chérie...

De ce même geste que faisait sa mère pour écarter une mèche de ses yeux, Nadine écarta avec deux doigts le voile sur son visage.

– Elle gratte, cette robe.

– Elle me gratte aussi, confirma son père, et je ne la porte même pas.

– Tu serais drôle avec une robe, papa.

– Pas si elle était à ma taille.

Nadine leva les yeux au ciel, puis lui frotta le haut de son voile sous le menton.

– Ça chatouille ? lança-t-elle.

Jimmy regarda par-dessus la tête de Nadine sa femme et son autre fille, et il sentit son amour pour elles lui gonfler la poitrine, l'emplir tout entier et l'anéantir en même temps.

Même si quelqu'un lui tirait dans le dos en cet instant, à cette seconde, ça n'aurait pas d'importance. Ce ne serait pas grave. Parce qu'il était heureux. Aussi heureux qu'on pouvait l'être.

Ou presque. Il se concentra sur la foule devant l'église, espérant repérer Katie, se disant qu'elle s'était peut-être débrouillée pour venir quand même. Au lieu de quoi, il vit une voiture de patrouille déboucher à l'angle de Buckingham Avenue, décrire une large courbe qui l'amena près de la file de gauche dans Roseclair, la roue arrière mordant sur la ligne médiane, tandis que le ululement de sa sirène déchirait l'air matinal. Le conducteur écrasa la pédale d'accélérateur, et le puissant moteur rugit quand la voiture fonça en direction du Pen Channel. Un véhicule noir banalisé la suivit quelques secondes plus tard – la sirène avait beau être muette, il n'y avait aucun doute quant à sa fonction –, dont le conducteur négocia un virage serré à soixante kilomètres/heure pour s'engager sur Roseclair dans un grondement furieux.

Au moment où Jimmy reposait Nadine par terre, il l'éprouva au plus profond de son cœur – cette certitude, ce sentiment brutal et sournois que les choses se mettaient malheureusement en place. Quand les deux voitures de flics passèrent sous le pont et tournèrent à droite, vers l'entrée de Pen Park, il ressentit soudain la présence de Katie dans toutes les fibres de son être, jusque dans ses capillaires et chacune de ses cellules, avec autant d'acuité qu'il percevait les vrombissements du moteur et les crissements de pneus.

Katie, faillit-il dire à voix haute. Oh, mon Dieu. Katie.

8

Old MacDonald

À son réveil, le dimanche matin, Celeste pensait aux canalisations, à tout le réseau de conduits qui s'étend sous les maisons et les restaurants, les salles de cinéma et les centres commerciaux, constitue l'ossature des immeubles hauts de quarante étages et descend, palier géant après palier géant, vers un réseau encore plus vaste d'égouts et d'aqueducs qui court sous les villes et les cités, reliant les gens de façon plus vivante que le langage, dans l'unique but d'évacuer toutes ces choses consommées par les humains et éliminées de leurs corps, de leurs vies, de leurs plats, de leurs bacs à légumes.

Où allait donc tout cela ?

Elle avait déjà dû se poser la question, supposait-elle, mais vaguement, comme on se demande comment un avion peut rester en l'air sans battre des ailes. À présent, cependant, elle voulait vraiment connaître la réponse. Elle se redressa dans le grand lit vide, à la fois inquiète et intriguée, et entendit les cris de Dave et de Michael qui s'entraînaient au base-ball dans la cour, trois étages plus bas, avec une batte en plastique et une balle légère. Où donc ? se demanda-t-elle encore.

Il fallait bien que tout cela aille quelque part. Toutes ces chasses d'eau tirées, tous ces savons, ces shampooings, ces détergents, ce papier-toilette, ce vomi de bar, toutes ces taches de café, de sang et de sueur, toute cette boue sur les bas de pantalons et cette crasse à l'intérieur des cols, tous ces restes froids que l'on raclait dans les assiettes pour les faire tomber dans le broyeur à ordures, tous ces mégots de cigarette, toute cette urine, tous ces poils arrachés aux jambes, aux joues, à l'aine, au menton – ils se mélangeaient tous chaque soir à des centaines de milliers d'entités similaires ou identiques, se figurait-elle, circulaient dans des corridors humides et froids infestés par la vermine, pour déboucher sur d'immenses catacombes balayées par des flots bouillonnants se précipitant vers... vers où ?

On ne déversait plus les eaux usées dans les océans, lui semblait-il. Ce n'était plus possible. Elle croyait se rappeler une vague théorie à propos d'un procédé septique et du compactage des déchets bruts, mais c'était peut-être quelque chose qu'elle avait vu dans un film, et souvent, les films ne racontaient que des conneries. Alors, si les eaux usées ne se déversaient plus dans les océans, où se déversaient-elles ? Et si elles s'y déversaient toujours, pourquoi ? Il devait bien y avoir une meilleure solution, non ? Mais de nouveau, l'image de toutes ces canalisations s'imposa à son esprit, et elle demeura songeuse.

Elle entendit le claquement creux de la batte en plastique au moment où celle-ci frappait la balle. Elle entendit Dave lancer « Waouh ! », Michael pousser un cri de joie et un chien aboyer une fois, produisant un son aussi net que celui de la balle contre la batte quelques secondes plus tôt.

Celeste s'allongea sur le dos, consciente à cet instant seulement d'être nue et d'avoir dormi jusqu'à dix heures passées, ce qui ne lui arrivait pratiquement plus depuis que Michael avait appris à marcher, et elle sentit une petite vague de remords déferler dans sa poitrine, puis mourir au creux de son estomac, alors qu'elle se souvenait de s'être agenouillée sur le carrelage de la cuisine à quatre heures du matin pour embrasser la chair autour de la blessure de Dave, d'avoir décelé sur lui l'odeur de la peur et de l'adrénaline, et laissé ce besoin impérieux de le goûter et de se serrer contre lui le plus étroitement possible balayer toutes ses craintes au sujet du sida ou de l'hépatite. Elle s'était débarrassée de son peignoir sans cesser de faire courir sa langue sur le corps de Dave, et était restée en T-shirt court et slip noir, indifférente à l'air froid de la nuit qui s'insinuait sous la porte d'entrée et lui glaçait les chevilles et les jambes. La frayeur avait donné à la peau de Dave une saveur mi-amère, mi-sucrée, et Celeste l'avait léchée de la plaie jusqu'à la gorge, tout en glissant une main entre les cuisses de son mari, dont le sexe s'était durci, dont le souffle s'était fait plus saccadé. Elle aurait voulu qu'elle dure le plus longtemps possible, cette sensation de puissance qu'elle éprouvait soudain dans tout son être, et elle s'était redressée pour s'asseoir sur lui. Elle l'avait embrassé à pleine bouche, les doigts glissés dans ses cheveux, en imaginant qu'elle aspirait toute la souffrance causée en lui par ce déchaînement de violence sur le parking. Les paumes enserrant la tête de Dave, elle s'était plaquée contre lui jusqu'à ce qu'il lui arrache son T-shirt, prenne un sein dans sa bouche et gémisse tandis qu'elle se frottait sur lui. C'était cela qui importait, il fallait que Dave le comprenne, ce mélange de leurs corps, cette fusion des odeurs, du désir et de l'amour – oui, de l'amour, car elle l'aimait plus fort que jamais maintenant qu'elle avait failli le perdre.

Il lui pinçait les mamelons entre ses dents, lui faisait mal, serrait trop fort, et pourtant, elle s'était cambrée pour mieux s'offrir à lui, accueillant la douleur avec bonheur. Elle ne lui en aurait pas voulu s'il l'avait mordue jusqu'au sang, parce qu'il avait besoin d'elle, besoin de l'aspirer lui aussi et de lui pétrir les reins pour déverser sa peur sur elle et en elle. De son côté, elle absorberait son mal, puis le recracherait tel un venin, et ils se sentiraient alors tous deux plus forts que jamais. Elle n'en doutait pas.

Au début de leur histoire, leurs rapports se caractérisaient par une absence totale de limites : quand elle regagnait l'appartement qu'elle partageait avec sa mère, Celeste était couverte d'hématomes, de marques de dents et de griffures dans le dos, et littéralement vidée de ses forces, dans un état d'épuisement fébrile qu'elle imaginait semblable à celui d'un junkie entre deux fixes. Mais depuis la naissance de Michael – ou plutôt, depuis que Rosemary avait emménagé chez eux après son premier cancer –, Dave et elle avaient sombré dans cette espèce de routine prévisible des couples mariés dont les sitcoms se moquent tant, souvent trop las ou ne bénéficiant pas d'une intimité suffisante pour s'accorder plus que quelques minutes de préliminaires sommaires, voire deux ou trois caresses buccales, avant de passer à l'acte principal qui, au fil des années, ressemblait de moins en moins à l'acte principal et de plus en plus à quelque chose qui occupait le temps entre le bulletin météo et le talk-show de Leno.

Mais la veille... La veille, c'était un véritable déferlement de passion qu'ils avaient partagé, et qui l'avait laissée exténuée et meurtrie, même encore maintenant, alors qu'elle reposait entre les draps.

Ce fut seulement lorsqu'elle entendit de nouveau la voix de Dave s'élever dehors, enjoignant à Michael de se concentrer, de se concentrer, bonté divine, qu'elle se rappela ce qui la tracassait avant le problème des canalisations, avant le souvenir de leurs ébats débridés dans la cuisine, peut-être même avant qu'elle ne se traîne jusqu'à son lit au petit matin : Dave lui avait menti.

Elle l'avait su dans la salle de bains quand il était rentré, mais elle avait choisi de ne pas en tenir compte. Elle l'avait su aussi au moment où, couchée sur le carrelage, elle s'était soulevée pour se porter à sa rencontre. Elle avait regardé ses yeux, légèrement vitreux, au moment où il la pénétrait et lui calait les chevilles sur ses hanches, et accueilli ses premiers coups de reins avec la certitude grandissante que son histoire ne tenait pas debout.

Pour commencer, qui irait dire « Ton portefeuille ou ta vie, connard. Je te laisse un des deux » ? C'était grotesque – une mauvaise réplique tirée d'un film, comme elle l'avait tout de suite pensé dans la salle de bains. Et même en admettant que l'agresseur ait répété la phrase au préalable, jamais il ne l'aurait prononcée le moment venu. En aucun cas. Celeste s'était fait agresser un jour dans un terrain vague quand elle avait une vingtaine d'années. Son assaillant, un métis aux poignets fins et plats, aux yeux bruns larmoyants, s'était avancé vers elle dans la solitude d'une fin d'après-midi glaciale, lui avait posé un cran d'arrêt sur la hanche et laissé entrevoir son regard froid avant de chuchoter : « Qu'est-ce tu me donnes ? »

Il n'y avait rien autour d'eux que des arbres dépouillés par l'hiver, et la personne la plus proche – un homme d'affaires qui remontait Beacon d'un bon pas, sans doute pressé de rentrer chez lui – se trouvait à une vingtaine de mètres au moins, de l'autre côté d'une grille en fer forgé. Le métis avait appuyé le couteau un peu plus fort sur le jean de Celeste, n'essayant cependant pas de la blesser, se bornant à accentuer la pression, et elle avait décelé dans son haleine des relents de pourriture et de chocolat. Elle lui avait remis son portefeuille en s'efforçant de ne pas croiser ses yeux larmoyants et de réprimer le sentiment irrationnel qu'il possédait plus de deux bras. L'homme avait glissé son butin dans son pardessus en disant : « T'as de la chance que je sois pressé », puis il s'était éloigné en direction de Park Street, sans hâte ni peur visible.

Elle avait entendu pas mal de femmes raconter des anecdotes semblables. Les hommes, du moins dans cette ville, se faisaient rarement agresser à moins de le chercher, mais les femmes étaient tout le temps attaquées. La menace de viol, implicite ou clairement exprimée, était toujours présente dans ces récits, mais jamais Celeste n'avait eu vent d'un agresseur qui formulait des phrases élaborées. Ils n'avaient pas le temps. Ils devaient se montrer le plus succincts possible. Boucler leur affaire avant que quelqu'un donne l'alerte.

Et puis, il y avait le problème de ce coup de poing soi-disant décoché par l'assaillant de Dave alors qu'il serrait un couteau dans son autre main. En supposant que cette main-là, qui tenait le couteau, soit celle dont il se servait pour écrire, est-ce qu'il aurait vraiment tenté de frapper Dave avec l'autre ?

D'accord, elle voulait bien croire que Dave s'était retrouvé dans une situation terrible, qu'il avait été obligé de choisir entre tuer ou être tué. D'accord, elle savait qu'il n'était pas du genre à provoquer les ennuis. Mais... mais son récit présentait des failles, des blancs inexplicables. C'était comme essayer d'expliquer la présence de rouge à lèvres sur un col de chemise : vous étiez peut-être resté fidèle, mais vos arguments avaient intérêt à sonner juste.

En imaginant une nouvelle fois deux inspecteurs dans la cuisine, Celeste fut certaine que Dave flancherait. Sous les regards impersonnels et les questions répétées encore et encore, sa version des faits s'effondrerait. Il ne serait pas plus convaincant que le jour où elle l'avait interrogé sur son enfance. Elle avait entendu parler de ce qui s'était passé, évidemment ; les

Flats n'étaient rien d'autre qu'un village à l'intérieur d'une ville, où les langues se déliaient. Alors, ce jour-là, elle avait demandé à Dave s'il ne lui était pas arrivé quelque chose de terrible dans sa jeunesse, quelque chose qu'il ne pouvait raconter à personne, mais qu'il pouvait lui raconter à elle, sa femme, enceinte de leur bébé à l'époque.

Au début, il l'avait regardée comme s'il ne comprenait pas.

– Oh, tu veux parler de ce truc ?

– Quel truc ?

– Eh bien, je jouais avec Jimmy et cet autre gosse, Sean Devine. Oui, tu le connais. Tu lui as coupé les cheveux une ou deux fois.

Celeste se souvenait de Sean Devine. Il travaillait dans la police, mais pas au niveau municipal. Il était grand, avec des cheveux bouclés et une voix chaleureuse qui coulait comme du miel. Il possédait cette même assurance naturelle que Jimmy – cette assurance propre aux hommes très beaux ou très rarement assaillis par le doute.

Et elle ne parvenait pas à associer Dave avec ces deux-là, même plus jeunes.

– O.K., avait-elle lancé néanmoins.

– Et puis, une voiture s'est arrêtée, je suis monté dedans, et un peu plus tard, je me suis échappé.

– Échappé.

Il avait acquiescé de la tête.

– Il n'y a pas grand-chose à ajouter, ma chérie.

– Mais...

Dave lui avait placé un doigt sur les lèvres.

– J'aimerais autant qu'on en reste là, d'accord ?

Il souriait, mais Celeste avait vu dans ses yeux – quoi, au juste ? – un début de panique.

– Je veux dire, je me souviens de parties de ballon et de cache-cache, avait-il poursuivi, d'aller à Looey-Dooey et d'essayer de rester éveillé en classe. Je me rappelle aussi quelques goûters d'anniversaire, des conneries comme ça. Mais bon, franchement, ça n'avait rien de passionnant. Au lycée, par contre...

Elle n'avait pas insisté cette fois-là, de même qu'elle n'avait pas insisté lorsqu'il lui avait menti sur les raisons pour lesquelles il avait perdu sa place à l'American Messenger Service (il avait mentionné des restrictions budgétaires, mais d'autres gars du voisinage s'étaient fait embaucher par cette même société au cours des semaines suivantes) ou quand il lui avait raconté que sa mère était morte d'une crise cardiaque quand tout le quartier savait que Dave Boyle, alors en terminale, l'avait découverte un soir assise près de la gazinière dans la cuisine fermée, empestant le gaz, des

113

serviettes empêchant l'air de circuler sous la porte. Dave, en avait-elle conclu, avait besoin de ces mensonges, besoin de réécrire son histoire personnelle, de la remodeler afin de pouvoir la supporter et la ranger quelque part dans sa tête. Et s'ils lui permettaient de vivre mieux, d'être un mari aimant, bien qu'un peu distant parfois, et un père attentif, comment le lui reprocher ?

Mais ce mensonge-là, pensa Celeste en enfilant un jean et une chemise de Dave, risquait de les perdre. De les perdre *tous les deux*, maintenant qu'elle était devenue sa complice en lavant ses vêtements. Si Dave ne jouait pas franc-jeu avec elle, cependant, elle ne pourrait pas l'aider. Et lorsque les policiers viendraient (car ils viendraient ; on n'était pas à la télé, et dans la réalité, en cas de crime, même le flic le plus crétin et le plus bourré était moins empoté que ceux des films), ils casseraient l'histoire de Dave comme un œuf sur le bord d'une poêle.

La main droite de Dave le mettait au supplice. Les jointures avaient doublé de volume et les os les plus proches du poignet donnaient l'impression de vouloir percer la peau. Dans ces conditions, il aurait pu se contenter d'expédier mollement la balle à Michael, mais il ne le voulait pas. S'il lui facilitait la tâche, son fils ne serait jamais capable de rattraper une balle dure arrivant sur lui deux fois plus vite, et de la frapper avec une batte environ dix fois plus lourde.

Michael était petit pour ses sept ans, et bien trop confiant. On le voyait à la franchise de son expression, à la lueur d'espoir dans ses yeux bleus. Dave adorait ce trait de caractère chez son fils, et en même temps, il ne le supportait pas. Il ignorait encore s'il aurait la force de lui ôter ses illusions, tout en sachant qu'il lui faudrait bientôt s'y résoudre, de crainte que d'autres ne s'en chargent à sa place. Cet aspect tendre et vulnérable chez Michael, c'était la malédiction des Boyle, celle qui amenait Dave, à trente-cinq ans, à être pris pour un étudiant, à devoir montrer sa carte d'identité dans les magasins de spiritueux en dehors du quartier. Sa chevelure était toujours aussi épaisse depuis qu'il avait l'âge de Michael, aucune ride ne creusait son visage et ses propres yeux bleus respiraient l'innocence eux aussi.

Il regarda Michael se mettre en position comme il le lui avait appris, ajuster sa casquette et lever la batte bien haut au-dessus de son épaule. Il plia légèrement les genoux en se balançant d'un pied sur l'autre – une habitude que Dave s'efforçait peu à peu de lui faire perdre, mais qui revenait comme un tic –, et Dave lui envoya une balle rapide, espérant exploiter la faiblesse de la partie adverse, relâchant la balle sans attendre que son bras soit complètement tendu, grimaçant de douleur sous les élancements de sa paume.

Son fils s'était cependant immobilisé à l'instant même où Dave amorçait son mouvement, et quand la balle eut suivi une trajectoire irrégulière, puis survolé le marbre, Michael la frappa bas, avec autant de force que s'il serrait un bois n° 3 au golf. Dave vit l'ébauche d'un sourire d'espoir naître sur le visage de Michael, teinté d'un certain étonnement suscité par son propre exploit, et il fut tenté de laisser passer la balle. Au lieu de quoi, il la renvoya, et sentit quelque chose se briser dans sa poitrine quand le sourire de Michael s'évanouit.

– Hé, lança-t-il, pour permettre à son fils d'apprécier la valeur d'un beau geste, c'était un super-coup, fiston.

Le garçonnet fronçait toujours les sourcils.

– Comment ça se fait que tu l'as rattrapé, alors ?

Dave ramassa la balle tombée dans l'herbe.

– Je sais pas trop. Peut-être parce que je suis beaucoup plus grand que les joueurs de la Little League [1] ?

Le sourire de Michael réapparut, encore hésitant, mais prêt à s'épanouir.

– Tu crois ?

– Je peux te poser une question ? Tu connais beaucoup de garçons de sept ans qui mesurent un mètre quatre-vingts ?

– Ben non.

– En plus, il a fallu que je saute pour l'atteindre.

– C'est vrai ?

– Comme je te le dis.

Michael riait, à présent. Il avait le même rire que Celeste – léger, en cascade.

– O.K., lança-t-il.

– Mais tu pliais les jambes.

– Je sais, je sais.

– Une fois que t'es en position, mon grand, tu dois arrêter de bouger.

– Peut-être, mais Nomar...

– Nomar le fait, d'accord. Et Derek Jeter aussi. Et ce sont tes héros, O.K. Mais quand tu toucheras dix millions en tant que joueur professionnel, t'auras le droit de gigoter. Jusque-là... ?

Michael haussa les épaules, puis donna un coup de pied dans l'herbe.

– Mike ? Jusque-là, quoi ?

Son fils soupira.

– Jusque-là, je me concentre sur la technique de base.

_____

1. Championnat de base-ball pour les jeunes de huit à douze ans. (*N.d.T.*)

Dave sourit, jeta la balle en l'air et la rattrapa sans même avoir besoin de vérifier où elle tombait.

– N'empêche, reprit-il, c'était un sacré coup.

– Sérieux?

– Mon vieux Mike, si je ne l'avais pas arrêtée, cette balle partait droit vers le Point. Droit vers le centre-ville.

– Le centre-ville, ouais, répéta Michael, qui laissa échapper une nouvelle cascade de rire.

– Qui va en ville?

Tous deux se retournèrent, pour découvrir Celeste sur le perron, pieds nus, les cheveux noués dans la nuque, une des chemises de Dave flottant sur son jean délavé.

– B'jour, m'man!

– Bonjour, mon cœur. Tu vas en ville avec ton père?

Michael leva les yeux vers son père. C'était une plaisanterie entre eux, désormais, et il ricana.

– Nan, répondit-il.

– Dave?

– Je parlais de la balle qu'il m'a lancée, chérie. Elle aurait pu atteindre le centre-ville.

– Ah, *la balle*...

– Je l'ai super bien récupérée, m'man. Papa l'a rattrapée, mais c'est juste parce qu'il est rudement grand.

Dave avait l'impression que sa femme l'observait alors même qu'elle regardait Michael. Qu'elle l'observait, qu'elle attendait et qu'elle voulait lui demander quelque chose. Il se souvint de sa voix altérée par le désir la veille au soir, quand elle s'était soulevée du sol pour lui agripper la nuque et lui murmurer à l'oreille : « Je suis toi, maintenant. Tu es moi. »

Il n'avait pas compris ce qu'elle voulait dire, mais il avait aimé le son de cette voix un peu enrouée qui l'avait précipité vers l'orgasme.

À présent, cependant, il avait le sentiment que Celeste cherchait une fois de plus à pénétrer dans sa tête pour en fouiller l'intérieur, et il sentit l'exaspération le gagner. Car lorsque les gens voyaient ce qu'il avait dans le crâne, ça ne leur plaisait pas, et ils partaient en courant.

– Alors, quoi de neuf? lança-t-il.

– Oh, rien. (Elle croisa frileusement les bras, alors même que l'air matinal se réchauffait vite.) Hé, Mike, tu as déjeuné?

– Pas encore.

Celeste fronça les sourcils en reportant son attention sur Dave, comme s'il avait commis le crime du siècle en échangeant quelques balles avec Michael sans que celui-ci ait fait le plein d'énergie.

116

– Ton bol est plein et le lait est sur la table, déclara-t-elle.

– Tant mieux. Je meurs de faim !

Michael lâcha aussitôt sa batte, et Dave eut l'impression d'une trahison en le voyant se précipiter vers Celeste. Tu mourais de faim, c'est ça ? Et tu ne pouvais pas me le dire, parce que je t'avais scotché la bouche, peut-être ? Merde !

Mais déjà, l'enfant contournait sa mère et s'élançait dans l'escalier comme si les marches risquaient de disparaître au cas où il ne les gravirait pas assez vite.

– Tu sautes le petit déjeuner, maintenant, Dave ?

– Tu dors jusqu'à midi, maintenant, Celeste ?

– Il n'est que dix heures et quart, répliqua-t-elle, et Dave sut que toute la complicité qu'ils avaient ré-insufflée à leur mariage pendant ces quelques moments de folie dans la cuisine la veille venait de partir en fumée.

Il s'obligea néanmoins à sourire. S'il y mettait suffisamment de conviction, il réussirait peut-être à l'abuser.

– Tu voulais me dire quelque chose, chérie ?

Celeste le rejoignit dans la cour, ses pieds nus dessinant sur l'herbe deux taches brun clair.

– Où est passé le couteau ?

– Quoi ?

– Le couteau, murmura-t-elle, jetant un coup d'œil par-dessus son épaule en direction de la chambre des McAllister. Celui de l'agresseur. Où est-il, Dave ?

Celui-ci jeta la balle en l'air et la rattrapa derrière son dos.

– Il a disparu.

– Comment ça ? (Les lèvres pincées, elle baissa les yeux.) Merde, Dave, explique-toi.

– Pourquoi tu t'énerves ?

– Il a disparu où ?

– Juste disparu.

– Tu en es certain ?

Dave en était certain. Il sourit en soutenant le regard de Celeste.

– Sûr et certain.

– Il y a ton sang dessus. Ton ADN, Dave. Est-ce que tu peux m'assurer qu'on ne retrouvera jamais ce foutu couteau ?

N'ayant pas de réponse à lui fournir sur ce point, Dave se contenta d'attendre qu'elle change de sujet.

– Tu as lu le journal, ce matin ? reprit-elle.

– Oui.

– Et tu n'as rien vu ?

– À quel sujet ?

– *À quel sujet ?* répéta Celesta entre ses dents.

– Oh... oh. Oui. (Dave fit non de la tête.) Non, il n'y avait rien. Pas un mot. Souviens-toi, ma chérie, il était tard.

– Il était tard, d'accord. Mais tu sais très bien que la page des faits divers n'est imprimée qu'en dernier, parce que tout le monde attend les communiqués de la police.

– Tu travailles dans la presse, maintenant ?

– Ce n'est pas une plaisanterie, Dave.

– Oh non, ma chérie, et je ne le prends pas comme ça. Je dis simplement qu'il n'y avait rien dans le journal ce matin. C'est tout. Pourquoi ? Je n'en ai pas la moindre idée. On regardera les infos de midi, pour voir s'il y a quelque chose.

Celeste contempla de nouveau l'herbe à ses pieds en hochant la tête.

– Parce qu'on est censés voir quelque chose, Dave ?

Il s'écarta d'elle.

– Je veux dire, à propos d'un Noir battu à mort dans le parking du... où était-ce, déjà ?

– Le, euh, Last Drop, répondit-il.

– Le, *euh*, Last Drop ?

– Oui, Celeste.

– Oh, O.K., Dave. Bien sûr.

Sur ces mots, elle le quitta. Elle lui tourna le dos, gravit les marches du perron, pénétra à l'intérieur de l'immeuble, et Dave entendit le doux bruit de ses pieds nus dans l'escalier.

C'était typique des femmes. Elles finissaient par vous abandonner. Peut-être pas toujours physiquement, mais affectivement, mentalement. Elles n'étaient jamais là quand on avait besoin d'elles. Il avait connu la même chose avec sa mère. Ce matin-là, vingt-cinq ans plus tôt après que les policiers eurent ramené Dave, elle lui avait préparé son petit déjeuner, fredonnant *Old MacDonald* et lui jetant de temps à autre par-dessus son épaule un bref coup d'œil assorti d'un sourire nerveux, comme s'il était un locataire dont elle se méfiait un peu.

Elle avait placé devant lui une assiette d'œufs au plat mal cuits, de bacon calciné et de toasts détrempés, puis elle lui avait demandé s'il voulait du jus d'orange.

– M'man ? C'étaient qui, ces hommes ? Pourquoi est-ce qu'ils...

– Tu veux du jus d'orange, Davey ? avait-elle répété. Je n'ai pas entendu.

– Euh, oui, bien sûr. Mais écoute, m'man, je sais pas pourquoi ils...

– Tiens, voilà. (Et de poser devant lui un verre plein.) Pendant que tu manges, je vais... (Elle avait agité les mains, indiquant la cuisine, n'ayant

118

manifestement pas la moindre idée de ce qu'elle allait bien pouvoir faire.)
Je vais... laver tes vêtements. D'accord ? Après, si tu en as envie, on ira au
cinéma. Ça te dit ?

Dave avait regardé sa mère, cherchant sur ses traits un signe, quelque
chose l'incitant à ouvrir la bouche pour tout lui raconter, à lui parler de la
voiture, de la maison dans les bois et de l'after-shave dont s'aspergeait le
gros. Mais il n'avait vu sur le visage maternel qu'une gaieté figée, trop
vive – une expression semblable à celle qu'elle arborait parfois quand elle
se préparait avant de sortir le vendredi soir, quand, éperdue d'espoir, elle
s'efforçait de trouver la tenue adéquate.

Alors, tête basse, il avait mangé ses œufs. Il avait entendu sa mère quitter la cuisine et fredonner *Old MacDonald* tout au long du couloir.

À présent, immobile dans la cour de l'immeuble, les phalanges doulou-
reuses, Dave avait de nouveau l'impression de l'entendre. Le vieux Mac-
Donald de la comptine avait une ferme. Et dans cette ferme, tout allait
pour le mieux. On cultivait, on labourait, on récoltait, on semait, et c'était
sacrément génial. Tout le monde s'entendait bien, même les poules et les
vaches, personne n'avait besoin de parler de quoi que ce soit, car rien de
mauvais n'était jamais arrivé, et personne n'avait de secrets, car les secrets
étaient réservés aux gens méchants, aux gens qui ne mangeaient pas leurs
œufs, aux gens qui montaient avec des hommes bizarres dans des voitures
imprégnées d'une odeur de pomme et disparaissaient pendant quatre jours,
pour découvrir à leur retour que tous ceux qu'ils connaissaient avaient disparu, qu'ils avaient été remplacés par des espèces de clones souriants qui
faisaient à peu près tout sauf vous écouter. À peu près tout sauf ça.

9

Des hommes-grenouilles dans le canal

La première chose que vit Jimmy en s'approchant de l'entrée de Pen Park à Roseclair Street, ce fut la fourgonnette garée dans Sydney Street, portes arrière ouvertes, et les deux flics qui bataillaient à côté avec six bergers allemands au bout de longues laisses en cuir. De l'église, il s'était engagé dans Roseclair en s'efforçant de ne pas courir, et il avait rejoint le petit groupe de badauds près du pont de la voie express qui enjambait Sydney. Les curieux se tenaient au bas de la pente, à l'endroit où la rue commençait à monter jusqu'au pont, pour traverser ensuite Pen Channel et devenir Valenz Boulevard de l'autre côté, quand elle quittait Buckingham pour entrer dans Shawmut.

Là où ils s'étaient rassemblés, il était possible de grimper au sommet d'un mur en ciment haut de quatre mètres cinquante qui marquait la limite de Sydney Street et d'observer, par-delà un garde-fou rouillé, la dernière rue traversant du nord au sud les East Bucky Flats. Quelques mètres seulement à l'est du surplomb, le garde-fou cédait la place à un escalier de calcaire violet. Dans leur jeunesse, Jimmy et ses copains amenaient parfois leurs conquêtes sur ce mur et s'asseyaient dans l'ombre en faisant circuler des bouteilles de Miller et en regardant les images trembloter sur l'écran blanc du drive-in Hurley. Parfois, Dave Boyle venait avec eux ; personne n'avait de sympathie particulière pour lui, mais il avait vu presque tous les films jamais réalisés, et quand les autres étaient *stone*, ils lui demandaient de réciter les dialogues alors qu'ils contemplaient l'écran silencieux. Pour sa part, Dave y mettait tant de cœur qu'il allait jusqu'à moduler ses inflexions pour mieux correspondre aux personnages. Et puis, il s'était soudain illustré au base-ball, il était parti à Don Bosco pour devenir une superstar du sport, et la bande avait dû se passer de lui pour rigoler.

Jimmy ne savait pas du tout pourquoi tous ces souvenirs affluaient maintenant, ni pourquoi il se sentait pétrifié devant le garde-fou, les yeux rivés sur Sydney Street, sauf que c'était en rapport avec ces bergers allemands, avec la façon dont ils dansaient sur le bitume après avoir sauté de la camionnette. Un des maîtres-chiens porta un talkie-walkie à ses lèvres au moment où un hélicoptère apparaissait dans le ciel au-dessus du centre-ville, puis se dirigeait vers eux telle une grosse abeille, grandissant un peu plus chaque fois que Jimmy cillait.

Un petit jeunot de flic barrait l'accès à l'escalier violet, et plus loin sur Roseclair, deux véhicules de patrouille ainsi que d'autres gamins en bleu montaient la garde devant la route qui pénétrait dans le parc.

Les chiens n'aboyaient pas. Jimmy se concentra de nouveau sur eux en se rendant compte que c'était ce silence qui le perturbait depuis l'instant où il les avait aperçus. Leurs vingt-quatre pattes avaient beau marteler la chaussée, leurs mouvements restaient groupés, concentrés, comme ceux de soldats qui marcheraient au pas sur place ; ils paraissaient terriblement efficaces avec leurs museaux noirs et leurs flancs fuselés, et Jimmy imagina leurs prunelles semblables à des braises ardentes.

Le reste de Sydney évoquait l'antichambre d'une émeute. Les policiers remplissaient la rue et avançaient méthodiquement à travers les buissons à l'entrée du Pen. De son poste d'observation, Jimmy n'avait qu'une vue partielle du parc lui-même, mais il y distinguait d'autres hommes, des uniformes bleus et des pardessus dans des tons terre qui se déplaçaient au milieu de la végétation, scrutaient le canal, s'interpellaient les uns les autres.

Dans la rue elle-même, certains s'étaient rassemblés autour de quelque chose juste de l'autre côté de la fourgonnette, et plusieurs enquêteurs en civil, appuyés contre des voitures banalisées garées le long du trottoir, buvaient du café, mais sans qu'aucun ne blague comme le faisaient généralement les flics quand ils s'échangeaient des anecdotes sur leurs dernières patrouilles. Jimmy avait l'impression d'une tension extrême, presque palpable, émanant des chiens, des flics silencieux adossés à leurs véhicules, de l'hélicoptère qui ne ressemblait plus à une abeille désormais et vrombissait en survolant Sydney à basse altitude, puis disparaissait dans Pen Park par-delà les arbres importés et l'écran du drive-in.

– Salut, Jimmy ! lança Ed Deveau, qui le poussa du coude en même temps qu'il ouvrait avec les dents un paquet de M & M.

– Salut, Ed. Quoi de neuf ?

Ed Deveau haussa les épaules.

– L'hélico, là, c'est le deuxième qui passe. Le premier arrêtait pas de tourner au-dessus de chez moi, y a une demi-heure, et j'ai dit à ma femme : « Hé, chérie, y z'ont installé une base aérienne tout près et personne nous l'a dit, ou quoi ? » (Il fourra quelques bonbons dans sa bouche avant de hausser une nouvelle fois les épaules.) Du coup, je suis venu voir pourquoi y avait tout ce bazar.

– Qu'est-ce que t'as appris ?

Du plat de la main, Ed Deveau fendit l'air devant eux.

– Que dalle. Ces gars-là, y sont plus hermétiques que le porte-monnaie de ma mère. Mais c'est du sérieux, Jimmy. Merde, tu te rends compte ? Y z'ont bloqué tous les accès à Sydney ; y a des flics et des herses à Crescent, à Harborview, à Sudan, à Romsey et même jusqu'à Dunboy, d'après ce que j'ai entendu dire. Les gens qui habitent là peuvent pas sortir de chez eux, y sont furax. Si j'ai bien compris, y a aussi deux canots qui explorent le canal, et Boo Bear Durkin a appelé pour me raconter qu'il avait vu de sa fenêtre des hommes-grenouilles plonger dans l'eau. (Il tendit la main.) Non, mais regarde-moi ce cirque.

Jimmy suivit des yeux la direction indiquée par Deveau, et il découvrit trois flics qui faisaient sortir un poivrot d'un des immeubles calcinés un peu plus loin dans Sydney ; le poivrot en question n'appréciait pas, manifestement, et se démenait comme un beau diable, jusqu'au moment où l'un des policiers l'envoya valdinguer tête la première au pied de l'escalier noirci. Mais un mot prononcé par Ed Deveau tracassait Jimmy : *hommes-grenouilles*. Les flics n'envoyaient pas d'hommes-grenouilles s'ils cherchaient une personne indemne, une personne vivante.

– Y plaisantent pas. (Deveau émit un sifflement, puis jeta un coup d'œil à la tenue de Jimmy.) Pourquoi tu t'es fait tout beau ?

– C'est la première communion de Nadine, expliqua Jimmy, qui regarda un flic relever le pochard et lui glisser quelques mots à l'oreille avant de le pousser dans une voiture olive dont la sirène était fixée de travers sur le toit au-dessus de la portière côté passager.

– Hé, félicitations ! s'exclama Deveau.

Jimmy le remercia d'un sourire.

– Ben, qu'est-ce que tu fabriques ici, alors ?

Lorsque Deveau reporta son attention sur Roseclair en direction de Saint Cecilia, Jimmy eut soudain l'impression d'être complètement ridicule. Qu'est-ce qu'il fabriquait ici, en effet, avec sa cravate en soie et son costume à six cents dollars, à érafler ses belles chaussures dans les broussailles qui poussaient au pied du garde-fou ?

Il était là à cause de Katie, se souvint-il.

Et pourtant, la situation lui paraissait toujours aussi insensée. Katie avait manqué la première communion de sa demi-sœur parce qu'elle dormait encore après avoir trop bu la veille ou parce qu'elle écoutait les dernières confidences sur l'oreiller de son petit copain. Après tout, pourquoi irait-elle à l'église de son plein gré ? Jusqu'au baptême de Katie, Jimmy lui-même n'y avait pas mis les pieds pendant au moins dix ans. Et par la suite, il n'avait recommencé à assister régulièrement à la messe qu'après sa rencontre avec Annabeth. Dans ce cas, pourquoi dramatiser si, à la fin de la cérémonie, en voyant les voitures de police bifurquer dans Roseclair, il avait eu, quoi, l'intuition d'un malheur ? Comme il s'inquiétait pour Katie – et comme il lui en voulait aussi –, il avait forcément pensé à elle en regardant les flics écraser l'accélérateur en direction du Pen.

Mais à présent ? À présent, il se sentait stupide. Stupide, déplacé dans sa belle tenue et vraiment idiot d'avoir dit à Annabeth d'emmener les filles au Chuck E. Cheese et d'attendre là-bas qu'il les rejoigne, alors qu'elle le dévisageait avec un mélange d'exaspération, d'incompréhension et de colère à peine contenue.

– Je suis curieux, comme tout le monde, j'imagine, répondit-il à Ed Deveau. (Il le gratifia d'une bourrade sur l'épaule.) Mais bon, faut que je file, vieux, ajouta-t-il.

Au même moment, dans Sydney Street, un flic lança un trousseau de clés à un collègue, qui prit aussitôt le volant de la fourgonnette.

– O.K., Jimmy. Porte-toi bien.

– Toi aussi, répondit Jimmy lentement, observant toujours la rue alors que la camionnette reculait, s'immobilisait le temps d'un changement de vitesse, puis tournait vers la droite.

De nouveau, il éprouva la même certitude sournoise.

On devine parfois la vérité au plus profond de son âme, et nulle part ailleurs. On la devine parfois confusément, au-delà de toute logique, et on a en général raison quand elle est de celles qu'on ne veut pas affronter, qu'on n'est pas sûr de pouvoir affronter. Alors, on tente de l'ignorer, on va consulter un psychiatre ou on passe de longues heures dans les bars à s'abrutir devant les écrans de télévision – tout pour essayer d'échapper à ces vérités trop dures, trop laides, que l'âme a identifiées bien avant l'esprit.

Et Jimmy eut soudain l'impression que cette certitude lui plantait des clous à travers ses chaussures pour l'immobiliser alors qu'il n'avait qu'une envie : fuir, courir le plus vite possible, tout sauf rester là, à regarder la camionnette manœuvrer. Et puis, les clous atteignirent de plein fouet sa poitrine – un gros paquet de clous glacés, comme tirés par un canon –, et il voulut fermer les yeux, mais ils étaient cloués eux aussi, maintenus grands ouverts, et il fut bien obligé de regarder la voiture masquée jusque-là par la fourgonnette qui s'éloignait désormais, la voiture autour de laquelle tout le monde était rassemblé, relevant avec de petites brosses les empreintes sur la carrosserie, prenant des photos, observant l'intérieur, tendant aux policiers sur le trottoir des objets dans des sachets.

C'était la voiture de Katie.

Pas une voiture du même modèle. Pas une voiture qui lui ressemblerait. Non, sa voiture. Reconnaissable à la bosse sur le pare-chocs avant droit et au verre cassé sur le phare droit.

– Grands dieux, Jimmy ! Jimmy ? Hé, Jimmy ! Regarde-moi. Ça va ?

Jimmy leva les yeux vers Ed Deveau, incapable de comprendre comment il s'était retrouvé à genoux, les paumes pressées sur le sol, environné de tous ces visages irlandais.

– Jimmy ? (Ed Deveau lui tendit la main.) Tu te sens bien ?

Les yeux fixés sur la main offerte, Jimmy ne savait que répondre. Des hommes-grenouilles, pensait-il. Dans le canal.

Whitey rejoignit Sean dans les bois à une centaine de mètres environ après le ravin. Ils avaient perdu toute trace d'indices dans les zones du parc plus à découvert, la pluie tombée pendant la nuit ayant nettoyé tout ce que la végétation ne protégeait pas.

– Les chiens ont senti quelque chose près du vieil écran du drive-in. Vous voulez venir voir ?

Sean hochait la tête quand son talkie-walkie émit un bip.

– Agent Devine.

– On a un gars, ici...

– Où ?

– À Sydney Street, agent Devine.

– Allez-y, je vous écoute.

– Eh bien, il affirme qu'il est le père de la gamine disparue.

– Qu'est-ce qu'il fout là, bonté divine ? s'écria Sean, qui sentit un brusque afflux de sang au visage.

– Il a réussi à passer. Je fais quoi, maintenant ?

– Eh bien, empêchez-le d'entrer. Vous avez un psychologue avec vous ?

– Il est en route.

Sean ferma les yeux. Tout le monde était en route, mais personne n'arrivait, comme s'ils étaient tous coincés dans le même putain d'embouteillage.

– Bon, tâchez de calmer le père en attendant le psy. Vous connaissez la marche à suivre.

– Euh, oui, mais il vous réclame, agent Devine.

– Moi ?

– Il dit qu'il vous connaît. Que quelqu'un l'a averti que vous étiez ici.

– Non, non et non. Écoutez...

– Le problème, c'est qu'il est avec tous ces types.

– Quels types ?

– Une bande d'excités qui font peur à voir. La moitié sont des demi-portions, et ils se ressemblent tous.

Les frères Savage. Merde.

– J'arrive, annonça Sean.

D'une minute à l'autre, Val Savage allait être arrêté. Et Chuck aussi, sans doute, le sang des Savage – rarement au repos – bouillonnant littéralement, les deux frères insultant les flics, les flics paraissant sur le point d'en venir aux poings et à la matraque.

Jimmy se tenait près de Kevin Savage, l'un des plus sensés, à quelques mètres de Val et de Chuck qui, devant le ruban délimitant la scène du crime, indiquaient le parc et vociféraient : « C'est notre nièce, là-bas, espèces de pauvres tarés de connards ! »

Il sentait la crise de nerfs menacer, un besoin d'exploser tout juste réprimé qui l'anesthésiait, lui embrouillait les idées. D'accord, c'était sa voiture, là-bas, à trois mètres. Et, non, personne ne l'avait revue depuis la veille au soir. Et c'était bien du sang qu'il avait aperçu sur le dossier du siège passager. Alors, O.K., ce n'était pas bon signe. Mais il y avait tout un bataillon de flics qui passaient le parc au peigne fin, et aucune housse mortuaire n'était encore apparue. Pour le moment, on en était là.

En voyant un flic plus âgé allumer une cigarette, il eut envie de la lui arracher de la bouche, de lui fourrer l'extrémité incandescente dans la narine et de hurler : « Retournez là-bas, bordel, cherchez ma fille ! »

Pour se calmer, il s'obligea à décompter lentement de dix à un, un truc qu'il avait appris à Deer Island, en visualisant les chiffres – des formes grises qui flottaient dans l'obscurité de son cerveau. Crier ne servirait qu'à le faire expulser des lieux. Toute manifestation de chagrin, d'angoisse ou de cette peur qui électrisait son sang aboutirait au même résultat. Auquel cas, les Savage se déchaîneraient, et ils se retrouveraient enfermés en cellule au lieu de rester dans cette rue où sa fille avait été vue pour la dernière fois.

– Val ! appela-t-il.

Celui-ci ramena à lui la main qu'il avait tendue par-dessus le ruban jaune et le doigt qu'il collait jusque-là sous le nez du flic imperturbable en face de lui, puis tourna la tête vers Jimmy.

– Du calme, lui enjoignit celui-ci.

Son beau-frère se dirigea vers lui au pas de charge.

– Ces salopards font barrage, Jim ! Ils nous empêchent d'entrer.

– C'est leur boulot, répliqua Jimmy.

– Leur putain de *boulot*, Jim ? Tu parles ! Sauf respect, ces mecs-là ont pas idée de ce que c'est que bosser.

– Vous voulez m'aider ? demanda Jimmy au moment où Chuck les rejoignait, presque deux fois plus grand que son frère, mais moitié moins dangereux, ce qui faisait tout de même de lui un individu plus dangereux que la majorité de la population.

– Sûr, affirma Chuck. Dis-nous comment.

– Val ? lança Jimmy.

– *Quoi ?*

Son beau-frère, fulminant, roulait des yeux fous.

– Tu veux m'aider ?

– Ouais, ouais. Évidemment que je veux t'aider, Jimmy. Mais putain, tu sais ce que...

– Je sais, oui, répondit Jimmy en s'efforçant de maîtriser le tremblement qu'il sentait naître dans sa voix. Je suis même foutrement bien placé pour le savoir, Val. C'est ma gosse, là-bas ! Tu le comprends, ça ?

Kevin lui posa une main sur l'épaule, et Val recula d'un pas avant de s'absorber quelques instants dans la contemplation de ses pieds.

– Désolé, Jimmy, marmonna-t-il enfin. O.K. ? C'est juste que je balise, vieux. Je veux dire, merde !

Jimmy obligea son cerveau à s'activer et reprit d'un ton plus calme :

– Bon, Kevin et toi, Val, vous allez pousser jusque chez Drew Pigeon. Vous le mettrez au courant de ce qui arrive.

– Drew Pigeon ? Pourquoi ?

– Je vais t'expliquer pourquoi, Val. Vous allez parler à sa fille Eve et aussi à Diane Cestra, si elle est encore là. Demandez-leur quand elles ont vu Katie pour la dernière fois. À quelle heure exactement elles se sont quittées. Débrouillez-vous pour apprendre si elles ont bu, si Katie avait prévu de retrouver quelqu'un, avec qui elle sortait, etc. Tu penses pouvoir le faire, Val ? demanda Jimmy en fixant du regard Kevin qui, avec un peu de chance, serait capable de contenir la rage de son frère.

Kevin hocha la tête.

– Pigé, Jim.

– Val ?

Celui-ci jeta un coup d'œil par-dessus son épaule aux buissons à l'entrée du parc, puis reporta son attention sur Jimmy en agitant sa petite tête.

– O.K., O.K.

– Ces gamines sont des copines de Katie. Inutile de les bousculer, mais arrangez-vous quand même pour obtenir des réponses, d'accord ?

– D'accord, répondit Kevin, faisant ainsi comprendre à Jimmy qu'il veillerait à garder le contrôle des opérations. (Il abattit sa main sur l'épaule de son frère aîné.) Allez, Val, au boulot.

Jimmy les suivit des yeux alors qu'ils s'éloignaient dans Sydney ; à côté de lui, il sentait Chuck tendu, prêt à tuer quelqu'un.

– Tu tiens le coup ?

– Moi, ça va, répondit Chuck. Mais c'est pour toi que je m'inquiète.

– T'en fais pas. Pour le moment, je suis calme. De toute façon, j'ai pas le choix, hein ?

Chuck garda le silence, et Jimmy tourna la tête vers l'entrée du parc de l'autre côté de la rue, par-delà la voiture de sa fille, au moment où Sean Devine en sortait, puis traversait les broussailles sans cesser de le regarder – et Sean avait beau être grand et se déplacer vite, Jimmy reconnut sur ses traits cette expression qu'il détestait, celle d'un homme pour qui les choses avaient toujours été faciles, que Sean arborait comme un badge encore plus gros que celui accroché à sa ceinture et qui mettait les autres à cran même s'il n'en avait pas conscience.

– Salut, Jimmy, lança Sean en lui serrant la main.

– Salut, Sean. J'ai appris que t'étais sur place.

– Depuis la première heure ce matin. (Sean jeta un coup d'œil derrière lui, puis regarda de nouveau Jimmy.) Je ne peux rien te dire pour l'instant, vieux.

– Elle est là-dedans ? demanda Jimmy, conscient du tremblement de sa voix.

– Je l'ignore, Jim. On ne l'a pas encore retrouvée. C'est la seule chose que je sois en mesure de te révéler.

– Laisse-nous y aller, alors, intervint Chuck. On vous aidera à fouiller le parc. On en voit tout le temps aux infos, des citoyens qui recherchent les gosses disparus.

Mais Sean gardait les yeux rivés sur Jimmy, comme si Chuck n'était pas là.

– C'est un peu plus compliqué que ça, Jimmy. On ne peut pas autoriser les civils à entrer tant qu'on n'aura pas ratissé chaque centimètre du périmètre de sécurité.

– Et c'est quoi, le périmètre de sécurité ? s'enquit Jimmy.

– Pour le moment, tout ce foutu parc, répondit Sean. Écoute, reprit-il en tapotant l'épaule de Jimmy, je suis venu vous dire à tous, les gars, que vous ne pouviez rien faire. Désolé. Vraiment. Mais c'est comme ça. Dès qu'on aura du nouveau, la moindre information, Jimmy, on vous avertira aussitôt. Je déconne pas.

Jimmy acquiesça, puis effleura le coude de Sean.

– Je peux te parler une minute ?

– Bien sûr.

Abandonnant Chuck Savage sur le trottoir, ils s'éloignèrent de quelques mètres dans la rue. Persuadé qu'il n'allait pas aimer ce qui allait suivre, Sean posa sur Jimmy son regard froid de flic.

– C'est la voiture de ma fille, déclara Jimmy.

– Je sais. Je...

– Sean ? l'interrompit Jimmy en levant la main. C'est la bagnole de ma fille, là-bas. Il y a du sang à l'intérieur. Elle est pas venue travailler ce matin, elle est pas venue non plus à la première communion de sa petite sœur, et personne l'a vue depuis hier soir. O.K. ? C'est ma fille dont on parle, Sean. T'as pas de mômes, alors, je m'attends pas vraiment à ce que tu comprennes, mais merde, vieux. C'est ma gosse.

Le regard de Sean resta un regard de flic.

– Qu'est-ce que tu veux que je te dise, Jimmy ? Si tu me fais la liste des gens qu'elle a rencontrés hier soir, j'enverrai des hommes interroger ces personnes-là. Si elle avait des ennemis, je les traînerai au poste. Si...

– Ils ont amené des putains de *chiens*, Sean ! Des chiens, pour ma fille. Des chiens et des hommes-grenouilles.

– Exact. Et on a mis sur le coup la moitié de nos putains d'effectifs, Jimmy. Les forces d'État *et* le BPD. Plus deux hélicos et deux canots. On va la retrouver, vieux. Mais toi, tu ne peux rien faire pour le moment. Pas encore. Rien du tout. Tu m'as bien compris ?

Jimmy regarda derrière lui Chuck toujours figé au même endroit, les yeux fixés sur l'entrée du parc, le corps incliné en avant, comme prêt à s'arracher de son enveloppe charnelle.

– Pourquoi avoir demandé à des hommes-grenouilles de chercher ma fille, Sean ?

– Quand il y a une étendue d'eau sur les lieux, c'est comme ça qu'on procède.

– Parce qu'elle est dans l'eau ?

– Tout ce qu'on sait, c'est qu'elle a *disparu*, Jimmy. C'est tout.

Jimmy se détourna quelques instants ; son esprit se troublait, s'obscurcissait, refusait de fonctionner. Il voulait aller dans ce parc. Il voulait suivre la piste de jogging pour découvrir au bout Katie vivante, qui viendrait vers lui. Il ne parvenait plus à penser. Il avait besoin d'y aller.

– Tu veux vraiment qu'on te colle les journalistes au cul ? lança-t-il. Tu veux nous embarquer, moi et tous les frangins Savage, parce qu'on sera entrés dans ce parc pour essayer de retrouver ma gosse ?

Au moment où il s'interrompait, Jimmy se rendit compte que sa menace était dérisoire, pathétique, et il détesta Sean, qui s'en était rendu compte lui aussi.

Sean remua la tête.

– Non, ce n'est pas ce que je veux. Crois-moi, Jimmy. Mais si je dois en arriver là, eh bien, je le ferai. (Il sortit son calepin.) Bon, indique-moi avec qui elle était hier soir, où elle est allée, et je...

Jimmy s'éloignait déjà lorsque le talkie-walkie de Sean émit un bip sonore, strident. Il se retourna au moment où Sean l'approchait de sa bouche.

– J'écoute.

– On a quelque chose, agent Devine.

– Répétez.

Lorsque Jimmy se rapprocha de Sean, il entendit la voix à l'autre bout du talkie-walkie vibrer d'une émotion à peine contenue.

– J'ai dit : on a quelque chose. Le sergent Powers a demandé que vous veniez ici. Euh, le plus vite possible, agent Devine. Tout de suite, quoi.

– Où êtes-vous ?

– L'écran du drive-in. Et, putain, c'est moche.

10

Preuves

Celeste regarda les informations de midi sur le petit téléviseur installé dans la cuisine. Elle repassait en même temps, se disant à un certain moment qu'on aurait presque pu la prendre pour la parfaite épouse des années 50 vaquant aux tâches ingrates et s'occupant de leur progéniture, alors que son mari partait travailler le matin avec son déjeuner dans une gamelle et rentrait le soir persuadé qu'elle lui aurait préparé un verre et un bon dîner. Mais en réalité, les choses ne se passaient pas ainsi. Malgré tous ses défauts, Dave n'hésitait pas à mettre la main à la pâte quand il s'agissait des corvées domestiques. À lui la poussière, l'aspirateur et la vaisselle ; pour sa part, Celeste prenait plaisir à faire la lessive, à trier, plier et repasser, environnée de l'odeur chaude du linge propre et défroissé.

Elle se servait encore du fer maternel, un pur produit du début des années 60. Aussi lourd qu'une brique, il sifflait constamment et libérait sans prévenir de brusques jets de vapeur, mais il était deux fois plus efficace que la plupart des nouveaux modèles que Celeste, attirée par les promotions et les soi-disant prouesses de la technologie de l'ère spatiale, avait essayés au fil des années. Son propre fer permettait de former des plis d'une telle netteté qu'ils en devenaient pratiquement coupants, et venait à bout en un seul mouvement aisé des tissus les plus chiffonnés qui, avec un appareil récent, entouré d'une coque en plastique, auraient nécessité une demi-douzaine d'allers-retours.

Il arrivait à Celeste de se sentir irritée à la pensée de tous ces biens de consommation qui, aujourd'hui, ne semblaient construits que pour tomber en panne – magnétoscopes, voitures, ordinateurs, téléphones sans fil –, alors que ceux fabriqués à l'époque de ses parents étaient faits pour durer. Dave et elle utilisaient toujours le fer de Rosemary, son mixeur et son gros téléphone noir à cadran posé désormais près de leur lit. Depuis qu'ils étaient mariés, ils avaient investi dans plusieurs appareils qui les avaient lâchés prématurément : téléviseurs dont le tube cathodique avait implosé, un aspirateur qui dégageait une fumée bleue, une cafetière qui produisait un liquide à peine plus chaud que l'eau du bain. Ces articles, ainsi que

130

d'autres, avaient fini à la poubelle, dans la mesure où cela coûtait presque moins cher d'acheter un produit neuf que de donner l'ancien à réparer. En théorie, du moins. Car, évidemment, avec l'argent ainsi économisé, vous achetiez le dernier-né de la nouvelle génération – un comportement typique sur lequel misaient les fabricants, Celeste n'en doutait pas. Et elle tentait parfois d'ignorer l'idée que ce n'étaient pas seulement les objets de son environnement qui n'avaient pas d'impact durable, mais que sa vie elle-même était programmée pour se casser à la première occasion, et que les quelques composants récupérables seraient recyclés à l'usage de quelqu'un d'autre tandis que le reste d'elle-même s'évanouirait.

Elle en était là de son repassage et de ses réflexions sur sa propre nature jetable quand, au bout de dix minutes d'informations, la présentatrice prit un air grave devant la caméra pour annoncer que la police recherchait un individu impliqué dans une agression sordide à la sortie d'un des bars de la ville. Au moment où Celeste se dirigeait vers le téléviseur pour monter le son, la femme déclara : « Les derniers développements de cette affaire et les prévisions météorologiques de Harvey après une page de publicité. » Un instant plus tard, Celeste voyait en gros plan des mains féminines manucurées récurer un plat qui semblait avoir été plongé dans du caramel chaud, tandis qu'une voix vantait les mérites d'un nouveau liquide vaisselle formule-améliorée-encore-plus-efficace, et elle eut envie de hurler. En un sens, le journal télévisé était exactement comme tous ces appareils ménagers actuels : conçus pour tenter et attirer, n'attendant que le moment où vous leur tourniez le dos pour se moquer de la crédulité dont vous faisiez preuve en pensant que, cette fois, ils allaient tenir leurs promesses.

Elle régla le volume en luttant contre le désir presque irrépressible d'arracher le bouton en plastique de leur téléviseur bas de gamme, puis retourna derrière sa planche à repasser. Une demi-heure plus tôt, Dave avait emmené Michael acheter des genouillères et un casque de receveur en disant qu'il écouterait les informations à la radio, et Celeste n'avait même pas pris la peine de le regarder pour savoir s'il mentait. Bien que petit et mince, Michael s'était révélé un receveur particulièrement doué – un « prodige qui expédiait de véritables boulets de canon », avait déclaré M. Evans, son entraîneur. En repensant à tous les jeunes qu'elle avait vu jouer dans cette position – des gosses assez grands, en général, avec des nez aplatis et des trous à la place des dents de devant –, Celeste s'était sentie obligée de confier ses craintes à Dave.

– Tu sais, ma chérie, ces casques qu'ils font maintenant ? avait-il répliqué. Ils sont plus solides que des foutues cages à requins. Pour peu qu'un camion les heurte, c'est le camion qui prend.

Celeste s'était accordé un jour de réflexion avant de soumettre à Dave les termes du marché. Michael pourrait occuper la position de receveur, ou n'importe quelle autre au base-ball, du moment qu'il possédait le meilleur équipement et à la condition expresse qu'il ne rentre jamais dans aucune ligue de football.

Dave, qui n'avait jamais été lui-même un footballeur, avait accepté après dix minutes seulement d'une discussion de pure forme.

Ils étaient donc partis acheter de quoi transformer Michael en réplique miniature de son père, et Celeste se retrouvait devant la télé, le fer immobilisé à quelques centimètres au-dessus d'une chemise en coton, à regarder la fin d'une publicité pour une pâtée destinée aux chiens en attendant que les informations reprennent.

« Hier soir, à Allston, commença la présentatrice un instant plus tard, et Celeste sentit aussitôt ses espoirs s'effondrer, une étudiante de Boston College a été attaquée par deux hommes à la sortie d'une discothèque très populaire chez les jeunes. D'après certaines sources, la victime, Carey Whitaker, aurait été frappée avec une bouteille de bière et serait maintenant dans un état critique à... »

La bouche sèche comme si elle avait avalé du sable, Celeste était désormais presque sûre qu'elle ne verrait rien sur l'agression ou le meurtre d'un homme à la sortie du Last Drop. Et quand la journaliste annonça le bulletin météo, puis un programme sportif par la suite, elle en eut la certitude absolue.

Ils auraient dû découvrir le corps, maintenant. S'il était réellement mort (« J'ai peut-être tué un homme, chérie »), les journalistes l'auraient appris par leurs sources au poste de police, ou simplement en écoutant la fréquence radio des flics.

Peut-être Dave avait-il surestimé son déchaînement de violence contre son agresseur. Peut-être ledit agresseur – ou qui que ce soit – s'était-il tout simplement terré quelque part pour lécher ses blessures après le départ de Dave. Peut-être n'étaient-ce pas des fragments de cervelle qu'elle avait vu tourbillonner au fond de l'évier la nuit précédente. Mais d'où venait tout ce sang, alors ? Comment pouvait-on saigner autant à la suite d'une plaie à la tête et *rester en vie*, sans parler de rentrer tranquillement chez soi ?

Après avoir repassé le dernier pantalon et tout rangé dans la penderie de Michael ou dans la leur, Celeste retourna à la cuisine, où elle demeura quelques instants immobile, ne sachant pas trop quoi faire. Il y avait un match de golf à la télévision, maintenant, et le claquement assourdi de la balle ainsi que les brèves salves d'applaudissements retenus apaisaient un peu cette étrange nervosité qu'elle ressentait depuis le début de la matinée. Une nervosité qui allait au-delà de ses problèmes avec Dave et des failles dans l'histoire qu'il lui avait racontée, mais qui leur était en même temps liée, qui avait un rapport avec ce qui s'était passé dans la nuit, avec l'arrivée de Dave couvert de sang – tout ce sang sur son pantalon qui souillait le carrelage, sourdait de sa blessure, teintait de rose l'eau dans l'évier.

Le siphon. Oui, c'était ça qu'elle avait oublié. La veille au soir, elle avait dit à Dave qu'elle désinfecterait l'intérieur de la conduite d'évacuation afin de faire disparaître à jamais d'éventuels indices. Elle décida de s'en occuper sur-le-champ, s'agenouilla sur le carrelage, puis ouvrit le placard sous l'évier et scruta l'intérieur jusqu'à localiser la clé anglaise au fond, derrière les produits de nettoyage et les chiffons. Elle tendit la main, s'efforçant d'ignorer la panique qui menaçait de s'emparer d'elle quand elle devait récupérer quelque chose dans ce placard, sa terreur irrationnelle à l'idée qu'un rat puisse être tapi sous les bouts de tissu, flairer l'odeur de sa peau, lever le museau vers ses doigts, les moustaches frémissantes...

Elle attrapa la clé, puis retira rapidement sa main, bien consciente que ses craintes étaient idiotes, mais bon, on ne les appelait pas des phobies pour rien. Elle détestait avoir à fourrager dans des endroits sombres ; sa mère, Rosemary, avait autrefois une peur panique des ascenseurs ; son père détestait les hauteurs ; quant à Dave, il était pris de sueurs froides chaque fois qu'il devait descendre à la cave.

Celeste plaça un seau en plastique sous le siphon, puis, allongée sur le dos, dévissa la bonde de vidange et l'eau jaillit alors, éclaboussant les parois du seau. Elle redouta qu'il ne déborde, mais peu à peu, le flot se réduisit à un faible écoulement, et elle vit un petit amas de cheveux sombres et des grains de maïs tomber dans le récipient. L'écrou de fixation, tout près du mur du fond, lui donna plus de fil à retordre, et elle mit un certain temps à en venir à bout, car il refusait de bouger, et elle se retrouva à repousser le bas du placard avec son pied tout en tirant sur la clé avec tant de force qu'elle eut peur de la casser, ou de se briser le poignet. Et puis, l'écrou tourna enfin, de quelques millimètres à peine, avec un grincement métallique strident, et Celeste repositionna la clé. Cette fois, l'écrou céda plus facilement, tout en opposant encore une certaine résistance.

Cinq minutes plus tard, elle avait étalé tout le système de vidange sur le sol devant elle. Ses cheveux et sa chemise étaient trempés de sueur, mais elle éprouvait un sentiment de devoir accompli avoisinant le triomphe pur, comme si elle avait affronté une force récalcitrante et indiscutablement masculine, muscles contre muscles, et vaincu son adversaire. Dans la pile de chiffons, elle trouva une chemise devenue trop petite pour Michael, qu'elle tordit jusqu'à pouvoir l'insérer dans le tuyau. Elle la fit passer à plusieurs reprises à l'intérieur puis, une fois certaine qu'il ne restait plus sur les parois que de la rouille déjà ancienne, elle plaça la chemise dans un sac en plastique. Elle emporta ensuite dans la cour le siphon et une bouteille d'eau de Javel pour le désinfecter, laissant le liquide se déverser dans la terre desséchée d'une plante en pot morte l'été précédent et qui avait attendu tout l'hiver que quelqu'un la jette.

Quand elle eut terminé, Celeste ré-assembla les pièces, trouvant beaucoup plus facile de les remonter que de les démonter. Elle alla chercher le sac-poubelle dans lequel elle avait fourré les vêtements de Dave la nuit précédente, y ajouta le sac contenant la chemise en lambeaux de Michael, vida le contenu du seau dans les toilettes, puis nettoya ledit seau avec une serviette en papier qu'elle ajouta aux affaires à jeter.

Voilà, elle avait réuni toutes les preuves.

Du moins, celles dont elle disposait. Si Dave lui avait menti, à propos du couteau, à propos de ses empreintes, à propos des témoins de son – quoi ? de son crime ? de son acte de légitime défense ? –, elle ne pourrait rien faire pour l'aider. Mais ici, chez eux, elle avait relevé le défi. Elle avait rassemblé tous les indices dont elle avait été assaillie depuis le retour de Dave la veille au soir, et elle les avait éliminés. Battus, en quelque sorte. De nouveau, elle se sentit grisée, puissante, plus vivante et efficace que jamais, et elle eut soudain la certitude rafraîchissante qu'elle était toujours jeune et forte, qu'elle n'avait rien de commun avec un grille-pain jetable ou un aspirateur cassé. Elle avait survécu à la mort de ses parents, à des années de soucis financiers, à la terreur qui s'était emparée d'elle quand son fils avait attrapé une pneumonie à six mois, et elle n'était pas devenue plus faible, comme elle l'avait cru, mais seulement plus lasse, et oui, tout cela allait changer maintenant qu'elle savait qui elle était. Elle était incontestablement quelqu'un qui ne reculait pas devant les difficultés, mais au contraire se portait à leur rencontre en disant : « O.K., allez-y. Déchaînez-vous. Je me relèverai. Chaque fois. Je ne vais pas me ratatiner et mourir. Oh, non. Alors, méfiez-vous. »

Elle récupéra le sac-poubelle vert dans la cuisine, le tordit jusqu'à lui donner l'apparence du cou décharné d'un vieillard, puis l'entoura d'un lien auquel elle fit un nœud serré. Enfin, elle s'immobilisa en se demandant pourquoi elle avait songé au cou d'un vieillard. D'où lui était venue une idée pareille ? À cet instant, elle remarqua qu'il n'y avait plus rien à la télévision. Une minute plus tôt, Tiger Woods arpentait encore le green, et à présent, l'écran était noir.

Et puis, une ligne blanche apparut, et Celeste se dit que si le tube cathodique implosait encore une fois, elle balancerait le poste dans la cour. Là, tout de suite, et au diable les conséquences.

Mais la ligne blanche céda la place à une image de studio, et la présentatrice, l'air bousculé et soucieux, déclara :

« Nous interrompons notre programme le temps d'un flash d'information. Valerie Corapi est sur les lieux, à l'entrée de Penitentiary Park, à East

Buckingham, où la police recherche actuellement une femme portée disparue. Valerie, vous êtes là ? »

Celeste regarda un plan aérien succéder à l'image du studio – une vue tremblante de Sydney Street, du parc et de ce qui ressemblait à une véritable armée de policiers à l'extérieur. Elle vit des canots de la police sur le canal, et des dizaines de silhouettes minuscules, noires comme des fourmis, se frayer un chemin au milieu de la végétation. Certaines de ces silhouettes se dirigeaient en file indienne vers le bouquet d'arbres entourant le vieil écran du drive-in.

L'hélicoptère fut secoué par le vent, le plan se déplaça, et pendant quelques instants, Celeste eut sous les yeux le terrain de l'autre côté du canal, Shawmut Boulevard et la zone industrielle qui le bordait.

« Nous nous trouvons en ce moment même à East Buckingham, où les policiers arrivés tôt ce matin fouillent toujours le parc à la recherche d'une femme portée disparue. D'après certaines sources non confirmées, certains signes relevés dans la voiture de cette femme laisseraient supposer un acte criminel. Là-bas, Virginia, mais je ne sais pas si vous pouvez le voir... »

La caméra se détourna de la zone industrielle à Shawmut pour virer à cent quatre-vingts degrés et se concentrer sur une voiture bleu foncé avec une portière ouverte, échouée dans Sydney Street, et qui paraissait étrangement abandonnée alors que les policiers faisaient reculer vers elle un camion pour la remorquer.

« Oui, reprit la journaliste, ce que nous voyons maintenant, d'après ce que j'ai entendu dire, c'est bien la voiture de la disparue. La police l'a découverte ce matin et a immédiatement lancé les recherches. Jusque-là, Virginia, personne n'a avancé la moindre hypothèse concernant le nom de cette personne ou la raison d'une présence policière aussi importante, comme vous pouvez le constater. Néanmoins, des sources proches de News Four ont confirmé que les fouilles se concentraient désormais sur les alentours du vieux drive-in qui, je ne vous l'apprendrai pas, est utilisé par les troupes de théâtre locales en été. Mais aujourd'hui, ce n'est pas un drame fictif qui se joue ici. C'est la réalité. Virginia, vous m'entendez ? »

Celeste tentait de donner un sens aux propos de la journaliste. Elle n'était pas certaine, à vrai dire, d'avoir appris quelque chose, sinon que les policiers avaient envahi leur quartier telle une armée de conquérants.

La présentatrice semblait déroutée, elle aussi, comme si on lui parlait hors-champ dans un langage incompréhensible pour elle. Enfin, elle déclara :

« Nous vous tiendrons bien sûr informés de... tous les développements ultérieurs de cette affaire. À présent, nous allons reprendre le cours normal de nos programmes. »

Celeste changea plusieurs fois de chaîne, mais dans la mesure où aucune autre ne semblait encore au courant de cette nouvelle, elle remit le golf.

Une habitante des Flats avait disparu. Une voiture avait été abandonnée dans Sydney Street. Mais la police ne déclenchait pas ce genre d'opération massive – et pour être massive, elle l'était ; Celeste avait remarqué des véhicules de la police d'État et de la police municipale – à moins d'avoir la preuve qu'il ne s'agissait pas d'une simple disparition. Il devait y avoir quelque chose dans cette fichue bagnole qui attestait la violence. Qu'avait dit la journaliste, déjà ?

Des signes laissant supposer un acte criminel. C'étaient ses termes exacts.

Autrement dit, du sang, comprit Celeste. C'était forcément du sang. Une preuve. Jetant un coup d'œil au sac qu'elle tenait toujours à la main, elle pensa :

Dave.

11

Déluge rouge

Jimmy se tenait devant le ruban jaune, du côté réservé aux civils, en face d'un alignement chaotique de policiers, tandis que Sean s'éloignait sans un regard parmi les broussailles en direction du parc.

– Monsieur Marcus? lança ce flic, un dénommé Jefferts. Je peux vous apporter un café, ou quelque chose?

Il avait parlé en maintenant les yeux rivés sur le front de Jimmy, qui ressentit un léger mépris teinté de pitié pour la façon dont il s'obstinait à éviter son regard et se grattait le ventre avec le côté du pouce. Sean avait fait les présentations, disant à Jimmy qu'il s'agissait de l'agent Jefferts, un brave homme, et à Jefferts que Jimmy était le père de la, hum, propriétaire du véhicule abandonné. Qu'on lui apporte tout ce qu'il voudrait, et surtout, qu'on le mette en relation avec Talbot dès qu'elle arriverait. Jimmy en avait déduit que cette Talbot devait être une psy travaillant pour la police ou une quelconque assistante sociale débraillée avec une montagne de prêts-étudiant à rembourser et une vieille guimbarde qui sentait le hamburger.

Ignorant l'offre de Jefferts, il traversa la route pour rejoindre Chuck Savage.

– Qu'est-ce qui se passe, Jim?

Celui-ci se contenta de remuer la tête, certain qu'il allait vomir s'il essayait d'exprimer ce qu'il éprouvait.

– T'as ton portable?

– Ouais, bien sûr.

Chuck fourra les mains dans son coupe-vent, puis plaça le téléphone dans la paume de Jimmy, qui appela les renseignements. Lorsqu'une voix pré-enregistrée lui demanda de préciser la ville et l'État, il hésita un instant avant de répondre, imaginant ses paroles propagées par des kilomètres et des kilomètres de câbles en cuivre avant de sombrer dans une sorte de vortex relié au cerveau d'un ordinateur gargantuesque avec des voyants rouges en guise d'yeux.

– Quel numéro demandez-vous? reprit la voix.

– Chuck E. Cheese.

Jimmy éprouva soudain une terreur irrationnelle à prononcer ainsi un nom aussi ridicule en pleine rue, près de la voiture vide de sa fille. Pour un peu, il aurait brisé le combiné entre ses dents.

Une fois en possession du numéro, il le composa et dut patienter le temps que l'on prévienne Annabeth. La personne qui lui avait répondu ne l'avait pas mis en attente, mais s'était contentée de poser le combiné sur un comptoir, et Jimmy distingua les sonorités métalliques du nom de sa femme : « Madame Annabeth Marcus est priée de contacter l'hôtesse d'accueil. Madame Annabeth Marcus ? » Jimmy entendit des clochettes tinter, et peut-être quatre-vingts ou quatre-vingt-dix gamins qui cavalaient partout comme des fous, se tiraient les cheveux et criaient, tandis que des voix adultes désespérées s'efforçaient de couvrir le vacarme, puis le nom de sa femme fut de nouveau prononcé. Jimmy se figura Annabeth en train de lever les yeux, déconcertée et épuisée, toute l'équipe réunie pour faire sa première communion à Saint Cecilia se battant maintenant autour d'elle pour des parts de pizza.

Enfin, il reconnut sa voix, assourdie et curieuse : « Oui ? Vous m'avez appelée ? »

L'espace d'un instant, Jimmy eut envie de raccrocher. Que pourrait-il lui dire ? Pourquoi lui téléphoner maintenant, alors qu'il n'avait rien de plus concret à lui rapporter que les craintes de son imagination troublée ? Ne vaudrait-il pas mieux les laisser, les filles et elle, à leur bienheureuse ignorance encore un moment ?

Mais il savait que les choses étaient déjà allées trop loin, et qu'Annabeth serait bouleversée s'il ne l'avertissait pas de ce qui se passait alors qu'il se rongeait les sangs dans Sydney Street, près de la voiture de Katie. Elle se rappellerait toujours ce moment de bonheur partagé avec les filles comme quelque chose d'immérité, voire comme une trahison, une fausse promesse. Et elle lui en voudrait terriblement.

De nouveau, il entendit sa voix assourdie : « Celui-là ? », puis un raclement quand elle récupéra le combiné sur le comptoir.

– Allô ?
– Chérie..., articula Jimmy, avant d'être obligé de s'éclaircir la gorge.
– Jimmy ? (Un léger tremblement altérait sa voix.) Où es-tu ?
– Je... Écoute, je... Je suis dans Sydney Street.
– Pourquoi ? Il y a un problème ?
– Ils ont retrouvé sa voiture, Annabeth.
– La voiture de qui ?
– De Katie.
– Mais qui, *ils* ? Les policiers ?

– Oui. Elle est... elle a disparu. Quelque part dans Pen Park.

– Oh, Seigneur ! C'est pas vrai, hein ? Non. Non, Jimmy.

Jimmy les sentit s'emparer à nouveau de lui – cette peur, cette certitude atroce, l'horreur des pensées qu'il essayait de contenir derrière une porte dans son cerveau.

– On ne sait encore rien. Mais sa voiture est restée là toute la nuit, et les flics...

– Pour l'amour de Dieu, Jimmy !

– ... la cherchent partout dans le parc. Ils sont des dizaines. Alors...

– Où es-tu ?

– Dans Sydney. Écoute...

– Dans la rue ? Dans cette putain de rue ? Pourquoi t'es pas dans le parc avec eux ?

– Ils ne veulent pas me laisser passer.

– Ah oui ? Pour qui ils se prennent, hein ? C'est leur fille, peut-être ?

– Non. Écoute, je...

– Entre dans ce parc. Merde, elle est peut-être blessée ! Étendue quelque part, frigorifiée et blessée.

– Je sais, mais ils...

– J'arrive.

– O.K.

– Entre dans ce parc, Jimmy. Je veux dire, merde, qu'est-ce qui t'arrive ?

Elle raccrocha.

Jimmy rendit le téléphone à Chuck, conscient qu'Annabeth avait raison. Elle avait même tellement raison qu'il en était malade d'avance à l'idée de regretter toute sa vie ces quarante-cinq minutes d'impuissance, de ne jamais pouvoir évoquer ce moment sans avoir envie de fuir, de battre en retraite dans sa tête. Quand était-il devenu cet homme qui disait « Oui, monsieur, non, monsieur, bien, monsieur » à des foutus flics alors que sa fille aînée avait disparu ? À quel moment le changement s'était-il produit ? Quand s'était-il avancé vers le comptoir pour brader ses couilles contre le sentiment d'être – quoi, au juste ? – un bon citoyen ?

Il se tourna vers son beau-frère.

– Tu gardes toujours ces coupe-boulons dans ton coffre, sous la roue de secours ?

Chuck avait l'air d'un coupable pris la main dans le sac.

– C'est que, faut bien vivre, Jim.

– Où est ta voiture ?

– Un peu plus loin, à l'angle de Dawes.

Déjà, Jimmy s'éloignait, et Chuck dut courir pour le rattraper.

– On va essayer d'entrer quand même ?

Jimmy acquiesça de la tête et pressa le pas.

Lorsque Sean atteignit l'endroit où la piste de jogging suivait la clôture autour des jardins ouvriers, il adressa un signe de tête aux flics qui cherchaient des indices parmi les fleurs et dans la terre, et à l'expression d'attente crispée visible sur la plupart des visages, il comprit qu'ils étaient déjà au courant. Il régnait désormais sur le parc tout entier une atmosphère qu'il avait déjà ressentie sur d'autres scènes du crime au fil des années, un climat dominé par le fatalisme, l'acceptation du malheur d'autrui.

Ils savaient au moment d'entrer dans le parc qu'elle était morte, et pourtant, une infime partie d'eux-mêmes, Sean ne l'ignorait pas, aspirait à un dénouement différent. C'était toujours la même chose : on arrive sur les lieux du crime en connaissant la vérité, mais on se raccroche le plus longtemps possible à l'espoir de s'être trompé. L'année précédente, Sean avait travaillé sur une affaire où un couple avait signalé la disparition de son bébé. Les journalistes avaient afflué en masse, car les parents étaient blancs et respectables, mais tous les flics sur place, y compris Sean, avaient eu d'emblée la certitude que leur histoire ne tenait pas debout et que le gosse était mort, ce qui ne les avait pas empêchés de consoler les deux tordus, de leur assurer que leur enfant allait sans doute bien, d'explorer de fausses pistes concernant des immigrés soi-disant aperçus dans le quartier le matin même, pour découvrir en fin de compte le petit corps au crépuscule, caché dans un sac d'aspirateur et fourré dans une anfractuosité sous l'escalier de la cave. Ce jour-là, Sean avait vu un bleu pleurer, appuyé contre sa voiture de patrouille, mais ses collègues, malgré leur fureur manifeste, n'avaient pas l'air étonné, comme s'ils avaient tous passé la nuit à faire le même rêve odieux.

C'était cela qu'on emmenait partout avec soi – à la maison, dans les bars ou les vestiaires au poste –, la conscience exaspérante que les gens craignaient, qu'ils étaient bêtes et méchants, souvent dangereux aussi, que lorsqu'ils ouvraient la bouche, c'était toujours pour mentir, et que lorsqu'ils disparaissaient sans raison plausible, on les retrouvait en général morts ou dans un état encore plus terrible.

Et souvent, le plus insoutenable, ce n'étaient pas les victimes – elles étaient mortes, après tout, et au-delà de toute souffrance. Le plus insoutenable, c'étaient ceux qui les aimaient, qui leur survivaient et devenaient souvent des morts-vivants – des êtres brisés, en état de choc, le cœur déchiré, titubant à travers les vestiges de leur existence dans un corps vidé de tout sauf de son sang et de ses organes, imperméables à la douleur, qui n'avaient rien appris sinon que le pire survenait bel et bien, parfois.

Comme Jimmy Marcus. Sean ne savait absolument pas où il trouverait la force de le regarder dans les yeux pour annoncer : « Oui, elle est morte. Ta fille est morte, Jimmy. Quelqu'un lui a réglé son compte pour de bon. Tu as déjà perdu ta femme, Jimmy. Merde. Hé, tu veux que je te dise, Jim ? Dieu a décrété que t'avais encore un arriéré, et il est venu chercher son dû. J'espère que ça t'aidera à ramener les choses à leurs justes proportions. À plus. »

Sean traversa le petit pont de planches au-dessus du ravin, puis suivit le chemin jusqu'à la couronne d'arbres dressés telle une assistance païenne en face de l'écran du drive-in. Tout le monde se tenait au pied de l'escalier qui menait à une porte sur le côté de la scène. Sean vit Karen Hughes prendre des photos ; Whitey Powers appuyé contre le chambranle, examiner l'intérieur en griffonnant sur son calepin ; l'assistant du légiste à genoux à côté de Karen Hughes ; toute une armée d'agents en uniforme et d'hommes du BPD aller et venir derrière ces trois-là ; Connolly et Souza étudier quelque chose sur les marches ; et un peu à l'écart, les huiles de service – Frank Krauser, du BPD, et Martin Friel, de la police d'État – échanger des commentaires, têtes basses et rapprochées.

Si le légiste déclarait qu'elle avait péri ici, dans ce parc, le cas relèverait de la juridiction d'État et reviendrait donc à Sean et à Whitey. Ce serait alors à Sean d'annoncer la nouvelle à Jimmy. De se familiariser avec la victime au point d'en faire une obsession. De clore le dossier en donnant au moins l'illusion que l'affaire était résolue.

Mais le BPD était également en droit de la réclamer, et Friel avait le pouvoir de la lui confier, puisque le parc était bordé de tous côtés par des terrains municipaux, et parce que la première agression avait eu lieu sur le territoire de la ville. Ce qui ne manquerait pas d'attirer l'attention, Sean en était sûr. Un homicide dans un parc municipal, une victime découverte aux environs, ou à l'intérieur, de ce qui devenait rapidement un repère de la culture pop locale... Aucun mobile évident. Aucune trace non plus de l'assassin, à moins qu'il ne se soit supprimé près de Katie Marcus, ce dont Sean doutait dans la mesure où il en aurait forcément entendu parler. Le battage médiatique serait énorme, quand on y songeait, la ville n'ayant pas connu de crime de ce genre depuis deux ou trois ans. Les journalistes en saliveraient tellement que leur bave allait remplir le canal.

Sean n'avait pas la moindre envie de se retrouver avec ce crime sur les bras, ce qui, s'il devait en juger d'après son expérience passée, lui garantissait que ce serait à lui de s'en occuper. Il progressa en direction de l'écran, les yeux fixés sur Krauser et Friel, essayant de deviner le verdict aux plus infimes mouvements de leurs têtes. Au cas où ce serait bien le corps de Katie Marcus qui gisait là-dedans – de fait, Sean en était quasiment sûr –, les Flats allaient s'enflammer. Ce n'était pas Jimmy qui leur poserait le plus de problèmes ; il serait trop anéanti par le chagrin. Mais les frères Savage ? Aux Crimes Majeurs, les gars avaient sur chacun de ces allumés des dossiers aussi épais que des annuaires. Et encore, cela ne concernait que les affaires traitées par la police d'État. Sean savait aussi que ses collègues du BPD avaient l'habitude de dire qu'un samedi soir sans au moins un Savage en détention, c'était comme une éclipse solaire ; il fallait que les autres flics le voient pour le croire.

Sur la scène en dessous de l'écran, Krauser opina une fois, et lorsque Friel tourna la tête jusqu'à croiser le regard de Sean, celui-ci comprit sur-le-champ que l'enquête leur revenait désormais, à Whitey et à lui. Il remarqua quelques éclaboussures de sang sur le feuillage au bas de l'écran, et d'autres sur l'escalier menant à la porte.

Connolly et Souza délaissèrent un instant les taches rouges sur les marches et gratifièrent Sean de hochements de tête lugubres avant de se concentrer de nouveau sur les fissures à la jointure des contremarches. Lorsque Karen Hughes se redressa, Sean la vit presser de son pouce un bouton sur l'appareil photo, qui émit un léger bourdonnement en rembobinant le film. Elle chercha dans son sac un autre rouleau, puis ouvrit le boîtier de l'appareil ; ses cheveux blond cendré étaient assombris par la sueur au niveau des tempes et de la frange, remarqua Sean. Elle lui opposa un regard inexpressif, laissa tomber le rouleau utilisé dans son sac et rechargea.

Whitey était maintenant à genoux près du légiste, et Sean l'entendit demander « Quoi ? » d'un ton brusque, à voix basse.

– Exactement ce que je viens de vous dire.

– Vous en êtes sûr, maintenant ?

– Pas à cent pour cent, mais presque.

– Merde.

Le sergent jeta un coup d'œil par-dessus son épaule au moment où Sean approchait, puis il remua la tête, et du pouce, indiqua le légiste.

Sean gravit l'escalier derrière eux, pour découvrir du seuil le corps recroquevillé à l'intérieur, dans un espace de moins d'un mètre de large, le dos contre le mur à la gauche de Sean et les pieds pressés contre celui à sa droite, de sorte que sa première impression fut celle d'un fœtus vu en échographie. Son pied gauche, nu, était couvert de boue. Les lambeaux de sa socquette pendaient sur sa cheville. Elle portait un simple mocassin noir, également maculé de boue séchée, au pied droit. Même après avoir perdu une chaussure dans le jardin, elle avait gardé l'autre. Son assassin avait dû la suivre de près... Et pourtant, elle était venue se cacher ici. Elle avait donc réussi à le semer un court moment ; autrement dit, quelque chose avait ralenti le meurtrier.

– Souza ? appela-t-il.

– Ouais ?

– Prenez quelques hommes pour aller examiner la piste qui conduit jusqu'ici. Fouillez les buissons et tout le reste au cas où il y aurait des bouts de vêtements, des fragments de peau, n'importe quoi.

– On a déjà un gars qui relève les empreintes de pas.

– D'accord, mais ce n'est pas suffisant. Vous vous en chargez ?

– Je m'en charge.

Sean reporta son attention sur la victime. Elle était vêtue d'un pantalon sombre, d'un chemisier bleu marine à encolure large et d'une veste rouge déchirée – une tenue sans doute réservée aux week-ends, pensa Sean, trop recherchée pour qu'une fille des Flats la mette tous les jours. Elle avait dû sortir quelque part, dans un endroit chic, peut-être pour un rendez-vous galant.

Et d'une manière ou d'une autre, elle avait fini dans ce passage étroit dont les murs couverts de salpêtre étaient sans doute la dernière chose qu'elle avait vue, sans doute aussi la dernière qu'elle avait sentie.

C'était comme si elle s'était réfugiée là pour échapper à un déluge rouge qui lui avait trempé les cheveux et les joues, qui avait taché ses vêtements de longues coulures encore humides. Elle avait ramené ses genoux contre sa poitrine, son coude droit était calé sur son genou droit et son poing serré, pressé contre son oreille, si bien que Sean eut de nouveau la vision d'une enfant roulée en boule, essayant de ne plus entendre un bruit épouvantable. « Arrêtez, arrêtez, semblait-elle dire jusque dans la mort. Arrêtez, je vous en prie. »

Quand Whitey s'écarta, Sean s'accroupit sur le seuil. Malgré le sang sur le corps et accumulé en dessous, malgré le salpêtre rongeant le ciment tout autour, il distinguait son parfum, juste un léger effluve vaguement sucré, vaguement sensuel, une fragrance des plus discrètes, évocatrice pour lui de conquêtes à l'époque du lycée, de voitures plongées dans la pénombre, de tâtonnements fébriles à travers le tissu et du contact électrisant de la chair. Sous les traînées rouges, Sean aperçut plusieurs ecchymoses sombres sur le poignet, l'avant-bras et les chevilles, et il comprit aussitôt qu'à ces endroits-là, elle avait été frappée avec quelque chose de dur.

– Il l'a cognée ? demanda-t-il.

– On dirait bien. Vous avez vu tout ce sang, au sommet de sa tête ? Le type lui a fendu le crâne. Je ne sais pas avec quoi, mais je suis prêt à parier qu'il a cassé ce truc tellement il a tapé fort.

De l'autre côté du cadavre, remplissant tout le couloir étroit derrière l'écran, se trouvaient empilés des palettes et ce qui ressemblait à des accessoires de théâtre – voiliers et tours de cathédrale en bois, pont avant de ce qui était apparemment une gondole vénitienne. La victime n'aurait pas pu bouger, même si elle l'avait voulu. Une fois entrée, elle était piégée. Si son poursuivant la trouvait, elle était perdue. Or il l'avait trouvée.

L'assassin avait ouvert la porte, et elle s'était recroquevillée sur elle-même, ne disposant que de ses propres membres pour se protéger. Sean tendit le cou pour regarder son visage par-delà son pauvre poing serré. Sa figure était également striée de rouge, et ses yeux étaient aussi hermétiquement clos que son poing, comme si elle priait toujours pour que cesse ce cauchemar, les paupières crispées d'abord par la peur, et maintenant par la rigidité.

– C'est elle ? lança Whitey Powers.

– Hein ?

– Katherine Marcus, précisa-t-il. C'est elle ?

– Oui, répondit Sean.

Il y avait une minuscule cicatrice incurvée sous le côté droit de son menton, pâlie par le temps et à peine discernable aujourd'hui, mais que l'on ne pouvait s'empêcher de remarquer lorsqu'on croisait Katie Marcus dans le quartier, tant elle incarnait la perfection avec ses traits alliant la beauté ténébreuse et anguleuse de sa mère au charme plus juvénile de son père, dont elle avait hérité les yeux et les cheveux clairs.

– Vous en êtes sûr à cent pour cent ?

– Quatre-vingt-dix-neuf, déclara Sean. Il faudra que le père aille l'identifier à la morgue. Mais oui, c'est elle.

– Vous avez vu l'arrière de sa tête ?

Whitey se pencha pour lui soulever les cheveux à l'aide d'un stylo, et Sean vit alors qu'il lui manquait un petit morceau de crâne, qu'elle avait la nuque assombrie par le sang.

– On lui aurait tiré dessus ? demanda-t-il en reportant son attention sur le légiste.

Celui-ci hocha la tête.

– Ça m'a tout l'air d'une blessure par balle.

Sean recula pour ne plus sentir ni le parfum, ni le sang, ni le ciment couvert de salpêtre, ni le bois mouillé. Un bref instant, il eut envie d'écarter le poing fermé de Katie Marcus, toujours pressé contre son oreille, comme si ce geste pouvait suffire à effacer les ecchymoses qu'il avait sous les yeux et aussi toutes celles qu'il ne doutait pas de découvrir sous ses vêtements, à faire s'évaporer les traces du déluge rouge sur ses cheveux et son corps, à la ressusciter d'entre les morts, cillant pour émerger du sommeil, juste un peu groggy.

Quelque part sur sa droite, il entendit soudain les cris simultanés de plusieurs personnes, le bruit d'une course précipitée et les aboiements furieux des bergers allemands. Quand il se tourna vers le parc, il vit Jimmy Marcus et Chuck Savage surgir à l'extrémité de la bordure d'arbres, à l'endroit où le terrain se couvrait d'une pelouse verdoyante, bien entretenue, et descendait vers l'écran en une pente douce, sur laquelle les spectateurs étalaient leurs couvertures l'été pour regarder la pièce de théâtre.

Au moins huit hommes en uniforme et deux en civil convergèrent vers Jimmy et Chuck, qui s'arrêta presque aussitôt, mais Jimmy était rapide, et Jimmy leur glissa entre les doigts. Il parvint à traverser les rangs adverses en effectuant toute une série de rotations rapides et illogiques en apparence qui laissèrent ses poursuivants étreindre le vide, et s'il n'avait pas brusquement trébuché, il aurait rejoint l'écran sans personne pour l'arrêter, hormis Krauser et Friel.

Mais le fait est qu'il trébucha, son pied glissa sur l'herbe humide, et son regard accrocha celui de Sean juste avant qu'il ne s'étale de tout son long et ne se cogne le menton par terre. Un jeune flic, mâchoire carrée et corps d'athlète, s'abattit sur lui comme sur une luge, et tous deux glissèrent encore de quelques mètres dans la pente. Enfin, le flic ramena le bras droit de Jimmy derrière le dos et attrapa ses menottes.

Sean s'avança alors sur la scène en ordonnant :

– Hé ! Hé ! C'est le père. Empêchez-le d'approcher, c'est tout.

Le jeune flic leva les yeux vers lui, furieux et couvert de boue.

– Empêchez-les d'approcher tous les deux, reprit Sean.

Il se tournait de nouveau vers l'écran lorsque Jimmy l'appela d'une voix rauque, comme si les cris dans sa tête avaient déjà épuisé ses cordes vocales :

– Sean !

Celui-ci se figea.

– Regarde-moi, Sean !

Il pivota lentement et vit Jimmy lutter contre le poids du jeune flic pour se redresser, le menton souillé par une traînée de terre sombre à laquelle s'accrochaient des brins d'herbe.

– Tu l'as retrouvée, Sean ? C'est elle ? Est-ce que c'est elle ?

Sean demeura immobile, soutenant le regard de Jimmy jusqu'à ce que ses yeux exorbités finissent par voir ce que lui-même avait vu, jusqu'à ce qu'il comprenne que tout était terminé, que ses pires craintes s'étaient réalisées.

Alors, Jimmy se mit à hurler, projetant des filets de bave autour de lui. Quand un deuxième flic vint donner un coup de main à son collègue, toujours à cheval sur Jimmy, Sean s'éloigna. Jimmy n'émettait plus maintenant qu'un son grave, guttural, sans rien de violent ni de strident – le gémissement d'un animal confronté à la douleur. Des cris, Sean en avait entendu chez de nombreux parents de victimes au fil des années. Ils se teintaient toujours d'une nuance plaintive, comme pour invoquer Dieu ou la raison, les supplier de ne pas les abandonner, de leur dire que tout cela n'était qu'un mauvais rêve. Mais ceux de Jimmy n'exprimaient rien de tel ; ils n'étaient qu'amour et fureur, en quantités égales, chassant les oiseaux des arbres et se répercutant sur le Pen Channel.

Sean retourna près du corps de Katie Marcus. Connolly, la dernière recrue de l'unité, le rejoignit, et tous deux contemplèrent la victime sans mot dire, tandis que dehors, les cris de Jimmy Marcus se faisaient plus rauques, plus déchirants, comme s'il aspirait des bouts de verre à chaque inspiration.

Un long moment, Sean regarda Katie, avec son poing appuyé contre sa tempe sous le déluge de rouge, puis il jeta un coup d'œil aux accessoires qui l'avaient empêchée d'atteindre l'autre côté du couloir.

Quelque part sur leur droite, Jimmy criait toujours alors qu'on l'entraînait vers le sommet de la pente, et un hélicoptère s'approcha à basse altitude, les survola puis vira pour revenir vers eux. Au bruit, moins sonore que celui des hélicoptères de la police, Sean devina qu'il s'agissait d'un appareil appartenant à une chaîne de télévision.

Du coin des lèvres, Connolly marmonna :

– Vous avez déjà vu un truc pareil ?

Sean haussa les épaules. Quelle importance ? Il y avait un stade où l'on arrêtait de chercher des comparaisons.

– Je veux dire, c'est..., commença Connolly, essayant de trouver les mots justes. C'est vraiment...

Il détacha son regard du corps pour le porter vers les arbres, les yeux écarquillés en une expression d'impuissance totale, et il parut sur le point de reprendre la parole.

Et puis, il referma la bouche, et après quelques instants, il cessa de vouloir donner un nom à ce qu'il avait devant lui.

12

Tes couleurs

Sean s'adossa à la scène sous l'écran du drive-in avec son patron, le lieutenant Martin Friel, et tous deux regardèrent Whitey Powers guider la fourgonnette du coroner qui reculait dans la pente menant à l'endroit où le corps de Katie Marcus avait été découvert. Whitey progressait à reculons, les mains levées, orientées tantôt vers la droite, tantôt vers la gauche, ses ordres déchirant l'air en brusques sifflements qui s'échappaient, tels les jappements d'un chiot, d'entre ses dents serrées. Ses yeux ne cessaient d'aller et venir entre le ruban délimitant la scène du crime de part et d'autre, les roues du véhicule et le regard nerveux du conducteur dans le rétroviseur, comme s'il passait un test d'évaluation pour un poste dans une entreprise de déménagement et devait s'assurer que les gros pneus ne déviaient pas d'un centimètre ou plus de la trajectoire désirée.

– Encore un peu. Tout droit. Encore un peu, encore un peu... Stop, c'est bon. (Une fois la fourgonnette arrêtée exactement là où il le voulait, il s'écarta et assena une grande claque sur la carrosserie.) Parfait.

Il ouvrit les portes arrière, les écartant si largement qu'elles masquèrent l'espace derrière l'écran, et Sean se dit qu'il n'aurait jamais pensé à constituer ainsi deux barrières protectrices devant l'entrée du couloir où Katie Marcus était morte, avant de se rappeler que Whitey avait passé beaucoup plus de temps que lui sur les scènes de crime, que c'était un vieux cheval de bataille déjà en service à l'époque où lui-même en était encore à peloter les filles dans les bals du lycée et à essayer de ne pas percer ses boutons d'acné.

Les deux assistants du coroner s'apprêtaient à quitter leurs sièges lorsque Whitey les interpella.

– Non, les gars, on ne va pas procéder comme ça. Vous allez devoir passer par l'arrière.

Lorsque les deux hommes refermèrent docilement leurs portières, puis disparurent dans le fond du véhicule pour aller chercher le corps, Sean éprouva un sentiment d'irrévocabilité, la certitude que c'était désormais à lui d'agir. Les autres flics, les équipes de l'identité judiciaire et les journalistes qui tournoyaient dans l'hélicoptère au-dessus de leurs têtes ou rôdaient de l'autre côté des barrières de sécurité érigées autour du parc ne tarderaient pas à s'intéresser à une autre affaire, pendant que Whitey et lui assumaient seuls la plus grande partie de l'enquête sur le meurtre de Katie Marcus, rédigeaient les rapports, préparaient les déclarations sous serment, essayaient de résoudre le mystère de sa mort bien après que la plupart des gens réunis ici furent passés à autre chose – accidents de la circulation, vols, suicides dans des pièces à l'atmosphère viciée par l'air recyclé et les cendriers débordant de mégots.

Martin Friel se hissa sur la scène, où il s'assit, laissant ses petites jambes pendre au-dessus du sol. Il avait dû interrompre sa partie de golf au George Wright et sentait encore la lotion solaire sous son polo bleu et son pantalon de toile. À la façon dont il tambourinait avec ses talons contre la paroi de la scène, Sean devina chez lui un soupçon de contrariété morale.

– Vous avez déjà travaillé avec le sergent Powers, n'est-ce pas ?

– Oui, répondit Sean.

– Des problèmes entre vous ?

– Non. (Sean vit Whitey entraîner à l'écart un agent en uniforme et lui indiquer d'un geste le bouquet d'arbres derrière l'écran.) J'ai enquêté avec lui sur le meurtre d'Elizabeth Pitek l'année dernière.

– La femme qui avait demandé une ordonnance de placement sous contrôle judiciaire ? lança Friel. Celle dont le mari disait je ne sais plus quoi sur la paperasserie ?

– Tout juste. Il disait : « Sa paperasserie gouverne sa vie, mais c'est pas une raison pour qu'elle gouverne la mienne. »

– Il a pris vingt ans, je crois ?

– Vingt ans ferme, mouais.

Une nouvelle fois, Sean regretta que quelqu'un n'ait pas fourni à cette femme un document plus solide. Ce qui aurait peut-être évité que son gosse grandisse dans un foyer d'accueil, incapable de comprendre ce qui avait bien pu se passer et où était maintenant sa place.

L'agent s'éloigna de Whitey, rassembla quelques-uns de ses collègues, et tous se dirigèrent vers les arbres.

– On m'a rapporté qu'il buvait, reprit Friel, qui ramena à lui une de ses jambes, collant le genou contre sa poitrine.

– Je ne l'ai jamais vu toucher à un verre pendant le service, monsieur, répondit Sean en se demandant qui, de Whitey ou de lui-même, faisait réellement l'objet d'une mise à l'épreuve aux yeux de Friel.

Il regarda Whitey se pencher pour examiner une touffe d'herbe près de la roue arrière de la fourgonnette, puis retrousser le bas de son survêtement avec autant de soin que s'il s'agissait d'un costume de chez Brooks Brothers.

– Votre partenaire est en incapacité temporaire parce qu'il se serait soi-disant déplacé quelque chose dans la colonne, et d'après ce que j'ai entendu dire, il récupérerait ses forces en pratiquant le jet-ski ou le parachute ascensionnel en Floride. (Friel haussa les épaules.) Powers a insisté pour vous avoir comme équipier dès que vous seriez revenu. Et aujourd'hui, vous êtes de retour parmi nous. Est-ce qu'il y aura de nouveaux incidents dans le genre du précédent ?

Comme il s'attendait à en prendre plein la figure, surtout de la part de Friel, Sean n'eut pas trop de mal à s'exprimer d'un ton résolument contrit.

– Non, monsieur. C'était juste une simple erreur de discernement.

– Plusieurs, rectifia Friel.

– Oui, monsieur.

– C'est la pagaille dans votre vie privée, agent Devine, voilà le problème. Ne la laissez pas déteindre sur votre travail.

Les yeux de Friel, comme alimentés par une charge électrique, brillaient désormais de cet éclat familier indiquant qu'il ne souffrirait pas la discussion.

Alors, ravalant sa fierté, Sean acquiesça de nouveau.

Friel le gratifia d'un sourire froid avant de lever les yeux vers l'hélicoptère de la télévision qui décrivait un arc de cercle au-dessus de l'écran, volant plus bas que l'altitude réglementaire, et à l'expression de son supérieur, Sean comprit que quelqu'un recevrait ses indemnités de licenciement avant le coucher du soleil.

– Vous connaissez la famille, si j'ai bien compris ? poursuivit le lieutenant en observant toujours l'appareil. Vous avez grandi ici, non ?

– J'ai grandi dans le Point.

– Ici, donc.

– Ici, on est dans les Flats. C'est un peu différent, monsieur.

D'un geste, Friel balaya l'objection.

– Vous avez grandi ici, affirma-t-il. Vous étiez un des premiers sur les lieux, et vous connaissez ces gens. (Il écarta les mains.) Je me trompe ?

– À quel sujet ?

– Votre capacité à gérer cette affaire. (Cette fois, il adressa à Sean son plus beau sourire d'entraîneur de softball l'été.) Vous comptez parmi mes meilleurs éléments, pas vrai ? Maintenant que vous avez fait amende honorable, vous êtes prêt à reprendre le collier, hein ?

– Oui, monsieur. Vous pensez bien, monsieur. Je suis prêt à tout pour garder ce travail, monsieur.

D'un même mouvement, ils tournèrent la tête vers la fourgonnette au moment où quelque chose de lourd chutait sur le plancher avec un bruit sourd, où le châssis s'abaissait brusquement vers les roues. Quand ledit châssis eut recouvré sa position initiale, Friel lança :

– Ils les font toujours tomber, vous avez remarqué ?

Sean avait remarqué. Et il en allait de même à présent pour Katie Marcus, enfermée dans la chaleur sombre et étouffante d'une housse mortuaire. Balancée sans ménagement à l'intérieur de cette fourgonnette, les cheveux emmêlés, collés au plastique, les organes redevenus mous.

– Vous savez ce qui me plaît encore moins que des gamins noirs de dix ans victimes de balles perdues au cours d'une connerie de guerre de gangs, agent Devine ? demanda Friel.

S'il connaissait la réponse, Sean garda néanmoins le silence.

` Les gamines blanches de dix-neuf ans assassinées dans mes parcs. Dans ce cas-là, les gens ne disent jamais : « Hé oui, ce sont les aléas de l'économie. » Ce n'est pas un vague sentiment de tragédie qu'ils éprouvent. Non, c'est de la colère, et ils veulent qu'on leur montre aux informations le coupable dûment menotté. (Il donna un petit coup de coude à Sean.) On est d'accord ?

– On est d'accord.

– C'est ce qu'ils veulent, parce qu'ils sont comme nous, et parce que c'est aussi ce que nous voulons.

Il agrippa Sean par l'épaule pour l'obliger à le regarder.

– Oui, monsieur.

Sean s'était senti obligé d'acquiescer, car Friel avait de nouveau cette lueur étrange dans les yeux laissant supposer qu'il croyait à ce qu'il disait au même titre que certains croient en Dieu, au NASDAQ ou au concept de l'Internet en tant que village global. Il avait connu une Seconde Naissance à un moment donné, mais quand ou pourquoi, Sean l'ignorait ; il savait juste que Martin Friel avait découvert grâce à son travail quelque chose que lui-même ne parvenait pas vraiment à identifier, quelque chose qui lui apportait du réconfort, peut-être même une certitude. Certaines fois, pour être honnête, Sean pensait que son patron était un idiot débitant des tas de platitudes à la con sur la vie, la mort et la meilleure façon de refaire le monde, de guérir les cancers et de devenir un seul cœur collectif, pour peu que chacun y mette du sien.

Pourtant, il arrivait aussi que Friel lui rappelle son père, occupé à fabriquer des nichoirs au fond d'une cave où aucun oiseau ne pénétrait jamais, et dans ces moments-là, Sean aimait *l'idée* qu'il se faisait de lui.

Martin Friel était devenu lieutenant à la brigade criminelle deux présidents plus tôt, et pour autant que Sean le sache, personne ne l'avait jamais surnommé « Marty », « mon pote », ou « vieux ». En le voyant dans la rue, on aurait pu le prendre pour un comptable, voire un conciliateur employé par une société d'assurances, quelque chose comme ça. Il possédait une voix neutre s'accordant parfaitement avec son visage neutre, et sa chevelure se réduisait à une tonsure brune en forme de fer à cheval. Il était aussi étonnamment petit, surtout pour un homme ayant déjà gravi pas mal d'échelons dans la hiérarchie de la police d'État, et il était facile de le perdre au milieu de la foule, car rien de particulier ne distinguait sa démarche. Il aimait sa femme et ses deux enfants, oubliait d'ôter les tickets de remontée mécanique sur sa parka en hiver, jouait un rôle actif dans son église, prônait des opinions conservatrices tant sur le plan fiscal que social.

Mais ce que cette voix et ce visage neutres ne trahissaient en aucun cas, c'était l'esprit à l'œuvre chez cet homme – un mélange pur et dur de bon sens et de moralisme. Vous commettiez un crime capital dans la juridiction de Martin Friel – c'était *la sienne*, tant pis pour vous si vous ne l'aviez pas encore compris –, et il le prenait très, très à cœur.

– Je vous veux toujours sur le qui-vive, toujours à cran, avait-il dit à Sean le jour où celui-ci avait pris ses fonctions à la Criminelle. Je ne veux pas que vous soyez ouvertement révolté, car la révolte est une émotion, et les émotions ne devraient jamais se manifester ouvertement. Mais je vous veux salement en rogne à tout moment – parce que les chaises ici sont trop dures, parce que tous vos anciens copains de lycée conduisent aujourd'hui des Audi. Je vous veux en rogne parce que les criminels sont tellement stupides qu'ils se croient autorisés à faire leur business de merde dans *notre* juridiction. Suffisamment en rogne, Devine, pour vous concentrer sur les détails de vos enquêtes, afin que les adjoints du procureur ne se retrouvent pas le bec dans l'eau au tribunal pour une histoire de mandats douteux ou de vice de procédure. Suffisamment en rogne pour résoudre toutes vos affaires et boucler ces saloperies de minables dans des saloperies de cellules pour le restant de leurs saloperies de vies.

Les gars avait surnommé ce discours « le laïus de Friel », et chaque nouvelle recrue de l'unité y avait droit, exactement dans les mêmes termes, le jour de son arrivée. Comme presque tout ce que disait Friel, il était impossible de savoir jusqu'à quel point il était sincère et jusqu'à quel point tout cela n'était que du blablabla pour motiver les troupes. Mais on y croyait. Ou on foutait le camp.

Sean travaillait à la Criminelle depuis maintenant deux ans, au cours desquels il avait obtenu le meilleur taux d'affaires résolues dans l'équipe de Whitey Powers, et pourtant, Friel le regardait encore quelquefois comme s'il doutait de lui. C'était d'ailleurs ce qu'il faisait en cet instant, donnant l'impression de le jauger, d'essayer de déterminer s'il était de taille à relever le défi – à savoir, retrouver l'assassin d'une gamine tuée dans *son* parc.

Whitey Powers les rejoignit sans se presser, feuilletant son calepin en même temps qu'il saluait Friel de la tête.

151

– Lieutenant.

– Sergent Powers..., répondit Friel. Alors, où en sommes-nous ?

– D'après les premières constatations, l'heure de la mort se situerait aux environs de deux heures et quart, deux heures et demie du matin. Il n'y a aucune trace d'agression sexuelle. Le décès résulte vraisemblablement de la blessure par balle à l'arrière du crâne, mais rien ne permet d'exclure un traumatisme provoqué par les coups violents qu'elle a reçus. Le tireur était sans doute droitier. On a retrouvé la douille enfoncée dans une palette à gauche de la victime. Apparemment, elle proviendrait d'un Smith calibre .38, mais on ne le saura avec certitude qu'après un examen balistique. Les plongeurs cherchent maintenant une arme dans le canal. Avec un peu de chance, l'agresseur y aura jeté son revolver, ou au moins l'objet dont il s'est servi pour la frapper ; on penche pour une espèce de batte, ou peut-être une crosse de hockey.

– Une crosse de hockey, répéta Friel.

– Deux agents du BPD qui interrogeaient les habitants de Sydney Street ont parlé à une femme qui affirme avoir entendu une voiture heurter quelque chose, puis caler, vers deux heures moins le quart, soit environ trente minutes avant l'heure de la mort.

– Quels sont les éléments concrets dont on dispose ? s'enquit Friel.

– À vrai dire, la pluie nous a bousillé pas mal d'indices, monsieur. On a quelques moulages merdiques d'empreintes de pas, dont certaines appartiennent peut-être à l'assassin, et d'autres incontestablement à la victime. On a identifié à peu près vingt-cinq empreintes latentes différentes sur cette porte derrière l'écran. Encore une fois, ce sont peut-être celles de la victime, ou celles de l'agresseur, ou simplement celles de vingt-cinq personnes qui n'ont absolument rien à voir avec tout ça, qui sont juste venues là boire en cachette le soir ou souffler un peu pendant leur jogging. Il y a du sang près de la porte, et aussi à l'entrée du couloir – dont une partie est peut-être celui de l'agresseur, ou peut-être pas. Bien sûr, c'est la victime qui en a perdu le plus. On a aussi relevé plusieurs de ses empreintes sur la portière de sa voiture. Voilà, c'est à peu près tout pour l'instant.

Friel hocha la tête.

– Rien de particulier à signaler au procureur quand il m'appellera, dans dix ou vingt minutes ?

Whitey Powers haussa les épaules.

– Dites-lui que la pluie a salopé la scène du crime, monsieur, et qu'on fait de notre mieux.

– Il y a autre chose que je devrais savoir ? demanda Friel en dissimulant un bâillement derrière son poing.

Le sergent jeta un coup d'œil par-dessus son épaule vers la piste qui conduisait à la porte derrière l'écran – la dernière surface que Katie Marcus avait foulée.

– Ça me turlupine, cette absence d'empreintes de pas.

– Vous avez mentionné la pluie...

– D'accord, mais la victime, elle, en a laissé plusieurs. Du moins, je suis prêt à parier que ce sont les siennes, parce qu'elles paraissent récentes, et parce que de toute évidence elle a enfoncé les talons dans le sol à certains endroits et pris appui sur la plante du pied à d'autres. On en a découvert trois, peut-être quatre, de ce genre, et je suis presque sûr que ce sont celles de Katie Marcus. Mais pour son agresseur ? Rien.

– À cause de la pluie, répéta Sean.

– Qui explique pourquoi on a retrouvé seulement trois empreintes appartenant à la victime, O.K. Mais comment se fait-il qu'il n'y en ait pas au moins *une* de son poursuivant ? (Whitey Powers regarda Sean, puis Friel, et haussa les épaules.) Enfin, peu importe. Ça me turlupine, c'est tout.

Friel descendit de son perchoir et se frotta les mains pour en ôter les saletés.

– Très bien, les gars. Vous disposez d'une équipe de six enquêteurs. Le labo est prévenu, il traitera vos demandes en priorité. Vous aurez tous les hommes dont vous aurez besoin pour le travail de terrain. À présent, sergent, dites-moi comment vous comptez utiliser ces ressources que, dans notre grande sagesse, nous vous avons fournies.

– On va d'abord s'entretenir avec le père de la victime, je suppose, pour essayer de découvrir s'il sait ce qu'elle a fait hier soir, avec qui elle était et qui aurait pu lui chercher querelle. Ensuite, on interrogera ces gens-là, et on retournera voir cette femme qui a entendu une voiture caler dans Sydney. On cuisinera aussi tous les pochards que les gars auront ramassés dans le parc et aux alentours, en priant pour que les équipes scientifiques nous donnent des éléments solides, une identification d'empreintes, des fibres ou des cheveux qui nous permettront de progresser. Si ça se trouve, il y a des fragments de peau sous les ongles de la petite Marcus. Ou alors, l'assassin a bel et bien laissé ses empreintes sur cette porte. Ou c'était son petit ami, et ils ont eu une prise de bec. (Il leur adressa d'un autre de ses haussements d'épaules caractéristiques, avant de gratter la terre avec la pointe de sa chaussure.) C'est à peu près tout.

Du regard, Friel consulta Sean.

– On va l'avoir, monsieur, affirma ce dernier.

Son supérieur parut déçu, comme s'il s'attendait à quelque chose de plus percutant, mais il se borna à hocher la tête, puis à tapoter le coude de

Sean avant de s'éloigner de la scène pour descendre vers les rangées de sièges où le lieutenant Krauser, du BPD, discutait avec son chef, le capitaine Gillis, et tous gratifièrent Sean et Whitey d'une expression éloquente, style « Tâchez de pas merder ».

– *On va l'avoir ?* répéta Whitey. Quatre ans d'études, et vous n'avez rien trouvé de mieux ?

De nouveau, Sean croisa le regard de Friel, et il lui adressa un petit hochement de tête qu'il espérait révélateur de sa compétence et de son assurance.

– C'est dans le manuel, répondit-il à Whitey. Juste après « On va coincer ce salaud » et avant « Loué soit le Seigneur ». Vous l'avez pas lu ?

Whitey fit non de la tête.

– Je devais être malade ce jour-là.

Ils se retournèrent quand l'assistant du coroner referma les portes arrière de la fourgonnette, puis se dirigea vers le côté conducteur.

– Une petite idée de ce qui a pu se passer ? demanda Sean.

– Y a dix ans, j'aurais penché pour un rite d'initiation typique d'un gang. Mais aujourd'hui ? Merde, avec la criminalité qui baisse, les choses deviennent beaucoup moins prévisibles. Et vous, vous avez une idée ?

– Un petit copain jaloux, mais c'est l'explication standard.

– Qui l'aurait frappée avec *une batte* ? Il faudrait que ce gars-là ait de sacrés problèmes pour gérer sa violence.

– C'est sûr.

L'assistant du coroner ouvrit la portière, puis jeta un coup d'œil en direction de Whitey et de Sean.

– J'ai entendu dire que quelqu'un devait nous précéder pour sortir.

– C'est nous, répondit Whitey. Vous passerez devant nous une fois en dehors du parc, mais attention, hein, on transporte la famille, alors laissez pas le corps dans le couloir quand vous serez arrivés en ville. Voyez ce que je veux dire ?

Son interlocuteur acquiesça, avant de grimper dans la camionnette.

Whitey et Sean montèrent dans une voiture de patrouille, puis Whitey doubla la fourgonnette. Ils roulèrent vers le bas de la pente entre les rubans jaunes tendus sur la scène du crime, et Sean regarda le soleil entamer sa descente à travers les arbres, baignant le Pen d'une chaude clarté cuivrée, teintant de rouge les cimes, et il songea que s'il devait mourir, ce serait sans doute l'une des choses qu'il regretterait le plus – ces couleurs, et la façon dont elles le surprenaient parfois en surgissant de nulle part, même si elles le rendaient aussi un peu triste et lui donnaient l'impression d'être tout petit, comme s'il n'avait pas sa place parmi elles.

Le premier soir où Jimmy avait couché au pénitencier de Deer Island, il était resté éveillé toute la nuit, de neuf heures à six heures du matin, en se demandant à quel moment son compagnon de cellule allait passer à l'attaque.

L'homme en question, un biker du New Hampshire nommé Woodrell Daniels venu dans le Massachusetts dealer du *speed*, s'était arrêté dans un bar pour s'offrir quelques derniers verres de whisky et avait fini la soirée en aveuglant un client avec une queue de billard. Woodrell Daniels était une véritable montagne de chair couverte de tatouages et de balafres, et il avait regardé Jimmy en laissant échapper un petit rire, une sorte de gloussement chuchoté qui lui avait transpercé le cœur comme une lance.

– À bientôt, avait-il dit à l'extinction des feux. Mouais, à très bientôt, avait-il répété, avant d'émettre un autre petit rire.

Alors, Jimmy était resté éveillé toute la nuit, guettant les moindres grincements de la couchette au-dessus de lui, sachant qu'en cas de nécessité il lui faudrait viser la trachée de Woodrell, se demandant s'il serait capable d'amener son adversaire à écarter ses bras énormes de façon à pouvoir frapper. Vise la gorge, se disait-il. Vise la gorge, vise la gorge, vise la gorge, oh merde, ça y est, il arrive...

Mais Woodrell s'était juste retourné dans son sommeil, faisant gémir les ressorts et ployer le matelas, sa masse saillant tel le ventre d'un éléphant au-dessus de Jimmy.

Cette nuit-là, Jimmy avait écouté la prison comme une créature vivante. Une machine capable de respirer. Il avait entendu des rats se battre, grignoter et couiner avec une sorte de désespoir frénétique. Il avait entendu des chuchotements, des gémissements et le grincement régulier des ressorts qui se tassaient et se détendaient, se tassaient et se détendaient. De l'eau gouttait, des hommes parlaient dans leur sommeil, les pas d'un gardien résonnaient quelque part dans un couloir. À quatre heures du matin, il avait entendu un cri, un seul, étouffé si vite qu'il avait retenti plus longtemps dans sa tête que dans la réalité, et à cet instant, il avait envisagé de prendre l'oreiller sous sa tête, de grimper derrière Woodrell Daniels et de s'en servir pour l'étouffer. Mais il avait les mains trop moites, trop collantes pour passer à l'acte. De plus, qui sait si Woodrell dormait vraiment ou s'il faisait semblant ? Sans compter que lui-même ne possédait peut-être pas la force nécessaire pour maintenir cet oreiller en place quand les bras monstrueux de cette créature monstrueuse lui enserreraient le crâne, quand ses doigts lui laboureraient le visage et les poignets, quand il lui broierait le cartilage des oreilles avec ses poings meurtriers.

La dernière heure avait été la plus terrible. Une lumière grise avait filtré par les vitres épaisses près du plafond, emplissant les lieux d'un froid métallique. Jimmy avait entendu les détenus se réveiller, puis marcher dans leurs cellules. Il avait entendu des toux rauques et sèches. Il avait eu le sentiment que la machine se remettait en route, encore froide mais avide d'énergie, sachant que sans violence, sans le goût de la chair humaine, elle était condamnée à mourir.

Et puis, Woodrell avait sauté sur le sol si soudainement que Jimmy n'avait pas eu le temps de réagir. Les yeux réduits à deux fentes, il avait alors forcé sa respiration à ralentir en attendant pour frapper que l'autre se soit suffisamment rapproché.

Mais Woodrell Daniels ne lui avait même pas accordé un regard. Il avait pris un livre sur l'étagère au-dessus du lavabo, puis l'avait ouvert en même temps qu'il s'agenouillait par terre, et il s'était mis à prier.

Il avait prié, lu à haute voix des passages des épîtres de saint Paul, prié encore, et de temps à autre ce petit gloussement chuchoté s'échappait de ses lèvres, mais sans jamais interrompre le flot de ses paroles, jusqu'au moment où Jimmy s'était rendu compte qu'il s'agissait d'une sorte de tic incontrôlable, comparable aux soupirs de sa propre mère autrefois. Woodrell n'avait probablement même plus conscience d'émettre ces sons.

Et lorsqu'il avait tourné la tête pour demander à Jimmy s'il était prêt à considérer le Christ comme son sauveur, celui-ci avait compris que la plus longue nuit de sa vie était désormais derrière lui. Il avait vu dans le regard de Woodrell ce feu caractéristique des damnés s'efforçant d'atteindre la rédemption, un feu qui brillait d'un éclat si manifeste que Jimmy s'était demandé comment il avait bien pu ne pas le remarquer jusque-là.

Il n'en revenait pas de sa chance – une chance incroyable : il s'était retrouvé dans la tanière du lion, mais le lion était chrétien –, et de fait, il se sentait prêt à confier son salut à Jésus, Bob Hope, Doris Day ou n'importe laquelle des idoles que Woodrell adorait dans son esprit fanatique, du moment que cette montagne de muscles restait sur sa couchette la nuit et s'asseyait près de lui à l'heure des repas.

– J'étais perdu, avant, lui avait confié Woodrell Daniels. Mais aujourd'hui, loué soit le Seigneur, j'ai trouvé ma voie.

« T'imagine même pas à quel point ça me fait plaisir, mon pote », avait failli répliquer Jimmy.

Jusqu'à aujourd'hui, il avait mesuré à l'aune de cette première nuit à Deer Island toutes les mises à l'épreuve de sa patience. Il s'imaginait même capable d'attendre sur place aussi longtemps qu'il le fallait – des jours, le cas échéant – pour obtenir ce qu'il voulait, car rien ne pourrait jamais rivaliser avec cette première nuit interminable dans les entrailles grondantes de la machine carcérale, environné par les couinements des rats, le grincement des ressorts et les cris morts-nés.

Jusqu'à aujourd'hui.

Immobiles dans Roseclair Street, à l'entrée de Pen Park, Jimmy et Annabeth attendaient. Ils se tenaient derrière la première barrière que les autorités avaient érigée sur la route d'accès, mais devant la seconde. On leur avait donné des tasses de café, des chaises pliantes pour qu'ils puissent s'asseoir, et les flics se montraient gentils avec eux. N'empêche, ils devaient tout de même attendre, et chaque fois qu'ils posaient une question, les agents prenaient un air fermé et un peu triste pour leur répondre qu'ils n'en savaient pas plus que les autres personnes réunies à l'extérieur du parc.

Kevin Savage s'était chargé de ramener Nadine et Sara à la maison, mais Annabeth était restée. Elle se tenait à côté de Jimmy dans cette robe lavande qu'elle portait à la communion de Nadine, un événement qui semblait déjà remonter à une éternité ; elle était silencieuse et tendue, raidie par l'anéantissement de tous ses espoirs. L'espoir que Jimmy ait mal interprété l'expression sur le visage de Sean. L'espoir que la voiture abandonnée de Katie, sa disparition inexplicable et la présence des flics dans Pen Park ne soient qu'une coïncidence purement fortuite. L'espoir que d'une façon ou d'une autre, la vérité dont elle était pourtant pratiquement sûre se révèle différente de ce qu'elle pressentait.

– Je vais te chercher un autre café ? proposa Jimmy.

Annabeth lui offrit un pauvre sourire douloureux.

– Non, ça va.

– Tu en es sûre ?

– Oui.

Tant que je n'ai pas vu le corps, se disait Jimmy, elle n'est pas vraiment morte. C'était ainsi qu'il avait tenté de raisonner son propre espoir au cours des quelques heures écoulées depuis qu'on les avait éloignés, Chuck et lui, de la colline en face du drive-in. Peut-être s'agissait-il d'une fille qui lui ressemblait. Ou peut-être qu'elle était tombée dans le coma. Ou qu'elle était coincée dans l'espace étroit derrière l'écran et que les flics ne parvenaient pas à la dégager. Elle souffrait, peut-être beaucoup, mais elle était vivante. En l'absence de certitude absolue, cet espoir-là – un fragment d'espoir fin comme un cheveu de bébé – continuait de vivre en lui.

Et il avait beau savoir que c'était perdu d'avance, une partie de lui ne pouvait se résoudre à lâcher prise.

– Après tout, personne ne t'a rien dit, lui avait glissé Annabeth un peu plus tôt. N'est-ce pas ?

– Non, personne ne m'a rien dit.

Il lui avait caressé la main, parfaitement conscient que leur présence à l'intérieur des barrières constituait déjà une confirmation en soi.

Pourtant, cette minuscule étincelle d'espoir refusait de s'éteindre sans qu'on lui ait présenté un corps, sans que Jimmy ait prononcé les mots : « Oui, c'est elle. C'est Katie. C'est ma fille. »

Il regarda les flics postés près de l'arche en fer forgé dominant l'entrée de Pen Park. Cette arche, c'était l'unique vestige de l'ancien pénitencier construit sur ce terrain avant le parc, avant le drive-in, avant la naissance de tous les gens rassemblés là aujourd'hui. C'était lui qui avait précédé la ville, et non l'inverse. Les gardiens s'étaient installés dans le Point, alors que les familles des détenus se concentraient dans les Flats. La constitution de la cité proprement dite remontait à l'époque où, en prenant de l'âge, les surveillants avaient commencé à viser les postes d'élus.

Le talkie-walkie du flic le plus proche de l'arche grésilla, et l'homme le porta à ses lèvres.

La main d'Annabeth se crispa sur celle de Jimmy avec une telle force qu'il sentit ses os frotter les uns contre les autres.

– C'est Powers. On arrive.

– Affirmatif.

– M. et Mme Marcus sont dans le coin ?

Le policier tourna la tête vers Jimmy, pour baisser aussitôt les yeux.

– Affirmatif.

– O.K. On sort.

– Oh, mon Dieu, Jimmy, murmura Annabeth. Mon Dieu.

Un crissement de pneus attira l'attention de Jimmy, qui vit plusieurs voitures et camionnettes équipées d'antennes satellites s'arrêter derrière les barrières dans Roseclair Street. Des groupes de journalistes et de cameramen en jaillirent, se bousculant sur la chaussée, épaulant des caméras, déroulant des câbles pour leurs micros.

– Virez-les ! s'écria l'agent près de l'arche. Tout de suite ! Faites-les dégager !

Les hommes près de la première barrière convergèrent vers les reporters, déclenchant aussitôt un flot de protestations.

L'agent près de l'arche reprit son talkie-walkie.

– Ici Dugay. Sergent Powers ?

– Powers.

– On a un problème. La presse bloque la rue.

– Libérez le passage.

– On essaie, sergent.

Sur la route d'accès au parc, à une vingtaine de mètres environ après l'arche, une voiture de patrouille venait de s'arrêter brusquement à la sortie d'un tournant. Jimmy distingua l'homme au volant, un talkie-walkie devant la bouche, et Sean Devine sur le siège passager. Lorsque la calandre d'un deuxième véhicule s'immobilisa juste derrière, Jimmy sentit sa bouche s'assécher.

– Repoussez-les, Dugay. Quitte à tirer sur ces connards. Débrouillez-vous pour nous débarrasser de cette vermine.

– Affirmatif.

Flanqué de trois collègues, Dugay s'élança devant Jimmy et Annabeth, agitant la main et criant :

– Vous avez pénétré sans autorisation sur un périmètre de sécurité. Regagnez immédiatement vos véhicules. Vous n'avez pas le droit d'entrer dans cette zone. Regagnez immédiatement vos véhicules.

– Oh, merde, dit Annabeth, et Jimmy sentit le souffle de l'hélicoptère avant même de l'apercevoir.

Il leva les yeux au moment où l'appareil passait au-dessus d'eux, puis se concentra de nouveau sur la voiture de patrouille qui tournait au ralenti. Il vit le conducteur hurler dans son talkie-walkie, puis il entendit les sirènes, une cacophonie assourdissante, et soudain, d'autres véhicules de patrouille bleu marine et gris argent débouchèrent partout sur Roseclair, et les journalistes battirent en retraite vers leurs véhicules tandis que l'hélicoptère virait brusquement pour retourner survoler le parc.

– Jimmy, dit Annabeth de la voix la plus triste qu'il lui ait jamais entendue. Jimmy, je t'en prie. Je t'en prie.

– Quoi, ma chérie ? demanda-t-il en l'étreignant. Qu'est-ce qu'il y a ?

– Oh, je t'en prie, Jimmy. Non. Non.

C'était le bruit – les sirènes, les crissements de pneus, les cris et le rotor de l'hélicoptère. Ce bruit annonçant que Katie était morte, qui leur hurlait aux oreilles, amena Annabeth à s'effondrer dans les bras de Jimmy.

Une nouvelle fois, Dugay passa devant eux en courant pour aller écarter les herses placées sous l'arche, et alors que Jimmy ne l'avait même pas vue bouger, la voiture de patrouille s'arrêta à sa hauteur tandis qu'une fourgonnette blanche la doublait, puis bifurquait vers la gauche avant de foncer dans Roseclair Street.Jimmy eut tout de même le temps de lire SUF-FOLK COUNTY CORONER sur la carrosserie, et il eut l'impression que toutes ses articulations – ses chevilles, ses épaules, ses genoux, ses hanches – se raidissaient, pour se liquéfier aussitôt.

– Jimmy...

Celui-ci baissa les yeux vers Sean Devine, qui le regardait par la vitre ouverte côté passager.

– Monte, Jimmy. S'il te plaît. Monte.

Sean sortit de la voiture, puis ouvrit la portière arrière au moment où l'hélicoptère revenait vers eux, volant plus haut cette fois, mais brassant l'air encore assez près du sol pour que Jimmy sente ses cheveux se soulever.

– Madame Marcus, reprit Sean. Jimmy. Montez dans cette voiture, s'il vous plaît.

– Est-ce qu'elle est morte ? demanda Annabeth, et ses paroles coulèrent comme de l'acide dans les veines de Jimmy.

– S'il vous plaît, madame Marcus. Montez dans cette voiture.

Toutes sirènes hurlantes, une formation de voitures de patrouille s'était positionnée sur deux rangées dans Roseclair.

Cette fois, Annabeth cria pour couvrir le bruit :

– Est-ce que ma fille est...

Incapable d'entendre encore une fois le mot, Jimmy la poussa vers la banquette. Ils s'installèrent à l'arrière de la voiture, à l'abri du vacarme, et Sean referma la portière avant de retourner s'asseoir à l'avant. Le flic au volant écrasa la pédale d'accélérateur et déclencha en même temps la sirène. En un éclair, ils rejoignirent les voitures d'escorte dans Roseclair, une armée de véhicules dont les moteurs et les sirènes se déchaînaient en direction de la voie express, dont les ululements et les vrombissements semblaient ne jamais devoir s'arrêter.

Elle gisait sur une table métallique.

Elle avait les yeux fermés, et il lui manquait une chaussure.

Sa peau était d'un violet foncé presque noir, une couleur que Jimmy n'avait jamais vue.

Il pouvait sentir son parfum, juste un léger effluve presque noyé par la puanteur du formol qui imprégnait la pièce glaciale.

Lorsque Sean lui posa une main sur les reins, Jimmy prit la parole, à peine conscient des mots qu'il prononçait, certain en cet instant d'être aussi mort que le corps sous ses yeux.

– Oui, c'est elle, dit-il.

– C'est Katie, dit-il encore.

– C'est ma fille.

13

Lumières

– Il y a une cafétéria à l'étage, dit Sean à Jimmy. Si on allait prendre un café ?

Jimmy était toujours près du corps de sa fille, qu'un drap recouvrait de nouveau. Il en souleva l'extrémité pour scruter les traits de Katie comme s'il la voyait du haut d'un puits et n'aspirait qu'à plonger à sa suite.

– Ils ont ouvert une cafétéria dans le même bâtiment que la morgue ? demanda-t-il.

– Mouais, répondit Sean. Il est grand, ce bâtiment.

– Bizarre, fit Jimmy d'une voix dénuée d'inflexions. À ton avis, quand les légistes montent là-haut, tout le monde va s'asseoir à l'autre bout de la pièce ?

Sean se demanda s'il s'agissait de la première phase d'un état de choc.

– Aucune idée, Jimmy.

– Monsieur Marcus ? intervint Whitey. Nous aimerions vous poser quelques questions. Je sais que le moment est mal choisi, mais...

Jimmy rabattit le drap sur la figure de sa fille ; ses lèvres remuaient, mais aucun son ne s'en échappait. Il reporta ensuite son attention sur Whitey, l'air surpris de le découvrir dans la salle avec eux, un stylo en suspens au-dessus de son calepin. Enfin, il tourna la tête vers Sean.

– T'as déjà pensé à la façon dont la plus petite décision peut changer le cours de ta vie tout entière ?

Sean soutint son regard.

– Comment ça ?

Le visage de Jimmy était blême, vidé de toute expression, et ses yeux, levés vers le ciel comme s'il essayait de se rappeler où il avait laissé les clés de sa voiture.

– On m'a raconté un jour que lorsqu'elle était enceinte de lui, la mère d'Hitler avait failli avorter, mais qu'elle avait changé d'avis à la dernière minute. On m'a raconté aussi qu'il avait quitté Vienne parce qu'il ne pouvait pas vendre ses tableaux. Mais s'il avait vendu une de ses toiles, hein ? Ou si sa mère avait réellement avorté ? Le monde serait complètement différent aujourd'hui. Tu comprends, Sean ? Ou bien, imagine que tu rates ton bus un matin, et que du coup, tu te paies un deuxième café et un billet de loterie pendant que tu y es. Et voilà que tu décroches le gros lot. Brusquement, t'as plus besoin de prendre le bus. Tu vas au boulot en Lincoln. Jusqu'à ce que t'aies un accident, et qu'on n'en parle plus. Tout ça parce que t'as manqué ton bus.

Sean jeta un coup d'œil à Whitey, qui haussa les épaules.

– Non, reprit Jimmy, fais pas ça. Me regarde pas comme si j'étais dingue. Je suis pas dingue. Je suis pas non plus en état de choc.

– O.K., Jim.

– J'essayais juste de te dire qu'il existait des liens, d'accord ? Des liens dans nos vies. T'en tires un, et c'est tout l'ensemble qui se défait. Suppose qu'il ait plu à Dallas ce jour-là, et que Kennedy soit pas sorti en décapotable. Ou que Staline soit resté au séminaire. Suppose que toi et moi, Sean, on soit montés dans cette bagnole avec Dave Boyle.

– Quoi ? lança Whitey. Quelle bagnole ?

D'un geste, Sean lui intima le silence.

– Je ne te suis plus, là, Jim.

– Ah bon ? Si on était montés dans cette bagnole, la vie aurait été bien différente pour nous, tu crois pas ? Prends ma première femme, Marita, la mère de Katie. Elle était si belle... Royale, même. Tu sais comment sont les Latines, parfois : superbes. Et elle en avait conscience. Quand un type voulait l'aborder, il avait intérêt à s'accrocher. Et moi, j'étais gonflé à bloc. J'étais le Roi des Cracks, à seize ans. J'avais peur de rien. Alors, je l'ai abordée, et je lui ai demandé de sortir avec moi. Un an plus tard – j'avais que dix-sept ans, bon Dieu, j'étais encore qu'un putain de môme ! –, on se mariait et elle tombait enceinte de Katie.

Jimmy décrivait maintenant des cercles lents, réguliers, autour de la table où reposait sa fille.

– Là ou je veux en venir, Sean, c'est que si on était montés dans cette bagnole, si on nous avait emmenés Dieu sait où pour que deux salopards nous fassent Dieu sait quoi pendant quatre jours alors qu'on avait peut-être onze ans à tout casser, eh bien, je crois pas que j'aurais eu autant de cran à seize. Je crois plutôt que j'aurais été une espèce de loque, tu vois, shootée à la Ritaline ou à d'autres trucs du même genre. En tout cas, je suis sûr que j'aurais jamais eu ce qu'il fallait pour draguer une femme aussi sublime que Marita. Résultat, Katie serait pas née. Et elle aurait jamais été assassinée. Mais elle l'a été. Tout ça parce qu'on n'est pas montés dans cette voiture. Tu comprends, Sean ?

En cet instant, Jimmy le dévisageait comme s'il attendait une confirmation, mais Sean n'avait aucune idée de ce qu'il était censé confirmer.

Jimmy donnait l'impression d'avoir besoin d'être absous – pour ne pas être monté dans cette voiture quand il était gosse, pour avoir engendré un enfant dont le chemin croiserait un jour celui d'un assassin.

Quelquefois, quand il faisait un jogging, Sean se retrouvait soudain dans Gannon Street, en plein milieu de la chaussée, à l'endroit même où il s'était bagarré avec Jimmy et Dave Boyle ce jour-là, avant qu'ils ne découvrent la voiture. Quelquefois aussi, il lui semblait sentir l'odeur de pommes qui s'en était échappée. Et s'il tournait la tête vraiment vite, il pouvait encore voir Dave sur la banquette arrière, qui les regardait avec désespoir, pris au piège, s'éloignant inexorablement.

Sean s'était dit un soir – lors d'une beuverie avec des copains où l'afflux de bourbon dans son système sanguin l'avait rendu d'humeur philosophe – qu'ils étaient peut-être montés dans cette voiture, après tout. Tous les trois. Auquel cas, ce qu'ils considéraient aujourd'hui comme leur vie n'était qu'un rêve. En réalité, tous trois n'étaient encore que des petits garçons de onze ans enfermés dans une cave, imaginant ce qu'ils deviendraient plus tard s'ils avaient la possibilité de s'échapper et de grandir.

Le problème avec cette idée, que Sean imaginait disparaître dès le lendemain de cette soirée trop arrosée, c'était qu'elle était restée logée dans son cerveau comme un caillou dans la semelle de sa chaussure.

Et c'est ainsi qu'à l'occasion, il se retrouvait dans Gannon Street, devant son ancienne maison, à observer du coin de l'œil Dave Boyle qui disparaissait, à respirer cette odeur de pommes et à penser : Non ! Reviens.

De nouveau, il croisa le regard implorant de Jimmy. Il aurait voulu dire quelque chose. Il aurait voulu lui dire que lui aussi avait songé à ce qui aurait pu se passer s'ils étaient montés avec Dave ce jour-là. Que la pensée de ce qu'aurait pu devenir son existence le hantait parfois, qu'elle lui semblait rôder au coin des rues, chevaucher le vent comme l'écho d'un nom lancé d'une fenêtre. Il aurait voulu dire à Jimmy qu'il lui arrivait encore de se réveiller en sueur après avoir eu ce vieux rêve, celui où la rue lui attrapait les pieds et l'entraînait vers la portière ouverte. Il aurait voulu lui dire que depuis ce jour, il ne savait pas vraiment quoi faire de sa vie, qu'il avait souvent conscience de ne rien peser, d'être immatériel.

Mais ils étaient à la morgue, avec entre eux la table en acier sur laquelle reposait la fille de Jimmy et Whitey qui tenait toujours son stylo au-dessus de son calepin, et la seule réponse qu'il put apporter à la prière sur le visage de Jimmy, ce fut :

– Viens, Jimmy. Allons boire ce café.

Annabeth Marcus, Sean s'en rendait compte, était d'une sacrée trempe. Assise un dimanche soir dans cette cafétéria municipale froide sept étages au-dessus de la morgue, environnée des odeurs de plats sous cellophane réchauffés, elle parlait de sa belle-fille avec des fonctionnaires également froids, et si cette discussion la mettait visiblement au supplice, elle ne flancherait cependant pas. Elle avait les yeux rouges, mais Sean avait compris au bout de quelques minutes seulement qu'elle ne pleurerait pas. Pas devant eux. Pas question.

Néanmoins, au cours de la conversation, elle dut s'interrompre à plusieurs reprises pour reprendre son souffle. Ses paroles s'étranglaient en plein milieu d'une phrase, comme si un étau lui comprimait brusquement la poitrine. Elle plaçait alors une main sur son cœur, ouvrait un peu plus la bouche et attendait d'avoir suffisamment d'oxygène pour continuer.

– Elle est rentrée de son travail au magasin à quatre heures et demie samedi après-midi.

– Quel magasin, madame Marcus ?

Celle-ci indiqua Jimmy.

– Cottage Market. C'est mon mari qui en est propriétaire.

– À l'angle d'East Cottage et de Buckingham Avenue ? intervint Whitey. On y boit le meilleur café de toute la ville.

– À peine rentrée, elle a filé sous la douche, poursuivit Annabeth. Ensuite, quand elle en est ressortie, on a dîné et... Non, attendez, elle n'a pas mangé. Elle s'est assise avec nous, elle a bavardé avec les filles, mais elle n'a rien mangé. Elle a dit qu'elle devait dîner avec Eve et Diane.

– Les deux amies qui l'accompagnaient hier soir ? demanda Whitey à Jimmy.

Ce dernier acquiesça d'un signe de tête.

– Donc, elle n'a pas mangé..., reprit Whitey.

– Non, mais elle est restée un bon moment avec les filles, nos filles, ses sœurs. Elles ont parlé de la parade de la semaine prochaine et de la première communion de Nadine. Après, elle a passé quelque coups de téléphone dans sa chambre, et puis, vers huit heures, elle a quitté la maison.

– Vous savez qui elle a appelé ?

Annabeth fit non de la tête.

– Le téléphone dans sa chambre, c'est une ligne privée ? s'enquit Whitey.

– Oui.

– Vous verriez une objection à ce qu'on demande à vérifier le relevé de ses communications auprès de la compagnie de téléphone ?

Elle se tourna vers Jimmy, qui répondit :

– Non. Aucune objection.

– Donc, elle est partie de chez vous à huit heures. Pour retrouver ses amies, Eve et Diane.

– C'est ça.

– À cette heure-là, vous étiez toujours au magasin, monsieur Marcus ?

– Oui. J'avais changé mes horaires. Hier, j'ai travaillé de midi à huit heures.

Whitey tourna une page de son calepin, avant d'adresser un petit sourire au couple.

– Je me doute que c'est dur, mais vous vous en sortez très bien.

Annabeth opina, puis se tourna de nouveau vers son mari.

– J'ai appelé Kevin.

– Ah bon ? Tu as parlé aux filles ?

– À Sara seulement. Je lui ai dit qu'on allait bientôt rentrer. Rien d'autre.

– Elle t'a demandé des nouvelles de Katie ?

De nouveau, Annabeth opina.

– Qu'est-ce que tu lui as répondu ?

– Juste qu'on allait bientôt rentrer, répéta-t-elle, et cette fois, Sean perçut un léger tremblement dans sa voix lorsqu'elle prononça le mot « bientôt. »

Jimmy et elle reportèrent leur attention sur Whitey, qui les gratifia d'un autre de ses petits sourires apaisants.

– Je peux vous assurer – et je tiens l'information de l'Hôtel de Ville – que cette affaire constitue aujourd'hui la priorité des priorités. Et croyez-moi, on ne commettra pas d'erreurs. L'agent Devine ici présent a été assigné à l'enquête parce que c'est un ami de la famille, et qu'en tant que tel, d'après notre chef, il sera d'autant plus motivé. À nous deux, nous retrouverons l'homme qui a nui à votre fille.

Annabeth Marcus posa sur Sean un regard perplexe.

– Un ami de la famille ? Je ne vous connais pas.

Whitey fronça les sourcils, visiblement déconcerté.

– Votre mari et moi, nous étions copains autrefois, madame Marcus.

– Y a longtemps, précisa Jimmy.

– Nos pères travaillaient ensemble.

L'air toujours un peu dérouté, Annabeth hocha la tête.

– Vous avez passé une bonne partie de la journée du samedi au magasin avec votre fille, monsieur Marcus, reprit Whitey. Je me trompe ?

– Oui et non, déclara Jimmy. Je suis resté presque tout le temps dans mon bureau, au fond. Katie était à la caisse.

– Vous souvenez-vous d'un détail inhabituel ? Votre fille se comportait-elle de manière bizarre ? Était-elle tendue ? Angoissée ? Elle n'aurait pas eu des mots avec un client, par hasard ?

– Pas quand j'étais là. Mais je vous donnerai le numéro de téléphone du gars qui a travaillé avec elle le matin. S'il s'est passé quelque chose avant mon arrivée, il s'en souviendra peut-être.

– J'apprécie, monsieur. Et quand vous étiez là...

– Elle était elle-même. Heureuse. Peut-être un peu...

– Oui ? Quoi ?

– Non, rien.

– Écoutez, monsieur, au stade où nous en sommes, même le détail le plus insignifiant peut avoir son importance.

– Jimmy ? le pressa Annabeth en se penchant vers lui.

Celui-ci esquissa une grimace d'embarras.

– Eh bien, c'est juste que... À un certain moment, j'ai levé les yeux de mon bureau, et elle était là, sur le seuil. Elle ne faisait rien, à part boire son Coca à la paille et me regarder.

– Elle vous regardait.

– Mouais. Et pendant une seconde, je me suis souvenu d'elle ce jour-là, quand elle avait cinq ans et que j'ai dû la laisser dans la voiture le temps de courir au drugstore. Alors, elle s'était mise à pleurer, parce que je venais de sortir de prison et que sa mère était morte depuis peu, et je crois qu'à l'époque, elle s'imaginait que si on la quittait ne serait-ce qu'une minute, on ne reviendrait plus jamais. Et hier, elle avait cette expression, vous comprenez ? Je veux dire, celle laissant supposer qu'elle *se préparait* à ne plus vous revoir. (Jimmy s'éclaircit la gorge, puis poussa un profond soupir qui l'amena à écarquiller les yeux.) Bref, je n'avais pas remarqué cette expression-là depuis des années, peut-être sept ou huit, mais pendant quelques instants, hier, c'est comme ça qu'elle m'a regardé.

– Comme si elle se préparait à ne plus vous revoir, donc.

– Oui. Hé, ajouta Jimmy quand Whitey griffonna dans son calepin, n'allez pas vous imaginer des tas de trucs. C'était juste un air qu'elle avait.

– Je n'en tire aucune conclusion, monsieur Marcus, je vous assure. Pour moi, c'est juste une information. C'est mon boulot, de rassembler des informations jusqu'à ce que deux ou trois pièces du puzzle finissent par s'emboîter. Vous avez fait de la prison, m'avez-vous dit ?

– Oh, Seigneur, murmura Annabeth tout doucement, avant de remuer la tête.

Jimmy s'adossa à son siège.

– Nous y voilà.

– Je me renseigne, c'est tout, déclara Whitey.

– Ah oui ? Vous seriez aussi curieux si je vous avais dit que je bossais chez Sears il y a quinze ans, peut-être ? (Jimmy émit un petit rire.) J'ai été condamné pour cambriolage. Deux ans à Deer Island. Vous pouvez noter ça dans votre calepin. Mais à mon tour de vous poser une question : cette information va vous aider à coincer le type qui a assassiné ma fille, sergent ? Le prenez pas mal, je me renseigne, c'est tout.

Whitey jeta un coup d'œil à Sean.

– On n'est pas là pour se chercher des crosses, Jim, intervint celui-ci. Alors, on oublie ça, et on en revient à ce qui nous préoccupe, O.K. ?

– O.K.

– À part cette drôle d'expression qu'avait Katie, tu ne te rappelles pas un autre détail inhabituel ?

Jimmy détacha de Whitey son regard de détenu-dans-la-cour-d'exercice, puis avala une gorgée de café.

– Non. Rien du tout. Oh, attends. Si, il y avait ce gamin, Brendan Harris... Ah non, c'était ce matin.

– Qu'est-ce qu'il a fait ?

– Rien de spécial. C'est juste un gamin du quartier. Il est arrivé aujourd'hui en demandant si Katie était là, comme s'il s'attendait à la voir, alors qu'ils se connaissaient à peine. Ça m'a paru un peu bizarre. Mais bon, c'est sans importance, j'imagine.

Whitey n'en inscrivit pas moins le nom du jeune garçon.

– Elle aurait pu sortir avec lui ? demanda Sean.

– Non, décréta Jimmy.

– On n'en sait rien, Jim, intervint Annabeth.

– Moi, je le sais, affirma-t-il. Jamais elle n'aurait fréquenté ce gars

– Jamais ? insista Sean.

– Jamais.

– Comment peux-tu en être aussi sûr ?

– Hé, Sean, merde ! T'as l'intention de me cuisiner, ou quoi ?

– Pas du tout, Jim. Je te demande juste comment tu peux être absolument sûr que ta fille ne fréquentait pas ce Brendan Harris.

Jimmy leva les yeux vers le plafond en relâchant son souffle.

– Un père sait ce genre de trucs. O.K. ?

Sean décida de ne pas insister pour le moment. De la tête, il fit signe à Whitey de prendre le relais.

– À propos, elle avait un petit copain ? s'enquit le sergent.

– En ce moment, personne, répondit Annabeth. Du moins, pour autant qu'on le sache.

– Et parmi ses ex-petits copains ? Il n'y en a pas un qui aurait pu lui en vouloir ? Qu'elle aurait laissé tomber, quelque chose comme ça ?

Quand Annabeth et Jimmy échangèrent un coup d'œil, Sean comprit qu'ils pensaient à quelqu'un – un suspect, en d'autres termes.

– Bobby O'Donnell, déclara enfin Annabeth.

Le stylo posé sur son bloc, Whitey les regarda tour à tour.

– On parle bien du même Bobby O'Donnell ?

– Peut-être, fit Jimmy. Dealer de coke et maquereau à ses heures ? Dans les vingt-sept ans ?

– C'est lui, confirma Whitey. On le soupçonne d'avoir pas mal semé la merde dans votre quartier depuis ces deux dernières années.

– Pourtant, vous ne l'avez pas inculpé.

– Eh bien, pour commencer, monsieur Marcus, j'appartiens à la police d'État. Si ce crime n'avait pas eu lieu dans Pen Park, je ne serais même pas ici. La plus grande partie d'East Bucky se trouve en territoire municipal, et je ne peux pas me prononcer sur ce que décident mes collègues de la ville.

– J'expliquerai ça à mon amie Connie, lança Annabeth. Bobby et sa bande ont fait sauter sa boutique de fleurs.

– Pourquoi? demanda Sean.

– Elle refusait de le payer, répondit Annabeth.

– De le payer pour...?

– Pour qu'il ne fasse pas sauter sa putain de boutique, rétorqua Annabeth, avant d'avaler une autre gorgée de café.

Une nouvelle fois, Sean songea à quel point cette femme n'était pas commode. Gare à celui qui s'avisait de lui chercher des noises.

– Donc, votre fille est sortie avec lui, enchaîna Whitey.

Annabeth acquiesça.

– Pas longtemps. Quelques mois, je crois. Hein, Jimmy? En novembre, c'était terminé.

– Comment a réagi Bobby? s'enquit Whitey.

De nouveau, les Marcus échangèrent un coup d'œil, puis Jimmy reprit la parole :

– Ça a failli chauffer, un soir. Il est arrivé chez nous avec son chien de garde, Roman Fallow.

– Et?

– On leur a fait clairement comprendre qu'ils avaient intérêt à déguerpir.

– Qui, « on »?

– Plusieurs de mes frères habitent l'appartement au-dessus de chez nous et celui d'en dessous, expliqua Annabeth. Ils sont très protecteurs envers Katie.

– Les Savage, précisa Sean à l'intention de Whitey.

Celui-ci replaça son stylo sur le calepin avant de presser pouces et index sur ses tempes.

– Les frères Savage, répéta-t-il.

– C'est ça, oui. Pourquoi?

– Avec tout le respect que je vous dois, madame, j'ai un peu peur que cette affaire ne nous entraîne dans quelque chose de moche. (Tête basse, Whitey se massait à présent la nuque.) Je ne voudrais surtout pas vous vexer, mais...

– C'est en général comme ça qu'on commence avant de dire quelque chose de vexant.

Whitey la gratifia d'un petit sourire étonné.

– Vos frères, vous le savez sûrement, se sont taillé une certaine réputation.

Elle lui opposa un sourire dur.

– Je les connais, sergent Powers. Inutile de tourner autour du pot.

– Un de mes amis, aux Crimes Majeurs, m'a raconté il y a quelques mois que O'Donnell parlait de se lancer dans l'héroïne et les activités d'usurier. Deux domaines, si j'ai bien compris, réservés exclusivement aux Savage.

– Pas dans les Flats.

– Comment ?

– Pas dans les Flats, répéta Jimmy, la main sur celle de sa femme. Leurs trafics, ils ne les font pas dans leur propre quartier.

– Non, bien sûr, juste dans celui des autres, répliqua Whitey, qui laissa le silence se prolonger quelques instants. Bref, dans un cas comme dans l'autre, ça crée un vide dans les Flats, pas vrai ? Une place à prendre, en quelque sorte. Une place que, si mes informations sont exactes, Bobby O'Donnell aurait bien l'intention d'occuper.

– Et ? fit Jimmy en se soulevant légèrement de son siège.

– Et ?

– Et quel rapport avec ma fille, sergent ?

– Un rapport crucial, répondit Whitey en ouvrant les bras. Crucial, monsieur Marcus, car tout ce qu'il fallait à chaque camp, c'était un prétexte pour déclencher la guerre. À présent, ils l'ont.

Jimmy remua la tête, un sourire amer aux lèvres.

– Ce n'est pas ce que vous croyez, monsieur Marcus ?

Jimmy releva la tête.

– Ce que je crois, sergent, c'est que mon quartier va bientôt disparaître. Et le crime aussi. Et ce ne sera pas à cause des Savage, des O'Donnell ou de vos interventions. Ce sera à cause des taux d'intérêt qui baissent, des impôts fonciers qui augmentent et de tous ces gens qui veulent revenir s'installer en ville parce que les restaus des banlieues sont craignos. Et ces gens-là, ils ne sont pas du genre à avoir besoin d'héroïne, de six bars par pâté de maisons ou de passes à dix dollars. Ils ont une belle petite vie. Ils aiment leur boulot. Ils ont un avenir, des comptes d'épargne retraite et des super bagnoles allemandes. Alors, quand ils arriveront – et ils sont déjà en train d'arriver –, le crime et la moitié du quartier se déplaceront ailleurs. Résultat, sergent, si j'étais vous, je ne m'inquiéterais pas trop d'une guerre entre Bobby O'Donnell et mes beaux-frères. Une guerre pour quoi, d'abord ?

– Pour contrôler le présent, déclara Whitey.

– Vous pensez vraiment que Bobby O'Donnell a tué ma fille ? demanda Jimmy.

– Je pense surtout que les Savage risquent de le considérer comme un suspect. Je pense aussi que quelqu'un devrait les ramener à la raison, le temps pour nous de finir notre travail.

Assis en face de Jimmy et d'Annabeth, Sean tentait de déchiffrer leur expression, mais en vain.

– Si rien ne vient nous distraire, Jimmy, on sera en mesure de clore cette affaire rapidement, dit-il.

– Ah oui ? J'ai ta parole, Sean ?

– Tu l'as. Et de la clore proprement, qui plus est, de façon à ne pas se retrouver marrons au tribunal.

– Dans combien de temps ?

– Quoi ?

– À ton avis, combien de temps il vous faut pour envoyer son assassin derrière les barreaux ?

Whitey leva une main.

– Une minute, monsieur Marcus. Vous ne seriez pas en train d'essayer de négocier avec nous, par hasard ?

– Comment ça, négocier ?

Le visage de Jimmy présentait de nouveau cet aspect figé qu'ont ceux des détenus.

– Négocier, oui, répéta Whitey. Parce que je perçois...

– Vous *percevez* ?

– ... une nuance de menace dans cette conversation.

– Ah bon ?

Jimmy était toute innocence à présent, mais son regard demeurait éteint.

– Comme si vous nous fixiez une échéance, acheva Whitey.

– L'agent Devine s'est engagé à retrouver l'assassin de ma fille. Je demandais juste une estimation du temps nécessaire pour en arriver là.

– L'agent Devine, rétorqua Whitey, n'est pas responsable de cette enquête. Contrairement à moi. Et nous allons coincer celui qui a fait ça, monsieur et madame Marcus, je vous le promets. Ce que je ne voudrais pas, c'est que certains se mettent en tête d'utiliser comme moyen de pression contre nous une éventuelle guerre entre le clan des Savage et celui de Bobby O'Donnell. Si j'ai le moindre soupçon à ce sujet, j'arrêterai ces personnes-là pour troubles de l'ordre public, et j'égarerai tous les papiers nécessaires jusqu'à ce que l'enquête soit terminée.

Deux gardiens passèrent à côté d'eux, chargés de plateaux sur lesquels la nourriture détrempée dégageait une vapeur grise. Sean eut l'impression que l'air dans la pièce devenait de plus en plus vicié à mesure que la nuit tombait.

– Alors, d'accord, déclara Jimmy avec un grand sourire.

– Quoi, d'accord ?

– Trouvez son assassin. Je ne m'interposerai pas. (Il se tourna vers sa femme en se levant, puis lui tendit la main.) Chérie ?

– Monsieur Marcus..., commença Whitey.

Jimmy baissa les yeux vers lui au moment où sa femme se redressait à son tour.

– Il y a un agent, en bas, qui vous reconduira chez vous, dit Whitey en portant son portefeuille. Si vous vous souvenez de quoi que ce soit, appelez-nous, monsieur Marcus.

Celui-ci prit la carte qu'il lui tendait et la glissa dans la poche arrière de son pantalon.

Maintenant qu'elle était debout, Annabeth avait l'air beaucoup moins assurée, comme si elle avait les jambes en coton. Elle pressa la main de son mari avec tant de force que la sienne blanchit.

– Merci, murmura-t-elle à l'adresse de Sean et de Whitey.

Sean voyait désormais les ravages de la journée graver leur empreinte sur son visage et son corps, lui peser sur les épaules comme un vêtement trop lourd. Lorsque la lumière crue au-dessus d'eux éclaira ses traits, Sean eut la vision de ce qu'elle deviendrait une fois vieille : une belle femme, mais marquée par une sagesse qu'elle n'avait jamais désirée.

Il ne sut jamais d'où lui étaient venus les mots. Il n'eut même pas conscience de les prononcer, jusqu'à ce qu'il entende sa propre voix résonner dans la cafétéria froide.

– Nous serons ses porte-parole, madame Marcus. Si vous le permettez.

Sa figure se crispa un instant, puis elle hocha la tête à plusieurs reprises en oscillant légèrement contre son mari.

– Oui, monsieur Devine. Ce serait bien.

Sur le trajet du retour, Whitey demanda :

– C'est quoi, cette histoire de bagnole ?

– Pardon ?

– Marcus a dit tout à l'heure que vous aviez tous failli monter dans une voiture quand vous étiez gosses.

– On... (Sean tendit la main vers le tableau de bord, puis ajusta le rétroviseur latéral de façon à pouvoir distinguer les phares brillant derrière eux tels des points jaunes duveteux qui tressautaient légèrement dans la nuit.) On, merde, Jimmy et un autre gosse nommé Dave Boyle, on jouait devant chez moi. On avait dans les dix ou onze ans, à l'époque. Et puis, cette bagnole a remonté la rue et emmené Dave.

– C'était un enlèvement ?

Sean hocha la tête, les yeux fixés sur les lumières jaunes dansantes.

– Les types se sont fait passer pour des flics, et ils ont persuadé Dave de monter avec eux. Jimmy et moi, on n'a pas voulu. Ils l'ont gardé quatre jours. Ensuite, il a réussi à s'enfuir. Il habite les Flats, aujourd'hui.

– Ils les ont coincés, ces types ?

– L'un est mort, l'autre a été arrêté un an plus tard et s'est pendu dans sa cellule, répondit Sean.

– Bon sang, j'aimerais vraiment qu'il existe une île comme dans ce vieux film avec Steve McQueen. Vous savez, celui où il était soi-disant français, et où tout le monde avait un accent sauf lui. En fait, c'était juste Steve McQueen avec un nom français. Bref, à la fin, il saute d'une falaise avec un radeau fait de cocotiers. Vous l'avez vu ?

– Non.

– Un bon film. Mais vous vous rendez compte, s'il existait une île pour les violeurs d'enfants et les pédophiles en tous genres ? On les ravitaillerait en nourriture plusieurs fois par semaine, mais on placerait des mines dans l'eau tout autour. Personne n'en repartirait jamais. C'est votre premier crime ? Dommage, les mecs, vous en prendrez quand même pour perpète. Désolé, mais on ne peut pas courir le risque de vous relâcher pour que vous alliez empoisonner quelqu'un d'autre. Car c'est une maladie contagieuse, vous comprenez ? Vous l'avez attrapée parce que quelqu'un vous l'a refilée. Et si on vous libère, vous allez la transmettre. Comme la lèpre. Alors, je me dis parfois que si on les cantonnait tous sur cette île, ils auraient moins de chances de propager le virus. À chaque génération, on en aurait de moins en moins. Et au bout de plusieurs centaines d'années, on transformerait l'île en Club Med ou un truc du même genre. Les gosses entendraient parler de ces monstres comme ils entendent parler aujourd'hui des fantômes – comme de quelque chose qu'on a su, ben, dépasser.

– Merde, sergent, vous avez des réflexions drôlement profondes, des fois !

Avec un sourire, Whitey s'engagea sur la bretelle d'accès à la voie express.

– Votre copain Marcus, dit-il. Dès l'instant où j'ai posé les yeux sur lui, j'ai su qu'il avait fait de la taule. Il y a toujours cette tension en eux, après. Surtout au niveau des épaules. Quand on reste deux ans à surveiller ses arrières, à chaque seconde de chaque journée, il faut bien que la tension se loge quelque part.

– Il vient de perdre sa fille, sergent. Ce qui explique peut-être pourquoi il était tendu.

D'un mouvement de tête, Whitey lui signifia que non.

– Cette douleur-là, elle se situe au niveau de l'estomac. Vous avez vu comme il n'arrêtait pas de grimacer ? C'est la souffrance dans son estomac qui libère de l'acide. J'ai vu ça un bon million de fois. Mais les épaules, c'est la prison.

Sean détacha son regard du rétroviseur pour se concentrer un moment sur les lumières de l'autre côté de l'autoroute. Elles arrivaient droit sur eux à toute vitesse, formant une sorte de ruban flou alors qu'elles se fondaient les unes aux autres. Il avait l'impression que la ville les encerclait, avec ses gratte-ciel, ses tours, ses immeubles de bureaux et ses parkings, ses stades, ses night-clubs et ses églises, et il savait que si jamais une de ces lumières s'éteignait, cela ne ferait aucune différence. Et que si une nouvelle lumière s'allumait, personne ne la remarquerait. Pourtant, elles palpitaient, brillaient, scintillaient, flamboyaient et semblaient les contempler, comme en ce moment même – elles contemplaient leurs propres lumières, à Whitey et à lui, alors qu'ils roulaient sur la voie express, réduits à des points lumineux rouges et jaunes perdus au milieu d'un flot de points lumineux rouges et jaunes qui clignotaient, et clignotaient encore, dans un crépuscule dominical semblable à tant d'autres.

Où allaient-ils, tous ces points lumineux ?

Rejoindre les lumières éteintes, idiot. Rejoindre le verre brisé.

Après minuit, une fois Annabeth et les filles enfin parties se coucher, et Celeste, venue chez eux aussitôt qu'elle avait appris la nouvelle, endormie sur le canapé, Jimmy descendit s'asseoir sur les marches à l'entrée de l'immeuble qu'il partageait avec les frères Savage.

Il avait apporté le gant de Sean avec lui, et il tenta de l'enfiler, mais sans parvenir à y loger son pouce ni à enfoncer sa paume au-delà de la moitié. Puis, le regard fixé sur les quatre voies de Buckingham Avenue, il fit rebondir la balle dans le panier, le choc assourdi, régulier, du cuir contre le cuir l'apaisant peu à peu.

Jimmy avait toujours aimé s'asseoir dehors la nuit. Les devantures de l'autre côté de la chaussée étaient closes, les magasins plongés dans la pénombre pour la plupart. La nuit, le calme régnait sur cette zone bourdonnante d'activité commerciale le jour, et ce calme-là ne ressemblait à aucun autre. Le bruit qui dominait d'ordinaire la vie diurne n'avait pas disparu, il était juste mis entre parenthèses, comme aspiré par des poumons, retenu en attendant d'être libéré. Jimmy avait foi en ce calme, il l'appréciait, car il promettait le retour du bruit alors même qu'il le gardait captif. Au fond, il n'aurait pu imaginer vivre dans une région rurale, où le calme tenait lieu de bruit, où le silence était si délicat qu'un rien suffisait à le briser.

Mais il aimait ce calme-là, cette tranquillité grondant de vie. Jusqu'à maintenant, la soirée avait été tellement bruyante, tellement violente aussi, déchirée par les voix et les sanglots de sa femme et de ses filles. Sean Devine avait envoyé deux inspecteurs, Brackett et Rosenthal, fouiller la chambre de Katie ; les yeux baissés, l'air embarrassé, les deux hommes avaient passé en revue le contenu des tiroirs, cherché sous le lit et même secoué le matelas en murmurant leurs excuses à Jimmy, qui ne souhaitait qu'une chose : qu'ils se dépêchent, et surtout, qu'ils arrêtent de lui parler. En fin de compte, ils n'avaient rien trouvé d'anormal hormis les sept cents dollars en billets neufs dans le tiroir à chaussettes de Katie. Ils les avaient montrés à Jimmy, de même que son livret marqué « Clôturé », le dernier retrait ayant eu lieu le vendredi après-midi.

Jimmy n'avait aucune explication à leur donner. C'était une surprise pour lui. Mais étant donné le nombre de chocs subis au cours des dernières heures, elle n'avait pas eu beaucoup d'impact. Elle n'avait fait qu'ajouter à la stupeur générale.

— On n'a qu'à le descendre.

Val sortit sur le perron et tendit une bière à Jimmy avant de s'asseoir à côté de lui, pieds nus sur les marches.

— O'Donnell, tu veux dire ? répliqua Jimmy.

Son beau-frère acquiesça de la tête.

— Je m'en chargerai avec plaisir, Jim. Tu le sais.

— Tu penses qu'il a tué Katie.

De nouveau, Val opina.

— Ou qu'il a demandé à quelqu'un de s'en occuper. Pas toi ? Les copines de Katie, elles, en sont persuadées. Elles disent que Roman a déboulé dans ce bar, et qu'il a menacé Katie.

— C'est vrai ?

— Il l'a emmerdée, en tout cas, comme si elle était toujours avec O'Donnell. Bon sang, Jimmy, c'est forcément Bobby le coupable.

— J'en sais encore rien, Val.

— Qu'est-ce que tu feras quand tu sauras ?

Jimmy posa le gant de base-ball sur la marche en dessous de lui, puis ouvrit sa bière. Il en avala une longue gorgée.

— Ça non plus, j'en sais encore rien.

14

Ce sera plus jamais pareil

Ils poursuivirent leurs recherches toute la nuit et une partie de la matinée – Sean, Whitey, Powers, Souza et Connolly, deux autres membres de la Criminelle, Brackett et Rosenthal, plus une armée d'agents, de techniciens des services scientifiques, de photographes et de légistes –, tous s'acharnant sur l'affaire comme s'il s'agissait d'un coffre-fort à ouvrir. Ils avaient examiné chaque feuille d'arbre aux alentours de la scène du crime à la recherche d'indices. Ils avaient noirci des carnets entiers de diagrammes et d'observations relevées sur le terrain. Une équipe avait frappé à la porte de toutes les maisons accessibles à pied de Pen Park et rempli une fourgonnette de vagabonds ramassés dans le parc ou les ruines calcinées de Sydney Street. D'autres policiers avaient passé en revue le contenu du sac à dos retrouvé dans la voiture de Katie Marcus, et fini par découvrir, au milieu du fouillis habituel, une brochure sur Las Vegas et une liste d'hôtels là-bas notée sur du papier jaune réglé.

Avec un petit sifflement, Whitey montra la brochure à Sean.

– Dans le métier, c'est ce qu'on appelle un indice. Bon, on va voir ce que ses copines ont à dire.

Eve Pigeon et Diane Cestra, peut-être les deux dernières personnes décentes à avoir vu Katie Marcus vivante, d'après son père, paraissaient avoir été frappées à l'arrière du crâne avec la même pelle. Whitey et Sean procédèrent avec douceur pour essayer d'obtenir des informations malgré les torrents de larmes qui ruisselaient sur leurs visages. Les deux jeunes filles leur fournirent des repères chronologiques sur les faits et gestes de Katie Marcus le soir de sa mort, puis leur indiquèrent les noms des bars où elles étaient allées, de même que l'heure approximative de leur arrivée dans ces établissements et de leur départ, mais lorsqu'ils abordèrent des sujets plus personnels, les deux hommes eurent l'impression qu'elles taisaient une partie de ce qu'elles savaient, échangeant des coups d'œil furtifs avant de répondre, se montrant plutôt vagues quand elles étaient catégoriques quelques instants plus tôt.

– Elle sortait avec quelqu'un ?

– Elle avait pas de petit copain attitré.

– Occasionnel, alors ?

– Eh bien...

– Oui ?

– Elle nous tenait pas vraiment au courant de ces trucs-là.

– Diane, Eve, s'il vous plaît. Vous voudriez me faire croire que votre meilleure amie depuis le jardin d'enfants ne vous parlait pas de ses histoires de cœur ?

– Elle était plutôt du genre secrète.

– Secrète, c'est sûr. Katie était comme ça, m'sieur.

Whitey tenta une autre approche.

– Donc, vous ne fêtiez rien de spécial samedi soir ? Rien d'inhabituel ?

– Non.

– Même pas son intention de quitter la ville ?

– Quoi ? Non.

– Non ? Son sac à dos se trouvait à l'arrière de sa voiture, Diane. On a découvert des brochures sur Las Vegas à l'intérieur. Mais peut-être qu'elle comptait les donner à quelqu'un ?

– Peut-être. J'en ai aucune idée.

À cet instant, le père d'Eve intervint :

– Si tu sais quelque chose qui pourrait nous aider, ma chérie, dis-le. C'est de l'assassinat de Katie qu'on parle, bon sang !

Remarque qui eut pour effet de déclencher un nouvel accès de larmes, les deux filles frôlant désormais la crise de nerfs, tombant dans les bras l'une de l'autre, tremblantes et gémissantes, la bouche ouverte, arrondie et légèrement de travers – une pantomime de la douleur que Sean avait déjà eu l'occasion de voir au moment où, comme disait Martin Friel, la digue se rompait, où la conscience de l'absence définitive de la victime frappait les esprits. En de tels moments, il n'y avait rien d'autre à faire que d'attendre.

Alors, ils attendirent.

Avec son petit visage anguleux et son nez fin, Eve Pigeon ressemblait un peu à un oiseau, songea Sean. Ce qui ne la desservait cependant pas. Il émanait d'elle une grâce qui conférait à sa minceur une allure presque aristocratique. Elle était de ces femmes, devina Sean, qu'une tenue stricte avantage, et elle dégageait une impression d'intégrité et d'intelligence propre, toujours selon lui, à n'attirer que les hommes sérieux, à décourager les voyous et les Roméo.

Diane, en revanche, exsudait une sensualité vaincue. Sean remarqua une trace d'ecchymose à côté de son œil droit, et elle lui fit l'effet d'une nature moins intellectuelle que celle d'Eve, plus portée sur l'émotion et sans doute aussi sur le rire. Une faible lueur d'espoir brillait dans ses yeux, tel un défaut de la prunelle, révélatrice d'un manque qui, Sean en avait la certitude, attirait rarement une autre espèce d'hommes que les prédateurs. Il devinait qu'elle serait sans doute au centre de quelques appels au 911 pour scènes de ménage dans les années à venir, et que lorsque les flics arriveraient sur les lieux, cette lueur d'espoir vacillant dans son regard aurait disparu depuis longtemps.

– Eve, reprit Whitey avec douceur quand les deux amies se furent calmées, j'ai besoin d'en savoir plus sur Roman Fallow.

La jeune fille acquiesça d'un mouvement de tête, comme si elle s'attendait à cette question, mais ne répondit pas tout de suite. Elle se rongeait l'ongle du pouce, les yeux fixés sur la table où subsistaient quelques miettes de pain.

– Ce salopard qui traîne avec Bobby O'Donnell ? lança son père.

Whitey l'interrompit d'un geste, avant de se tourner vers Sean.

– Eve..., commença celui-ci, déterminé à concentrer ses efforts sur elle.

Eve Pigeon se laisserait sans doute moins facilement manipuler que Diane, mais elle leur révélerait plus de détails pertinents.

Elle reporta son attention sur lui.

– Il n'y aura pas de représailles, si c'est ce qui vous inquiète, affirmat-il. Quoi que vous nous disiez sur Roman Fallow ou Bobby, tout ça restera entre nous. Ils n'apprendront jamais quel rôle vous avez joué.

– Et si l'affaire va au tribunal ? demanda Diane. Hein ? Qu'est-ce qui se passera ?

Whitey gratifia son collègue d'un regard qui signifiait clairement : « Vous êtes tout seul sur ce coup-là, mon vieux. »

Ignorant l'intervention de Diane, Sean s'adressa de nouveau à Eve :

– À moins que n'ayez vu Roman ou Bobby forcer Katie à sortir de sa voiture...

– Non.

– Alors, le procureur ne peut pas vous contraindre à témoigner, Eve. Il le vous demandera sûrement, mais il ne vous y obligera pas.

– Vous ne les connaissez pas, répliqua-t-elle.

– Bobby et Roman ? Bien sûr que si. J'ai envoyé Bobby à l'ombre pendant neuf mois quand je travaillais aux Stups. (Sean posa la main sur la table, à quelques centimètres de celle d'Eve.) À l'époque, il m'a menacé. Mais c'est tout ce qu'ils sont, Roman et lui : des grandes gueules.

Eve, qui contemplait la main de Sean, esquissa de ses lèvres pincées un demi-sourire empreint d'amertume.

– Fou...taises, articula-t-elle lentement.

– Ne t'avise pas de parler comme ça dans cette maison ! s'exclama son père.

– Monsieur Pigeon..., intervint Whitey.

– Non, décréta son interlocuteur. Dans ma maison, c'est moi qui fixe les règles. Je ne permettrai pas que ma fille...

– C'était Bobby, déclara Eve, arrachant un petit hoquet de stupeur à Diane, qui la dévisagea comme si elle avait perdu l'esprit.

Sean vit Whitey arquer les sourcils d'un air interrogateur.

– Quoi, Bobby ? interrogea Sean.

– Le petit copain de Katie. C'était Bobby, pas Roman.

– Jimmy était au courant ? demanda Drew Pigeon à sa fille.

En guise de réponse, celle-ci se contenta d'un de ces haussements d'épaules maussades typiques des jeunes de son âge, avait pu constater Sean, un lent mouvement du corps révélateur d'une réticence à fournir le moindre effort.

– Eve ? Il était au courant ? insista son père.

– Il l'était, sans l'être, admit-elle enfin. (Avec un soupir, elle renversa la tête en arrière, puis fixa le plafond de ses yeux sombres.) Ses parents pensaient que c'était terminé, parce que pendant un moment, elle-même a pensé que c'était terminé. Le seul à ne pas le penser, c'était Bobby. Il ne pouvait pas l'accepter. Il n'arrêtait pas de revenir. Un soir, il a même failli la jeter du troisième étage.

– Vous étiez là ? s'enquit Whitey.

Elle fit non de la tête.

– C'est Katie qui me l'a raconté. Il l'a rencontrée par hasard dans une soirée, il y a un mois, un mois et demi, et il l'a persuadée de sortir avec lui dans le couloir pour parler. Sauf que l'appartement était au troisième, vous comprenez. (D'un revers de main, elle s'essuya le visage, bien qu'à la voir, il était évident qu'elle n'avait plus de larmes à verser pour le moment.) Katie a essayé de lui expliquer que tout était fini, mais Bobby ne voulait rien entendre, et tout d'un coup, il s'est mis dans une telle rage qu'il l'a attrapée par les épaules et soulevée par-dessus la rambarde. Il la maintenait au-dessus de la cage d'escalier. Du troisième, le salaud. Et il a crié que si elle voulait casser, il la casserait, elle. Qu'elle était à lui tant qu'il n'aurait pas décidé du contraire, et que si ça ne lui convenait pas, il la balancerait par terre.

– Grands dieux, murmura Drew Pigeon après quelques instants de silence. Et tu connais ces gars-là ?

– Bon, reprit Whitey à l'adresse d'Eve, qu'est-ce que Roman lui a dit dans ce bar, samedi soir ?

Eve se mura dans le silence.

– Et vous, Diane ? insista Whitey. Vous ne voulez pas nous répondre ?

Diane paraissait avoir besoin d'un verre.

– On a déjà tout expliqué à Val. Ça suffit comme ça.

– Val ? Val Savage ? demanda Whitey.

– Il est passé cet après-midi, répondit Diane.

– Et vous avez bien voulu lui parler, mais nous, c'est différent.

– Il est de la famille, décréta Diane, qui croisa les bras et prit un air buté, genre « J'emmerde les flics ».

– O.K., je vais vous répondre, intervint Eve. Merde. Quelqu'un lui avait raconté qu'on était bourrées et qu'on en faisait un peu trop, et il nous a dit que ça lui avait pas plu d'apprendre ça, que ça plairait sûrement pas à Bobby et qu'on avait tout intérêt à rentrer chez nous.

– Alors, vous êtes parties.

– Vous avez déjà entendu Roman ? Il a une façon bien particulière de formuler ses questions comme des menaces.

– Et ça s'est arrêté là ? continua Whitey. Vous ne l'avez pas vu vous suivre hors du bar, ni rien ?

De la tête, elle lui signifia que non.

Tous se tournèrent vers Diane.

Celle-ci haussa les épaules.

– On avait pas mal bu.

– Vous n'avez pas eu d'autre contact avec lui ce soir-là ? Aucune de vous ?

– Katie nous a raccompagnées chez moi, expliqua Eve. Elle nous a déposées ici. C'est... c'est la dernière fois qu'on l'a vue.

Sa voix se brisa, et elle crispa son visage comme un poing alors qu'elle renversait de nouveau la tête en arrière, les yeux levés vers le plafond, aspirant l'air entre ses dents.

– Avec qui comptait-elle partir à Las Vegas ? demanda Sean. Bobby ?

Eve contemplait toujours le plafond, le souffle mouillé.

– Non, pas Bobby, murmura-t-elle enfin.

– Alors qui, Eve ? la pressa Sean. Avec qui voulait-elle partir ?

– Brendan.

– Brendan Harris ? interrogea Whitey.

– Oui, Brendan Harris, confirma-t-elle.

Whitey et Sean échangèrent un regard éloquent.

– Le fils de Juste Ray ? lança Drew Pigeon. Celui qui a un petit frère muet ?

Eve opina, et son père se tourna vers Sean et Whitey.

– Un brave gosse. Inoffensif.

Sean hocha la tête. Inoffensif. Bien sûr.

– Vous avez son adresse ? s'enquit Whitey.

179

Il n'y avait personne chez les Harris, aussi Sean fit-il venir deux agents pour surveiller les lieux et le prévenir dès que Brendan Harris rentrerait.

Whitey et lui se rendirent ensuite chez Mme Prior, où ils eurent droit à du thé, des biscuits rances et à l'émission *Touched by an Angel* diffusée à plein volume, au point que la voix de Della Reese résonnait encore dans la tête de Sean une heure après qu'elle eut hurlé « Amen » au terme d'un long discours sur la rédemption.

Mme Prior leur raconta qu'elle avait regardé par la fenêtre vers une heure et demie dans la nuit de samedi à dimanche, et qu'elle avait vu deux enfants jouer dans la rue – « deux enfants de cet âge dehors à une heure pareille, vous vous rendez compte ? » –, se lancer des boîtes vides, se battre avec des crosses de hockey et crier des gros mots. Elle avait bien songé à intervenir, mais les vieilles dames devaient se montrer prudentes. Les jeunes d'aujourd'hui étaient complètement dingues ; ils tiraient des coups de feu à l'école, portaient des vêtements informes, utilisaient un langage ordurier... Quoi qu'il en soit, ces deux-là avaient fini par s'élancer à la poursuite l'un de l'autre, déplaçant le problème ailleurs, mais franchement, cette façon de se comporter, si ce n'était pas déplorable, tout de même !

– L'agent Medeiros nous a dit que vous aviez entendu une voiture vers deux heures moins le quart.

Leur interlocutrice se concentra un moment sur Della, qui expliquait les voies du Seigneur à Roma Downey – une Roma Downey on ne peut plus solennelle, les yeux embués, tout emplie de Jésus. Mme Prior hocha la tête à plusieurs reprises devant l'écran, puis se tourna de nouveau vers Whitey et Sean.

– Oui, j'ai entendu une voiture heurter quelque chose.

– Heurter quoi ?

– Vu la façon dont les gens conduisent aujourd'hui, c'est une bénédiction que je n'aie pas mon permis. J'aurais peur de prendre le volant. Ils sont tous fous.

– Euh, oui, madame, convint Sean. Est-ce que ça ressemblait à une voiture heurtant une autre voiture ?

– Oh, non.

– Une personne, plutôt ? suggéra Whitey.

– Mon Dieu, à quoi ressemblerait ce bruit ? Je préfère encore ne pas le savoir.

– Donc, ce n'était pas un bruit très, très fort, reprit le sergent.

– Excusez-moi ?

Whitey se pencha vers elle pour répéter la question.

– Non, répondit Mme Prior. C'était plutôt comme si la voiture avait heurté une pierre ou un trottoir. Après, elle a calé, et quelqu'un a dit : « Salut. »

– Quelqu'un a dit « Salut » ?

– Oui, « Salut », confirma Mme Prior en regardant Sean. Là-dessus, il y a eu un grand craquement.

Sean et Whitey échangèrent un coup d'œil surpris.

– Comment ça, un craquement ?

Mme Prior hocha sa petite tête à la chevelure bleue.

– Quand mon Leo était encore de ce monde, il a cassé l'essieu de notre Plymouth. Ça a fait un de ces bruits ! *Crac !* (Ses yeux se mirent à briller.) *Crac ! Crac !*

– Et c'est ce que vous avez entendu après que quelqu'un a dit « Salut ».

Elle opina.

– C'est ça. « Salut » et *crac*.

– Quand vous avez regardé par la fenêtre, qu'est-ce que vous avez vu ?

– Oh, non, non, non, répliqua Mme Prior. Je n'ai pas regardé par la fenêtre. J'étais en chemise de nuit, à ce moment-là. Je m'étais couchée. Il n'était pas question que je m'approche de la fenêtre en chemise de nuit. Les gens auraient pu m'apercevoir.

– Mais un quart d'heure plus tôt, vous...

– Jeune homme, je n'étais pas en chemise de nuit un quart d'heure plus tôt. J'étais devant la télé, car ils passaient un film merveilleux avec Glenn Ford. Oh, si seulement je pouvais me rappeler le titre !

– Donc, vous avez éteint le poste...

– Et j'ai vu ces enfants sans mère traîner dans la rue, je suis montée me mettre en chemise de nuit, et ensuite, jeune homme, j'ai gardé les stores baissés.

– La voix qui a dit « Salut », reprit Whitey. C'était celle d'un homme ou d'une femme ?

– D'une femme, je crois, répondit Mme Prior. C'était une voix aiguë. Pas comme les vôtres, ajouta-t-elle avec un grand sourire. Vous deux, vous avez de belles voix masculines. Vos mères sont sûrement fières de vous.

– Oh oui, madame, répondit Whitey. Vous n'imaginez même pas à quel point.

En sortant de chez elle, Sean regarda le sergent et lança :

– *Crac !*

Whitey sourit.

– Ça lui plaisait drôlement, de répéter ça. Y a encore de la vie chez cette petite mamie, hein ?

– Vous pencheriez pour un essieu cassé ou pour un coup de feu ?

– Un coup de feu, déclara Whitey. C'est le « Salut » qui me laisse perplexe.

– Possible qu'elle ait dit « Salut » parce qu'elle connaissait l'assassin.

– Possible. Mais pas sûr.

Ils firent ensuite la tournée des bars mentionnées par les deux amies de Katie, pour n'obtenir que des réponses vagues, embrumées par l'alcool – on avait peut-être aperçu les filles, ou peut-être pas – et une liste approximative de clients susceptibles de s'être trouvés sur les lieux à ces heures-là.

Lorsqu'ils arrivèrent au McGills, Whitey était de méchante humeur.

– Deux jeunes nanas – très jeunes, d'ailleurs, en-dessous de l'âge légal – sautent sur le comptoir, là, et vous me dites que vous ne vous en souvenez pas ?

Le barman hocha la tête avant même que Whitey n'ait fini de poser sa question.

– Oh, ces filles-là ! O.K., O.K., je m'en souviens. Sûr. Elles avaient certainement de fausses cartes d'identité, inspecteur, parce qu'on leur a demandé leurs papiers.

– Sergent, pas inspecteur, rectifia Whitey. D'abord, vous ne vous rappelez pas ces gamines, et maintenant, vous me dites que vous leur avez demandé leurs papiers. Vous vous rappelez à quelle heure elles sont parties, au moins ? Ou est-ce que c'est commodément flou dans votre tête ?

Le barman, un jeune homme aux biceps tellement gonflés qu'ils devaient bloquer l'afflux de sang à son cerveau, demanda :

– Comment ça, parties ?

– À quelle heure elles ont quitté votre établissement, cher monsieur.

– Je...

– C'était juste avant que Crosby casse l'horloge, répondit un type sur un tabouret.

Sean lui jeta un coup d'œil. C'était manifestement un vieil habitué, qui avait ouvert le *Herald* sur le comptoir, entre une bouteille de Bud et un petit verre de whisky, une cigarette se consumant dans le cendrier à côté de lui.

– Vous étiez là ?

– J'étais là, répondit l'homme. Cet imbécile de Crosby voulait conduire pour rentrer chez lui. Ses copains ont essayé de lui prendre les clés, et ce crétin a fini par leur jeter le trousseau à la figure. Mais il a manqué son coup, et c'est l'horloge qui a pris.

Levant la tête vers l'horloge au-dessus de la porte menant aux cuisines, Sean constata que le verre était étoilé, et les aiguilles, arrêtées à 12 h 52.

– Elles étaient déjà parties ? demanda Whitey au client. Les filles, je veux dire.

– Ça devait faire cinq minutes. Quand l'horloge s'est brisée, j'ai pensé que c'était une bonne chose que ces gamines soient plus là, qu'elles avaient pas besoin de voir des trucs pareils.

Dans la voiture, Whitey demanda :

– Vous avez reconstitué la chronologie ?

Sean acquiesça, puis consulta ses notes.

– Elles quittent le Curley's Folly à neuf heures et demie, passent successivement au Banshee, au Dick Boyle et au Spire, puis se retrouvent au McGills vers onze heures et demie et finissent au Last Drop à une heure dix.

– Et Katie Marcus a un accident de voiture environ une demi-heure plus tard. Vous avez reconnu quelqu'un sur la liste du barman ?

Sean parcourut les noms des clients présents le samedi soir que le barman du McGills avait griffonnés sur une feuille de papier.

– Dave Boyle, dit-il soudain.

– Le même gars avec qui vous étiez copain autrefois ?

– Possible.

– Ça vaudrait peut-être la peine de l'interroger, déclara Whitey. Puisque vous êtes amis, il ne nous traitera pas comme des flics, il parlera plus librement.

– Sûrement.

– Bon, on s'en occupera demain.

Ils trouvèrent Roman Fallow au Café Society, dans le Point, attablé devant un café au lait. Il était accompagné par une fille qui ressemblait à un mannequin – genoux aussi pointus que ses pommettes, yeux légèrement saillants dans un visage à la peau tellement tendue qu'elle semblait collée aux os, jolie robe d'été blanc cassé à fines bretelles qui la faisait paraître sexy et squelettique en même temps, un tour de force que Sean ne pouvait qu'attribuer à l'éclat d'une peau parfaite.

Avec son T-shirt en soie porté sur un pantalon en lin au pli impeccable, Roman avait l'air sorti tout droit du plateau de tournage d'un de ces vieux films RKO situés à La Havane ou à Key West. Tout en buvant son café au lait, il feuilletait le journal avec sa petite amie – lui se concentrant sur la rubrique économique, elle sur les pages de mode.

Whitey approcha une chaise de leur table en lançant :

– Hé, Roman, ils vendent aussi des fringues pour mecs, là où t'as acheté ton T-shirt ?

Sans lever les yeux du quotidien, Roman prit le temps de grignoter un petit bout de croissant.

– Comment allez-vous, sergent Powers ? Toujours content de votre Hyundai ?

Alors que Sean s'installait à côté de lui, Whitey émit un petit rire.

– À te voir comme ça, Roman, dans ce café, on te prendrait presque pour un de ces jeunes cadres dynamiques qui passent leurs journées à suivre les cours de la Bourse sur leur iMac.

– J'ai un PC, sergent. (Roman referma son journal et consentit enfin à regarder Sean et Whitey.) Salut, fit-il à Sean. On se serait pas déjà rencontrés ?

– Sean Devine, police d'État.

– Ah oui, je m'en souviens, maintenant. Je vous ai vu un jour au tribunal témoigner contre un de mes amis. Joli costume, à propos. Ils s'améliorent, chez Sears, depuis quelque temps. Ils deviennent branchés.

Whitey jeta un coup d'œil au mannequin.

– Je peux vous offrir un steak, beauté, ou autre chose ?

– Pardon ?

– Ou un peu de glucose en intraveineuse, peut-être ? C'est ma tournée.

– Arrêtez, lança Roman. Vous êtes venu parler business, non ? Alors, c'est entre vous et moi.

– Roman ? dit la fille. Je ne comprends pas.

Il lui sourit.

– Tout va bien, Michaela. Ne t'occupe pas de nous.

– Michaela, répéta Whitey. C'est charmant, comme nom.

L'intéressée garda les yeux obstinément fixés sur le journal.

– Alors, qu'est-ce qui vous amène ici, sergent ?

– Les scones, répondit Whitey. J'adore les scones qu'ils servent ici. Ah, j'allais oublier, tu connais une certaine Katie Marcus, Roman ?

– Bien sûr. (Roman avala une petite gorgée de café au lait, puis s'essuya la lèvre supérieure avec sa serviette, qu'il reposa ensuite soigneusement sur ses genoux.) On l'a retrouvée morte hier, d'après ce que j'ai entendu dire.

– Exact, confirma Whitey.

– C'est jamais bon pour la réputation du quartier quand il arrive un truc pareil.

Le sergent croisa les bras, les yeux fixés sur Roman.

Celui-ci grignota un autre bout de croissant et but encore un peu de café au lait. Il s'installa plus confortablement sur son siège, se tapota la bouche avec sa serviette, et en le voyant soutenir le regard de Whitey, Sean se dit que c'était l'un des aspects de son travail qui commençait vraiment à lui peser – tous ces défis entre machos, chacun essayant de forcer l'autre à baisser les yeux, aucun ne voulant céder.

– Oui, sergent, reprit Roman, je connaissais Katie Marcus. C'est pour me demander ça que vous êtes venu jusqu'ici ?

Whitey haussa les épaules.

– Je la connaissais, c'est vrai, et je l'ai vue dans un bar samedi soir.

– Et t'as eu des mots avec elle, affirma Whitey.

– Exact.

– Pourquoi ? demanda Sean.

Roman ne quittait des yeux le sergent, comme si Sean ne méritait pas plus d'attention qu'il ne lui en avait déjà accordé.

– Elle sortait avec un de mes amis. Elle était ivre. Je lui ai dit qu'elle se ridiculisait, et qu'avec ses deux copines, elle ferait mieux de rentrer.

– C'est qui, cet ami ? interrogea Whitey.

La question arracha un sourire à Roman.

– Allons, sergent. Comme si vous l'ignoriez.

– J'aimerais quand même te l'entendre dire.

– Bobby O'Donnell. Voilà. Satisfait ? Elle sortait avec Bobby.

– Actuellement ?

– Pardon ?

– Elle sortait actuellement avec lui ? Ou est-ce qu'elle est sortie avec lui il y a déjà un certain temps ?

– Elle sortait actuellement avec lui, répondit Roman.

Whitey griffonna dans son calepin.

– Ça ne va pas dans le sens des informations dont on dispose, Roman.

– Ah bon ?

– Mouais. On nous a raconté qu'elle avait laissé tomber ce connard il y a sept mois, mais qu'il ne voulait pas la lâcher.

– Bah, vous savez comment sont les femmes, sergent.

Celui-ci fit non de la tête.

– Non, Roman. Tu peux préciser ?

– Eh bien, avec Bobby, ils avaient des hauts et des bas. À certains moments, elle le considérait comme le grand amour de sa vie, et à d'autres, il était obligé de ronger son frein.

– Il rongeait son frein, répéta Whitey à l'adresse de Sean. Ça ressemble au Bobby O'Donnell que vous connaissez ?

– Pas du tout, déclara Sean.

– Pas du tout, lança Whitey à Roman, qui haussa les épaules.

– Je vous dis ce que je sais, c'est tout.

– D'accord. (Whitey consigna encore quelques observations dans son calepin.) Bon, où es-tu allé samedi soir après avoir quitté le Last Drop ?

– On était invités à une fête dans le loft d'un copain en ville.

– Oh, une fête dans un loft ! s'exclama Whitey. J'ai toujours eu envie d'y aller. Dope de designer, mannequins, des tas de types blancs qui écoutent du rap en se félicitant d'être aussi cool... J'en rêve. Mais par « on », Roman, tu veux dire toi et Ally McBeal, là ?

– Michaela, corrigea Roman d'un ton posé. Oui. C'est Michaela Davenport, au cas où vous voudriez l'écrire.

– Oh, je vais l'écrire, affirma Whitey. C'est votre vrai nom, ma belle ?

– Hein ?

– Michaela Davenport, c'est votre vrai nom ?

– Euh, oui. (Les yeux de la fille parurent lui sortir encore un peu plus de la tête.) Pourquoi ?

– Votre maman s'est gavée de *soaps* avant votre naissance, non ?

– Roman ? fit Michaela, l'air perdu.

Rivant son regard à celui de Whitey, Roman leva une main.

– Je vous ai pas dit que ça devait rester entre vous et moi ? Hein ?

– Ouh, tu le prends mal, Roman ? Tu vas me jouer un petit numéro à la Christopher Walken, peut-être, pour essayer de m'impressionner ? C'est ça, l'idée ? Parce que, je veux dire, on pourrait bien aller faire un tour pour vérifier ton alibi. Mouais, on pourrait le faire. T'as des projets pour demain ?

Roman se réfugia alors dans cet endroit où Sean avait vu tant de criminels battre en retraite quand un flic les bousculait un peu trop ; ils effectuaient alors un repli si total à l'intérieur d'eux-mêmes qu'ils semblaient ne même plus respirer, tandis qu'ils continuaient à vous fixer de leurs yeux sombres, indifférents et rétrécis.

– Y a pas de problème, sergent, déclara-t-il d'un ton monocorde. Je serai trop heureux de vous fournir les noms de tous ceux qui m'ont vu à cette fête. Et je suis certain que le barman du Last Drop, Todd Lane, vous confirmera que je n'ai pas quitté les lieux avant deux heures.

– T'es un brave garçon, observa Whitey. Et pour ton copain Bobby ? Où est-ce qu'on peut le trouver ?

Cette fois, Roman s'autorisa un large sourire.

– Ça va vous plaire, je vous le garantis.

– Qu'est-ce qui est censé me plaire, Roman ?

– Ben, si vous pensez que Bobby est impliqué dans la mort de Katie Marcus, vous allez adorer.

Lorsqu'il jeta un regard triomphant à Sean, celui-ci sentit s'évanouir aussitôt l'excitation qu'il éprouvait depuis qu'Eve Pigeon avait mentionné Roman Fallow et Bobby O'Donnell.

– Ah, Bobby..., reprit Roman, qui soupira, adressa un clin d'œil à sa petite amie, puis reporta son attention sur Sean et Whitey. Figurez-vous qu'il a été arrêté pour conduite en état d'ivresse vendredi soir. (Il marqua une pause, le temps de finir son café au lait.) Il a passé le week-end en taule. (Roman agita l'index sous le nez des deux policiers.) Vous ne pensez jamais à vérifier ce genre de choses, messieurs ?

Sean commençait à sentir la fatigue de ces dernières heures dans ses os, s'insinuant jusque dans sa moelle, quand les policiers l'avertirent par radio que Brendan Harris était rentré chez lui avec sa mère. Les deux équipiers arrivèrent là-bas à onze heures, et lorsqu'ils s'assirent dans la cuisine avec Brendan et sa mère, Esther, Sean songea : Dieu merci, ils ne font plus d'appartements comme celui-là, aujourd'hui. L'endroit semblait sorti tout droit d'une vieille série télévisée – *The Honeymooners*, peut-être –, comme s'il n'était possible de l'apprécier qu'en noir et blanc, sur un écran de trente-six centimètres, avec une réception floue et un son nasillard. Il s'agissait d'un logement tout en longueur ; l'entrée avait été aménagée en plein milieu, de sorte que de l'escalier, on arrivait directement dans le salon. Après le salon, sur la droite, se trouvait une petite salle à manger dont Esther Harris avait fait sa chambre, entassant brosses, peignes et produits de beauté dans le cellier décrépit. Brendan et son cadet, Raymond, se partageaient l'autre chambre.

À gauche de la salle à manger, il y avait un couloir étroit desservant une salle de bains tortueuse sur la droite, puis la cuisine, tout au fond, qui ne devait pas bénéficier de la lumière du jour plus de quarante-cinq minutes en fin d'après-midi. Dans cette pièce aux murs vert passé et jaune sale, Sean, Whitey, Brendan et Esther avaient pris place autour d'une petite table avec des pieds métalliques auxquels il manquait des vis à certaines fixations. Le plateau était recouvert de papier adhésif fleuri jaune et vert qui se détachait dans les coins et partait au milieu par fragments de la taille d'un ongle.

Esther Harris ne dénotait pas dans ce décor. Elle était petite, avec un visage en lame de couteau, et pouvait avoir quarante ans aussi bien que cinquante-cinq. Elle empestait le savon bon marché et le tabac, et le bleu sinistre de ses cheveux paraissait assorti au bleu sinistre des veines sur ses avant-bras et ses mains. Elle portait un sweat-shirt rose fané, un jean et des pantoufles noires pelucheuses. Elle fumait ses Parliament à la chaîne en regardant Sean et Whitey parler à son fils, avec l'air de quelqu'un qui s'ennuie à mourir mais n'a pas d'autre endroit où aller.

– Quand avez-vous vu Katie Marcus pour la dernière fois ? demanda Whitey à Brendan.

– Bobby l'a tuée, hein ?

– Bobby O'Donnell ?

– Mouais.

Brendan gratta le revêtement de la table. Il paraissait en état de choc. Il s'exprimait d'un ton monocorde, mais prenait parfois une brusque inspira-

187

tion, et le côté droit de son visage se crispait alors comme si on lui avait crevé l'œil.

— Qu'est-ce qui vous fait dire ça ? interrogea Sean.

— Elle avait peur de lui. Elle était sortie avec Bobby, et elle me répétait tout le temps que s'il apprenait qu'on était ensemble, il nous tuerait tous les deux.

Sean tourna la tête vers Esther Harris, s'attendant à une réaction quelconque, mais elle se contentait de tirer sur sa cigarette et de souffler des nuages de fumée, enveloppant toute la table d'un halo gris.

— Apparemment, il a un alibi, reprit Whitey. Et vous, Brendan ?

— Je l'ai pas tuée, répondit-il d'une voix blanche. J'aurais jamais pu lui faire de mal. Jamais.

— Bon, je vous repose la question : quand l'avez-vous vue pour la dernière fois ?

— Vendredi soir.

— À quelle heure ?

— À peu près, euh, huit heures ?

— À peu près huit heures, ou huit heures pile ?

— Je sais pas. (Les traits de Brendan étaient déformés par une angoisse que Sean sentait peser sur la table entre eux. Il pressa ses mains l'une contre l'autre et se balança légèrement sur sa chaise.) Ouais, c'est ça, huit heures. On a mangé une pizza au Hi-Fi, et après... après, elle a dû partir.

Whitey inscrivit « Hi-Fi, 20 heures, vendredi » sur son calepin.

— Pour aller où ?

— Je sais pas, répéta Brendan.

Lorsque sa mère écrasa une autre cigarette sur le tas accumulé dans le cendrier, l'un des mégots déjà éteints s'enflamma de nouveau, dégageant une spirale de fumée qui monta vers la narine droite de Sean. Esther Harris en alluma immédiatement une autre, et Sean imagina ses poumons noueux et noirs comme l'ébène.

— Quel âge avez-vous, Brendan ?

— Dix-neuf ans.

— Vous avez votre bac ?

— Ton bac, répéta Esther.

— J'ai, euh, je l'ai passé par correspondance l'année dernière, répondit Brendan.

— Et vous n'avez vraiment aucune idée de l'endroit où Katie a pu se rendre vendredi soir, après avoir quitté le Hi-Fi ?

— Non, fit-il, le mot produisant un son mouillé dans sa gorge, les yeux de plus en plus rouges. Vu que Bobby avait tendance à devenir dingue à cause d'elle et que le père de Katie me déteste, il fallait qu'on soit discrets.

Des fois, elle me disait pas où elle allait, parce que c'était sûrement pour retrouver Bobby, je pense, et essayer de le convaincre que tout était fini entre eux. Je sais pas. Ce soir-là, elle m'a juste dit qu'elle rentrait chez elle.

– Jimmy Marcus ne vous aime pas ? intervint Sean. Pourquoi ?

Brendan haussa les épaules.

– Aucune idée. Mais il a interdit à Katie de me fréquenter.

– Quoi ? intervint sa mère. Ce voleur se croit supérieur à nous, peut-être ?

– C'est pas un voleur, objecta Brendan.

– C'en était un, avant, répliqua sa mère. Mais ça, t'as beau avoir ton bac, t'en savais rien, hein ? C'était qu'un petit truand minable. Et sa fille avait sûrement hérité de ses gènes. Elle serait pas devenue quelqu'un de bien. Tu peux t'estimer heureux, mon fils.

Sean et Whitey échangèrent un bref coup d'œil. Esther Harris était sans doute la femme la plus pathétique que Sean avait jamais rencontrée. Elle avait la méchanceté dans le sang.

Son fils ouvrit la bouche comme pour protester, puis la referma.

– Katie transportait des brochures sur Las Vegas dans son sac à dos, reprit Whitey. On nous a raconté qu'elle avait l'intention d'y aller. Avec vous, Brendan.

– On..., commença Brendan, tête basse. On devait aller à Vegas, c'est vrai. Pour se marier. Aujourd'hui. (Quand il se redressa, Sean vit des larmes affluer au bord de ses paupières rougies. Brendan les essuya d'un revers de main avant qu'elles ne tombent.) Enfin, c'est ce qui était prévu.

– Tu m'aurais abandonnée ? lança Esther Harris. Sans un mot ?

– M'man, je...

– Comme ton père ? C'est ça ? Tu comptais me planter là avec ton petit frère qui dit jamais rien ? Tu m'aurais quittée, Brendan ?

– Madame Harris, l'interrompit Sean, je vous demanderai de bien vouloir vous concentrer pour le moment sur l'affaire qui nous amène. Plus tard, Brendan aura tout le temps de s'expliquer.

Dans le regard qu'elle lui décocha, Sean reconnut cette expression qu'il avait vue chez beaucoup de taulards endurcis et de sociopathes professionnels, un regard signifiant qu'il ne méritait pas son attention pour l'instant, mais que s'il continuait dans cette voie, elle s'occuperait de son cas d'une façon qui laisserait des traces.

– Tu m'aurais quittée ? répéta-t-elle en reportant son attention sur son fils.

– Écoute, m'man...

– Quoi ? Pourquoi tu voudrais que je t'écoute ? Qu'est-ce que j'ai fait de mal ? Hein ? Qu'est-ce que j'ai fait, à part t'élever, te nourrir, et même t'acheter ce saxophone pour Noël dont t'as jamais appris à jouer ? Ce foutu machin est toujours dans le placard, Brendan.

– M'man...

– Non, va le chercher. Montre à ces messieurs comme tu en joues bien. Allez, va le chercher.

Whitey observait la scène avec l'air de ne pas en croire ses oreilles.

– Madame Harris ? lança-t-il enfin. Ce ne sera pas nécessaire.

Quand elle alluma une autre cigarette, l'allumette tressauta entre ses doigts tremblants de colère.

– Tout ce que j'ai fait, c'était de le nourrir. Lui acheter des vêtements. L'élever, quoi.

– Oui, m'dame, convint Whitey.

Au même moment, la porte d'entrée s'ouvrit, livrant passage à deux gamins de douze ou treize ans avec une planche à roulettes sous le bras, dont l'un était le portrait tout craché de Brendan. Il avait les mêmes traits réguliers que son aîné et aussi les mêmes cheveux noirs, mais il y avait quelque chose dans ses yeux – une expression fuyante à glacer le sang – qui rappelait sa mère.

– Salut, fit l'autre garçon quand ils entrèrent dans la cuisine.

Comme le frère de Brendan, il semblait petit pour son âge, et il était affligé d'un visage à la fois long et creusé – une tête de vieillard sournois sur le corps d'un enfant – sous ses mèches filasse.

Brendan Harris leva une main.

– Salut, Johnny. Sergent Powers, agent Devine, voici mon frère, Ray, et son copain, Johnny O'Shea.

– Salut, les gars, dit Whitey.

– Salut, répéta Johnny O'Shea.

Ray les gratifia d'un signe de tête.

– Il parle pas, expliqua sa mère. Son père était pas capable de la fermer, mais le gosse dit pas un mot. Oh, la vie est vachement juste, c'est sûr.

Les mains de Ray voltigèrent devant Brendan, qui répondit :

– Oui, ils sont venus à cause de Katie.

– On voulait faire de la planche dans le parc, raconta Johnny O'Shea. Mais ils l'avaient fermé.

– Il sera ouvert demain, lui assura Whitey.

– Ouais, ben demain, y va pleuvoir, répliqua Johnny O'Shea d'un ton laissant supposer que c'était leur faute à tous s'il ne pouvait pas s'amuser avec son skate-board à onze heures du soir un jour de semaine, et Sean se demanda à quel moment les parents avaient commencé à laisser leurs mômes se conduire de la sorte.

Whitey se tourna vers Brendan.

– Vous lui connaissiez des ennemis ? Quelqu'un qui, à part Bobby O'Donnell, aurait pu lui en vouloir ?

Brendan fit non de la tête.

– C'était une fille bien, m'sieur. Une fille vraiment, vraiment bien. Tout le monde l'aimait. Je sais pas quoi vous dire d'autre.

– On peut s'en aller, maintenant ? lança le jeune O'Shea.

– Quelqu'un vous a demandé de rester ? répliqua Whitey, un sourcil arqué dans sa direction.

Johnny O'Shea et Ray Harris sortirent de la cuisine, et quelques instants plus tard, ils jetaient leurs skate-boards par terre dans le salon avant de se diriger vers la chambre partagée par Ray et Brendan en faisant un maximum de bruit, comme tous les gosses de douze ans.

– Où étiez-vous entre une heure et demie du matin et trois heures, dans la nuit de samedi à dimanche ?

– Je dormais.

Le sergent se tourna vers Esther Harris.

– Vous confirmez ?

Elle haussa les épaules.

– Je suis pas sûre qu'il a pas enjambé la fenêtre pour descendre par l'escalier de secours. Mais je suis sûre qu'il était dans sa chambre à dix heures ce soir-là et qu'il en est ressorti à neuf heures du matin.

Whitey se cala sur sa chaise.

– D'accord, Brendan. On va vous demander de passer au détecteur de mensonge. Vous vous sentez prêt ?

– Vous m'arrêtez ?

– Non. Il est juste question de passer un test.

À son tour, Brendan haussa les épaules.

– Si vous voulez. D'accord.

– Tenez, prenez ma carte.

Brendan regarda le bristol. Il le regardait toujours lorsqu'il reprit la parole :

– Je l'aimais tellement... Je... Ce sera plus jamais pareil. Je veux dire, c'est pas le genre de truc qui vous arrive deux fois dans une vie, hein ?

Il releva la tête. Il avait les yeux secs, mais emplis d'une souffrance telle que Sean n'eut qu'une envie : esquiver son regard.

– La plupart du temps, répondit Whitey, ça ne vous arrive même pas du tout.

Ils raccompagnèrent Brendan chez lui vers une heure, après qu'il eut passé quatre fois avec succès le test du détecteur de mensonge, puis Whitey déposa Sean devant son immeuble en lui conseillant de se reposer, car ils commenceraient tôt le lendemain matin. En pénétrant dans son appartement vide, Sean fut assailli par le silence assourdissant qui y régnait, et il sentit l'excès de caféine et de hamburgers lui peser, alourdir jusqu'à sa colonne vertébrale. Il alla chercher une bière dans le réfrigérateur, puis s'assit sur le comptoir de la cuisine pour la boire, le bruit et les lumières du soir explosant dans son crâne, le forçant à se demander s'il était devenu trop vieux pour tout ça, s'il était fatigué aujourd'hui de la mort, des mobiles stupides et des assassins stupides, du dégoût qu'ils lui inspiraient.

Depuis quelque temps, cependant, il se sentait fatigué de tout. Fatigué des gens. Fatigué des livres, de la télévision, du bulletin d'informations le soir et des chansons à la radio qui ressemblaient exactement à d'autres chansons à la radio diffusées des années plus tôt et qu'il n'avait déjà pas beaucoup aimées à l'époque. Il était fatigué de ses vêtements et de son allure, fatigué des vêtements et de l'allure des autres. Il était fatigué de toujours devoir chercher une signification aux événements. Fatigué de la politique de bureau, d'essayer de savoir qui baisait qui, au sens propre comme au sens figuré. Il en était arrivé au point où il avait l'impression d'avoir entendu tout ce que l'on pouvait dire sur n'importe quel sujet, de sorte qu'il lui semblait passer ses journées à écouter de vieux enregistrements de choses qui ne lui étaient même pas apparues inédites la première fois où elles avaient été mentionnées devant lui.

Peut-être était-il fatigué de l'existence, tout simplement, de l'effort démesuré qu'il fallait fournir pour se lever chaque putain de matin et affronter une putain de journée en tous points identique à la précédente, à l'exception de quelques légères variations au niveau du temps et de la nourriture. Trop fatigué pour se soucier d'une gamine assassinée, car il y en aurait une autre après elle, de toute façon. Et encore une autre après. Or envoyer les meurtriers en prison – même s'ils étaient condamnés à perpétuité – n'apportait même plus la satisfaction qu'il aurait fallu, car pour eux, il s'agissait juste de rentrer à la maison, d'atteindre enfin cet endroit où ils avaient voulu aller toute leur vie vaine et grotesque, alors que les morts restaient morts, que les victimes de vols et de viols restaient des victimes de vols et de viols.

Et il se demanda si c'était cela que l'on ressentait en cas de dépression nerveuse, cet engourdissement total, cette lassitude dans l'absence d'espoir.

Katie Marcus était morte, oui. C'était une tragédie. Il le concevait rationnellement, mais sans parvenir à éprouver quoi que ce soit. Pour lui, il s'agissait juste d'un autre corps, d'une autre lumière ayant volé en éclats.

Des éclats de verre, n'était-ce pas aussi tout ce qui restait de son mariage ? Il l'aimait, bon sang, mais ils étaient aussi différents que peuvent l'être deux personnes appartenant pourtant à la même espèce. Lauren n'en avait que pour les pièces de théâtre, les livres et les films que Sean ne comprenait pas, qu'ils comportent des sous-titres ou non. Elle était bavarde, passionnée, et adorait construire des édifices de mots qui atteignaient des hauteurs vertigineuses quand lui-même restait perdu au niveau du troisième étage.

Il l'avait vue pour la première fois sur scène au lycée, jouant dans une sorte de farce adolescente le rôle de la fille qu'on avait laissée tomber, alors que personne parmi les spectateurs ne parvenait à imaginer un seul instant qu'un homme soit capable d'abandonner une femme comme elle, aussi rayonnante d'énergie, aussi débordante d'enthousiasme dans son approche du monde – expérience, appétit, curiosité. Même à l'époque, ils formaient déjà un couple étrange : lui, discret, pragmatique et toujours réservé sauf en sa présence, et elle, fille unique de libéraux âgés qui l'avaient emmenée partout sur le globe quand ils travaillaient pour les Peace Corps [1], lui donnant l'envie de découvrir, de toucher, d'explorer ce qu'il y avait de meilleur chez les autres.

Elle avait trouvé sa place dans le monde du théâtre, d'abord en tant qu'actrice à l'université, puis en tant que metteur en scène dans de petits théâtres, et enfin en tant que régisseuse pour des productions itinérantes de plus grande envergure. Ce n'étaient cependant pas les voyages qui avaient usé leur mariage. De fait, Sean n'était même pas certain de ce qui les avait éloignés, même s'il soupçonnait que c'était en rapport avec lui-même et ses silences, avec ce mépris qui s'emparait peu à peu de tous les flics – un mépris pour le genre humain dans son entier, une incapacité à croire aux idéaux nobles et à l'altruisme.

Les amis de Lauren, qu'il avait trouvés fascinants au début, avaient commencé à lui paraître puérils, englués dans leurs théories artistiques et leur philosophie irréaliste. Sean passait ses nuits dans les jungles de béton où les gens violaient, volaient et tuaient sans autre raison que l'envie de le faire, et ensuite, lors de tel ou tel cocktail durant le week-end, il était forcé d'écouter toutes ces têtes coiffées de queue de cheval (sa femme y compris) discuter des motivations à l'œuvre dans le péché. Or la motivation n'avait rien de complexe : les humains étaient stupides, point final. De vraies bêtes. Pis, même, car les bêtes ne se tuaient pas pour une histoire de billets de loterie.

Elle lui avait reproché de devenir dur, intransigeant, réducteur dans sa pensée. Il n'avait pas répondu, parce qu'il n'y avait rien à dire. La question

1. Organisation américaine de coopération avec les pays en voie de développement. (N.d.T.)

193

n'était pas de savoir s'il était devenu tel qu'elle le décrivait, mais plutôt si le changement s'avérait positif ou négatif.

Pourtant, ils s'aimaient toujours. Chacun à sa manière s'efforçait d'y mettre du sien – Sean en essayant de sortir de sa coquille, Lauren en essayant de le rejoindre à l'intérieur. La force de ce qui unissait deux personnes, cette alchimie particulière du désir irrépressible de s'attacher l'un à l'autre, existait toujours entre eux. Toujours.

N'empêche, il aurait dû voir cette liaison se profiler à l'horizon. Peut-être qu'il l'avait vue, d'ailleurs. Et peut-être que ce n'était pas cette liaison qui le perturbait le plus, mais la grossesse qui avait suivi.

Merde. Il s'assit sur le carrelage de la cuisine, conscient du vide laissé par le départ de sa femme, porta les mains à son front et tenta pour la énième fois depuis un an de se représenter clairement l'échec de son mariage. Mais il ne voyait que des fragments, des éclats disséminés dans les pièces de son esprit.

Quand le téléphone sonna, il sut tout de suite, avant même d'avoir soulevé le combiné et appuyé sur la touche « O.K. », que c'était elle.

– Allô ?

À l'autre bout de la ligne, il entendit le grondement assourdi d'un moteur de semi-remorque tournant au ralenti et la rumeur continue des voitures filant sur une voie express. Il imagina aussitôt l'aire de repos, la station-service à l'entrée, la rangée de cabines téléphoniques entre le Roy Rogers et le McDonald, et Lauren dans l'une d'entre elles, qui l'écoutait.

– Lauren ? Je sais que c'est toi.

Quelqu'un passa près de la cabine en agitant un trousseau de clés.

– Dis-moi quelque chose, Lauren.

Le chauffeur du poids lourd enclencha la première, et le régime du moteur changea quand le véhicule s'ébranla sur le parking.

– Comment va-t-elle ? demanda Sean. (Il avait failli demander : « Comment va ma fille ? », mais il ignorait si c'était la sienne. Aussi répéta-t-il :) Comment va-t-elle ?

Le camion était en seconde, désormais, et le crissement de ses pneus sur le gravier devenait de plus en plus lointain à mesure qu'il roulait vers la bretelle d'accès et l'autoroute au-delà.

– Ça fait trop mal, Lauren. Tu ne veux pas me parler ?

Soudain, il se rappela ce que Whitey avait dit à Brendan Harris sur l'amour, comme quoi la plupart des gens ne le connaissent même pas une fois dans leur vie, et il eut l'impression de voir sa femme sur ce parking, les yeux fixés sur le semi-remorque qui s'éloignait, le combiné pressé contre son oreille mais éloigné de ses lèvres. C'était une grande femme mince, avec des cheveux couleur acajou. Quand elle riait, elle se couvrait la bouche de ses doigts. À l'université, un jour, ils avaient traversé le campus en courant pour échapper à un orage, et Lauren l'avait embrassé pour la première fois sous le porche de la bibliothèque où ils avaient trouvé refuge, et lorsqu'il avait senti une main mouillée se poser sur sa nuque, quelque chose s'était libéré dans la poitrine de Sean, quelque chose de crispé qui, jusque-là, l'oppressait. Il avait la voix la plus merveilleuse qu'elle ait jamais entendue, avait-elle affirmé, une voix qui évoquait le whiskey et la fumée d'un feu de bois.

Depuis le départ de Lauren, le rituel était généralement le même : Sean parlait jusqu'au moment où elle décidait de raccrocher. Elle n'avait jamais prononcé un mot, pas une seule fois, lors de tous ces appels qu'il avait reçus – des appels qu'il devinait passés d'aires de repos, de motels et de cabines poussiéreuses le long des routes sans âme, entre ici et la frontière entre le Texas et le Mexique, à l'aller ou au retour. Pourtant, même s'il ne percevait la plupart du temps que le grésillement du silence à l'autre bout de la ligne, il savait sans l'ombre d'un doute que c'était elle. Il le sentait à travers le téléphone. Parfois, il avait même l'impression de humer son parfum.

Les conversations – si tant est que l'on puisse les qualifier ainsi – pouvaient parfois durer une quinzaine de minutes, selon ce qu'il avait à dire, mais ce soir-là, Sean se sentait épuisé, miné par son absence – par l'absence de cette femme qui avait disparu un matin alors qu'elle était enceinte de sept mois –, et infiniment las de ne plus avoir de sentiments que pour elle.

– Je n'en suis pas capable, Lauren. Pas ce soir. Je suis cassé, j'ai mal, et tu t'en fous trop pour me faire entendre ta voix.

Sean laissa encore s'écouler trente secondes dans l'espoir vain qu'elle réponde. Il entendait le sifflement de l'air alors que quelqu'un regonflait un pneu.

– Au revoir, chérie, dit-il d'une voix étranglée, avant de raccrocher.

Il demeura immobile un long moment, à écouter les derniers échos du chuintement de la pompe à air se mêler au silence retentissant qui s'abattait sur la cuisine et accélérait les battements de son cœur.

Cette pensée allait le torturer, il en était quasiment sûr. Peut-être toute la nuit et la journée du lendemain. Peut-être toute la semaine. Il avait enfreint le rituel. Il lui avait raccroché au nez. Et si, au moment où il reposait le combiné, elle avait voulu parler, prononcer son nom ?

Mon Dieu.

Cette image le poussa à se diriger vers la douche, ne serait-ce que pour y échapper, pour ne plus songer à Lauren debout dans cette cabine, la bouche entrouverte, les mots montant dans sa gorge.

Sean, s'apprêtait-elle peut-être à lui annoncer, je rentre.

III

Les Anges du Silence

15

Un gars parfait

Le lundi matin, alors que les amis et connaissances des Marcus commençaient à affluer, Celeste se trouvait à la cuisine en compagnie de sa cousine Annabeth, qui s'activait avec une concentration détachée devant la gazinière, quand Jimmy, tout juste sorti de la douche, vint leur demander s'il pouvait faire quelque chose.

Petites, Celeste et Annabeth étaient comme deux sœurs. Annabeth étant la seule fille dans une famille de garçons, et Celeste, la seule enfant de parents qui ne se supportaient pas, elles avaient pris l'habitude de se voir souvent, et à l'époque du lycée elles se téléphonaient presque tous les soirs. Mais leurs rapports avaient changé de façon presque imperceptible au fil des années, à mesure que s'élargissait le gouffre entre la mère de Celeste et le père d'Annabeth, que leurs relations plutôt cordiales devenaient d'abord glaciales, puis franchement hostiles. Peu à peu, sans qu'aucun événement particulier ne puisse l'expliquer, cet éloignement entre le frère et la sœur avait affecté leurs filles, au point qu'elles ne se rencontraient plus désormais qu'en certaines occasions officielles - mariages, naissances et baptêmes subséquents, parfois à Noël ou à Pâques. C'était l'absence d'un véritable motif de rupture qui minait le plus Celeste, et elle souffrait de ce qu'une amitié apparemment inaltérable autrefois puisse se déliter avec une telle facilité, sans autre raison que le temps, les querelles familiales et les poussées de croissance.

Les choses s'étaient cependant améliorées depuis la mort de sa mère. L'été précédent, Dave et elle avaient rejoint Annabeth et Jimmy pour un barbecue, et à deux reprises pendant l'hiver ils étaient sortis ensemble prendre un verre et dîner. Chaque fois, la conversation s'était révélée plus aisée, et Celeste avait eu l'impression que dix années d'isolement incompréhensible s'effaçaient d'un coup et trouvaient leur nom : Rosemary.

Annabeth avait été là pour sa cousine lorsque Rosemary s'était éteinte. Trois jours d'affilée, elle était arrivée tôt le matin chez Celeste, pour ne repartir qu'à la nuit tombée. Elle s'était occupée des repas, l'avait aidée à prendre les dispositions nécessaires pour l'enterrement et lui avait tenu compagnie tandis que Celeste pleurait une femme qui, si elle ne lui avait jamais manifesté beaucoup d'amour, n'en restait pas moins sa mère.

Aussi Celeste serait-elle là pour elle aujourd'hui, même si, comme la plupart des gens, elle avait du mal à concevoir qu'une personne aussi farouchement indépendante qu'Annabeth puisse avoir besoin de soutien.

Alors, elle restait près de sa cousine, la laissait cuisiner, allait chercher des aliments dans le frigo lorsque Annabeth l'en priait et répondait à la plupart des appels téléphoniques.

Et voilà maintenant que Jimmy, moins de vingt-quatre heures après avoir appris la mort de sa fille, venait demander à sa femme si elle avait besoin de quelque chose. Ses cheveux encore mouillés n'étaient pas peignés, sa chemise humide lui collait à la poitrine. Il était pieds nus, il avait les yeux gonflés par le chagrin et le manque de sommeil, et la première pensée de Celeste en le voyant fut : Mon Dieu, Jimmy, *et toi* ? Est-ce qu'il t'arrive de penser un peu à toi ?

Toutes ces personnes qui se pressaient désormais dans l'appartement – emplissant le salon et la salle à manger, déambulant dans le couloir près de l'entrée, entassant leurs manteaux sur les lits dans la chambre de Sara et de Nadine – semblaient compter sur Jimmy, comme s'il ne leur venait pas à l'esprit qu'il puisse avoir envie de compter sur eux. Comme si lui seul pouvait leur expliquer cette farce brutale, apaiser leur angoisse, les soutenir une fois le premier moment de choc passé, quand leurs corps se relâcheraient sous les assauts de la douleur. Il émanait de lui une aura d'autorité naturelle, au point que Celeste se demandait souvent s'il en avait conscience, s'il prenait toute la mesure du fardeau qu'elle devait représenter, surtout en des moments tels que celui-ci.

– Comment ? lança Annabeth, les yeux fixés sur le bacon qui grésillait dans la poêle noire devant elle.

– Tu as besoin de quelque chose ? répéta Jimmy. Je peux te remplacer un moment, si tu veux.

Annabeth esquissa un pauvre sourire fugace avant de faire non de la tête.

– Non, ça va.

Jimmy regarda Celeste comme pour demander : « C'est vrai ? »

– On s'en sort, Jim.

Lorsque celui-ci se tourna de nouveau vers sa femme, Celeste lut dans son regard la douleur la plus sincère, la plus tendre. Il lui sembla alors qu'un autre fragment en forme de larme se détachait du cœur de Jimmy et tombait à l'intérieur de sa poitrine. Il se pencha, tendit la main par-dessus la cuisinière et essuya avec son index une goutte de sueur sur la pommette d'Annabeth, qui dit dans un souffle :

– Ne fais pas ça.

– Regarde-moi, chuchota-t-il.

Celeste songea qu'elle devrait quitter la cuisine, mais elle avait peur que son départ ne brise quelque chose entre sa cousine et Jimmy, quelque chose d'infiniment fragile.

– Je ne peux pas, répondit Annabeth. Si je te regarde, Jimmy, je vais m'effondrer, et je ne peux pas me le permettre avec tous ces gens chez nous. S'il te plaît, Jimmy.

Il s'écarta de la cuisinière.

– D'accord, ma chérie. D'accord.

Tête basse, Annabeth murmura :

– Je ne veux plus m'effondrer, c'est tout.

– Je comprends.

Pendant quelques instants, Celeste eut l'impression qu'ils se tenaient nus devant elle, qu'elle assistait à un échange entre un homme et sa femme au moins aussi intime que s'ils faisaient l'amour.

Et puis, la porte à l'autre bout du couloir s'ouvrit, et Theo, le père d'Annabeth, apparut avec une caisse de bières sur chaque épaule. C'était une sorte de géant rougeaud style gros nounours, tout en bajoues, qui se mouvait avec une grâce étonnante digne d'un danseur alors même qu'il se frayait un passage dans le corridor étroit avec ces énormes caisses sur ses épaules de déménageur. Celeste était toujours un peu surprise à l'idée que cette montagne humaine ait pu engendrer autant d'avortons mâles – Kevin et Chuck étant les deux seuls de ses fils à posséder une stature approchante, et Annabeth la seule de ses enfants à avoir hérité de sa grâce physique.

– Attention derrière toi, Jim, lança-t-il, et Jimmy se poussa tandis que son beau-père le contournait délicatement pour entrer dans la cuisine.

Après avoir effleuré la joue de Celeste d'un baiser et d'un « Ça va, ma grande ? », il plaça les deux caisses sur la table, puis enlaça sa fille et posa le menton sur son épaule.

– Tu tiens le coup, ma puce ?

– J'essaie, papa, répondit Annabeth.

Il l'embrassa dans le cou, comme pour dire « T'es bien ma fille », avant de s'adresser à Jimmy.

– Faudrait mettre la bière au frais.

Tandis que les deux hommes remplissaient les glacières entreposées près du cellier, Celeste déballa les plats apportés par la famille et les amis de bonne heure le matin même. Il y en avait une quantité impressionnante : pain irlandais à la levure chimique, tartes, croissants, muffins, pâtisseries diverses, trois salades de pommes de terre. Et aussi des sacs entiers de petits pains ronds, des assiettes de charcuterie, des boulettes de viande à la suédoise dans un énorme faitout, deux jambons cuits et une grosse dinde recouverte de papier aluminium froissé. Rien n'obligeait vraiment Annabeth à cuisiner, tout le monde le savait, mais tout le monde comprenait : elle en avait besoin. Alors, elle fit cuire du bacon, des chapelets de saucisses et deux pleines poêles d'œufs brouillés, que Celeste emporta sur une table repoussée contre le mur de la salle à manger en se demandant si cette nourriture constituait une possible source de réconfort pour les proches des défunts, qui espéraient peut-être ainsi dévorer leur chagrin, s'en gaver, le noyer sous les Coca, l'alcool, le café et le thé jusqu'à ce que tout le monde se sente repu et somnolent. Il en allait toujours de même dans les réunions tristes – les veillées funéraires, les enterrements, les services commémoratifs et les occasions telles que celle-ci. On mangeait, on buvait et on parlait jusqu'à ne plus pouvoir ni manger, ni boire, ni parler.

Soudain, elle aperçut Dave au milieu de la foule dans le salon. Il était assis sur un canapé près de Kevin Savage, et si tous deux bavardaient, aucun n'avait l'air particulièrement à l'aise ou animé ; ils se tenaient en outre tellement penchés en avant qu'ils donnaient l'impression de faire un concours pour voir qui tomberait le premier. Celeste éprouva alors une vague pitié pour son mari, pour cette impression d'isolement presque imperceptible, mais durable, qu'il dégageait parfois, surtout parmi ces gens-là. Tous ici le connaissaient. Tous savaient ce qui lui était arrivé quand il était petit, et même s'ils s'efforçaient de ne pas en tenir compte, de ne pas le juger (et ils en étaient certainement capables), Dave ne parvenait jamais à se sentir complètement détendu au milieu de ces personnes qui n'ignoraient rien de sa vie. Chaque fois que Celeste et lui sortaient avec des collègues ou des amis qui n'habitaient pas le quartier, Dave était décontracté, sûr de lui, prompt à lancer une remarque amusante ou à faire une observation originale, se montrant aussi sociable qu'on pouvait l'être. (D'ailleurs, toutes ses copines du salon de coiffure, ainsi que leurs maris, l'adoraient.) Mais ici, au sein de cet environnement où il avait grandi et planté ses racines, il avait toujours l'air en retard d'un wagon dans les conversations, toujours l'air de rester à la traîne par rapport aux autres, d'être le dernier à comprendre une plaisanterie.

Celeste tenta d'accrocher son regard et de lui sourire pour lui rappeler qu'il n'était pas tout seul, qu'elle se trouvait là avec lui. Mais un petit groupe s'avança vers la voûte qui séparait la salle à manger du salon, et elle le perdit de vue.

C'est en général au milieu de la foule que l'on prend brusquement conscience de ne pas beaucoup voir la personne qu'on aime et dont on partage l'existence, de ne pas passer suffisamment de bons moments avec elle. Celeste n'avait pas vu beaucoup Dave cette semaine-là, en dehors de la scène du samedi dans la cuisine après l'agression dont il avait été victime. Et elle l'avait à peine vu depuis que Theo Savage avait appelé, la veille à six heures, pour dire :

— Bonjour, ma chérie. J'ai une mauvaise nouvelle à t'annoncer. Katie est morte.

La première réaction de Celeste avait été de nier.

— Mais non. Qu'est-ce que tu racontes ?

— Désolée, ma puce. Ça me fend le cœur, crois-moi, mais c'est vrai. La pauvre petite a été assassinée.

— Quoi ?

— Dans Pen Park.

Celeste avait tourné la tête vers le téléviseur sur le comptoir, vers les images en direct diffusées aux informations de six heures, montrant un plan aérien des policiers massés près de l'écran du drive-in tandis que les journalistes confirmaient que le corps sans vie d'une jeune femme dont ils ignoraient toujours l'identité avait été retrouvé.

Pas Katie. Non.

Celeste avait répondu à Theo qu'elle partait sur-le-champ chez Annabeth, et elle n'en avait pas bougé depuis ce coup de téléphone, sauf entre trois et six heures du matin, où elle était rentrée le temps d'une courte sieste.

Et pourtant, elle n'arrivait toujours pas à le croire. Même après toutes les larmes qu'elle avait versées avec Annabeth, Nadine et Sara. Même après avoir serré pendant cinq bonnes minutes sa cousine effondrée par terre dans le salon et secouée de spasmes violents. Même après avoir découvert Jimmy dans le noir au milieu de la chambre de Katie, l'oreiller de sa fille pressé contre le visage. Il ne pleurait pas, ni ne parlait tout seul, ni ne faisait aucun bruit. Il se contentait de rester immobile avec cet oreiller contre la figure, respirant l'odeur des cheveux et des joues de Katie, encore et encore. Inhalant, exhalant. Inhalant, exhalant...

Malgré tout cela, Celeste ne parvenait pas à concevoir l'inconcevable. Il lui semblait que Katie allait franchir à tout moment la porte d'entrée, débouler dans la cuisine et chiper un petit morceau de bacon grillé dans l'assiette sur la cuisinière. Elle ne pouvait pas être morte. Ce n'était pas possible.

Ne serait-ce qu'en raison de cette pensée, cette pensée insensée logée dans un recoin tout au fond du cerveau de Celeste, qui lui était venue en découvrant la voiture de Katie au journal télévisé, l'amenant à se dire : sang = Dave.

Dave, dont elle sentait maintenant la présence de l'autre côté de la foule dans le salon. Dont elle sentait la solitude aussi. C'était un homme bon, elle le savait. Imparfait, mais bon. Elle l'aimait, et puisqu'elle l'aimait, c'était donc qu'il était bon, et puisqu'il était bon, le sang dans la voiture de Katie n'avait rien à voir avec le sang qu'elle avait nettoyé sur ses vêtements le samedi soir. Donc, Katie devait toujours être vivante. Forcément. Car toutes les autres éventualités étaient trop horribles à envisager.

Et insensées. Totalement insensées, se répéta-t-elle en retournant chercher des plats dans la cuisine.

Elle faillit presque heurter Jimmy et Theo qui traînaient une énorme glacière dans le couloir, et Theo s'écarta à la dernière seconde en lançant :

– Y a intérêt à la surveiller, cette petite. C'est une vraie fusée.

Celeste sourit avec modestie, comme il seyait aux femmes dans l'esprit de l'oncle Theo, tout en luttant de son mieux contre la sensation qu'elle éprouvait toujours quand il la regardait, et ce depuis qu'elle avait douze ans – celle que ses yeux s'attardaient sur elle un tout petit peu plus longtemps que nécessaire.

Lorsqu'ils s'éloignèrent avec la glacière, Celeste fut frappée par l'étrangeté du duo qu'ils formaient : Theo, rougeaud, la silhouette et la voix énormes ; Jimmy, blond et silencieux, le corps tellement dépourvu de graisse et de toute trace d'excès qu'il paraissait toujours revenir d'un camp d'entraînement militaire. Les gens massés près de l'entrée s'écartèrent pour les laisser tirer la glacière vers la table contre le mur de la salle à manger, et Celeste remarqua que tous se retournaient pour les regarder la placer sous le plateau, comme si le fardeau entre eux n'était pas cette grosse glacière de plastique rouge mais l'enfant que Jimmy allait enterrer cette semaine, cette enfant qui les avait tous réunis aujourd'hui pour manger et voir s'ils avaient le courage de prononcer son nom.

En les observant qui disposaient les glacières côte à côte, puis se frayaient un passage parmi les groupes dans la salle à manger et le salon – Jimmy sur la réserve, ce qui était à fait compréhensible, mais prenant néanmoins le temps de s'arrêter pour remercier les uns et les autres avec une gentillesse digne et une poignée de main chaleureuse, et Theo égal à lui-même dans le genre force de la nature explosive –, plusieurs personnes firent remarquer combien ils semblaient s'être rapprochés au fil des années, comme en témoignait la façon dont ils se mouvaient dans la pièce tel un véritable tandem père-fils.

Ce qui paraissait tout à fait impossible à l'époque où Jimmy avait épousé Annabeth. En ce temps-là, Theo n'avait pas la réputation d'être particulièrement sociable. Il aimait surtout la bouteille et la bagarre, et il complétait ses revenus de dispatcher pour une société de taxis en jouant les videurs pour des bars mal famés – un boulot qu'il prenait très à cœur. Il était plutôt avenant, prompt à s'esclaffer, mais il y avait toujours une sorte de défi dans ses poignées de main cordiales, une menace à peine voilée dans ses gros rires.

Jimmy, en revanche, observait un comportement discret et sérieux depuis son retour de Deer Island. Il se montrait amical, tout en maintenant cependant une certaine distance, et lors des réunions, il avait tendance à demeurer en retrait. C'était le genre d'homme qui, lorsqu'il prenait la parole, obtenait une attention immédiate. Car il le faisait tellement rarement qu'on se demandait toujours, non sans nervosité, ce qui allait s'échapper de ses lèvres, et à quel moment.

Theo était divertissant, sans être particulièrement sympathique. Jimmy était sympathique, sans être particulièrement divertissant. La dernière chose à laquelle on pouvait s'attendre, c'était que ces deux-là deviennent amis. Mais tels ils étaient aujourd'hui, Theo ne perdant pas de vue le dos de Jimmy, comme s'il se préparait à tendre la main pour l'empêcher de s'effondrer, Jimmy s'immobilisant de temps à autre pour glisser quelque chose à l'oreille énorme de Theo alors que tous deux circulaient au milieu de la foule. « Les meilleurs amis du monde, disaient les gens. C'est ce qu'ils ont l'air d'être, les meilleurs amis du monde. »

Comme midi approchait – en fait, il n'était encore que onze heures, mais quelque part dans le monde il était midi –, la plupart des gens arrivant chez les Marcus apportaient désormais de l'alcool plutôt que du café, et de la viande plutôt que des gâteaux. Une fois le frigo plein, Jimmy et Theo Savage allèrent chercher d'autres glacières, ainsi que de la glace, dans l'appartement du dessus, que Val partageait avec Chuck, Kevin et la femme de Nick, Elaine – une créature toujours vêtue de noir, peut-être parce qu'elle se considérait comme veuve jusqu'à la libération de Nick, ou peut-être parce qu'elle aimait le noir, tout simplement.

Theo et Jimmy dénichèrent deux glacières dans le cellier, à côté du sèche-linge, et plusieurs sacs de glace dans le freezer. Ils en remplirent les glacières, jetèrent les sacs à la poubelle et retraversaient la cuisine lorsque Theo lança :

– Hé, attends, Jim.

Celui-ci se tourna vers son beau-père.

De la tête, Theo indiqua un siège.

– Assieds-toi.

Jimmy s'exécuta. Il plaça son chargement près de la chaise, s'assit et attendit que Theo lui dise ce qu'il avait à dire. Theo Savage avait élevé sept gosses dans ce même appartement, un petit quatre-pièces avec des sols inclinés et des canalisations bruyantes. Ce qui signifiait, avait-il confié

205

un jour à son gendre, qu'il n'avait plus à s'excuser de rien envers personne pour le restant de ses jours. « Sept mômes, avait-il déclaré, et même pas deux ans d'écart entre eux, qui passaient leur temps à brailler dans cet appart' de merde. Les gens, y sont toujours à te bassiner avec les joies de la paternité, pas vrai ? Ben moi, quand je revenais du boulot et qu'y avait ce raffut de tous les diables, j'avais envie de leur répondre : " Ah ouais ? Je voudrais bien vous y voir ! " Oh, c'est pas qu'y avait pas de bons moments. Mais j'ai eu un sacré paquet de migraines, crois-moi. Des tonnes. »

Annabeth avait cependant raconté à son mari que pour éviter ces maux de tête, Theo avait pris l'habitude de ne rentrer la maison que le temps de dîner avant de ressortir. Quant à Theo, il avait lui-même avoué à Jimmy ne jamais s'être trop embarrassé de questions d'éducation. Il n'avait eu pratiquement que des garçons, et dans son optique, les garçons ne posaient pas de difficultés particulières : il suffisait de les nourrir, de leur apprendre à se battre et à jouer au ballon, et c'était à peu près tout. S'ils voulaient se faire dorloter, leur mère était là pour ça ; quand ils allaient trouver leur paternel, c'était en général parce qu'ils avaient besoin d'argent pour une voiture ou de quelqu'un pour payer une caution. C'étaient les filles qu'on gâtait, avait-il ajouté.

– Ah oui ? C'est vraiment le mot qu'il a employé ? avait demandé Annabeth lorsque Jimmy lui avait relaté la conversation.

Jimmy se serait soucié comme d'une guigne de savoir quel genre de père avait été Theo si celui-ci ne saisissait pas la moindre occasion de souligner les failles de sa fille et de son gendre en tant que parents, lâchant avec un sourire que sans vouloir les offenser, surtout, il ne laisserait jamais un gosse se conduire de la sorte.

La plupart du temps, Jimmy se contentait d'acquiescer, de le remercier pour ses conseils, et de les ignorer.

À présent, il décelait une expression familière de vieux sage dans les yeux de Theo, qui s'installa sur la chaise en face de lui, avant de contempler le sol et d'esquisser un sourire triste en écoutant le bruit de pas et de voix dans l'appartement d'en dessous.

– C'est un peu comme si on voyait la famille et les amis qu'aux mariages et aux veillées funèbres, commença-t-il. Pas vrai, Jim ?

– T'as raison, répondit Jimmy, qui se battait depuis quatre heures la veille avec le sentiment qu'une partie de lui s'était séparée de son corps et tournoyait frénétiquement dans l'air en essayant de le réintégrer avant qu'il ne soit trop tard, avant de s'épuiser et de tomber telle une pierre dans les entrailles sombres de la terre.

Theo posa les mains sur ses genoux, puis regarda Jimmy jusqu'à ce que celui-ci relève la tête pour le regarder à son tour.

– Tu tiens le coup, Jim ?

Celui-ci haussa les épaules.

– Je crois que j'ai pas encore complètement réalisé.

– Quand ce sera le cas, tu vas avoir mal à en crever.

– Je m'en doute.

– À en crever, ouais. Je peux te le garantir.

De nouveau, Jimmy haussa les épaules, conscient du bouillonnement d'émotion – était-ce de la colère ? – qui naissait au creux de son estomac. C'était bien la dernière chose dont il avait besoin en ce moment : le petit laïus personnel de Theo Savage sur la souffrance. Merde.

Son beau-père se pencha en avant.

– Quand ma Janey est morte – paix à son âme, Jim –, je suis resté une loque pendant six mois. Elle était là, belle comme tout, et du jour au lendemain, elle avait disparu. (Il fit claquer ses gros doigts.) Dieu y a gagné un ange, et moi, j'ai perdu une sainte. Heureusement que les gamins étaient déjà grands, à c't'époque. Je veux dire, je pouvais *me permettre* de péter les plombs pendant six mois. Je pouvais m'offrir ce luxe. Mais toi, tu peux pas.

Quand Theo s'adossa de nouveau à sa chaise, Jimmy éprouva encore une fois ce bouillonnement d'émotion. Janey Savage était morte dix ans plus tôt, et son mari s'était consolé avec la bouteille pendant bien plus que six mois. Au moins deux ans, en vérité. Cette bouteille-là avait été sa maîtresse presque tout sa vie, et il n'avait fait qu'officialiser la relation après le décès de sa femme. Lorsque Janey était vivante, il lui accordait à peu près autant d'attention qu'à un vieux bout de pain rassis.

Jimmy tolérait Theo parce qu'il n'avait pas le choix ; c'était le père de sa femme, après tout. Vus de l'extérieur, ils donnaient sans doute l'impression d'être amis. Et peut-être Theo s'imaginait-il qu'ils l'étaient. De plus, avec les années, Theo s'était bonifié au point de manifester ouvertement son amour pour sa fille et de gâter à outrance ses petits-enfants. Mais c'était une chose de ne pas juger un homme pour ses erreurs passées. C'en était une autre d'accepter ses conseils.

– Tu vois ce que je veux dire ? reprit Theo. Tâche de pas *te complaire* dans ton chagrin, Jim, de pas le laisser empiéter sur tes responsabilités familiales.

– Mes responsabilités familiales, hein ?

– Tout juste. Faut que tu t'occupes de ma fille, tu comprends, et aussi des petites. À partir de maintenant, t'as pas d'autre priorité qu'elles.

– Mmm... Tu penses vraiment que j'allais oublier, Theo ?

– J'ai pas dit que t'allais le faire. J'ai dit que c'était une possibilité. C'est tout.

Les yeux rivés sur la rotule gauche de son beau-père, Jimmy l'imagina en train d'exploser dans un petit nuage rouge.

– Theo ?

– Oui, Jim.

En esprit, Jimmy fit subir le même sort à la seconde rotule, puis se concentra sur les coudes de Theo.

– Tu crois pas qu'on aurait pu attendre un peu pour avoir cette conversation ?

– Y a jamais de meilleur moment que le moment présent, répondit Theo.

Le gros rire qui ponctua cette remarque résonna cependant comme une mise en garde.

– Demain, par exemple, reprit Jimmy, dont le regard remonta des coudes de Theo à ses yeux. Je veux dire, demain, ç'aurait été aussi bien. Non, Theo ?

– T'as entendu ce que j'ai dit sur le présent, Jimmy ? (L'exaspération gagnait Theo. En géant au tempérament violent, Theo effrayait certaines personnes, mais il s'était habitué à voir la peur sur les visages dans la rue au point de la confondre avec une expression de respect.) Hé, comme je considère les choses, y a pas de bon moment pour avoir cette conversation, de toute façon. T'es pas d'accord ? Alors, j'ai pensé qu'y valait mieux en finir tout de suite. Le plus vite possible.

– Bien sûr, répliqua Jimmy. Au fond, y a jamais de meilleur moment que le moment présent, hein ?

– C'est vrai. T'es un brave petit. (Theo tapota le genou de son gendre, puis se redressa.) Tu t'en remettras, Jimmy. La vie continue. T'auras toujours la douleur en toi, mais t'iras de l'avant. Parce que t'es un homme. Tu sais, le jour de votre mariage, j'ai dit à Annabeth : « Ma chérie, t'es tombée sur un homme comme on en fait plus. Le gars parfait. Un vrai champion. Un type qui... »

– Comme s'ils l'avaient mise dans un sac, l'interrompit Jimmy.

– Quoi ? lança Theo, déconcerté, en baissant les yeux vers lui.

– C'est l'impression que j'ai eue en voyant Katie quand je suis allé l'identifier à la morgue hier soir. Comme si quelqu'un l'avait mise dans un sac avant de taper dessus à coups de barre de fer.

– Euh, O.K., mais...

– On pouvait même pas dire de quelle race elle était, Theo. Elle aurait pu être noire, elle aurait pu être portoricaine comme sa mère. Elle aurait pu être arabe. Mais elle avait certainement pas l'air d'une Blanche. (Jimmy s'absorba dans la contemplation de ses mains, serrées entre ses genoux, et remarqua soudain les taches sur le sol, une traînée brune près de son pied gauche, une autre moutarde sous la table.) Janey est morte dans son sommeil, Theo. Malgré tout le respect que je te dois, c'est comme ça. Elle s'est couchée un soir, et elle s'est plus jamais réveillée. C'est ce qu'on peut appeler une fin paisible.

– T'as pas besoin de parler de Janey, Jim.

– Mais ma fille, Theo ? Elle a été assassinée. Ça fait une petite différence.

Pendant quelques instants, la cuisine resta silencieuse – vibrante de silence, à vrai dire, à la façon dont peut l'être une pièce quand l'appartement du dessous grouille de monde –, et Jimmy se demanda si son beau-père serait assez bête pour continuer sur sa lancée. Vas-y, Theo, lâche une connerie, songea-t-il. Dans l'état où je suis, j'attends qu'un prétexte pour libérer tout ce bouillonnement en moi.

– Écoute, reprit Theo, je comprends. (Il s'interrompit, et Jimmy laissa échapper un soupir par les narines.) Sincèrement. Mais bon sang, Jim, c'est pas la peine que tu...

– Quoi ? C'est pas la peine que je *quoi*, Theo ? Quelqu'un a appuyé un flingue sur la nuque de ma fille, lui a fait sauter le crâne, et toi, tu veux t'assurer que je gère mes priorités malgré mon chagrin ? C'est bien ça, le message ? Tu te prends pour qui, hein ? Tu veux jouer les putains de patriarche ?

Theo fixa du regard ses chaussures, respirant bruyamment par le nez, serrant et desserrant les poings.

– Je pense pas mériter ça, dit-il enfin.

Jimmy se leva, repoussa la chaise contre la table de la cuisine, souleva une glacière, puis tourna la tête vers la porte.

– On peut y retourner, maintenant ?

– D'accord, répondit son beau-père. (Il abandonna le siège où il était, avant de soulever la seconde glacière.) O.K., O.K., c'était pas une bonne idée de vouloir te parler ce matin. T'es pas encore prêt. Mais...

– Theo ? Laisse tomber. Tais-toi, c'est tout. O.K. ?

Chargé de la glacière, Jimmy se dirigea vers l'escalier. Il se demanda s'il avait blessé son beau-père, avant de décider qu'il n'en avait rien à cirer. Qu'il aille se faire foutre. En ce moment même, les médecins se préparaient à autopsier le corps de Katie. Lui, il avait encore l'impression de sentir son odeur de bébé, mais là-bas, à la morgue, ils disposaient déjà sur une table métallique leurs scalpels, leurs écarteurs et leurs scies.

Plus tard, alors que les gens commençaient à partir, Jimmy descendit dans la cour derrière l'immeuble et s'assit sous les vêtements étendus sur les cordes à linge depuis le samedi après-midi. Il prit place dans la chaleur du soleil, sous une salopette en denim appartenant à Nadine et qui lui ébouriffait les cheveux. Annabeth et les filles avaient pleuré toute la nuit, rempli l'appartement de leurs sanglots, et Jimmy s'était dit qu'il risquait lui aussi de fondre en larmes d'un moment à l'autre. Mais il ne l'avait pas fait. Il avait hurlé dans le parc en découvrant sur le visage de Sean Devine que sa fille était morte. Il avait hurlé jusqu'à se briser la voix. Mais en dehors de cela, il n'avait rien pu éprouver. À présent, installé dehors, il attendait que viennent les pleurs.

Il se tortura avec des images de Katie bébé, Katie de l'autre côté de cette vieille table abîmée à Deer Island, Katie sanglotant dans ses bras jusqu'à s'endormir, six mois après qu'il fut sorti de prison, lui demandant quand sa maman allait revenir. Il revit la petit Katie rire aux éclats dans la baignoire et Katie à huit ans revenir de l'école en vélo. Il revit Katie sourire, Katie faire la moue et Katie crisper son visage de colère, puis de confusion tandis que lui-même essayait de l'aider à calculer une longue division sur la table de la cuisine. Il revit Katie plus âgée, assise sur la balancelle avec Diane et Eve, paressant lors d'une journée d'été, toutes trois rendues gauches par la pré-adolescence, les soutiens-gorges, leurs jambes qui grandissaient trop vite. Il revit Katie étendue à plat ventre sur son lit, chahutant avec Sara et Nadine. Il la revit dans sa robe le soir du bal du lycée. Il la revit le premier jour où il lui avait appris à conduire, assise à côté de lui dans sa Grand Marquis, le menton tremblant alors qu'elle démarrait pour s'écarter du trottoir. Il la revit adolescente, criant et tempêtant, et pourtant, ces souvenirs-là lui paraissaient presque plus attachants que les images d'elle radieuse ou attendrissante.

Jimmy n'arrêtait pas de la revoir, et pourtant, il ne pleurait toujours pas.

Ça viendra, chuchota une voix calme en lui. Pour le moment, tu es encore en état de choc.

Mais c'est en train de passer, répondit-il à la voix dans sa tête. Depuis que Theo a commencé à m'emmerder.

Après, tu vas ressentir quelque chose.

Je ressens déjà quelque chose.

C'est le chagrin, reprit la voix. C'est la douleur.

Ce n'est pas du chagrin. Ce n'est pas de la douleur. C'est de la rage.

Tu en éprouveras aussi. Mais tu la surmonteras.

Je n'ai aucune envie de la surmonter.

16

Content de te revoir, moi aussi

Dave ramenait Michael de l'école lorsque, au détour d'un virage, il aperçut Sean Devine et un autre type appuyés contre la carrosserie d'une berline noire garée devant chez les Boyle. La voiture était équipée de plaques du gouvernement et de suffisamment d'antennes attachées au coffre pour assurer des transmissions jusqu'à Vénus, et un seul coup d'œil au compagnon de Sean, malgré les quinze mètres qui les séparaient, suffit à Dave pour déterminer qu'il était flic, lui aussi. Il avait cette façon caractéristique de relever le menton et de se tenir en appui sur ses talons tout en ayant l'air prêt à s'élancer. Sans compter que la coupe en brosse sur un homme d'environ quarante-cinq ans, plus les lunettes d'aviateur cerclées d'or, permettaient de l'identifier à coup sûr.

Serrant plus fort la main de son fils, Dave eut l'impression que la lame d'un couteau plongé dans l'eau glacée lui transperçait la poitrine. Il faillit s'arrêter, ses pieds tentèrent de s'immobiliser sur le trottoir, mais une force plus puissante que sa volonté le poussait à avancer, et il espéra de tout cœur que ses mouvements avaient l'air normaux, fluides. Sean tourna la tête dans sa direction, le regard indifférent au début, puis s'animant soudain quand il croisa celui de Dave.

Les deux hommes sourirent en même temps – Dave à pleine puissance, Sean sans retenue particulière non plus –, et Dave fut surpris de voir ce qui ressemblait à une expression de plaisir sincère sur le visage de Sean.

– Dave Boyle, lança Sean en s'avançant vers lui, la main tendue. Ça fait combien de temps ?

Dave lui serra la main, puis éprouva un autre tressaillement de surprise lorsque Sean lui assena une bonne bourrade sur l'épaule.

– Depuis ce soir-là au Tap, non ? répondit Sean. Il y a quoi, six ans ?

– Mouais, à peu près. T'as l'air en forme, vieux.

– Et toi ? Qu'est-ce que tu deviens ?

Au moment où il posait la question, Dave eut conscience d'une sensation de chaleur dans tout son corps, que son cerveau lui dicta de refouler au plus vite.

211

Mais pourquoi ? Ils étaient si peu nombreux désormais, parmi ceux de son époque, à vivre encore ici. Et il n'y avait pas que les vieux poncifs – prison, drogues, forces de police – qui expliquaient leur départ. La banlieue avait absorbé pas mal de gens de leur âge, et d'autres États aussi, à cause de ce désir de devenir comme tout le monde, de former un grand pays de golfeurs, de clients des galeries marchandes, de dirigeants d'entreprise avec des épouses blondes et des écrans de télé grand format.

Non, ils n'étaient plus très nombreux, et Dave ressentit un mélange de fierté, de joie et de chagrin étrange en serrant la main de Sean, au souvenir de ce jour où dans le métro Jimmy avait sauté sur les rails, et de ces samedis-là, qui semblaient proclamer alors : « Tout est possible. »

– Ça va, répondit Sean. (Il paraissait sincère, et pourtant, Dave crut voir vaciller son sourire.) Et qui est ce bonhomme ? ajouta-t-il en se penchant vers Michael.

– Mon fils, déclara Dave. Michael.

– Salut, Michael. Ravi de te connaître.

– Salut.

– Je m'appelle Sean, et je suis un vieux, très vieux copain de ton papa.

À ces mots, une lueur brilla dans le regard de Michael. Sean possédait une voix remarquable, semblable à celle des bandes-annonces de films, et le visage de Michael s'éclaira aussitôt ; peut-être se racontait-il déjà l'histoire de son père et de cet inconnu grand et sûr de lui qui, quand ils étaient gosses, jouaient dans ces mêmes rues et avaient les mêmes rêves d'avenir que lui et ses amis aujourd'hui.

– Ravi de vous connaître, répéta Michael.

– Tout le plaisir est pour moi. (Sean serra la main de l'enfant, puis se redressa.) T'as un beau petit garçon, Dave. Comment va Celeste ?

– Bien, bien, répondit Dave en s'efforçant de se remémorer le nom de la femme que Sean avait épousée, mais se rappelant seulement qu'ils s'étaient rencontrés à la fac. Laura ? Erin ?

– Tu lui diras bonjour de ma part, d'accord ?

– Entendu. Alors, toujours dans les forces d'État ?

Dave plissa les yeux au moment où le soleil émergeait de derrière un nuage et se reflétait sur le coffre noir lustré de la berline.

– Mouais. À propos, je te présente le sergent Powers, Dave. Mon patron. De la brigade criminelle.

Les deux hommes échangèrent une poignée de main, tandis que le dernier mot semblait résonner dans l'air entre eux. Criminelle.

– Comment allez-vous ?

– Bien, monsieur Boyle. Et vous ?

– Ça va.

– T'aurais une minute, Dave ? demanda Sean. On aimerait te poser deux ou trois questions.

– Euh, oui. Qu'est-ce qui se passe ?

– Est-ce qu'on pourrait monter chez vous, monsieur Boyle ? lança le sergent Powers en inclinant la tête en direction de l'immeuble de Dave.

– D'accord, pas de problème. (Dave prit de nouveau Michael par la main.) Suivez-moi, les gars.

Alors qu'ils se dirigeaient vers l'escalier, Sean déclara, en passant devant l'appartement de McAllister :

– J'ai entendu dire que les loyers augmentaient même ici.

– Même ici, oui, confirma Dave. À ce train-là, on va bientôt devenir comme le Point, avec un magasin d'antiquités à chaque coin de rue.

– M'en parle pas ! s'exclama Sean en riant. Tu te souviens de la maison de mes parents ? Ils l'ont divisée en appartements de luxe.

– Sérieux ? répliqua Dave. Mince, c'était une sacrée belle baraque.

– Évidemment, mon père a vendu avant que les prix flambent.

– Et maintenant, ce sont des apparts ? reprit Dave, dont la voix résonna dans la cage d'escalier étroite. (Il remua la tête.) Les yuppies qui ont acheté ont sûrement payé par unité l'équivalent de ce que la vente a rapporté à ton paternel...

– Sûrement, oui, répondit Sean. Mais qu'est-ce qu'on peut y faire, hein ?

– Sais pas, mais il doit y avoir moyen de les arrêter. De les renvoyer d'où ils viennent, eux et leurs foutus téléphones portables. Tu sais ce que m'a dit un copain l'autre jour, Sean ? « Ce qu'y faudrait à ce quartier de merde, c'est une bonne petite vague de criminalité. » Je cite. (Dave éclata de rire.) Au moins, ça ramènerait les prix de l'immobilier à la normale. Les loyers aussi. Non ?

– Si des gamines continuent à se faire assassiner dans Pen Park, monsieur Boyle, intervint le sergent Powers, vous n'allez pas tarder à voir votre vœu se réaliser.

– Oh, ce n'est pas ce que je souhaite, protesta Dave.

– Je m'en doute, répliqua Whitey.

– T'as dit un gros mot, Pa, lança Michael d'un ton réprobateur.

– Désolé, Mike. Je ne recommencerai plus.

Par-dessus son épaule, Dave adressa un clin d'œil à Sean avant d'ouvrir la porte de son appartement.

– Votre femme est à la maison ? demanda le sergent Powers en entrant.

– Hein ? Euh, non. Non, elle n'est pas là. Hé, Mike, occupe-toi de tes devoirs, d'accord ? Il va bientôt falloir qu'on aille chez oncle Jimmy et tante Annabeth.

– Oh, non. Je...

– Mike ? (Dave baissa les yeux vers son fils.) Monte dans ta chambre. Ces messieurs et moi, on doit parler.

Son fils prit cet air désolé qui vient aux enfants quand ils sont exclus des conversations adultes, et il s'éloigna en direction de l'escalier, les épaules voûtées, traînant les pieds comme s'il avait des blocs de glace attachés aux chevilles. Puis, soupirant à la manière de sa mère, il gravit lentement les marches.

– Ça doit être universel, commenta le sergent Powers en s'asseyant sur le canapé du salon.

– Quoi ?

– Ce truc qu'il fait avec ses épaules. À son âge, mon gamin avait exactement la même attitude chaque fois qu'on l'envoyait au lit.

– Ah oui ? lança Dave, qui s'installa dans le fauteuil de l'autre côté de la table basse.

Pendant une bonne minute, les trois hommes s'entre-regardèrent, les sourcils haussés, dans l'expectative.

– T'as appris ce qui est arrivé à Katie Marcus ? demanda enfin Sean.

– Bien sûr, répondit Dave. J'étais chez eux ce matin. Celeste y est encore. Nom de Dieu, Sean... Je veux dire, c'est l'horreur.

– Aucun doute, approuva le sergent Powers.

– Vous avez coincé le meurtrier ? s'enquit Dave.

Il massait machinalement sa main droite enflée avec sa paume gauche lorsqu'il se rendit soudain compte de son geste. S'efforçant de paraître le plus détendu possible, il glissa les deux mains dans ses poches.

– On y travaille, répondit le sergent. Vous pouvez nous croire, monsieur Boyle.

– Comment réagit Jimmy ? interrogea Sean.

– Difficile à dire. (Dave se tourna vers Sean, heureux de détacher son regard de celui du sergent, qu'il trouvait déplaisant, comme si le policier essayait de le sonder jusqu'au fond de son âme, de découvrir tous les mensonges qu'il avait pu raconter dans toute sa foutue vie – tous, jusqu'au premier.) Tu connais Jimmy, ajouta-t-il.

– Pas vraiment. Plus maintenant.

– Eh bien, il garde toujours tout pour lui, expliqua Dave. Il n'y a aucun moyen de savoir ce qui se passe dans sa tête.

Sean acquiesça.

– En fait, Dave, on est venus...

– Je l'ai vue, l'interrompit Dave. J'ignore si vous êtes au courant.

De nouveau, il se concentra sur Sean, qui ouvrit les mains, attendant la suite.

– Ce soir-là, reprit Dave. Le soir où elle est morte, j'imagine, je l'ai vue au McGills.

Les deux policiers échangèrent un coup d'œil, puis Sean se pencha en avant, fixant Dave d'un regard amical.

– À vrai dire, Dave, c'est ce qui nous amène aujourd'hui. Ton nom est apparu sur la liste des clients qui étaient au McGills samedi soir – du moins, dans la mesure où le barman s'en souvient. D'après ce qu'on a compris, Katie s'est donnée en spectacle.

Dave opina.

– Avec une de ses copines, elles ont dansé sur le comptoir.

– Elles avaient pas mal picolé, hein ? fit le sergent Powers.

– Oui, mais...

– Mais quoi ?

– Mais c'était plutôt inoffensif. Elles dansaient, c'est vrai, mais elles ne se déshabillaient pas ni rien. Elles étaient juste, ben, comme des gamines de dix-neuf ans. Vous voyez ce que je veux dire ?

– Le bar qui sert des gamines de dix-neuf ans est bon pour perdre sa licence un sacré bout de temps, répliqua le sergent Powers.

– Ça ne vous est jamais arrivé ? demanda Dave.

– De ?

– D'entrer dans un bar alors que vous n'aviez pas l'âge légal de boire.

Le sourire du sergent fit à Dave le même effet que son regard de flic trop perçant, comme s'il tentait de pénétrer dans son crâne pour en scruter l'intérieur.

– À quelle heure avez-vous quitté le McGills, monsieur Boyle ?

– Vers une heure, à peu près, répondit Dave en haussant les épaules.

Le sergent Powers le nota dans le calepin en équilibre sur son genou. Dave reporta son attention sur Sean.

– C'est juste qu'on doit vérifier tous les détails, tu comprends, expliqua celui-ci. T'étais avec Stanley Kemp, c'est ça ? Stanley le Géant ?

– Oui.

– Comment il va, à propos ? J'ai entendu dire que son gosse avait attrapé une espèce de cancer.

– La leucémie, précisa Dave. Il y a deux ans. Le petit est mort. Il avait quatre ans.

– Putain, c'est vraiment moche, observa Sean. Merde. On ne sait jamais ce qui peut arriver. T'es là un jour, en pleine forme, et le lendemain, tu chopes un drôle de truc dans la poitrine et cinq mois plus tard, on t'enterre. Dans quel monde on vit, hein ?

– C'est sûr, approuva Dave. Mais Stan s'en sort plutôt bien, malgré tout. Il a une bonne place chez Edison. Et il joue au basket dans l'équipe de quartier tous les mardis et jeudis soir.

– Il est toujours aussi redoutable en défense? lança Sean avec un petit rire.

Dave se mit à rire, lui aussi.

– Disons qu'il sait se servir de ses coudes.

– À ton avis, vers quelle heure sont parties les filles? reprit Sean, alors que son rire mourait peu à peu.

– Je l'ignore, répondit Dave. À la fin du match des Sox, je crois.

Pourquoi Sean avait-il glissé la question de cette façon? se demanda Dave. Il aurait pu la poser directement, mais il avait d'abord essayé d'endormir sa méfiance en l'amenant à parler de Stanley le Géant. À moins qu'il n'y ait pas pensé avant? Dave n'avait aucune certitude. Était-il suspect? Sean le considérait-il vraiment comme *un suspect* dans son enquête sur la mort de Katie?

– Le match passait tard, il me semble, disait Sean. Il se déroulait en Californie, non?

– Hein? Euh, oui, il a dû commencer vers onze heures moins vingt-cinq. Alors, je dirais que les filles ont dû partir un quart d'heure avant moi.

– Vers une heure moins le quart, donc, conclut le sergent.

– C'est ça.

– Vous avez une idée d'où elles ont pu aller, après?

Dave fit non de la tête.

– Je ne les ai plus revues.

– Ah non? s'enquit le sergent Powers, qui tenait son crayon au-dessus du calepin sur ses genoux.

– Non.

Quand le sergent Powers nota quelque chose sur son bloc, son crayon crissa sur le papier telle une petite griffe.

– Tu te souviens d'un type qui aurait lancé ses clés à la tête d'un autre? demanda Sean.

– Quoi?

– Un certain... (Sean feuilleta son propre calepin.) Oui, c'est ça. Un certain Joe Crosby. Ses copains ont voulu lui prendre ses clés de voiture, et il les a balancées sur l'un d'eux. Juste parce qu'il était en rogne. T'as assisté à la scène?

– Non, pourquoi?

– Oh, je trouve ça plutôt marrant, répondit Sean. Comme le gars ne veut pas donner ses clés, il les expédie à travers le bar. Logique d'ivrogne, hein?

– Sûrement.

– T'as rien noté d'inhabituel, ce soir-là?

– Comment ça?

– Peut-être un mec au bar qui matait les filles d'une façon pas vraiment amicale... Tu sais, ces mecs qui les regardent avec une sorte de haine pure dans les yeux, parce qu'ils sont furax d'être restés chez eux le soir du bal du lycée, et que quinze ans après, leur vie est toujours nulle. Ceux qui les regardent comme si elles y étaient pour quelque chose, comme si c'étaient toutes des garces. Tu vois le genre ?

– J'en ai déjà rencontré quelques-uns, oui.

– Y en avait au Last Drop, samedi ?

– Je crois pas. Mais bon, j'étais concentré sur le match. J'avais même pas remarqué les filles avant qu'elles grimpent sur le comptoir.

Sean hocha la tête.

– Un bon match, d'ailleurs, intervint le sergent Powers.

– Mouais. Pedro, sur le monticule, aurait pu faire un jeu blanc sans ce coup foireux au huitième tour de batte.

– Dommage, conclut le sergent. Ce gars-là, on peut dire qu'il mérite ce qu'il gagne.

– C'est le meilleur, confirma Dave.

Le sergent Powers se tourna vers Sean, et tous deux se levèrent en même temps.

– C'est tout ? demanda Dave.

– Oui, monsieur Boyle. (Le sergent lui serra la main.) Nous apprécions votre collaboration, monsieur.

– Pas de problème. Content de pouvoir vous aider.

– Oh, à propos, j'ai oublié de vous demander : où êtes-vous allé après avoir quitté le McGills ?

Le mot jaillit de la bouche de Dave avant qu'il n'ait pu réfléchir :

– Ici.

– Chez vous ?

– Tout juste.

Le regard de Dave ne vacillait pas, sa voix était ferme.

Le sergent feuilleta de nouveau son calepin.

– Vous étiez donc chez vous vers... une heure et quart. (Il leva les yeux.) C'est ça ?

– En gros, oui.

– Bien. Merci encore, monsieur Boyle.

Il se dirigea vers l'escalier, mais Sean s'arrêta à la porte.

– J'ai été content de te revoir, Dave.

– Moi aussi, répondit celui-ci en essayant de se rappeler ce qu'il n'aimait pas chez Dave quand ils étaient mômes.

Mais la réponse lui échappait.

– On devrait aller se boire une bière, un de ces quatre, ajouta Sean.

– Avec plaisir.

– Entendu. À bientôt, Dave.

Lorsqu'ils se serrèrent la main, Dave s'efforça de ne pas grimacer de douleur.

– À bientôt, Sean.

Celui-ci descendit les marches tandis que Dave restait sur le palier. Sean lui adressa par-dessus son épaule un petit signe de la main, et Dave le lui rendit, conscient toutefois que Sean ne le voyait pas.

Dave décida de prendre une bière dans la cuisine avant d'aller chez Jimmy et Annabeth. Il espérait que Michael ne se précipiterait pas hors de sa chambre après avoir entendu partir les deux hommes, car il avait besoin de quelques minutes de tranquillité, d'un petit moment pour rassembler ses idées. Il ne comprenait pas encore très bien ce qui venait de se jouer dans le salon. Sean et son collègue lui avaient posé des questions comme s'il était témoin ou suspect, mais avec une sorte de nonchalance qui le déroutait, qui semait le doute dans son esprit quant à la véritable raison de leur visite. Et ce doute était bien parti pour lui coller une sacrée migraine. Chaque fois que Dave se trouvait dans l'incertitude, chaque fois que le sol semblait se dérober sous ses pieds, son cerveau avait tendance à se scinder en deux, comme si on le tranchait avec un couteau. Ce qui lui donnait un mal de tête épouvantable, voire quelque chose de pire.

Car à certains moments, Dave n'était pas Dave. Il était le Petit Garçon. Le Petit Garçon qui avait échappé aux Loups. Mais pas seulement. Il était le Petit Garçon qui avait échappé aux Loups et Grandi. Or, cet être-là n'avait presque rien de commun avec Dave Boyle.

Le Petit Garçon qui avait échappé aux Loups et Grandi était un animal du crépuscule, qui se déplaçait, silencieux et furtif, à travers des paysages boisés. Il vivait dans un monde que les autres ne voyaient pas, ne connaissaient pas et ne voulaient surtout pas connaître – un monde qui circulait tel un courant sombre parallèlement à l'autre, un monde peuplé de grillons et de lucioles, entraperçu parfois du coin de l'œil une fraction de seconde, et déjà disparu le temps de tourner la tête dans sa direction.

Ce monde-là, Dave y passait beaucoup de temps. Du moins, le Petit Garçon y passait beaucoup de temps. Et il n'avait pas très bien évolué. Il était devenu hargneux, paranoïaque, capable de choses auxquelles le vrai Dave n'osait même pas penser. En général, le Petit Garçon ne vivait que dans l'imaginaire de Dave, filant à travers d'épais bosquets telle une créature sauvage, ne révélant de lui que des images fugaces. Et tant qu'il demeurait dans cette forêt au cœur des rêves de Dave, il était inoffensif.

Mais depuis l'enfance, Dave souffrait de crises d'insomnie. Elles pouvaient se manifester après des mois et des mois de sommeil paisible, et il se retrouvait soudain dans cet état d'agitation et de nervosité typique de ceux qui ne parviennent jamais à s'endormir complètement. Au bout de quelques jours, il commençait à avoir des visions – surtout des souris, qui filaient sur le plancher ou les bureaux, parfois aussi de grosses mouches noires voltigeant dans les recoins des pièces. De minuscules boules de lumière explosaient à l'improviste devant ses yeux. Les gens devenaient flous. Alors, le Petit Garçon débouchait à la lisière de la forêt, franchissait le seuil du rêve et pénétrait dans le monde réel. En général, Dave parvenait à le contrôler, mais il arrivait que le Petit Garçon lui fasse peur. Le Petit Garçon lui hurlait dans les oreilles. Le Petit Garçon avait une façon bien à lui d'éclater de rire aux moments les plus inopportuns. Le Petit Garçon menaçait de révéler son visage sournois à travers le masque qui recouvrait d'ordinaire celui de Dave et de se montrer aux gens de l'autre côté.

Dave ne s'était pas beaucoup reposé, depuis trois jours. Il avait passé ses nuits à regarder sa femme dormir, des éclairs de lumière zébrant l'air devant ses yeux, le Petit Garçon menant une folle sarabande dans son cerveau.

– Il faut juste que je me remette les idées en place, chuchota-t-il en avalant une gorgée de bière.

Il faut juste que je me remette les idées en place, et tout s'arrangera, songea-t-il lorsqu'il entendit Michael descendre l'escalier. Il faut juste que j'arrive à tenir le coup, le temps que les choses se calment ; à ce moment-là, je m'accorderai une bonne nuit de sommeil, le Petit Garçon retournera dans sa forêt, les gens ne me paraîtront plus flous, les souris rentreront dans leurs trous et les mouches noires suivront le même chemin.

Lorsque Dave arriva chez Jimmy et Annabeth avec Michael, il était plus de quatre heures. Il ne restait que quelques personnes dans l'appartement, qui dégageait une impression de désolation – plateaux de beignets et de gâteaux à moitié vides, odeur de tabac froid dans le salon où les gens avaient fumé une bonne partie de la journée, omniprésence de la mort de Katie. Le matin, et aussi en début d'après-midi, l'atmosphère était calme, dominée par un sentiment commun de douleur et d'amour, mais au retour de Dave, elle s'était sensiblement modifiée, se transformant en une ambiance plus froide, peut-être parce que chacun se repliait sur soi-même et commençait à trouver irritant le raclement incessant des chaises et les au revoir assourdis dans le couloir.

D'après Celeste, Jimmy avait passé un long moment dans la cour. Il était monté à plusieurs reprises voir comment allait Annabeth et recevoir les condoléances des uns et des autres, mais ensuite il était redescendu s'asseoir dehors, sous le linge étendu sur les cordes, sec et raidi depuis longtemps. Dave demanda à Annabeth s'il pouvait l'aider, lui apporter quelque chose peut-être, mais d'un mouvement de tête elle déclina son offre alors qu'il n'avait même pas encore fini sa phrase, et il comprit alors qu'il avait été idiot de poser la question. Si elle avait vraiment eu besoin d'aide, il y avait au moins dix personnes, voire quinze, à qui elle se serait adressée avant lui, et il dut se répéter pourquoi il était là aujourd'hui afin de pouvoir refouler son exaspération. En général, avait-il découvert, ce n'était pas vers lui que les gens se tournaient lorsqu'ils avaient un problème. C'était presque comme s'ils n'habitaient pas la même planète, parfois, et il savait désormais, avec un regret profond mais résigné, qu'il resterait toute sa vie quelqu'un à qui l'on se confiait rarement.

C'est en proie à ce sentiment d'immatérialité qu'il descendit à son tour dans la cour. Il s'approcha par-derrière de Jimmy qui, assis dans une vieille chaise longue sous les vêtements agités par la brise, inclina légèrement la tête lorsqu'il l'entendit approcher.

– Je te dérange, Jim?

– Dave. (Jimmy sourit quand Dave contourna le siège pour aller se placer devant lui.) Non, pas du tout. Assieds-toi.

Dave prit place sur une caisse en plastique face à Jimmy. De l'appartement derrière eux leur parvenaient un murmure de voix à peine audible, le cliquetis des couverts, le bruit de fond de la vie.

– Je n'ai pas eu l'occasion de te parler de toute la journée, reprit Jimmy. Comment tu vas?

– C'est plutôt à moi de poser la question, Jim. Comment tu vas?

Jimmy étira les bras en bâillant.

– Tu sais, les gens n'arrêtent pas de me demander comment je vais. Mais c'est normal, je suppose. (Il laissa retomber ses mains, puis haussa les épaules.) À vrai dire, ça varie d'heure en heure. En ce moment, je me sens à peu près bien. Mais ça peut changer. Ça changera sûrement, d'ailleurs. (Il haussa de nouveau les épaules et regarda Dave.) Qu'est-ce qui t'est arrivé à la main?

Dave baissa les yeux. Il avait eu toute la journée pour trouver une explication, mais il avait complètement oublié d'en chercher une.

– Oh, ça? J'aidais un copain à emménager quand je me suis coincé les doigts entre le canapé et le montant de la porte.

Jimmy pencha la tête pour regarder les phalanges enflées, la chair meurtrie.

– Ah bon.

Constatant qu'il n'avait pas l'air convaincu, Dave songea qu'il lui faudrait inventer un mensonge plus plausible lorsqu'on lui poserait de nouveau la question.

– C'est idiot, hein ? reprit-il. Mais bon, c'est souvent comme ça quand on se fait mal.

À présent, Jimmy le dévisageait avec intensité, ayant manifestement oublié cette histoire de main, et peu à peu, son expression s'adoucissait.

– Je suis content de te voir, vieux, dit-il enfin.

« Vraiment ? » faillit répondre Dave.

Depuis vingt-cinq ans qu'ils se connaissaient, il ne pouvait pas se rappeler une seule fois où il avait eu l'impression que Jimmy était content de le voir. Parfois, il lui avait semblé que Jimmy ne voyait aucun inconvénient à sa présence, ce qui n'était pas la même chose. Même quand ils avaient recommencé à se fréquenter après avoir épousé des cousines germaines, Jimmy ne lui avait jamais donné le sentiment qu'ils étaient plus que de simples relations. Alors, au bout d'un moment, Dave avait fini par accepter cette version de la réalité induite par l'attitude de Jimmy.

Ils n'avaient jamais été amis, donc. Ils n'avaient jamais organisé de parties de base-ball, ni de cache-cache, ni d'aucun autre jeu dans Rester Street. Ils n'avaient jamais passé tous leurs samedis pendant un an à traîner avec Sean Devine, à jouer à la guerre dans les tas de gravats derrière Harvest Street, à escalader les toits des hangars industriels près de Pope Park, à regarder *Les dents de la mer* ensemble au cinéma Charles, blottis au fond de leurs sièges, hurlant de frayeur. Ils ne s'étaient jamais entraînés à déraper sur leurs vélos ni ne s'étaient disputés pour savoir qui ferait Starsky, qui ferait Hutch et qui serait obligé de faire Kolchak, le héros de *The Night Stalker*. Ils n'avaient jamais abîmé leurs luges lors de folles glissades jusqu'au bas de Somerset Hill durant les premiers jours qui avaient suivi le fameux blizzard de 1975. Et cette voiture qui sentait la pomme n'avait jamais remonté Gannon Street.

Et pourtant, aujourd'hui, alors que sa fille avait été retrouvée morte la veille, ce même Jimmy Marcus venait de lui dire « Content de te voir, Dave », et celui-ci – comme deux heures plus tôt avec Sean – le devinait sincère.

– Content de te voir, moi aussi, Jim.

– Les femmes s'en sortent, là-haut ? lança Jimmy avec un sourire espiègle qui faillit presque se communiquer à ses yeux.

– Je crois, oui. Où sont Nadine et Sara ?

– Avec Theo. Hé, vieux, pense à remercier Celeste de ma part, O.K. ? Elle a été une vraie bénédiction pour nous aujourd'hui.

– T'as pas besoin de remercier qui que ce soit, Jimmy. Si on peut vous rendre service, Celeste et moi, tant mieux.

– Je sais. (Jimmy pressa l'épaule de Dave.) Merci.

À cet instant, Dave aurait soulevé une montagne si Jimmy l'avait souhaité, et il l'aurait tenue à bout de bras jusqu'à ce qu'il lui indique où la reposer.

Du coup, il faillit oublier pourquoi il était descendu dans la cour : il avait besoin de dire à Jimmy qu'il avait vu Katie le samedi soir au McGills. Il avait besoin de le lui dire tout de suite, ou sinon il reculerait le moment indéfiniment, et Jimmy se demanderait pourquoi il ne lui en avait pas parlé plus tôt. Il avait besoin de le lui dire avant que Jimmy ne l'apprenne par quelqu'un d'autre.

– Tu sais qui j'ai rencontré, aujourd'hui ? commença-t-il.

– Non, qui ?

– Sean Deavine. Tu te souviens de lui ?

– Bien sûr. J'ai toujours son gant de base-ball.

– Hein ?

De la main, Jimmy balaya la question.

– Il est flic, aujourd'hui. C'est lui qui enquête sur... Enfin, qui est chargé de l'affaire, quoi.

– Je suis au courant, dit Dave. Il est passé chez moi.

– Ah bon ? Qu'est-ce qu'il te voulait ?

Dave tenta d'adopter un ton naturel, décontracté.

– J'étais au McGills samedi soir, Jim. Katie était là aussi. Mon nom figure sur une liste des clients qui se trouvaient dans ce bar samedi soir.

– Katie était là..., répéta Jimmy, les yeux rétrécis. T'as vu Katie samedi soir, Dave ? Ma Katie ?

– Euh, oui, Jim. J'y étais, et elle aussi. Et puis, elle est partie avec ses deux copines...

– Diane et Eve ?

– Les deux filles avec qui elle traînait tout le temps. Elles sont parties, et c'est tout.

– C'est tout, fit Jimmy en écho, le regard perdu dans le vague.

– Je veux dire, c'est la dernière fois que je l'ai vue. Mais bon, je suis sur la liste.

– Bon, t'es sur la liste. (Jimmy sourit, mais pas à Dave, à quelqu'un que lui seul distinguait au seuil de cet horizon lointain où se perdait son regard.) Tu lui as parlé, Dave ?

– À Katie, tu veux dire ? Non, Jim. J'étais devant le match avec Stanley le Géant. On s'est fait un petit signe, et après, quand j'ai relevé les yeux, elle avait disparu.

Jimmy garda le silence un moment, inspirant par les narines et remuant la tête. Enfin, il adressa à Dave un sourire triste.

– C'est agréable.

– Quoi ? demanda Dave.

– De rester assis là. Comme ça. C'est agréable.

– Tu trouves ?

– Juste de rester assis, à regarder le quartier. Entre le boulot et les gosses, t'as jamais le temps de souffler, merde, sauf quand tu dors. Même aujourd'hui, un putain de jour pas ordinaire s'il en est, faut encore que je m'occupe des *détails*. Faut que j'appelle Pete et Sal pour m'assurer qu'ils s'en sortent avec le magasin. Faut que je veille à ce que les filles fassent leur toilette et s'habillent quand elles seront réveillées. Faut que j'aille voir ma femme, des fois qu'elle tiendrait pas le coup... (Il gratifia Dave d'un drôle de sourire, puis se pencha en avant et se balança légèrement, les poings serrés.) Faut que je serre des mains, que je reçoive les condoléances et que je trouve de la place dans le frigo pour toute cette bouffe et cette bière, faut que je supporte mon beau-père et aussi que je téléphone à la morgue pour savoir quand je pourrai récupérer le corps de mon enfant, parce que je dois encore prendre les dispositions nécessaires avec le funérarium et le père Vera à Saint Cecilia, que je trouve un traiteur pour la veillée mortuaire, une salle pour réunir les gens après l'enterrement et...

– Jimmy, on peut te décharger d'au moins une partie de toutes ces corvées.

Mais Jimmy poursuivit sur sa lancée comme si Dave n'était pas là.

– ... je peux pas me permettre de merder, je peux pas me permettre de foirer le moindre détail, sinon, elle va mourir encore une fois, et le seul souvenir d'elle qu'auront gardé les gens dans dix ans, c'est que son enterrement était nul, et je veux pas qu'ils pensent ça, tu vois, parce que Katie, vieux, s'il y a bien une chose qui comptait pour elle depuis qu'elle avait, quoi, six ans, c'était d'être coquette, de prendre soin de ses vêtements, alors, tu comprends, c'est presque agréable de rester assis dans cette cour, à regarder le quartier en essayant de me rappeler un truc au sujet de Katie qui réussira à me faire pleurer, parce que, Dave, je te jure, ça commence à me faire chier de pas pouvoir pleurer pour elle, ma propre fille, et j'arrive même pas à pleurer.

– Jim.

– Quoi ?

– Tu pleures.

– Hein ?

– Touche ton visage, vieux.

Jimmy effleura les larmes sur sa joue, puis observa un moment son doigt mouillé.

– Mince, murmura-t-il.

– Tu veux que je te laisse ?

– Non, Dave. Non. Reste encore un moment, si ça te gêne pas.

– Ça me gêne pas, Jim. Ça me gêne pas.

17

Juste d'un peu plus près

Une heure avant la réunion prévue dans le bureau de Martin Friel, Sean et Whitey s'arrêtèrent chez le sergent pour lui permettre d'enlever le maillot sur lequel il avait renversé une partie de son déjeuner.

Whitey habitait avec son fils, Terrance, dans un immeuble de brique blanche au sud de la ville. L'appartement se caractérisait par des sols recouverts de moquette beige, des murs blanc cassé et une atmosphère de renfermé semblable à celle des chambres de motel ou des couloirs d'hôpitaux. La télé était allumée lorsqu'ils entrèrent, réglée sur la chaîne sportive ESPN alors que personne ne la regardait, et les différents composants d'une console de jeu Sega étaient étalés par terre devant un meuble hi-fi/vidéo noir monolithique. Il y avait un futon bosselé en face et, devina Sean, des emballages de chez McDonald plein la poubelle, ainsi que des plats pré-cuisinés dans le congélateur.

– Où est Terry ? demanda Sean.

– Au hockey, je pense, répondit Whitey. Peut-être au base-ball, en cette saison, mais le hockey, c'est vraiment son truc. Toute l'année.

Sean n'avait rencontré Terry qu'une fois. À quatorze ans, c'était déjà une armoire à glace, et deux ans plus tard, Sean n'imaginait que trop bien sa corpulence et la terreur des autres gosses quand ils le voyaient débouler à toute allure sur la glace.

Whitey avait la garde de son fils, car sa femme Suzanne n'en voulait pas. Elle les avait abandonnés tous les deux quelques années plus tôt pour un avocat d'affaires souffrant d'une dépendance au crack qui lui avait valu d'être radié du Barreau et poursuivi pour détournement de fonds. Elle était cependant restée avec lui, d'après ce que Sean avait entendu dire, tout en conservant de bonnes relations avec son ex-mari. Parfois, quand Whitey parlait d'elle, Sean devait fournir un effort pour se rappeler qu'ils étaient divorcés.

Son collègue évoquait d'ailleurs Suzanne quand il le précéda dans le salon, puis ôta son maillot en contemplant la console par terre.

– Suzanne répète toujours que Terry et moi, on s'est aménagés une vraie petite garçonnière de rêve. Dans sa bouche, ça sonne comme un reproche, mais au fond, j'ai le sentiment qu'elle est un peu jalouse. Je vous offre une bière, ou quelque chose ?

Au souvenir de l'allusion faite par Friel à un problème de boisson chez Whitey, Sean vit déjà le regard furieux qu'ils s'attireraient tous les deux s'ils se présentaient à la réunion en sentant les bonbons à la menthe et la Budweiser. De plus, connaissant Whitey, il ne pouvait écarter la possibilité d'un test de sa part, dans la mesure où tout le monde était censé le surveiller durant cette période de mise à l'épreuve.

– De l'eau, plutôt, répondit-il. Ou un Coca.

– Bravo, vous êtes sage, répliqua Whitey en souriant comme s'il l'avait réellement soumis à un test, mais Sean décela le manque dans ses yeux qui ne se fixaient sur rien, dans sa façon de se passer la langue sur les lèvres. C'est parti pour deux Coca.

Quelques instants plus tard, il rapportait de la cuisine les deux sodas. Après en avoir tendu un à Sean, il se dirigea vers la petite salle de bains de l'autre côté du couloir, puis ouvrit le robinet du lavabo.

– Toute cette affaire me paraît de moins en moins logique, lança-t-il. Vous n'avez pas cette impression ?

– Un peu, admit Sean.

– Les alibis de Fallow et de O'Donnell m'ont l'air plutôt solides.

– Ils ont très bien pu engager un tueur.

– Exact. Mais vous y croyez, vous ?

– Pas vraiment. C'est trop brouillon pour être l'œuvre d'un pro.

– Pourtant, on ne peut pas éliminer cette éventualité.

– Non, on ne peut pas.

– Il va falloir qu'on ré-interroge le petit Harris, vu qu'il n'a pas d'alibi, mais je ne l'imagine pas capable d'un truc pareil. Ce gosse est doux comme un agneau.

– En attendant, il aurait peut-être un mobile. Une jalousie incontrôlable vis-à-vis de Bobby O'Donnell, quelque chose comme ça.

Whitey sortit de la salle de bains en s'essuyant le visage avec une serviette. Son ventre blanc s'ornait d'une cicatrice rouge sinueuse qui dessinait un sourire dans sa chair sur toute la largeur de sa cage thoracique.

– D'accord, mais franchement, ce n'est pas le genre de ce gamin, reprit-il en s'éloignant vers la chambre au fond de l'appartement.

Sean lui emboîta le pas.

– C'est aussi ce que je pense, mais pour le moment, on n'est sûrs de rien.

– Bon, il y a aussi le père de la petite, et ses cinglés d'oncles, mais j'ai envoyé des hommes interroger les voisins, et apparemment ce n'est pas la peine de chercher plus loin de ce côté-là.

Son Coca à la main, Sean s'adossa au mur.

– Si c'est bien un crime gratuit, sergent, putain...

– Mouais, comme vous dites. (Whitey reparut, une chemise propre sur les épaules.) Mais rappelez-vous, la vieille dame, Mme Prior, n'a pas entendu de cris.

– Pas des cris, non, mais un coup de feu.

– C'est *nous* qui avons envisagé un coup de feu. On a sûrement raison, d'ailleurs. Reste qu'elle n'a pas entendu de cris.

– Peut-être que la victime était trop occupée à se défendre contre son agresseur et à essayer de prendre la fuite.

– Admettons. N'empêche, pourquoi est-ce qu'elle n'a pas crié quand elle l'a vu approcher, quand il s'est avancé vers la voiture ? demanda-t-il en passant devant Sean, qui le suivit.

– Parce qu'elle le connaissait sûrement. D'où ce « Salut » mentionné par la vieille dame.

– Possible. (Whitey hocha la tête.) À mon avis, c'est aussi pour ça qu'elle s'est arrêtée.

– Non.

– Non ?

Appuyé contre le comptoir dans la cuisine, Whitey interrogea du regard son collègue.

– Non, répéta Sean. Sa voiture est allée percuter le trottoir.

– Il n'y avait pas de traces de dérapage sur la chaussée, objecta Whitey.

Sean opina.

– Elle devait rouler à vingt-cinq, trente à l'heure quand quelque chose l'a obligée à faire une embardée.

– D'après vous, ce serait quoi, ce quelque chose ?

– Hé, comment voulez-vous que je le sache ? répliqua Sean. C'est vous, le patron.

Whitey sourit, vida son Coca d'un trait, puis aller s'en chercher un autre dans le frigo.

– Qu'est-ce qui peut obliger quelqu'un à braquer sans freiner ?

– Un obstacle sur la route, répondit Sean.

En signe d'approbation, Whitey leva vers lui sa boîte de soda.

– Sauf qu'il n'y avait rien sur la route quand on est arrivés.

– C'était le lendemain matin, sergent.

– Vous pencheriez pour une brique, par exemple ?

– Une brique, c'est un peu petit, non ? Elle ne l'aurait sûrement pas vue en pleine nuit.

– Un parpaing, alors ?

– Pourquoi pas ?

227

– *Quelque chose*, en tout cas.

– Quelque chose, oui, convint Sean.

– Elle braque, heurte le trottoir, son pied glisse de la pédale, la voiture cale...

– Et c'est à ce moment-là que l'assassin se manifeste.

– Un assassin *qu'elle connaît*. Bon, et après ? Il s'approche tranquillement et lui tire une balle dans l'épaule ?

– Oui, et ensuite, elle le frappe avec sa portière et...

– Vous avez déjà été frappé avec une portière de voiture ? demanda Whitey, qui releva son col, glissa la cravate autour et entreprit de la nouer.

– Jusque-là, j'avoue ne pas avoir connu cette expérience, non.

– C'est l'équivalent d'un coup de poing. En admettant que vous soyez tout près, et qu'une femme d'environ cinquante-cinq kilos vous balance dessus la portière de sa Toyota, ça n'aura pas beaucoup d'effet à part vous mettre en rogne. Or, d'après Karen Hughes, le tireur se tenait à une quinzaine de centimètres de la voiture quand il a fait feu la première fois. Quinze centimètres, vous imaginez ?

Sean commençait à voir où il voulait en venir.

– O.K. Mais peut-être qu'elle a reculé pour prendre de l'élan et taper dans la portière avec son pied. Ce serait plausible, non ?

– Dans ce cas, il fallait donc que cette portière soit ouverte. Si elle avait été fermée, la gosse aurait pu la bourrer de coups de pied toute la journée que ça n'aurait pas changé grand-chose. À mon avis, elle l'a d'abord ouverte, avant de donner une bonne poussée. Auquel cas, soit le tueur a reculé et reçu la portière alors qu'il ne s'y attendait pas, soit...

– Il ne pèse pas lourd.

– Ce qui nous ramène aux empreintes de pas, déclara Whitey en rajustant son col.

– Toujours ces foutues empreintes de pas, hein ?

– Mouais, toujours. (Whitey ferma le premier bouton de sa chemise, avant de placer le nœud de sa cravate sur sa gorge.) Bon sang, Sean, le type poursuit cette fille dans le parc. Elle fonce droit devant elle, et lui, il se lance à ses trousses comme un dératé. Je veux dire, il court à toute vitesse, ce salaud. Et son pied ne se serait pas enfoncé une seule fois dans la terre ?

– Il a plu toute la nuit.

– D'accord, mais on a retrouvé trois empreintes manifestement laissées par la victime. Non, Sean. Décidément, y a un truc qui cloche sur ce point.

Sean appuya la tête contre le placard derrière lui en essayant d'imaginer la scène : Katie Marcus dévalant en pleine nuit la pente en direction de l'écran, la peau écorchée par les broussailles, les cheveux trempés par la pluie et la sueur, le sang dégoulinant sur sa poitrine et le long de son bras ; et le tueur, que Sean voyait plongé dans l'ombre et privé de visage, surgissant au sommet de la colline quelques secondes plus tard, courant lui aussi, assoiffé de violence. Pour Sean, il ne pouvait s'agir que d'un colosse, d'une force de la nature. Mais malin, cela dit. Suffisamment malin en tout cas pour avoir placé un obstacle au milieu de la rue, obligeant Katie Marcus à braquer pour l'éviter, à percuter le trottoir avec ses roues de devant. Suffisamment malin pour avoir choisi un endroit dans Sydney Street où peu de gens risquaient de voir ou d'entendre quelque chose. Le fait que la vieille Mme Prior ait perçu du bruit était une aberration, un élément que l'assassin n'aurait pu prédire, car même Sean avait été étonné d'apprendre que des personnes vivaient encore dans ce quartier de bâtiments à moitié calcinés. Mais hormis ce détail, l'homme avait fait preuve d'ingéniosité, sans aucun doute.

– Et s'il avait pensé à effacer ses traces ? lança Sean.

– Hein ?

– Le meurtrier. Peut-être qu'il l'a tuée, puis qu'il a rebroussé chemin pour recouvrir de boue ses empreintes de pas.

– Possible, mais comment aurait-il pu se souvenir de tous les lieux où il était passé ? Il faisait nuit, rappelez-vous. Et même en supposant qu'il ait apporté une lampe électrique, le parc est grand. Vous imaginez le paquet d'empreintes qu'il lui aurait fallu identifier et effacer ?

– La pluie l'a aidé.

Whitey soupira.

– Je veux bien prendre la pluie en compte, si on considère que notre homme pèse dans les soixante-dix kilos ou moins. Sinon...

– Brendan Harris ne m'a pas paru peser beaucoup plus lourd.

Un grognement de frustration échappa à Whitey.

– Vous le croyez vraiment capable de l'avoir tuée ?

– Non, répondit Sean.

– Moi non plus. Et votre copain, au fait ? Il est plutôt mince, dans le genre.

– Qui ?

– Boyle.

Sean se redressa.

– Comment on est arrivés à lui ?

– On y arrive maintenant.

– Hé, attendez une minu...

Whitey leva la main pour l'interrompre.

– Il nous a affirmé qu'il avait quitté le bar vers une heure, O.K. ? Mais il nous a raconté des craques. Ces fichues clés de voiture ont arrêté l'horloge à *une heure moins dix*. Et Katherine Marcus est partie à une heure moins le quart. Ça, c'est confirmé, Sean. J'en déduis que l'alibi de Boyle présente un trou d'une quinzaine de minutes. Au moins. Après tout, on ne sait pas à quelle heure il est vraiment rentré chez lui.

– Écoutez, répliqua Sean avec un petit rire, il faisait partie des types qui se trouvaient dans ce bar, c'est tout.

– C'est aussi le dernier endroit où elle est allée. Le dernier, Sean. Vous l'avez dit vous-même.

– Ah bon ? J'ai dit quoi, au juste ?

– Qu'on cherche peut-être un type frustré d'être resté chez lui le soir du bal du lycée.

– Je...

– Je ne suis pas en train de l'accuser, Sean. Loin de là. Pour l'instant, du moins. Mais il y a quelque chose qui me chiffonne chez ce gars. Vous avez entendu sa remarque, comme quoi la ville aurait besoin d'une bonne vague de criminalité ? Il avait l'air sérieux quand il a sorti cette connerie.

Sean reposa son Coca vide sur le comptoir.

– Vous les rapportez à la consigne ?

– Non, répondit Whitey, les sourcils froncés.

– Pas même pour cinq *cents* la boîte ?

– Sean...

Celui-ci jeta le Coca à la poubelle.

– Vous voudriez me faire croire que Dave Boyle aurait tué la – quoi au juste ? – petite cousine de sa femme parce qu'il est contrarié par l'invasion des yuppies dans son quartier ? Franchement, c'est le truc le plus stupide que j'aie jamais entendu, affirma Sean.

– J'ai coincé un type un jour qui a assassiné sa femme parce qu'elle critiquait sa façon de cuisiner.

– Peut-être, mais là, c'est le problème du mariage, mon vieux. De toute la rancœur qui peut s'accumuler entre deux personnes pendant des années. Vous, vous me parlez d'un gars qui se dirait : « Merde, les loyers s'envolent. Si je liquidais quelques personnes, histoire de faire baisser les prix ? »

Whitey éclata de rire.

– Quoi ? marmonna Sean.

– C'est la façon dont vous tournez ça... O.K., c'est idiot. N'empêche, il ne me paraît pas clair, votre copain. S'il n'y avait pas ce trou dans son alibi, je n'insisterais pas. S'il n'avait pas vu la victime une heure avant sa mort, je n'insisterais pas non plus. Le problème, c'est qu'il y a ce trou, et qu'il l'a vue, et qu'il n'est pas convaincant. Il nous a raconté qu'il était rentré directement chez lui ? Je veux que sa femme nous le confirme. Je veux que son voisin du premier l'ait entendu monter l'escalier vers une heure et quart. Vous me suivez, Sean ? Après, je lui foutrai la paix. Au fait, vous avez remarqué sa main ?

Cette fois, Sean ne répondit pas.

– Il a la main droite deux fois plus grosse que la gauche, enchaîna Whitey. Il a eu un problème, récemment, et je veux savoir lequel. Quand j'aurai la certitude que ce n'était qu'une bagarre dans un bar, un truc comme ça, je laisserai tomber.

Whitey termina son second Coca, puis jeta la boîte à la poubelle.

– Dave Boyle, reprit Sean. Vous avez vraiment l'intention de vous intéresser à Dave Boyle ?

– Je vais me pencher sur son cas, Sean. Regarder les choses d'un peu plus près. Juste d'un peu plus près.

Ils se retrouvèrent chez le procureur, dans la salle du troisième étage que se partageaient les Crimes Majeurs et la brigade criminelle, et où Friel organisait toujours ses réunions, car il s'agissait d'une pièce impersonnelle, purement utilitaire, avec des chaises inconfortables, une table noire et des murs gris parpaing. Autrement dit, elle ne se prêtait pas du tout aux bons mots ni aux digressions interminables. Personne n'avait envie de s'y attarder ; on venait juste ici parler boulot, avant de retourner bosser.

Il y avait sept sièges dans la salle cet après-midi-là, et tous étaient occupés. Friel était assis en bout de table, avec à sa droite Maggie Mason, directrice adjointe de la brigade criminelle du comté de Suffolk, et à sa gauche le sergent Robert Burke, responsable de l'autre équipe de la Criminelle. Venaient ensuite Sean et Whitey, installés l'un en face de l'autre, Joe Souza, Chris Connolly, et enfin les inspecteurs Payne Brackett et Shira Rosenthal. Chacun avait devant lui une pile de rapports d'enquête ou de copies de rapports d'enquête, ainsi que des photos prises sur la scène du crime, le rapport du médecin légiste, ceux des services scientifiques, plus ses propres notes et calepins, quelques serviettes en papier avec des noms griffonnés dessus et des schémas grossiers ébauchés dans le parc.

Whitey et Sean ouvrirent la discussion, relatant leurs entretiens avec Eve Pigeon et Diane Cestra, Mme Prior, Brendan Harris, Jimmy et Annabeth Marcus, Roman Fallow et Dave Boyle, seulement qualifié par Whitey, au grand soulagement de Sean, de « témoin présent dans le bar ».

Brackett et Rosenthal prirent le relais – Brackett se chargeant de la plus grande partie de l'exposé, mais Rosenthal, Sean en était sûr, ayant assumé presque tout le travail de terrain.

– Les employés du magasin géré par le père de Mlle Marcus disposent tous d'alibis solides, et aucun n'a de mobile évident. Les uns après les autres, ils nous ont affirmé que la victime, à leur connaissance du moins, n'avait pas d'ennemis, pas de dettes ni de problème de stupéfiants. Il n'y avait pas de drogues contrôlées dans sa chambre, pas de journal intime non plus, mais on a trouvé sept cents dollars en liquide. L'examen des relevés bancaires de la victime a fait apparaître que ses dépôts étaient en rapport avec ce qu'elle gagnait. Elle n'a pas effectué d'opérations importantes sur son compte jusqu'au matin du vendredi 5, où elle l'a clôturé. L'argent était caché dans un tiroir de sa commode, et sa présence semblerait confirmer ce qu'a découvert le sergent Powers, à savoir qu'elle devait quitter la ville dimanche. Les premiers entretiens avec les voisins n'ont pas révélé d'éléments susceptibles d'étayer l'hypothèse d'une situation familiale tendue.

Lorsque Brackett rassembla les feuilles devant lui pour indiquer qu'il avait terminé, Friel se tourna vers Souza et Connolly.

– On a passé en revue les listes établies dans les bars où la victime a été vue le soir de sa mort, expliqua Souza. Jusque-là, on a interrogé vingt-huit clients sur environ soixante-quinze, sans compter les deux dont se sont occupés le sergent Powers et l'agent Devine, c'est-à-dire Roman Fallow et ce... David Boyle. Les agents Hewlett, Darton, Woods, Cecchi, Murray et Eastman se sont partagés les quarante-cinq autres et nous ont fait parvenir leurs rapports préliminaires.

– Où en êtes-vous avec Fallow et O'Donnell? demanda Friel à Whitey.

– Ils sont clean, apparemment. Pour autant, ils ont très bien pu confier le boulot à quelqu'un.

Friel s'adossa à sa chaise.

– J'ai eu à traiter pas mal d'exécutions par contrat au fil des années, mais je n'ai pas le sentiment que ce soit le cas dans cette affaire.

– S'ils avaient engagé un tueur, intervint Maggie Mason, pourquoi ne se serait-il pas contenté de tirer sur elle dans sa voiture?

– Eh bien, c'est ce qui est arrivé, répliqua Whitey.

– Maggie voulait sans doute dire qu'il aurait pu tirer plus d'un coup de feu, sergent. Pourquoi le meurtrier n'a-t-il pas vidé son chargeur?

– L'arme s'est peut-être enrayée, suggéra Sean. (Comme plusieurs paires d'yeux rétrécis convergeaient vers lui, il ajouta :) Après tout, c'est une éventualité que personne n'a prise en compte. Le flingue s'enraye, Katie Marcus en profite pour frapper son agresseur et foncer dans le parc.

Le silence s'abattit quelques instants sur la salle. Index rapprochés pour former un triangle, Friel réfléchissait.

– Possible, déclara-t-il enfin. Oui, possible. Mais pourquoi la frapper ensuite avec une crosse, une batte ou je ne sais quoi? Je ne vois pas un professionnel s'acharner de cette manière.

– Pour le moment, rien ne prouve que Fallow et O'Donnell aient des accointances dans le milieu des criminels chevronnés, souligna Whitey. Si ça se trouve, ils ont embauché une espèce de junkie à qui ils ont promis un peu de crack et un briquet.

– Vous nous avez dit tout à l'heure que cette vieille femme avait entendu la petite Marcus saluer son agresseur, intervint Maggie Mason. Est-ce qu'elle aurait réagi comme ça si elle avait vu un type complètement défoncé s'approcher de sa voiture ?

Whitey esquissa un léger mouvement de tête qui pouvait passer pour un signe d'approbation.

– Vous marquez un point.

– Donc, reprit Maggie Mason en se penchant vers la table, nous partons du principe qu'elle connaissait son assassin, n'est-ce pas ?

Sean et Whitey échangèrent un coup d'œil, puis acquiescèrent de conserve.

– Bon, je veux bien qu'il y ait des drogués au crack à East Bucky, et surtout dans les Flats, mais peut-on supposer pour autant qu'une jeune fille comme Katie Marcus fréquentait ce genre d'individus ?

– Là, vous marquez encore un point, soupira Whitey. Mouais.

– Je préférerais, dans l'intérêt de tout le monde, qu'il s'agisse d'un contrat, intervint Friel. Mais ces coups qu'elle a reçus me parlent de fureur. Ils me parlent d'une absence totale de sang-froid.

– Exact, admit Whitey. Simplement, rien ne nous permet d'écarter cette possibilité pour le moment.

– Tout à fait d'accord, sergent, convint Friel, avant de se tourner de nouveau vers Souza.

Celui-ci, qui paraissait contrarié par cette longue digression, s'éclaircit la gorge avant de consulter ses notes sans hâte particulière.

– Bref, on s'est entretenus avec ce gars, un certain Thomas Moldanado, qui se trouvait lui aussi au Last Drop, le dernier bar où s'est rendue Katie Marcus avant de partir avec ses deux amies. Il semblerait qu'il n'y ait qu'un seul W.-C. dans l'établissement, et Moldanado faisait la queue devant quand il a remarqué que les trois filles s'en allaient. Comme il en avait marre d'attendre, il est sorti pisser dehors, et là, sur le parking, il a vu un gars assis dans sa voiture, les phares éteints. D'après lui, il était une heure et demie. Il portait une montre neuve, et il l'a regardée pour voir si les chiffres étaient luminescents.

– Et ils l'étaient ?

– Apparemment, oui.

– Votre gars, dans la voiture, intervint Robert Burke, il était peut-être en train de cuver.

– C'est la première chose qu'on s'est dite, sergent. Et Moldanado y a tout de suite pensé lui aussi, mais d'après lui, le gars était assis bien droit derrière le volant, les yeux grands ouverts. Il l'aurait même pris pour un flic si le type en question n'avait pas eu une petite voiture étrangère, comme une Honda ou une Subaru.

– Un peu abîmée, ajouta Connolly. Avec une bosse au niveau de la portière avant côté passager.

– C'est ça, reprit Souza. Alors, Moldanado en a conclu que c'était un micheton. Il paraît que le quartier grouille de putes, la nuit. Mais pourquoi ce type serait-il resté sur le parking, dans ce cas ? Pourquoi ne roulait-il pas dans l'avenue, plutôt ?

– O.K., fit Whitey. Donc...

– Une minute, sergent, l'interrompit Souza. (Il se tourna vers Connolly, le regard brillant, l'air soudain excité.) Du coup, on l'a exploré, ce parking, et on a découvert du sang.

– Du sang ?

Il acquiesça.

– À première vue, on aurait pu croire qu'un conducteur avait changé son huile. La flaque était épaisse, accumulée pratiquement en un seul endroit. Et puis, on a commencé à fureter, et on a trouvé une goutte par-ci, une goutte par-là, toutes de plus en plus éloignées de la flaque principale. On en a aussi repéré sur les murs et par terre dans l'impasse derrière le bar.

– Qu'est-ce que vous essayez de nous dire, bordel ? lança Friel.

– Quelqu'un d'autre a été blessé à la sortie du Last Drop ce soir-là.

– Comment pouvez-vous savoir que ça s'est passé le même soir ? demanda Whitey.

– Les services scientifiques nous l'ont confirmé. Un veilleur de nuit avait garé sa voiture dessus samedi soir, ce qui a masqué la flaque, mais ce qui l'a aussi protégée de la pluie. Quoi qu'il en soit, la victime doit être dans un sale état. Et son agresseur est également blessé. L'analyse des traces de sang sur le parking a permis d'identifier deux groupes sanguins différents. En ce moment même, nos enquêteurs se renseignent auprès des hôpitaux, et aussi des compagnies de taxis, au cas où la victime se serait fait conduire aux urgences. On a découvert des cheveux ensanglantés, des fragments de peau et de éclats d'os. On attend toujours la réponse de six services d'urgences. Les autres ne nous ont rien signalé de particulier, mais je suis prêt à parier qu'il y a *quelque part* un hôpital où quelqu'un est arrivé avec un traumatisme crânien le samedi soir ou très tôt le dimanche matin.

Sean leva la main.

– Si j'ai bien compris, la nuit où Katherine Marcus est allée au Last Drop, deux personnes se sont à moitié entretuées sur le parking de ce même bar ?

– Tout juste, répondit Souza avec un sourire.

– Les gars du labo ont identifié deux groupes sanguins, renchérit Connolly. A et B négatif. Beaucoup plus de A que de B négatif, ce qui laisse supposer que la victime appartient au groupe A.

– Katherine Marcus appartenait au groupe O, précisa Whitey.

D'un mouvement de tête, Connolly acquiesça.

– L'analyse des cheveux a révélé que la victime était masculine.

– Et quelles sont vos conclusions ? s'enquit Friel.

– Pour le moment, on sait juste que la nuit où Katherine Marcus a été assassinée, un homme a été tabassé sur le parking du dernier bar où elle est allée.

– Bon, il y a eu une bagarre à la sortie du Last Drop, récapitula Maggie Mason. Et après ?

– Aucun des clients ne se souvient d'une bagarre, à l'intérieur ou à l'extérieur de l'établissement. Entre une heure et demie et deux heures moins dix, les seules personnes à avoir quitté l'établissement ont été Katherine Marcus, ses deux amies et ce témoin, Moldanado, qui est tout de suite rentré dans le bar après avoir pissé. Il n'y a pas eu d'autres arrivants. Moldanado a aperçu quelqu'un dans le parking vers une heure et demie, un homme qu'il a décrit comme « normal », entre trente et trente-cinq ans, avec les cheveux noirs. Et qui n'était plus là lorsque Moldanado est parti, à deux heures moins dix.

– Au moment où la petite Marcus s'enfuyait dans Pen Park.

Souza opina.

– Aucun de nous n'est en mesure d'affirmer qu'il y a un lien. Si ça se trouve, il n'y en a pas, d'ailleurs. Mais la coïncidence est troublante.

– Encore une fois, intervint Friel, qu'est-ce que vous en déduisez ?

– Je ne sais pas, monsieur, répondit Souza avec un haussement d'épaules. Supposons qu'un contrat ait effectivement été lancé sur Katherine Marcus. Le gars du parking guettait peut-être son départ pour appeler le tueur. Celui-ci n'avait plus qu'à prendre le relais.

– Et ensuite ? demanda Sean.

– Ensuite ? Ben, il l'a assassinée.

– Non, je veux parler du type dans la voiture. Celui censé surveiller Katherine Marcus. Il aurait décidé tout d'un coup de défoncer le crâne de quelqu'un, c'est ça ? Juste pour le plaisir ?

– Peut-être que ce quelqu'un l'avait surpris.

– En train de faire quoi, hein ? lança Whitey. De téléphoner avec son portable ? Merde, à la fin ! C'est sans doute sans rapport avec l'affaire Marcus.

– Qu'est-ce que vous voulez, sergent ? protesta Souza. Qu'on laisse tomber comme si ça n'avait aucune importance ?

– J'ai dit ça ?

– Ben...

– J'ai dit ça ? répéta Whitey.

– Non.

– Non, en effet. Je n'ai pas dit ça. Vous avez intérêt à montrer un peu plus de respect envers vos aînés, Joseph, ou vous risquez de retourner bosser du côté de Springfield, dans le secteur où tout le monde deale de la drogue de merde, où vous serez obligé de traîner avec des *bikers* et des nanas qui sentent mauvais et bouffent du saindoux à même la boîte.

Souza poussa un profond soupir pour se calmer.

– À mon avis, je pense qu'il y a quelque chose là-dessous. C'est tout.

– Ce n'est pas exclu, répondit Whitey. Simplement, je crois qu'on a besoin d'éléments plus concrets avant d'envoyer des hommes enquêter sur ce qui n'est peut-être qu'un incident isolé, indépendant de notre affaire. De plus, le Last Drop dépend de la juridiction du BPD.

– On a pris contact avec eux, l'informa Souza.

– Ils s'en occupent ?

– Oui.

– Parfait, déclara Whitey en ouvrant les mains. Faites le point avec eux, et tenez-nous au courant, mais sinon, ne vous en mêlez pas pour l'instant.

– Puisque nous en sommes à envisager différentes hypothèses, intervint Friel, quelle est votre théorie, sergent ?

Celui-ci haussa les épaules.

– J'en ai plusieurs, mais elles valent ce qu'elles valent. Katherine Marcus est morte à la suite d'une blessure par balle dans la nuque. Aucune de ses autres blessures, y compris la balle retrouvée dans son biceps gauche, n'était fatale. Les coups qu'elle a reçus ont été portés avec un instrument en bois aux bords aplatis – une sorte de crosse, ou de planche. Le légiste est en mesure d'affirmer qu'elle n'a pas subi de violences sexuelles. Nos propres recherches sur le terrain ont fait apparaître qu'elle avait prévu de partir avec le jeune Harris. Bobby O'Donnell était son ex-petit copain. Le problème, c'est qu'il avait du mal à admettre son statut d'« ex ». Quant au père, il n'apprécie ni O'Donnell ni Harris.

– Qu'est-ce qu'il a contre Harris ?

– On l'ignore. (Whitey jeta un coup d'œil à Sean, avant de reporter son attention sur Friel.) Mais on va le découvrir. Bref, d'après ce qu'on a compris, elle comptait quitter la ville le dimanche matin. Elle organise une petite fête avec ses deux copines, se fait virer d'un bar par Roman Fallow, puis reconduit ses copines chez elles. Il se met à pleuvoir, les essuie-glace ne fonctionnent pas bien, le pare-brise est sale. Soit elle évalue mal la distance qui la sépare du trottoir parce qu'elle a trop bu et pique du nez au volant pour la même raison, soit elle braque pour éviter un obstacle sur la route. Sa voiture cale, et ensuite quelqu'un s'approche. D'après notre vieille dame, Katherine Marcus aurait dit : « Salut. » C'est à ce moment-là que l'assassin tire le premier coup de feu. Elle réussit à le frapper avec la portière – peut-être, en effet, parce que l'arme s'est enrayée – et à s'enfuir dans le parc. Comme elle connaît bien le coin, elle doit s'imaginer qu'elle sèmera plus facilement son assaillant là-bas. Mais bon, rien ne nous permet de déterminer exactement pourquoi elle a choisi le parc, sinon que l'autre solution pour elle, c'était de s'élancer en ligne droite dans Sydney où, sur au moins quatre ou cinq cents mètres, il n'y avait pas grand-monde pour l'aider. Sans compter qu'elle aurait été à découvert, laissant la possibilité à l'assassin de l'écraser avec sa propre voiture ou de l'abattre à vue. Donc, elle file vers le parc. À partir de là, elle suit plus ou moins la direction du sud-est, traverse les jardins ouvriers, tente de se réfugier dans le ravin sous le pont, avant de piquer un sprint vers l'écran du drive-in. Elle...

– En d'autres termes, elle s'enfonce toujours plus loin dans le parc, souligna Maggie Mason.

– C'est exact, madame.

– Pourquoi ?

– *Pourquoi ?*

– Oui, sergent. (Maggie Mason ôta ses lunettes, qu'elle plaça sur la table devant elle.) Si j'étais moi-même poursuivie dans un parc dont je connais bien la configuration, il se pourrait qu'au départ, je décide en effet d'y entraîner mon agresseur avec l'espoir de le semer. Mais à la première occasion, j'essaierais d'en sortir. Pourquoi n'a-t-elle pas bifurqué vers le nord en direction de Roseclair, ou carrément rebroussé chemin vers Sydney ? Pourquoi continuer tout droit ?

– Parce qu'elle était sous le choc, peut-être. Et parce qu'elle avait peur. La peur empêche les gens de raisonner. N'oublions pas non plus qu'elle avait près d'un gramme d'alcool dans le sang. Elle était ivre, quoi.

Son interlocutrice remua la tête.

– Je ne suis pas convaincue, sergent. Et il y a autre chose : si je me base sur votre rapport, puis-je supposer que Mlle Marcus était plus rapide que son poursuivant ?

Whitey entrouvrit les lèvres, mais parut oublier ce qu'il voulait dire.

– Dans ce rapport, sergent, vous affirmez qu'à deux reprises au moins, Mlle Marcus a choisi de se cacher plutôt que de poursuivre sa course. Elle s'est d'abord réfugiée dans les jardins ouvriers, puis sous le pont. J'en tire deux conclusions : la première, c'est qu'elle était plus rapide que son poursuivant, sinon elle n'aurait même pas eu le temps *d'essayer* de se cacher ; la seconde, c'est qu'apparemment, conserver une certaine avance ne lui suffisait pas. Si vous ajoutez à cela le fait qu'elle n'a pas tenté de sortir du parc, qu'est-ce que vous en déduisez ?

Personne n'avait de réponse à lui fournir.

En fin de compte, Friel demanda :

– Et vous, Maggie, qu'est-ce que vous en déduisez ?

– J'aurais tendance à croire qu'elle se sentait cernée.

Durant quelques secondes, Sean eut l'impression que l'air dans la pièce devenait statique, qu'il était parcouru par des courants d'électricité.

– Vous pensez à un gang, quelque chose comme ça ? interrogea enfin Whitey.

– Quelque chose comme ça, oui, répondit-elle. À vrai dire, je n'en sais rien, sergent. Je me pose des questions, c'est tout. Je ne vois pas pourquoi cette jeune femme, qui était apparemment plus rapide que son attaquant, ne s'est pas précipitée hors du parc à la première occasion. À moins qu'ils n'aient été au moins deux à la traquer.

Whitey baissa la tête.

– Sauf votre respect, madame, on aurait retrouvé beaucoup d'indices sur les lieux dans un tel cas de figure.

– Vous avez vous-même fait plusieurs fois allusion à la pluie, dans votre rapport.

– Exact, convint Whitey. Mais si plusieurs individus, ou ne serait-ce que deux, s'étaient lancés à la poursuite de Katie Marcus, ils auraient laissé des traces. Au moins des empreintes de pas. Quelque chose.

Maggie Mason chaussa de nouveau ses lunettes, avant de se concentrer sur le document dans sa main.

– C'est une hypothèse, sergent. Une hypothèse qui, si j'en juge d'après votre rapport, mérite qu'on s'y attarde.

Whitey avait beau garder la tête baissée, Sean sentait le mépris émaner de lui comme une brume de chaleur.

– Votre avis, sergent ? lança Friel.

Un sourire las aux lèvres, Whitey releva enfin la tête.

– Je m'en souviendrai. D'accord. Mais les gangs n'ont jamais été moins actifs. Quant à l'autre possibilité, celle de deux agresseurs, elle nous ramène à la question d'un éventuel contrat.

– O.K...

– Mais si c'est le cas – et nous avons tous admis ici dès le début que c'était peu probable –, le second tireur aurait dû vider son chargeur dès le moment où Katherine Marcus a heurté le premier avec la portière. La seule explication qui se tienne pour l'instant, c'est celle d'un seul assassin et d'une jeune fille paniquée, ivre, peut-être affaiblie par la perte de sang, incapable de rassembler deux pensées cohérentes, et qui a sacrément joué de malchance.

– Vous garderez quand même mon hypothèse à l'esprit ? insista Maggie Mason avec un sourire empreint d'amertume, le regard fixé sur la table.

– Entendu, lui assura Whitey. À partir de maintenant, je suis prêt à considérer toutes les suggestions. Sérieux. Elle connaissait son meurtrier. O.K. Toutes les personnes susceptibles d'avoir un mobile ont été écartées. Plus on examine les données de l'affaire, plus il semblerait que l'attaque ait été gratuite. La pluie a détruit au moins les deux tiers des indices, la petite Marcus n'avait pas un seul ennemi, pas de secrets financiers, pas de problème de drogue, et à ma connaissance elle n'avait jamais été témoin d'un crime quelconque. Sa mort, pour autant qu'on puisse en juger, ne bénéficiait à personne.

– Sauf à O'Donnell, objecta Burke, qui ne voulait pas la laisser quitter la ville.

– C'est vrai, convint Whitey. Mais il a un alibi en béton, et selon toute vraisemblance, le meurtre n'a pas été commis par un tueur à sa solde. Alors, qui aurait pu lui vouloir du mal ? Personne.

– Pourtant, elle est morte, déclara Friel.

– Elle est morte, oui, répéta Whitey. Et c'est pour ça que je pense à un crime gratuit. Si on élimine l'argent, l'amour et la haine comme mobiles éventuels, il ne reste pas grand-chose. À part peut-être une espèce de putain d'obsédé qui aurait consacré un site Web à la victime, ou quelque chose dans ce goût-là.

Friel haussa les sourcils.

– On a déjà commencé à explorer cette piste-là, monsieur, intervint Shira Rosenthal. Jusque-là, *nada*.

– Autrement dit, vous ne savez pas ce que vous cherchez, conclut Friel.

– Oh si, répliqua Whitey. Un gars avec un revolver. Ah, et aussi une crosse de hockey.

18

Ces mots qu'il savait autrefois

Après avoir laissé Dave dans la cour, le visage et les yeux de nouveau secs, Jimmy prit sa seconde douche de la journée. Il le sentait toujours en lui, ce besoin de pleurer qui gonflait dans sa poitrine tel un ballon, lui bloquant le souffle.

Il passa sous la douche, car il voulait un moment d'intimité au cas où des flots de larmes jailliraient, au lieu des quelques pleurs qui avaient mouillé ses joues dehors. Il craignait de se transformer en véritable fontaine, de sangloter comme il avait sangloté dans sa chambre la nuit quand il était petit, certain que sa naissance avait failli tuer sa mère et que c'était la raison pour laquelle son père le détestait tant.

Dans la salle de bains, il éprouva encore une fois ce sentiment familier de tristesse, celui qu'il avait l'impression de porter en lui du plus loin qu'il s'en souvienne, cette conscience d'une tragédie appelée à se produire dans le futur, d'une tragédie pesante tels des blocs de calcaire. Comme si un ange lui avait prédit son avenir alors qu'il était encore dans le ventre maternel, comme s'il était né avec les paroles de cet ange gravées quelque part dans son esprit.

Levant les yeux vers le jet, il songea :

Je sais, tout au fond de mon âme, que j'ai contribué à la mort de mon enfant. Je le sens. Mais j'ignore de quelle façon.

Et la voix en lui de répondre :

Tu l'apprendras.

Dis-le-moi.

Non.

Va te faire foutre.

Je n'avais pas terminé.

Oh.

La conscience te viendra.

Et je serai damné ?

C'est ton choix.

Jimmy baissa la tête en pensant à Dave, qui avait vu Katie peu avant sa mort. Katie vivante, ivre, en train de danser. Katie heureuse.

C'était cette révélation – celle qu'un autre puisse garder un souvenir de Katie postérieur aux siens – qui lui avait enfin permis de pleurer.

La dernière fois où lui-même l'avait vue, Katie sortait du magasin après son service, le samedi après-midi. Il était quatre heures cinq, et Jimmy parlait au téléphone avec le vendeur de Frito-Lay, préoccupé par ses commandes, lorsqu'elle s'était approchée de lui pour l'embrasser sur la joue en disant : « À plus tard, papa. »

« À plus tard », avait-il répondu en la suivant du regard.

Non. Il se racontait des histoires. Il ne l'avait pas regardée. Il l'avait entendue s'éloigner, mais il n'avait pas levé les yeux du bon de commande posé devant lui sur le bureau.

Alors, l'ultime image qui lui restait d'elle, c'était son profil quand elle lui avait effleuré la joue d'un baiser en disant : « À plus tard, papa. »

« À plus tard, papa. »

Brusquement, Jimmy comprit que ce « À plus tard » – plus tard dans la soirée, plus tard dans sa vie – le hanterait toujours. S'il avait été là, s'il avait pu partager un encore un peu de temps avec sa fille, peut-être pourrait-il à présent se raccrocher à une image d'elle plus récente.

Mais il ne le pouvait pas. Contrairement à Dave. Contrairement à Eve et à Diane. Et contrairement à son assassin.

Si tu devais vraiment mourir ce jour-là, pensa Jimmy, si c'était vraiment écrit quelque part, alors je regrette que tu ne sois pas morte en regardant mes yeux. J'aurais souffert le martyre, Katie, mais au moins je t'aurais sue un peu moins seule.

Je t'aime. Je t'aime tellement... Je t'aime plus, en vérité, que je n'ai aimé ta mère, que je n'aime tes sœurs et Annabeth, je le jure devant Dieu. Pourtant, je les aime du plus profond de mon cœur, mais c'est toi que j'aime par-dessus tout, car lorsque je suis sorti de prison et que je me suis retrouvé dans cette cuisine avec toi, il n'y avait plus que nous deux au monde. Oubliés, exclus. On était tous les deux tellement effrayés et perdus, tellement désespérés... Mais on a surmonté ça, pas vrai ? On a reconstruit notre existence afin d'en faire quelque chose de suffisamment solide pour qu'un jour on puisse oublier notre peur, notre désespoir aussi. Et je n'y serais pas parvenu sans toi. Jamais. Je ne suis pas fort à ce point.

Tu serais devenue une femme superbe. Une épouse modèle, peut-être. Et une mère modèle. Tu étais mon amie, Katie. Je t'ai montré ma peur, mais tu ne t'es pas enfuie. Je t'aime plus que ma vie. Ton absence sera mon cancer. Elle finira par me tuer.

À cet instant, alors que l'eau ruisselait sur son corps, Jimmy eut l'impression de sentir la main de Katie dans son dos. C'était cela qu'il avait oublié lors de ce dernier moment passé avec elle. Elle avait placé la main dans son dos en se penchant pour l'embrasser. Elle l'avait posée à plat, entre les omoplates, et sa paume était chaude.

Il demeura sous la douche avec la sensation de cette main qui s'attardait sur sa peau mouillée, et peu à peu, son besoin de pleurer s'évanouit. Sa douleur lui rendait ses forces. L'amour de sa fille lui rendait ses forces.

Whitey et Sean trouvèrent une place de parking au coin de la rue où habitait Jimmy, puis ils remontèrent à pied Buckingham Avenue. L'air de cette fin d'après-midi commençait à se rafraîchir, le ciel virait au bleu marine, et Sean se demanda soudain ce que faisait Lauren en cet instant, si elle était près d'une fenêtre, si elle voyait le même ciel que lui, si elle était elle aussi sensible à la baisse de la température.

Juste avant qu'ils n'atteignent le petit immeuble où vivaient Jimmy et sa femme, pris en sandwich entre les phénomènes Savage et leurs épouses ou petites amies, ils virent Dave Boyle se pencher par la portière ouverte côté passager d'une Honda garée devant. Il chercha quelque chose dans la boîte à gants, la referma, puis se redressa avec son portefeuille à la main. Au moment de verrouiller la voiture, il aperçut Sean et Whitey, et leur sourit.

— Encore vous ? lança-t-il.

— On est comme la grippe, répondit Whitey. Toujours à débarquer au mauvais moment.

— Comment ça va, Dave ? s'enquit Sean.

— Bah, il n'y a pas eu beaucoup de changement en quatre heures. Vous allez chez Jimmy ?

Les deux policiers acquiescèrent.

— Et vous... vous avez, euh, du nouveau concernant cette affaire ?

D'un mouvement de tête, Sean lui signifia que non.

— On venait juste présenter nos condoléances, voir s'ils tenaient le coup.

— Pour le moment, ils font face. Je crois surtout qu'ils sont vidés. Pour autant que je le sache, Jimmy n'a pas fermé l'œil de la nuit. Comme Annabeth voulait des cigarettes, j'ai proposé d'aller lui en chercher, mais j'avais oublié mon portefeuille dans la voiture.

De sa main enflée, il le glissa au fond de sa poche.

Whitey fourra les siennes dans ses propres poches, prit appui sur ses talons et esquissa un petit sourire crispé.

— C'est douloureux ? demanda Sean en indiquant les doigts de Dave.

— Ça ? (Dave considéra sa main.) Non, pas trop, en fait.

Sean opina, avant d'esquisser le même sourire crispé que Whitey. Pendant quelques secondes, personne ne parla.

– Je jouais au billard, l'autre soir, expliqua enfin Dave. Tu vois cette table qu'ils ont au McGills, Sean ? Comme il y en a une bonne moitié contre le mur, t'as pas d'autre solution que de te servir de cette foutue queue trop courte.

– Exact, confirma Sean.

– Y avait ma bille à un cheveu de la bande, tu comprends, et la bille cible à l'autre bout de la table. J'ai voulu prendre mon élan, mais j'avais oublié que j'étais aussi près de la cloison, et... vlan ! C'est tout juste si j'ai pas traversé ce putain de mur.

– Aïe, fit Sean.

– Et vous l'avez réussi ? intervint Whitey.

– Hein ?

– Votre coup ? Vous l'avez réussi ?

Dave fronça les sourcils.

– Je l'ai raté. Évidemment, après, j'étais plus bon à rien.

– Évidemment, répéta Whitey.

– Mouais, reprit Dave. Dommage, parce que c'était drôlement bien parti jusque-là.

Whitey acquiesça, puis se tourna vers la Honda de Dave.

– On dirait que vous avez le même problème que moi avec la mienne.

– Euh, non, j'ai jamais eu de problème, répliqua Dave.

– Ah bon ? Ben, merde, alors. La courroie de distribution sur mon Accord s'est cassée à soixante-cinq mille kilomètres pile. J'ai appris que la même chose était arrivée à un de mes copains. Comme les réparations sont pratiquement équivalentes à la valeur de l'Argus, on se demande si ça vaut le coup de la porter chez le garagiste, pas vrai ?

– Non, répondit Dave. La mienne ne m'a jamais causé d'ennuis. (Il jeta un coup d'œil par-dessus son épaule, puis reporta son attention sur eux.) Bon, il faut que j'aille chercher ces clopes. Je vous retrouve tout à l'heure, chez les Marcus ?

– O.K., à tout à l'heure, lança Sean, qui le salua de la main avant que Dave ne descende du trottoir pour traverser l'avenue.

– Sacrée belle bosse sur l'aile avant, souligna Whitey en examinant de nouveau la Honda.

– Je me demandais si vous l'aviez remarquée, sergent.

– Quant à son histoire de billard ? siffla Whitey entre ses dents. Il voulait quoi, hein ? Nous faire croire qu'il appuyait le talon de la queue contre *sa paume*, peut-être ?

– Quoi qu'il en soit, on n'est guère plus avancés, reprit Sean, les yeux fixés sur Dave qui entrait chez Eagle Liquors.

– Tiens donc ! Et pourquoi, Superflic ?

– Si Dave est bien l'homme que le témoin de Souza a vu sur le parking du Last Drop, j'en déduis qu'il était en train de démolir un autre type au moment où Katie Marcus était assassinée.

Une grimace de déception déforma les traits de Whitey.

– Ça, c'est vous qui le dites. Pour moi, ce qui compte, c'est que ce type se trouvait sur le parking quand une gamine qui a été tuée une demi-heure plus tard a quitté le bar. Et qu'il *n'était pas chez lui* à une heure du matin, comme il le prétend.

À travers la vitrine, tous deux regardèrent Dave bavarder avec l'employé au comptoir.

– Le sang que les techniciens de la scène du crime ont prélevé près du Last Drop était peut-être là depuis des jours. Rien ne prouve qu'il n'y a pas eu tout simplement une bagarre entre deux types bourrés. Les clients du bar affirment qu'il ne s'est rien passé ce soir-là ? Eh bien, ça aurait très bien pu arriver la veille. Ou le même jour, mais dans l'après-midi. À mon avis, il n'y a aucun rapport entre le sang sur ce parking et la présence de Dave Boyle dans sa voiture à une heure et demie du matin. En revanche, je suis persuadé qu'il y en a un entre sa présence à ce moment-là et celle de Katie Marcus. (Whitey assena une bonne claque sur l'épaule de Sean.) Allez, on y va.

Sean jeta un dernier coup d'œil de l'autre côté de la rue au moment où Dave tendait de l'argent à l'employé. Il se sentait désolé pour lui. Quoi qu'ait pu faire Dave, il suscitait toujours chez les autres ce genre de sentiment : une pitié aiguë, à l'état brut, un peu répugnante.

Assise sur le lit de Katie, Celeste entendit les policiers monter l'escalier, leurs lourds godillots résonnant sur les vieilles marches de l'autre côté du mur. Quelques minutes plus tôt, en s'excusant de ne pas avoir la force d'entrer elle-même dans cette pièce, Annabeth l'avait envoyée chercher une robe que Jimmy emporterait au funérarium. La robe en question était bleue, avec une encolure qui dégageait les épaules, et Celeste se souvenait encore de Katie la portant pour le mariage de Carla Eigen, une fleur bleue et jaune piquée près de l'oreille dans ses cheveux relevés en chignon. Ils étaient plusieurs à en avoir eu le souffle coupé ce jour-là, alors que Katie n'avait même pas conscience de sa beauté éblouissante, et Celeste s'était dit que jamais elle-même n'avait été aussi jolie de toute sa vie. Du coup, quand Annabeth avait mentionné une robe bleue, sa cousine avait su tout de suite de quelle tenue il s'agissait.

À peine entrée dans cette chambre où, la veille au soir, elle avait vu Jimmy presser un oreiller contre son visage pour s'imprégner du parfum de sa fille, Celeste avait ouvert la fenêtre afin de dissiper l'odeur de renfermé trop évocatrice du deuil. Elle avait trouvé la robe dans une housse au fond de la penderie, puis elle l'en avait sortie pour l'étaler sur le lit, où elle s'était assise quelques instants. Des bruits s'élevaient de la rue en contrebas – claquements de portières, propos décousus des passants qui s'éloignaient sur les trottoirs, sifflement des portes du bus qui s'ouvraient à l'arrêt au croisement avec Crescent Street –, et Celeste avait contemplé la photo sur la table de chevet, montrant Katie et son père. Le cliché avait été pris des années plus tôt ; juchée sur les épaules paternelles, Katie arborait un sourire découvrant son appareil dentaire, tandis que Jimmy la tenait par les chevilles et regardait droit vers l'objectif en souriant aussi – de ce merveilleux sourire franc qui illuminait parfois son visage, tellement surprenant chez un homme aussi réservé.

Celeste saisissait la photo lorsqu'elle avait entendu Dave lancer dehors : « Encore vous ? »

Brusquement, elle s'était figée, saisie peu à peu par un froid intense alors que lui parvenaient les propos échangés d'abord entre Dave et les policiers, puis entre Sean Devine et son collègue après le départ de Dave.

Pendant dix ou douze secondes, Celeste avait lutté de toutes ses forces pour ne pas vomir sur la robe bleue de Katie. De violents spasmes la secouaient, sa gorge était nouée et elle avait l'impression que le contenu de son estomac bouillonnait. Elle s'était penchée pour essayer de calmer ses haut-le-cœur, une toux sèche et rauque s'était échappée de ses lèvres à plusieurs reprises, mais elle n'avait pas été malade. Et le malaise s'était finalement dissipé.

Elle se sentait toujours nauséeuse, pourtant. Nauséeuse et moite, avec le cerveau en feu. Et la force de ce qui brûlait à l'intérieur de sa tête lui brouillait la vue, emplissait ses sinus et l'espace derrière ses yeux.

Tandis que Sean et son collègue gravissaient l'escalier, elle s'allongea sur le lit en souhaitant être frappée par la foudre, écrasée par l'effondrement du plafond ou soulevée par quelque puissance inconnue qui la jetterait par la fenêtre ouverte. Tous ces scénarios étaient encore préférables à celui qu'elle devait maintenant affronter. Mais peut-être que Dave protégeait quelqu'un, peut-être qu'il avait surpris quelque chose qu'il n'aurait pas dû voir et qu'on l'avait menacé. Peut-être que les questions des policiers signifiaient juste qu'il était *considéré comme* suspect. Après tout, à aucun moment ils ne l'avaient accusé d'avoir assassiné Katie.

D'accord, cette histoire d'agression qu'il lui avait racontée était un mensonge, elle l'avait bien compris depuis le début. Au cours des deux jours écoulés, elle avait essayé de fuir cette certitude, de la masquer dans sa tête comme un gros nuage masque le soleil. Mais elle savait, depuis le soir où il était rentré couvert de sang, que les agresseurs ne frappent pas d'une main quand ils peuvent donner un coup de couteau avec l'autre. Qu'ils ne prononcent pas des phrases stupides comme « Ton portefeuille ou ta vie, connard. Je te laisse un des deux ». Et qu'ils ne se font pas désarmer ni rosser par des hommes tels que Dave, qui n'ont plus été mêlés à des bagarres depuis l'école primaire.

Si Jimmy lui avait raconté la même histoire, les choses auraient été différentes. Jimmy, tout en muscles déliés, paraissait capable de tuer. Il donnait l'impression d'avoir appris à se battre, mais aussi d'avoir mûri au point de dépasser le stade où la violence était nécessaire dans sa vie. Pourtant, il émanait toujours de lui une impression de danger, de potentiel destructeur.

Ce qui émanait de Dave était d'une tout autre nature. On sentait qu'il y avait en lui des secrets, des engrenages poussiéreux qui tournaient dans les recoins poussiéreux de son esprit, un univers étrange auquel son regard impénétrable ne donnait pas accès. Mariée depuis huit ans, Celeste avait toujours cru qu'il lui ouvrirait un jour les portes de son monde caché, mais rien de tel ne s'était produit. Or Dave y passait maintenant plus de temps que dans le monde réel, et elle en venait à se demander si les deux n'avaient pas fini par se fondre, de sorte que les ténèbres dans la tête de Dave s'étaient répandues jusque dans les rues d'East Buckingham.

Dave aurait-il pu tuer Katie ?

Il l'avait toujours aimée, pourtant. Non ?

Et franchement, Dave – son *mari* – était-il capable de commettre un meurtre ? De traquer la fille de son vieil ami dans un parc en pleine nuit ? De s'acharner sur elle en ignorant ses cris et ses supplications ? De lui tirer une balle dans la nuque ?

Pourquoi ? Pourquoi quelqu'un ferait-il une chose pareille ? Et surtout, comment imaginer que Dave puisse être cette personne ?

Oui, il vivait dans un univers secret, songea-t-elle. Oui, il souffrirait toute sa vie en raison des crimes perpétrés contre lui lorsqu'il était encore enfant. Oui, il avait menti à propos d'une soi-disant agression, mais il y avait sûrement une explication plausible à ce mensonge.

Quel genre d'explication ?

Katie avait été assassinée dans Pen Park peu après avoir quitté le Last Drop. Dave avait affirmé s'être battu sur le parking de ce même bar. Il avait affirmé y avoir laissé son agresseur inconscient, mais personne n'avait retrouvé cet homme. Pourtant, la police avait bel et bien mentionné la présence de sang sur ce parking. Alors, Dave disait-il la vérité ? Peut-être.

Néanmoins, Celeste ne cessait de revenir à la chronologie des événements. Dave avait prétendu se trouver à l'intérieur du Last Drop. Apparemment, il avait menti à la police sur ce point. Katie avait été tuée entre deux et trois heures du matin. Et Dave était rentré chez eux à trois heures dix, maculé du sang d'un autre, avec une histoire peu convaincante sur la façon dont il était arrivé là.

Et c'était la coïncidence la plus troublante de toutes : Katie est assassinée, Dave rentre couvert de sang.

Si elle n'était pas sa femme, se demanda Celeste, aurait-elle le moindre doute sur la conclusion à tirer ?

Elle se pencha de nouveau en avant pour essayer d'étouffer la douleur dans ses entrailles et la voix dans sa tête qui répétait avec insistance, en un chuchotement sifflant :

Dave a tué Katie. Oh, mon Dieu. Dave a tué Katie.

Seigneur, Dave a tué Katie, et moi, je voudrais mourir.

— Donc, vous avez écarté Bobby et Roman de la liste des suspects ? demanda Jimmy.

Sean fit non de la tête.

— Pas complètement. Il est toujours possible qu'ils aient engagé un tueur.

— Mais vous n'y croyez pas, hein ? intervint Annabeth. Je le vois dans vos yeux.

— Non, madame Marcus. On n'y croit pas.

— Vous soupçonnez quelqu'un d'autre, alors ? reprit Jimmy.

Whitey et Sean échangèrent un bref coup d'œil au moment où Dave entrait dans la cuisine, libérait de son emballage un paquet de cigarettes et le tendait à Annabeth.

— Tiens, Anna.

— Merci. (Elle regarda Jimmy d'un air légèrement embarrassé.) C'est juste que j'en avais envie, tu comprends.

Avec un sourire plein de douceur, il lui tapota la main.

— Si tu as besoin de quelque chose, ne t'en prive pas, ma chérie. Ne t'inquiète pas, ça n'a aucune importance.

Elle se tourna vers les deux policiers en allumant sa cigarette.

— J'ai arrêté il y a dix ans.

— Moi aussi, déclara Sean. Je peux vous en piquer une quand même ?

Lorsque Annabeth laissa échapper un petit rire, la cigarette tressautant entre ses lèvres, Jimmy se dit que c'était sans doute le premier son agréable qu'il entendait depuis vingt-quatre heures, et il faillit remercier Sean pour avoir réussi à illuminer ne serait-ce qu'un instant le visage de sa femme.

– Ce n'est pas sérieux, agent Devine, déclara Annabeth en lui donnant du feu.

Sean tira une longue bouffée.

– J'ai déjà entendu ça, marmonna-t-il.

– Et pas plus tard que la semaine dernière, intervint Whitey, si je me souviens bien. Dans la bouche du lieutenant.

– C'est vrai ? lança Annabeth qui, faisant partie de ces rares personnes capables de s'investir autant dans la parole que dans l'écoute, dévisagea Sean avec un intérêt chaleureux.

Celui-ci se fendit d'un large sourire tandis que Dave prenait un siège, et Jimmy sentit l'atmosphère de la cuisine s'alléger petit à petit.

– J'ai écopé d'une mise à pied, admit Sean. Hier, c'était mon premier jour de reprise.

– Qu'est-ce que t'as fabriqué ? demanda Jimmy en se penchant vers la table.

– Ah, c'est confidentiel, répondit Sean.

– Sergent Powers ? insista Annabeth.

– Eh bien, l'agent Devine ici présent...

– Hé, moi aussi, je pourrais en raconter de belles sur vous, sergent, l'interrompit Sean.

– Touché, répliqua son collègue. Désolé, madame Marcus.

– Oh, allez...

– Pas question. Je regrette.

– Sean..., commença Jimmy.

Lorsque Sean tourna la tête vers lui, Jimmy tenta de lui signifier d'un regard que c'était exactement ce dont ils avaient besoin en ce moment. Un répit. Une conversation qui n'avait rien à voir avec le crime, les funérariums ou la douleur engendrée par la perte d'un être cher.

Alors, l'expression de Sean s'adoucit, et l'espace d'un instant, son visage redevint celui du petit garçon de onze ans qu'il avait été. Il hocha la tête, puis s'adressa de nouveau à Annabeth :

– J'ai noyé un gars sous les contraventions bidon.

– Vous avez fait *quoi* ?

Elle se pencha, la cigarette près de son oreille, les yeux écarquillés.

Sean renversa la tête, tira une autre bouffée et souffla la fumée vers le plafond.

– Bon, il y avait ce type que je ne pouvais pas saquer, et ne me demandez pas pourquoi, parce que je ne vous le dirai pas. Alors, à peu près tous les mois, pour une histoire d'infraction, j'entrais son numéro d'immatriculation dans la base de données du bureau des contraventions. Mais je variais les plaisirs, hein : une fois, c'était pour dépassement de délai au parcmètre, le mois suivant pour un stationnement en zone de livraison, etc., etc. Bref, le gars était dans le système, mais il ne le savait pas.

– Parce qu'il n'avait jamais eu de P.V.

– Tout juste. Résultat, tous les vingt et un jours, il écopait d'une pénalité de cinq dollars supplémentaires pour non-paiement, et les amendes ont continué à s'accumuler jusqu'au moment où il a été convoqué au tribunal.

– Pour découvrir qu'il devait à l'État quelque chose comme douze cents dollars, précisa Whitey.

– Onze cents, rectifia Sean. Il a raconté qu'il n'avait jamais eu les contraventions en main, mais personne ne l'a pris au sérieux, évidemment. Au tribunal, ils entendent ça tout le temps. Et donc, le type s'est retrouvé baisé. Son nom était dans l'ordinateur, après tout, et les ordinateurs ne se trompent jamais, c'est bien connu.

– Génial ! s'exclama Dave. Ça t'arrive souvent de faire des coups pareils ?

– Non, pas du tout ! se récria Sean, et Annabeth et Jimmy éclatèrent de rire. Je t'assure, David.

– Attention, mon vieux, dit Jimmy. Le voilà qui t'appelle « David », maintenant.

– Je ne l'ai fait que *cette fois-là* et à *ce type-là*, affirma Sean.

– Comment ils t'ont coincé, alors ?

– La tante du type en question bossait au bureau des contraventions, expliqua Whitey. Vous y croyez, vous ?

– Non, décréta Annabeth.

Sean hocha la tête.

– Hé, si ! Le gars a payé ses amendes, mais après, il a mis sa tante sur l'affaire, et elle a remonté la piste jusqu'à ma brigade, et comme j'avais déjà eu quelques démêlés avec le gentleman en question, mon supérieur n'a pas eu trop de mal à établir un lien entre mobile et opportunité, et à réduire à un seul le nombre des suspects possibles. Voilà, c'est comme ça que j'ai été démasqué.

– Et t'as eu beaucoup d'emmerdes ? demanda Jimmy.

– Des tonnes, avoua Sean, et cette fois, les quatre autres s'esclaffèrent. Des tonnes et des tonnes d'emmerdes.

En voyant le regard de Jimmy pétiller, Sean se joignit lui aussi à l'hilarité générale.

– Mouais, ce pauvre vieux Devine a passé un sale moment, renchérit Whitey.

– Vous avez eu de la chance que la presse ne l'apprenne pas, dit Annabeth.

– Oh, ce genre de problèmes, on les règle entre nous, déclara le sergent. L'agent Devine s'est fait remonter les bretelles, c'est vrai, mais la p'tite dame du bureau des contraventions avait juste identifié la source de toutes ces contraventions, pas le policier qui les distribuait. On a parlé de quoi, déjà, d'une erreur d'inattention ?

— D'un bug informatique, reprit Sean. Le lieutenant m'a obligé à rembourser l'intégralité de la somme, suspendu de mes fonctions pendant une semaine sans solde et imposé une mise à l'épreuve de trois mois. Mais je m'en sors bien, ç'aurait pu être pire.

— Sûr, il aurait pu le rétrograder, ajouta Whitey.

— Qu'est-ce qui l'en a empêché ? interrogea Jimmy.

Sean écrasa sa cigarette avant d'ouvrir les bras.

— On me surnomme Superflic, figure-toi. Tu lis jamais les journaux, Jim ?

— Ce que M. Ego Surdimensionné essaie de vous dire, là, c'est qu'il a bouclé quelques enquêtes particulièrement difficiles ces derniers mois, expliqua Whitey. C'est lui qui détient le record d'affaires résolues dans mon unité. Alors, si on veut se débarrasser de lui, faut attendre que sa moyenne baisse.

— Ah oui, je me rappelle, intervint Dave. C'est vrai, j'ai vu ton nom dans le journal, un jour. À propos de cette histoire d'altercation entre automobilistes.

— Hé, Dave sait lire ! lança Sean à l'adresse de Jimmy.

— Pas les manuels de billard, en tout cas, répliqua Whitey avec un sourire. Ça va, la main, monsieur Boyle ?

Jimmy se tourna vers Dave, dont il croisa les yeux juste avant que celui-ci ne les baisse, et il eut le sentiment très net que le sergent le cherchait, qu'il le provoquait. Jimmy en avait fait suffisamment l'expérience dans le passé pour reconnaître tout de suite l'intonation caractéristique du flic. Mais pourquoi se concentrait-il sur la main de Dave ? Et qu'est-ce que signifiait cette histoire de billard ?

Dave ouvrit la bouche comme pour répondre, mais soudain il se pétrifia en voyant quelque chose derrière l'épaule de Sean. Jimmy suivit son regard et sentit tout son corps se raidir.

Quand il tourna la tête à son tour, Sean découvrit Celeste Boyle qui tenait une robe bleu foncé sur un cintre à hauteur de son épaule, si bien que le vêtement pendait à côté d'elle comme s'il couvrait un corps invisible pour tous.

Devant l'expression de Jimmy, Celeste déclara :

— J'irai moi-même la porter au funérarium, Jim. Ça ne me dérange pas. Vraiment.

Mais Jimmy paraissait transformé en statue.

— Tu n'es pas obligée de faire ça, intervint Annabeth.

– Je sais, mais j'aimerais le faire quand même, répliqua sa cousine avec un petit rire étrangement douloureux. Et puis, j'ai besoin de prendre l'air quelques minutes. Alors, autant en profiter pour vous rendre service.

– Tu en es sûre ? demanda Jimmy d'une voix qui tenait du faible croassement.

– Oui, j'en suis sûre, répondit Celeste.

Sean ne se souvenait pas d'avoir jamais senti quelqu'un aussi désespéré de quitter une pièce. Il se leva, repoussa son siège et s'avança vers Celeste, la main tendue.

– Nous nous sommes déjà rencontrés, madame Boyle. Sean Devine.

– Oh. Oui, bien sûr.

Elle glissa dans celle de Sean une main humide de sueur.

– Vous m'avez coupé les cheveux, un jour, ajouta-t-il.

– Je me rappelle, oui.

– Bon, eh bien...

– Oui ?

– Je ne voudrais pas vous retenir.

De nouveau, Celeste laissa échapper son rire douloureux.

– Non, non. Ça m'a fait plaisir de vous revoir. Mais il faut que j'y aille, maintenant.

– Au revoir.

– Au revoir.

– À tout à l'heure, ma chérie, lança Dave, mais Celeste se précipitait déjà dans le couloir comme si elle avait senti une fuite de gaz.

– Merde, lâcha Sean, qui jeta un coup d'œil par-dessus son épaule à Whitey.

– Quoi ? demanda le sergent.

– J'ai oublié mon calepin dans la voiture.

– Il vaudrait peut-être mieux que vous alliez le chercher, alors.

Au moment où Sean s'engageait à son tour dans le couloir, il entendit Dave demander au sergent :

– Pourquoi vous ne lui donnez pas une page du vôtre, plutôt ?

Sean n'eut pas l'occasion de connaître la réponse vaseuse que Whitey lui donnait, car il se précipitait déjà dans l'escalier. Il déboucha de l'immeuble au moment où Celeste ouvrait la portière avant de la Honda, puis se penchait pour déverrouiller de l'intérieur la portière arrière. Après avoir étalé soigneusement la robe sur la banquette, elle se redressa, et en voyant par-dessus le toit de la voiture Sean descendre les marches du perron, une expression de terreur pure s'inscrivit sur ses traits, une expression semblable à celle d'un passant qui regarde un bus foncer droit sur lui.

Partagé entre la subtilité et l'approche directe, Sean opta finalement pour cette seconde solution. Puisqu'elle était déstabilisée, pour une raison

251

encore inexplicable, la méthode directe avait plus de chances d'aboutir à des résultats.

– Celeste ? J'aimerais juste vous poser une question.

– À moi ?

Sean opina, puis s'appuya contre la voiture, les mains sur le toit.

– À quelle heure Dave est-il rentré samedi soir ?

– Quoi ?

Sans la quitter des yeux, il répéta la question.

– Pourquoi voulez-vous le savoir ? demanda-t-elle.

– C'est juste un détail, Celeste. On a interrogé Dave aujourd'hui, car il se trouvait au McGills au même moment que Katie. Or certaines des réponses qu'il nous a fournies ne sont pas très cohérentes, ce qui gêne mon partenaire. Moi, je suis persuadé que Dave devait avoir un bon coup dans le nez ce soir-là et qu'il a un peu de mal à rassembler ses souvenirs, mais mon collègue est plutôt du genre chiant. Alors, j'aurais besoin de savoir à quelle heure Dave est rentré ; comme ça, il me foutra la paix, et on pourra se concentrer sur l'enquête pour retrouver l'assassin de Katie.

– Vous croyez que c'est Dave qui l'a tuée ?

Sean s'écarta de la voiture, puis inclina la tête.

– Je n'ai rien dit de tel, Celeste. Merde, pourquoi je penserais ça ?

– Je, euh, je ne sais pas.

– Pourtant, c'est vous qui l'avez dit.

– Quoi ? De quoi on parle exactement, là ? Vous m'embrouillez.

Il lui adressa un sourire qu'il voulait rassurant.

– Plus vite je saurai à quelle heure Dave est rentré, Celeste, plus vite je pourrai convaincre mon équipier d'oublier les trous dans l'histoire de votre mari.

Pendant quelques secondes, elle parut sur le point de s'élancer dans la rue. Elle avait l'air tellement abandonnée, tellement perdue que Sean éprouva soudain pour elle cette même pitié qu'il ressentait souvent pour son mari.

– Celeste, reprit-il, conscient que Whitey lui collerait une mauvaise note sur son rapport de mise à l'épreuve s'il l'entendait, je ne crois pas que Dave ait quoi que ce soit à se reprocher. Sérieux. Mais mon partenaire n'est pas de cet avis, et c'est lui qui est responsable de cette enquête. Autrement dit, c'est lui qui décide quelles pistes suivre. Alors, vous me dites à quelle heure Dave est rentré, et on vous laisse tranquille. Dave n'aura plus jamais à s'inquiéter à cause de nous.

– Mais vous avez vu la voiture.

– Pardon ?

– Je vous ai entendus, tout à l'heure. Quelqu'un a vu cette voiture garée dans le parking du Last Drop la nuit où Katie est morte. Votre partenaire pense que c'est Dave qui l'a tuée.

Celle-là, Sean ne s'y attendait pas.

– Il tient juste à vérifier quelques petites choses au sujet de Dave. Ce n'est pas pareil. On n'a pas de suspects, Celeste, O.K. ? Aucun suspect. Ce qu'on a, ce sont ces trous dans la version que nous a donnée Dave. On les comble, et c'est fini. On n'en parle plus.

Il a été agressé, aurait voulu dire Celeste. *Il est rentré couvert de sang, mais c'est juste parce que quelqu'un l'a attaqué. Ce n'est pas lui le coupable. Même si une partie de moi pense qu'il l'est peut-être, une autre sait qu'il n'a pas commis ce crime. Je couche avec lui. Je l'ai épousé. Et jamais je n'aurais épousé un meurtrier, espèce de connard de flic.*

Elle tenta de se rappeler la façon dont elle avait prévu de réagir lorsque les flics viendraient les interroger. Ce soir-là, quand elle avait lavé les vêtements ensanglantés de Dave, elle avait mis au point un plan pour gérer la situation au mieux. Mais elle ne savait pas encore que Katie était morte et que les flics lui poseraient des questions sur l'éventuelle implication de Dave dans ce meurtre. Comment aurait-elle pu prévoir cela ? Quant à ce policier, il était trop calme, trop sûr de lui, trop charmant. Rien à voir avec le gros flic bedonnant, grisonnant et puant l'alcool qu'elle s'attendait à rencontrer. C'était aussi un vieux copain de Dave. Il était là, avec Jimmy Marcus, le jour où Dave avait été enlevé. Et il était devenu ce bel homme intelligent avec une voix chaude qu'on pourrait écouter toute la nuit et des yeux qui semblaient capables de vous transpercer.

Bon sang, comment était-elle censée faire face ? Elle avait besoin de temps. Elle avait besoin de temps pour réfléchir, se ressaisir et prendre du recul. Elle n'avait pas besoin de sentir la présence accusatrice de cette robe sur la banquette arrière ni le regard à la fois sexy et empoisonné de ce flic posté de l'autre côté de la voiture.

– Je dormais, répondit-elle enfin.

– Hein ?

– Je dormais. Samedi soir, quand Dave est rentré. J'étais déjà couchée.

Il hocha la tête, s'appuya de nouveau contre la Honda, posa une nouvelle fois les mains sur le toit. Il semblait satisfait. Comme s'il avait obtenu une réponse à toutes ses questions. Il avait des cheveux châtains très épais, et elle se rappela les reflets plus foncés, presque cuivrés, au sommet de son crâne. Elle se rappela également avoir pensé qu'il n'aurait jamais à redouter la calvitie.

– Celeste, dit-il enfin de sa belle voix chaude, je crois que vous avez peur.

Elle eut l'impression qu'une main sale lui serrait le cœur.

– Je crois que vous avez peur, et je crois que vous savez quelque chose. Je veux que vous compreniez que je suis de votre côté. Du côté de Dave aussi. Mais peut-être encore plus du vôtre car, je vous le répète, vous avez peur.

C'est faux, articula-t-elle avant d'ouvrir sa portière.

– Oh non, c'est vrai, répliqua Sean avant de s'écarter quand Celeste se glissa au volant, puis s'éloigna dans l'avenue.

19

Ce qu'ils rêvaient d'être

Lorsque Sean remonta dans l'appartement, il trouva Jimmy au téléphone, en train d'arpenter le couloir.

– Oui, je penserai aux photos, disait-il. Merci. (Il raccrocha, puis se tourna vers Sean.) C'était le funérarium, expliqua-t-il. Ils sont allés chercher le corps à la morgue, et ils voulaient me prévenir que je pouvais apporter les effets de Katie. (Il haussa les épaules.) Et venir régler les détails de la cérémonie, ce genre de choses.

Sean opina.

– T'as récupéré ton calepin ?

– Il est là, répondit Sean en portant la main à sa poche.

Jimmy tapotait le combiné contre sa cuisse.

– Je ferais mieux d'y aller, alors.

– T'aurais surtout besoin de te reposer un peu, vieux.

– Non, ça va.

– O.K.

Au moment où Sean passait à côté de lui, Jimmy lança :

– Je peux te demander une faveur ?

– Bien sûr.

– Dave ne va sûrement pas tarder à ramener Michael. Si tu n'es pas trop occupé, je me disais que tu pourrais peut-être tenir compagnie à Annabeth un moment. Juste pour qu'elle ne se retrouve pas toute seule, tu comprends ? Celeste ne devrait pas en avoir pour longtemps, de toute façon. Je veux dire, comme Val et ses frères ont emmené les filles voir un film, il n'y a plus personne à la maison, et je sais qu'Annabeth n'a pas envie d'aller au funérarium pour le moment, alors, je pensais juste que, enfin...

– À mon avis, il n'y aura pas de problème, l'interrompit Sean. Je vais quand même en toucher un mot au sergent, mais en principe notre service se terminait il y a deux heures. Bon, je lui en parle et je reviens, O.K. ?

– Merci, Sean.

– Y a pas de quoi. (Sean se dirigeait vers la cuisine lorsque soudain, il se retourna.) Au fait, Jim, j'aimerais te poser une question.

– Vas-y, je t'écoute, répondit Jimmy, qui prenait déjà son air méfiant de détenu.

Sean rebroussa chemin.

– Plusieurs témoignages semblent indiquer que les choses ne se passaient pas très bien entre toi et ce gosse que t'as mentionné hier, Brendan Harris.

Jimmy haussa les épaules.

– Y a rien à dire de spécial. C'est juste que je ne l'aime pas.

– Pourquoi ?

– Va savoir. (Jimmy glissa le téléphone dans la poche de sa chemise.) Certaines personnes ne te reviennent pas, c'est tout.

Se rapprochant de Jimmy, Sean lui posa une main sur le bras.

– Il sortait avec Katie, Jim. Ils avaient prévu de se marier.

– Tu déconnes, répliqua Jimmy, les yeux rivés au sol.

– On a trouvé des brochures sur Las Vegas dans son sac à dos, Jim. On s'est renseignés, et on a découvert des réservations à leurs deux noms sur un vol de la TWA. Brendan Harris a confirmé.

Jimmy repoussa la main de Sean.

– C'est lui qui a assassiné ma fille ?

– Non.

– T'en es sûr à cent pour cent ?

– Pratiquement. Il a réussi haut la main le test du détecteur de mensonge. Sans compter que ce gosse ne me paraît pas capable de tuer. Et je crois qu'il aimait vraiment ta fille.

– Bordel de merde !

Sean s'adossa au mur sans rien ajouter, lui laissant le temps de digérer la nouvelle.

– Ils voulaient se marier, tu dis ? reprit Jimmy au bout d'un moment.

– Oui, Jim. D'après Brendan et les deux copines de Katie, tu refusais catégoriquement qu'elle le fréquente. Ce que je ne m'explique pas, c'est pourquoi. Ce gosse ne me fait pas l'effet d'un voyou. Il n'est peut-être pas très malin, d'accord, mais il a l'air brave, gentil même. Alors, j'avoue que je suis surpris.

– Toi, t'es surpris ? (Jimmy partit d'un petit rire sans joie.) Et moi, donc ! Je viens d'apprendre que ma fille – qui, je te signale, a été assassinée – avait prévu de s'enfuir pour épouser ce gars, Sean.

– Je sais, répondit Sean, baissant la voix dans l'espoir d'apaiser Jimmy, qui lui semblait désormais presque aussi agité que la veille, près de l'écran du drive-in. Mais bon sang, vieux, pourquoi t'es si remonté contre ce gamin ?

Jimmy s'appuya contre le mur à côté de Sean, inspira à fond, puis relâcha lentement son souffle.

– Je connaissais son père. On le surnommait « Juste Ray ».

– Juste Ray ? Pourquoi, il était juge ?

De la tête, Jimmy lui signifia que non.

– Y avait tellement de gars qui se prénommaient Ray par ici à l'époque – tu vois, comme Ray Bucheck le Dingue, Ray Dorian le Fou furieux, ou encore Ray de Woodchuck Lane – que Ray Harris est devenu Juste Ray, parce que tous les autres surnoms étaient pris. (Il haussa les épaules.) Bref, je n'avais aucune sympathie pour lui, et en plus il a quitté sa femme alors qu'elle était enceinte de ce gamin muet et que Brendan n'avait que six ans ; du coup, je me suis dit : « Tel père, tel fils », ce genre de truc, et c'est pour ça que je ne tenais pas à ce qu'il fréquente ma fille.

Sean hocha la tête, bien qu'au fond il ne soit pas convaincu. Il y avait quelque chose dans la façon dont Jimmy avait déclaré qu'il n'avait pas beaucoup de sympathie pour cet homme – une intonation particulière, peut-être – qui lui rappelait trop tous ces tissus de mensonges entendus dans son boulot.

– C'est tout ? demanda-t-il. C'est la seule raison ?

– C'est tout, affirma Jimmy, qui s'écarta du mur avant de s'éloigner dans le couloir.

– Je trouve que c'est une bonne idée, affirma Whitey en sortant de l'immeuble avec Sean. Restez encore moment avec la famille et tâchez d'en apprendre un peu plus. Au fait, qu'est-ce que vous avez dit à la femme de Boyle ?

– Qu'elle avait l'air effrayée.

– Elle a confirmé l'alibi de son mari ?

Sean fit non de la tête.

– Elle m'a juste répondu qu'elle dormait.

– Mais d'après vous, elle a peur ?

Sans un mot, Sean indiqua les fenêtres donnant sur la rue. Puis il s'éloigna, et Whitey le suivit jusqu'au coin de la rue.

– Elle nous a entendus parler de la voiture, tout à l'heure.

– Merde, lâcha Whitey. Si elle en parle à son mari, il risque de filer.

– Pour aller où ? Il est fils unique, sa mère est décédée, il n'a pratiquement pas de revenus et pour ainsi dire aucun ami. Je ne l'imagine pas vraiment quitter le pays pour se réfugier en Uruguay...

– Il peut très bien essayer de s'enfuir quand même.

– Pour le moment, on n'a *rien* contre lui, sergent.

Whitey recula d'un pas, avant d'observer son collègue à la lueur du lampadaire à côté d'eux.

– Vous n'avez plus envie de bosser, Superflic ?

– Franchement, je ne le vois pas impliqué là-dedans. Il n'a pas de mobile, pour commencer.

– Son alibi ne tient pas, Devine. Et il y a tellement de trous dans sa version des faits que si c'était un putain de bateau, il aurait coulé depuis longtemps. Vous m'avez dit aussi que sa femme avait peur. Pas qu'elle était contrariée, non. Mais qu'elle avait peur.

– O.K., je le reconnais. Elle nous cache quelque chose, c'est évident.

– Vous pensez vraiment qu'elle dormait quand il est rentré ?

Soudain, Sean revit Dave en larmes monter dans cette voiture quand il était tout gosse. Il le revit sur la banquette arrière, le visage tourné vers eux, juste avant qu'il ne disparaisse au coin de la rue. Et il eut envie de se taper le crâne contre le mur derrière lui pour anéantir les images gravées dans sa mémoire.

– Non, sergent. Je crois au contraire qu'elle sait à quelle heure il est rentré. Et maintenant qu'elle a surpris notre conversation, elle sait aussi qu'il était sur le parking du Last Drop ce soir-là. Alors, peut-être qu'il y avait dans sa tête un certain nombre de questions, et qu'elle est en train d'y répondre en ce moment même.

– D'où cette peur que vous avez remarquée ?

– Possible. Je ne sais pas. (Du pied, Sean envoya rouler un caillou sur le trottoir.) J'ai l'impression que...

– Oui ?

– J'ai l'impression qu'on a des tas d'éléments qui se télescopent, mais qui ne collent pas. J'ai l'impression de passer à côté de quelque chose d'important.

– D'après vous, Boyle est hors du coup ?

– Je ne l'exclu pas de la liste des suspects. Non. En fait, je serais même tenté de le croire coupable si je pouvais imaginer un mobile.

Whitey appuya un pied contre le lampadaire. Il regardait Sean comme celui-ci l'avait vu regarder au tribunal certains témoins dont il n'était pas sûr.

– D'accord, reprit-il. L'absence de mobile me chiffonne, moi aussi. Mais pas tellement, au fond. Non, pas tellement. À mon avis, il y a quelque part un lien susceptible de rattacher Boyle à toute cette affaire. Sinon, pourquoi il nous mentirait ?

– Allons, sergent, c'est le boulot qui veut ça, répliqua Sean. Les gens nous racontent des salades juste pour le plaisir de le faire. Vous voyez le quartier autour du Last Drop ? Eh bien, je peux vous dire qu'il est sacrément animé, la nuit, entre les putes, les travestis et les gosses qui se prostituent. Peut-être que Dave tirait un coup dans cette bagnole, et qu'il ne tient pas à ce que sa femme l'apprenne. Peut-être qu'il a une maîtresse. Qui sait ? Mais jusque-là, sergent, rien ne permet de l'impliquer dans le meurtre de Katherine Marcus.

– Rien, sinon un beau paquet de bobards et mon intuition que ce type n'est pas clair.

– Votre intuition, hein ?

– Sean, reprit Whitey posément, en énumérant ses arguments sur ses doigts, ce gars nous a menti sur l'heure à laquelle il a quitté le McGills. Il nous a menti sur l'heure à laquelle il est rentré chez lui. Il était garé sur le parking du Last Drop lorsque Katie Marcus en est sortie. Il est allé dans *deux* des bars où elle s'est rendue ce soir-là, et pourtant, il refuse de l'avouer. Il a une main dans un sale état, et l'explication qu'il nous a donnée est bidon. Il connaissait la victime, ce qui était le cas du meurtrier, on est tous d'accord sur ce point. Il correspond tout à fait au profil type de l'assassin qui tue gratuitement, par plaisir : blanc, dans les trente, trente-cinq ans, pas d'emploi fixe, et si j'en juge d'après ce que vous m'avez confié hier, il a été abusé sexuellement dans sa jeunesse. Sérieux, sur le papier, ce gars-là devrait déjà être en taule.

– Vous venez de le dire vous-même, il a subi autrefois des violences sexuelles, mais Katherine Marcus, elle, n'a pas été violée. Ce n'est pas logique, sergent.

– Peut-être qu'il s'est branlé près d'elle.

– Il n'y avait aucune trace de sperme sur les lieux.

– Il a plu.

– Pas à l'endroit où le corps a été découvert. En cas de meurtre gratuit perpétré juste pour le plaisir, il y a éjaculation dans quatre-vingt-dix-neuf virgule neuf pour cent des cas. Alors, pourquoi pas dans celui-là ?

Whitey pencha la tête, les paumes pressées contre le lampadaire.

– Vous étiez ami avec le père de la victime *et* avec un suspect dans cette affaire quand vous étiez...

– Oh, je vous en prie.

– ... gosses, poursuivit Whitey. Autrement dit, vous n'êtes pas neutre. Ne prétendez pas le contraire. Vous êtes un sacré handicap, Devine.

– Je suis... quoi ? s'écria Sean, avant de baisser la voix et la main qu'il avait portée à sa poitrine. Écoutez, sergent, c'est juste que je ne suis pas d'accord avec vous sur le profil du suspect. Je n'ai jamais dit que si on découvrait autre chose sur Dave Boyle que de simples incohérences dans ses déclarations, je ne serais pas là avec vous pour le coincer. Vous le savez, de toute façon. Mais si vous allez voir le procureur maintenant, avec le peu dont on dispose, qu'est-ce qu'il va faire ?

Les mains de Whitey se crispèrent sur le lampadaire.

– Sérieusement, insista Sean. Qu'est-ce qu'il va faire ?

Enfin, Whitey étira les bras au-dessus de sa tête et bâilla largement. Puis, en croisant le regard de Sean, il fronça les sourcils.

– Vous marquez un point, Devine. Mais, ajouta-t-il en levant un doigt, *mais*, espèce d'avocat à la gomme, je vais tout mettre en œuvre pour retrouver cette crosse avec laquelle la gosse a été frappée, ou le revolver qui l'a tuée, ou des vêtements ensanglantés. J'ignore encore sur quoi je vais tomber, mais je vais finir par tomber sur un truc, je le sens. Et à ce moment-là, garanti, je coffre aussitôt votre copain.

– Ce n'est pas mon copain, rétorqua Sean. Et croyez-moi, si vous avez raison, je serai le premier à sortir mes menottes.

Whitey s'écarta du lampadaire pour se rapprocher de Sean.

– Ne vous compromettez pas sur ce coup-là, Devine. Si vous faites ça, vous me compromettez aussi, et je vous casserai. Je vous parle d'un transfert au fin fond des Berkshires, à passer vos journées dans une putain d'autoneige pour contrôler la vitesse des très très rares automobilistes.

Sean se passa les deux mains sur le visage, puis dans les cheveux, pour essayer de chasser la lassitude qui l'accablait.

– Le rapport balistique a dû arriver, dit-il.

– Mouais, sûrement, répondit Whitey en reculant d'un pas. L'analyse des empreintes aussi. Je retourne au poste voir si je peux en tirer quelque chose. Vous avez votre téléphone portable sur vous ?

– Oui, répondit Sean en tapotant sa poche.

– O.K., je vous appelle plus tard.

Whitey se détourna, et en le regardant remonter Crescent pour aller récupérer la voiture, Sean ressentit tout le poids de la réaction du sergent ; sa période de mise à l'épreuve lui semblait soudain beaucoup plus réelle que le matin même.

Il retournait vers l'immeuble de Jimmy lorsqu'il vit Dave en sortir avec Michael.

– Vous rentrez chez vous ?

– Oui, répondit Dave. Mais je me demande pourquoi Celeste n'est pas revenue avec la voiture.

– Je suis sûr qu'elle va bien.

– Oh, moi aussi. C'est juste qu'on est obligés de marcher.

Sean éclata de rire.

– Attends, ça fait quoi ? Cinq cents mètres ?

Un sourire éclaira le visage de Dave.

– Presque six cents, vieux, tu veux dire.

– Ne tardez pas trop, alors, la nuit tombe vite. À bientôt, Mike.

– Au revoir, répondit l'enfant.

– À plus, lança Dave.

Resté devant le perron, Sean suivit des yeux le père et le fils qui s'éloignaient – Dave d'une démarche rendue légèrement vacillante par toutes les bières éclusées chez Jimmy –, en songeant : Si c'est toi le coupable, Dave, t'as intérêt à arrêter de boire. Parce que tu vas avoir besoin de toutes tes cellules grises au cas où Whitey et moi, on t'aurait dans le collimateur. Toutes, sans exception.

La surface de Pen Channel se teintait de reflets argentés maintenant que le soleil s'était couché, mais qu'il restait encore un peu de lumière dans le ciel. Les cimes des arbres dessinaient cependant des taches noires dans le parc, et à cette distance l'écran du drive-in ne formait plus qu'une ombre aux contours nets. Celeste, assise dans sa voiture à Shawmut, contemplait le canal, le parc et East Bucky derrière, semblable à une décharge. Les Flats étaient presque complètement masqués par Pen Park, d'où n'émergeaient que quelques clochers et les toits les plus hauts. Les immeubles du Point, en revanche, bien visibles, paraissaient dominer les Flats du haut de leurs collines bétonnées et ondulantes.

Celeste ne se souvenait même pas d'avoir roulé jusque-là. Au funérarium de Bruce Reed, elle avait remis la robe à l'un de ses fils, un gamin habillé tout en noir, mais avec des joues tellement bien rasées et un air si jeune qu'il semblait plutôt prêt à partir pour le bal du lycée. Ensuite, elle avait repris sa voiture, et quelques minutes plus tard, sans savoir comment elle y était arrivée, elle tournait derrière la ferronnerie Isaak, fermée depuis longtemps, passait devant les grands hangars désormais vides et s'arrêtait tout au bout du terrain, le pare-chocs contre les butoirs en bois pourris, les yeux fixés sur les eaux du canal s'écoulant paresseusement vers l'écluse.

Depuis qu'elle avait entendu les deux policiers parler de la voiture de Dave – de *leur voiture*, celle où elle était assise en ce moment même –, elle se sentait comme ivre. Mais pas dans le bon sens. Elle n'était ni détendue, ni insouciante, ni en proie à une douce sensation de flottement. Non, elle avait plutôt l'impression d'avoir bu de la piquette toute la nuit, d'être rentrée chez elle pour s'effondrer, puis de s'être réveillée la tête lourde et la langue pâteuse, encore sous l'effet du poison, embrumée, ralentie et incapable de se concentrer.

« Vous avez peur », lui avait dit Sean Devine, la perçant à jour avec une telle perspicacité que la seule réponse appropriée sur le moment lui avait paru le déni pur et dur. « Non, c'est faux. » Comme si elle était une gamine. Non, c'est faux. Si, c'est vrai. Non, c'est faux. Si, c'est vrai. Je sais que c'est vrai, mais toi, qu'est-ce que t'en sais ? Nananananère.

Oh oui, elle avait peur. Elle était terrifiée. Anéantie par sa frayeur.

Elle allait lui parler, décida-t-elle. C'était toujours Dave, après tout. Un bon père. Un homme qui n'avait jamais levé la main sur elle ni manifestéla moindre propension à la violence depuis qu'elle le connaissait. Il n'avait même jamais claqué une porte avec son pied ou donné un coup de poing dans le mur. Elle allait lui parler, et il l'écouterait, elle n'en doutait pas.

Elle lui demanderait : « À qui était ce sang sur les vêtements que j'ai lavés, Dave ? »

Elle lui demanderait : « Que s'est-il réellement passé samedi soir, Dave ? »

« Réponds-moi. Je suis ta femme. Tu peux tout me dire. »

Voilà, c'est ce qu'elle allait faire. Elle allait lui parler. Elle n'avait aucune raison de le craindre. C'était de Dave qu'il s'agissait. Elle l'aimait, il l'aimait, et tout finirait par s'arranger, d'une façon ou d'une autre. C'était certain.

Pourtant, Celeste resta exactement où elle était, à l'extrémité du canal, dans l'ombre massive d'une ferronnerie abandonnée, récemment rachetée par un promoteur qui avait soi-disant l'intention de la transformer en parking si le projet de stade prévu sur l'autre rive se concrétisait. Elle contemplait le parc où Katie Marcus avait été assassinée. Et elle attendait que quelqu'un la tire de son hébétude, l'incite à se remettre en mouvement.

Assis dans le bureau de Bruce Reed en face d'Ambrose, le fils de ce dernier, Jimmy réglait les détails des obsèques en déplorant d'avoir affaire à ce gamin qui semblait à peine sorti du lycée plutôt qu'à Bruce lui-même. On l'imaginait plus facilement jouer au frisbee que soulever un cercueil, et Jimmy ne voyait pas du tout ces mains lisses, vierges de toute ride, toucher les morts dans la salle d'embaumement.

Il lui indiqua néanmoins la date de naissance de Katie, ainsi que son numéro de Sécurité sociale, et Ambrose les inscrivit avec un stylo en or sur un formulaire fixé à une planchette avant de demander d'une voix de velours rappelant celle de son père, mais en plus jeune :

– Bien, bien. À présent, monsieur Marcus, pourriez-vous me dire si vous avez prévu une cérémonie catholique traditionnelle ? Une veillée ? Une messe ?

– Oui.

– Je vous suggérerais de prévoir la veillée le mercredi, dans ce cas.

Jimmy opina.

– L'église est déjà réservée pour le jeudi matin à neuf heures.

– Neuf heures, donc, répéta le jeune homme, qui le nota. Vous avez déjà réfléchi à l'heure de la veillée ?

– Il y en aura deux, répondit Jimmy. La première entre trois et cinq heures de l'après-midi. L'autre, de sept heures à neuf heures du soir.

– De sept heures à neuf heures, fit Ambrose Reed en écho, avant de l'écrire. Je constate que vous apporté des photographies ? Bien, bien.

Jimmy baissa les yeux vers la pile de photos sur ses genoux : Katie le jour de son bac. Katie avec ses sœurs sur la plage. Katie et lui pour l'inauguration de Cottage Market, quand elle avait huit ans. Katie avec Eve et Diane. Katie, Annabeth, lui, Nadine et Sara au Six Flags. Katie le jour de ses seize ans.

En posant les clichés sur la chaise à côté de lui, Jimmy éprouva une légère sensation de brûlure dans la gorge, qui disparut quand il avala.

– Vous avez pensé aux fleurs ? s'enquit Ambrose Reed.

– J'ai passé une commande chez Knopfler cet après-midi.

– Et pour l'avis de décès ?

Pour la première fois depuis le début de l'entretien, Jimmy croisa les yeux du jeune homme.

– Comment ça ?

– Eh bien, reprit Ambrose Reed en se concentrant sur sa planchette, je veux parler du texte qui paraîtra dans le journal. Nous pouvons nous charger de cette formalité si vous nous donnez les informations que vous souhaitez y voir figurer. Si vous préférez les dons aux couronnes, par exemple, ce genre de choses...

Jimmy détacha son regard du visage compatissant en face de lui pour le fixer sur le sol à ses pieds. En dessous d'eux, quelque part dans la cave de ce bâtiment blanc victorien, se trouvait la salle d'embaumement où reposait Katie. Bientôt, elle serait nue devant Bruce Reed, ce gamin et ses deux frères qui la prépareraient pour la veillée, la laveraient, la maquilleraient, soigneraient son apparence. Leurs mains fraîches et manucurées s'activeraient sur son corps. Elles en bougeraient des parties. Elles lui orienteraient le menton d'une certaine façon. Elles la coifferaient.

Il songea à son enfant ainsi exposée, la peau privée de toute couleur, pétrifiée dans l'attente du moment où elle serait manipulée par ces inconnus – avec délicatesse, peut-être, mais une délicatesse indifférente, clinique. Et puis, des coussins de satin seraient disposés sous sa tête dans le cercueil, et elle serait emmenée dans la salle d'exposition avec son visage figé comme celui d'une poupée et sa belle robe bleue. On la regarderait, on prierait pour elle, on parlerait d'elle et on la pleurerait, et pour finir, on l'ensevelirait. Elle serait descendue dans un trou creusé par des hommes qui ne l'avaient pas connue, eux non plus, et Jimmy avait déjà l'impression d'entendre le choc assourdi des pelletées de terre sur le bois, comme s'il se trouvait à l'intérieur de la bière avec elle.

Et Katie resterait allongée dans le noir, enfouie à un mètre cinquante de profondeur, loin de l'herbe et de l'air qu'elle ne pourrait plus jamais voir ni sentir, ni respirer ou toucher. Elle resterait allongée là mille ans peut-être, incapable d'entendre les pas des gens qui venaient se recueillir sur sa tombe, incapable de percevoir le monde qu'elle avait quitté, à cause de toute cette terre qui l'en séparait.

Je vais le tuer, Katie. Je ne sais pas encore comment, mais je vais le retrouver avant la police, et je le tuerai. Je le jetterai au fond d'un trou bien pire que celui où tu reposeras. Je ne le leur laisserai pas de corps à embau-mer. Aucune dépouille à pleurer. Je vais m'arranger pour qu'il disparaisse comme s'il n'avait jamais existé, comme si son nom et tout ce qu'il était, ou pense être en ce moment, faisaient seulement partie d'un rêve fugace oublié dès le réveil.

Je vais retrouver cet homme qui t'a mis sur cette table en bas, et ensuite j'effacerai jusqu'à son souvenir. Et les êtres qui lui sont chers, s'il y en a, seront plongés dans une angoisse bien plus grande que la nôtre, Katie. Parce qu'ils n'auront jamais aucune certitude quant à ce qui lui est arrivé.

Surtout, ne t'inquiète pas de savoir si j'en suis capable, mon bébé. Papa est en capable. Il ne te l'a jamais raconté, mais il a déjà tué. Papa a fait ce qu'il fallait faire. Et il va le refaire.

Jimmy reporta son attention sur le fils de Bruce, qui était encore trop nouveau dans le métier pour ne pas se sentir perturbé par les longs silences.

– J'aimerais que le texte dise : « Son père James et sa mère Marita, décédée, sa belle-mère Annabeth et ses sœurs Nadine et Sara ont la dou-leur de vous faire part du décès de Katherine Juanita Marcus... »

Sean s'assit dans la cour à côté d'Annabeth Marcus qui, éclairée par l'ampoule nue au-dessus d'elle, buvait à petites gorgées un verre de vin blanc et ne fumait ses cigarettes qu'à moitié avant de les écraser. Elle avait un visage aux traits marqués qui, sans être joli à proprement parler, n'en était pas moins frappant. Elle était certainement habituée à attirer les regards, devina Sean, et pourtant elle ne devait même pas avoir conscience de ce qui était digne d'attention chez elle. Elle lui rappelait un peu la mère de Jimmy, mais sans cette impression de résignation et d'échec émanant de toute sa personne, elle lui rappelait aussi sa propre mère en raison de sa totale maîtrise d'elle-même, et en ce sens elle lui rappelait également Jimmy. Il l'imaginait comme une femme gaie, mais jamais frivole.

– Alors, dit-elle à Sean qui lui allumait sa cigarette, qu'est-ce que vous allez faire de votre soirée une fois que vous serez libéré de l'obligation de me réconforter ?

– Je ne...

D'un geste, elle balaya l'objection.

– J'apprécie, je vous assure. Alors, qu'est-ce que vous allez faire ?

– Passer chez mes parents.

– Ah oui ?

Il hocha la tête.

– C'est l'anniversaire de ma mère. Je vais fêter ça avec eux.

– Bien. Et il y a longtemps que vous êtes divorcé ?

– Ça se voit tant que ça ?

– Comme le nez au milieu de la figure.

– Ah. On est séparés depuis un peu plus d'un an.

– Elle habite ici ?

– Plus maintenant. Elle voyage.

– Vous l'avez dit d'un ton acide. « Elle voyage. »

– Ah bon ? répliqua Sean en haussant les épaules.

Elle leva une main.

– Je trouve regrettable d'agir comme ça, d'essayer d'oublier un peu Katie en m'acharnant sur vous. Alors, ne vous sentez pas obligé de répondre à mes questions. C'est juste que je suis curieuse, et que je vous trouve intéressant.

Sean sourit.

– Là, vous vous trompez. En réalité, je suis quelqu'un d'assez ennuyeux, madame Marcus. Vous me privez de mon travail, et je ne suis plus rien.

– Annabeth. Appelez-moi Annabeth, d'accord ?

– D'accord.

– J'ai du mal à croire, agent Devine, que vous soyez quelqu'un d'ennuyeux. Mais vous savez ce qui me paraît bizarre ?

– Non, quoi ?

Elle changea de position sur sa chaise pour le regarder.

– Je ne vous vois pas du tout en train d'ensevelir un type sous les contraventions bidon.

– Pourquoi ?

– C'est puéril, et vous ne me semblez pas puéril.

De nouveau, Sean haussa les épaules. D'expérience, il savait que tout le monde pouvait se montrer puéril à un moment ou à un autre. En particulier quand les emmerdes s'accumulaient.

Depuis plus d'un an, il n'avait parlé à personne de sa femme – ni à ses parents, ni à ses quelques rares amis, ni même au psychologue de la police auquel son supérieur avait fait une brève allusion un jour, une fois le départ de Lauren connu de tous au poste. Mais là, il se trou-

265

vait en compagnie d'Annabeth, une inconnue qui venait de perdre un être cher, et il devinait chez elle un désir de cerner la douleur qu'il éprouvait – de la voir, de la partager, ou quelque chose dans ce goût-là –, un besoin de savoir, conclut Sean, qu'elle n'était pas la seule à avoir mal.

– Ma femme travaille dans le théâtre, expliqua-t-il, comme régisseuse. Pour des spectacles itinérants. Elle s'est occupée de la régie pour *Lord of the Dance*, qui a tourné dans tout le pays l'année dernière, par exemple. En ce moment, je crois que c'est *Annie Get Your Gun*. Mais je n'en suis pas trop sûr. Bref, le show qu'ils ont décidé de recycler cette année. On formait un drôle de couple. Je veux dire, vous imaginez des métiers plus éloignés ?

– Mais vous l'aimiez, souligna Annabeth.

Il hocha la tête.

– Oui. Je l'aime toujours, d'ailleurs. (Il prit une profonde inspiration, puis s'adossa à sa chaise.) Et le type à qui j'ai collé les contraventions, c'était...

La bouche sèche soudain, il s'interrompit et remua la tête en s'efforçant de lutter contre l'envie irrésistible de quitter sur-le-champ cette cour et cet immeuble.

– Un rival ? suggéra Annabeth avec délicatesse.

Sean retira une cigarette du paquet, l'alluma et acquiesça.

– Le mot est un peu trop joli. Mais admettons. Un rival, oui. Avec ma femme, on traversait une mauvaise passe. Aucun de nous n'était beaucoup à la maison, etc., etc. Alors ce, euh, rival, en a profité.

– Et vous avez mal réagi.

C'était une affirmation, pas une question. Sean leva les yeux au ciel.

– Parce que vous connaissez beaucoup d'hommes qui réagiraient bien ?

Annabeth le gratifia d'un regard dur, comme pour suggérer qu'il était au-dessus du sarcasme, ou peut-être simplement qu'elle-même n'appréciait pas ce genre de repartie mordante.

– Mais vous l'aimez toujours, insista-t-elle.

– Oh, oui. Et je crois qu'elle m'aime toujours, elle aussi. (Il écrasa sa cigarette.) Elle me téléphone tout le temps. Elle téléphone, mais elle ne dit rien.

– Elle fait... quoi ?

– Je sais.

– Elle vous téléphone, mais elle ne dit pas un mot ?

– Mouais. Ça dure depuis huit mois.

Annabeth laissa échapper un petit rire.

– Ne vous vexez pas, mais c'est bien le truc le plus bizarre que j'aie jamais entendu.

– Je n'ai pas l'intention de vous contredire. (Sean observait une mouche qui voletait près de l'ampoule.) Je n'arrête pas de me répéter qu'un de ces jours, elle finira par me parler. Pour le moment, c'est tout ce que j'attends.

Il s'entendit ponctuer cette remarque d'un petit rire qui sonnait faux, et dont l'écho mourant dans la nuit l'embarrassa. Alors, ils restèrent silencieux quelques instants, se contentant de fumer et d'écouter le bourdonnement de la mouche qui s'agitait frénétiquement autour de la lumière.

– Comment s'appelle-t-elle ? demanda Annabeth. Depuis le début, vous n'avez pas prononcé une seule fois son nom.

– Lauren. Elle s'appelle Lauren.

Une fraction de seconde, pareil à un fil détaché d'une toile d'araignée, le prénom demeura en suspension dans l'air entre eux.

– Vous vous connaissiez depuis que vous étiez gosses ? reprit Annabeth.

– On s'est rencontrés en première année de fac. Je suppose qu'on était encore des gosses, à l'époque.

Sean avait encore en mémoire cet orage de novembre, le moment où ils s'étaient embrassés pour la première fois sous un porche, la sensation de la peau mouillée de Lauren, leurs tremblements à tous les deux.

– C'est peut-être ça, le problème.

Il tourna la tête vers Annabeth.

– Quoi ? Qu'on ne soit plus des gamins ?

– Un de vous deux, en tout cas.

Sean ne lui demanda pas lequel.

– Jimmy m'a raconté que Katie comptait partir à Las Vegas avec Brendan. (Comme Sean hochait la tête, elle ajouta :) On en revient toujours là, au fond.

– Comment ça ?

Elle souffla un filet de fumée en direction des cordes à linge.

– Tous ces rêves naïfs qu'on a quand on est jeunes. Je veux dire, vous imaginez Katie et Brendan Harris faisant leur vie à *Las Vegas* ? Combien de temps aurait duré l'illusion, hein ? Peut-être jusqu'à leur deuxième mobile home, ou leur deuxième enfant, mais tôt ou tard, ils en auraient pris conscience : la vie, c'est pas des lendemains qui chantent, des couchers de soleil magiques et des conneries comme ça. C'est un boulot. L'homme ou la femme que vous aimez est rarement à la hauteur de votre amour. Parce que *personne* ne peut être à la hauteur de sentiments aussi forts, et au fond, peut-être que personne ne mérite de supporter un tel fardeau non plus. On vous laisse tomber. Vous êtes déçu, vous êtes trahi, vous passez un nombre incroyable de journées nulles. Vous perdez plus souvent que vous ne gagnez. Vous haïssez l'autre autant que vous l'aimez. Mais, merde, vous retroussez vos manches et vous vous mettez au boulot – dans tous les domaines –, parce que c'est ça, vieillir.

– Annabeth ? On vous a déjà dit que vous n'étiez pas une tendre ?

Elle tourna la tête vers lui, les yeux mi-clos, un sourire rêveur aux lèvres.

– Tout le temps.

Ce soir-là, Brendan Harris entra dans sa chambre et contempla un long moment la valise sous son lit. Il y avait mis des shorts, des chemises hawaïennes, une veste sport et deux jeans, mais pas de pulls ni de pantalons en laine. Il avait pris seulement ce qu'il comptait porter à Las Vegas, mais pas de vêtements d'hiver, car Katie et lui s'étaient dit qu'ils ne voulaient plus jamais entendre parler de vents glacés, de promotions sur les chaussettes en Thermolactyl au supermarché du coin ou de pare-brise recouvert de givre. Aussi, en ouvrant la valise, se trouva-t-il confronté à toute une gamme d'imprimés fleuris ou pastel – une explosion de couleurs d'été.

C'était ce qu'ils rêvaient d'être. Bronzés, détendus, le corps soulagé du poids des bottes, des manteaux, des attentes des autres. Ils auraient bu des cocktails aux noms ridicules dans des verres à daïquiri et passé leurs après-midi au bord de la piscine de l'hôtel, avec sur la peau l'odeur de l'huile solaire et du chlore. Ils auraient fait l'amour dans une chambre refroidie par un climatiseur, mais aussi réchauffée par le soleil filtrant à travers les stores, et à la tombée de la nuit ils auraient mis leurs plus belles tenues pour arpenter le Strip. Brendan se voyait avec elle comme de très loin, comme s'il contemplait du sommet d'un immeuble leurs deux minuscules silhouettes qui se promenaient sous les néons, et toutes ces lumières formaient des flaques rouges, jaunes et bleus sur le goudron noir. Et eux, ils flânaient avec nonchalance au milieu du grand boulevard, environnés par les hauts bâtiments, par le bruit qui s'échappait des casinos – conversations, rires et cliquetis des espèces sonnantes et trébuchantes.

Lequel on essaie, ce soir, ma chérie ?

Tu choisis.

Non, toi, tu choisis.

O.K. Pourquoi pas celui-là ?

Il m'a l'air bien.

Va pour celui-là.

Je t'aime, Brendan.

Je t'aime aussi, Katie.

Ils auraient gravi les marches moquettées entre deux rangées de colonnes blanches pour pénétrer dans l'univers assourdissant du palace enfumé. Ils y seraient entrés comme mari et femme, au tout début de leur vie commune, à peine sortis de l'enfance, à vrai dire, alors qu'East Buckingham était à des millions de kilomètres derrière eux, et que chaque pas les en éloignait encore un peu plus.

Oui, c'était ainsi que les choses auraient dû se passer.

Brendan s'assit par terre. Il avait juste besoin de s'asseoir une seconde. Rien qu'une seconde ou deux. Il ramena les semelles de ses tennis l'une contre l'autre et attrapa ses chevilles comme un môme. Il se balança légèrement, baissa le menton sur sa poitrine et, les yeux fermés, il sentit la douleur refluer un bref instant. L'obscurité, ainsi que ses mouvements réguliers d'avant en arrière, lui procuraient un certain apaisement.

Mais il fut de courte durée, et toute l'horreur de la disparition de Katie – de son absence définitive et absolue – le submergea d'un coup, l'anéantissant complètement.

Il y avait une arme dans l'appartement. Elle avait appartenu à son père, et sa mère l'avait laissée dans le cellier, derrière une des plaques du faux plafond, où son père la cachait autrefois. Il suffisait de grimper sur le comptoir dans le réduit, de tendre le bras vers le rebord de la corniche en bois puis de tâtonner à la surface des trois dalles pour sentir le poids du revolver. Ensuite, il ne restait plus qu'à repousser la plaque, glisser la main dans l'espace à l'intérieur et refermer les doigts sur l'arme. Elle avait toujours été là, du plus loin qu'il s'en souvienne, et il se rappelait encore cette fois où, en émergeant de la salle de bains un soir, il avait vu son père ramener son bras de sous la corniche. Brendan l'avait même montrée un jour à son copain Jerry Diventa lorsqu'ils avaient treize ans, et Jerry avait ouvert de grands yeux en disant : « Range ça, range ça... » Le revolver, couvert de poussière, n'avait peut-être même jamais servi, mais il n'aurait qu'à le nettoyer, Brendan le savait.

Rien ne l'empêchait de le sortir ce soir. Ni de l'emporter au Café Society, où Roman Fallow avait l'habitude de traîner, voire à Atlantic Auto Glass, la société de réparations de pare-brise dont Bobby O'Donnell était propriétaire et où, d'après Katie, le bureau du fond lui servait à régler la plupart de ses affaires. Il irait dans l'un de ces lieux – ou mieux, dans les deux –, pointerait l'arme sur Roman et Bobby et presserait cette putain de détente, encore et encore et encore, jusqu'à ce que résonne le déclic de la chambre vide et que ni l'un ni l'autre ne puissent plus jamais tuer personne.

Oui, il pourrait le faire, oui. Après tout, ils le faisaient bien, dans les films. Si on assassinait la femme de Bruce Willis, tiens, il ne resterait pas assis par terre, à se tenir les chevilles et à se balancer comme un jouet Culbuto. Il serait déjà en train de charger son flingue. Pas vrai ?

Brendan imagina le visage rond de Bobby, ses supplications. « Non, je t'en prie, Brendan ! S'il te plaît ! »

Et lui de répondre un truc cool du genre : « Sûr, que ça va me plaire, fils de pute. Ça va me plaire de t'expédier droit en enfer. »

Il se mit à pleurer, sans cesser de se balancer ni de se tenir les chevilles, car il savait qu'il n'était pas Bruce Willis, et que Bobby O'Donnell était quelqu'un de bien réel, pas un personnage de cinéma, or il savait aussi que l'arme aurait besoin d'être nettoyée, sérieusement nettoyée, et il n'avait pas la moindre idée de la façon dont on vérifiait qu'il y avait des balles dedans, et le moment venu, est-ce que sa main n'allait pas trembler ? Est-ce qu'elle n'allait pas trembler et tressauter comme son poing quand il était gosse, quand il comprenait qu'il n'y avait pas d'échappatoire et qu'il allait devoir se battre ? La vie, c'était pas un putain de film, c'était... la putain de réalité. Lorsque le gentil avait deux heures pour gagner à l'écran, on était *sûr* qu'il allait gagner à la fin. Brendan ignorait s'il était de taille à se comporter en héros ; il avait dix-neuf ans, et jamais il n'avait été confronté à un tel défi. Mais il n'était pas du tout certain de pouvoir entrer dans l'atelier de Bobby – en admettant que les portes ne soient pas fermées et qu'il n'y ait pas tous ces types autour de lui – pour lui tirer une balle en pleine tête. Non, il n'en était pas du tout certain.

Mais elle lui manquait. Elle lui manquait terriblement, et la pensée atroce de ne pas l'avoir auprès de lui – de ne plus jamais l'avoir auprès de lui – amenait ses mâchoires à se crisper douloureusement au point de l'inciter à faire *quelque chose*, n'importe quoi, ne serait-ce que pour ne plus se sentir aussi mal au moins une seconde dans sa nouvelle vie misérable sans Katie.

O.K., se dit-il. O.K. Je nettoierai le revolver demain. Je le nettoierai, c'est tout, et je m'assurerai qu'il y a des balles dedans. Rien de plus. Je le nettoierai.

À cet instant, Ray entra dans la chambre, ses rollers toujours aux pieds, se servant de sa crosse de hockey toute neuve comme d'une canne pour louvoyer jusqu'au lit sur ses chevilles flageolantes. Brendan se releva d'un bond en essuyant les larmes sur ses joues.

Ray ôta ses patins en regardant son frère, puis demanda en langage des signes :

– Ça va ?

– Non, répondit Brendan.

– Je peux faire quelque chose ?

– Non, merci, Ray. Tu peux rien faire. Mais t'inquiète pas.

– M'man dit que c'est mieux pour toi.

– Quoi ?

Ray répéta sa phrase.

– Ah oui ? Qu'est-ce qu'elle en sait, hein ?

Les mains de son petit frère voltigèrent de nouveau.

– Si t'étais parti, m'man aurait déprimé.

– Elle s'en serait remise.

– Peut-être, mais peut-être pas.

Brendan observa son cadet assis sur le lit, qui le contemplait toujours.

– Me cherche pas maintenant, Ray. O.K. ? (Il se pencha vers lui, tout à la pensée du revolver.) Je l'aimais.

Le visage aussi inexpressif qu'un masque de caoutchouc, Ray soutint son regard.

– Tu sais comment c'est, d'aimer quelqu'un ? reprit Brendan.

Ray fit non de la tête.

– C'est comme si tu connaissais toutes les réponses à une interrogation écrite à la minute même où tu t'assois à ton bureau en classe. Comme si t'étais sûr qu'à partir de maintenant, tout ira bien. Tu vas cartonner. Tu vas t'en sortir. Toute ta vie, t'auras le sentiment d'être un gagnant. (Il se détourna de son frère.) Voilà, c'est ça, aimer.

Son cadet tapa sur la colonne de lit pour attirer de nouveau son attention, puis il dit avec ses mains :

– T'en aimeras une autre.

Brendan se laissa tomber à genoux, avant d'approcher sa figure de celle de Ray.

– Oh, non. Jamais. Tu peux te coller ça dans le crâne, espèce de con ? Jamais !

Ray remonta ses pieds sur le lit, puis recula, et Brendan se sentit honteux, mais pas moins en colère pour autant, car c'était souvent le problème avec les muets : ils vous donnaient l'impression d'être idiot de parler. Ray s'exprimait toujours d'une manière succincte, ne disant que ce qu'il avait l'intention de dire. Dans la mesure où son discours allait plus vite que sa pensée, il ne savait pas ce que c'était de chercher ses mots ou de bredouiller.

Or Brendan aurait voulu s'épancher, il aurait voulu que les mots coulent de sa bouche en un flot passionné, impétueux, pas forcément cohérent mais totalement sincère pour rendre hommage à Katie, expliquer ce qu'elle avait signifié pour lui et ce qu'il avait ressenti à presser le visage contre sa nuque dans ce même lit, à entremêler les doigts aux siens, à lui essuyer un peu de crème glacée sur le menton, à s'asseoir à côté d'elle dans une voiture et à regarder ses yeux filer à droite et à gauche quand elle arrivait à un carrefour, à l'entendre bavarder, respirer dans son sommeil et...

Il aurait voulu continuer ainsi pendant des heures. Il aurait voulu que quelqu'un l'écoute et comprenne que la parole ne servait pas seulement à communiquer des idées ou des opinions. Parfois, elle servait aussi à essayer de raconter des vies entières. Et on avait beau savoir avant même d'avoir ouvert la bouche qu'on courait à l'échec, l'important c'était d'essayer quand même. Parce qu'on ne pouvait pas faire plus.

Ray, cependant, n'avait aucun moyen de le comprendre. Les mots, pour lui, étaient autant de mouvements de doigts, d'habiles descentes, remontées et rotations de la main. Il ne les gaspillait jamais. Il ne connaissait pas l'approximation. Il disait ce qu'il avait à dire, point final. Dans ces conditions, Brendan en avait bien conscience, libérer son chagrin et son émotion devant son cadet impassible n'aboutirait qu'à l'embarrasser davantage. Ça ne l'aiderait pas.

Il baissa les yeux vers son petit frère effrayé, blotti au bout du lit et qui le dévisageait avec des yeux comme des soucoupes, et il lui tendit la main.

– Excuse-moi, dit-il d'une voix brisée. Excuse-moi, Ray. D'accord ? Je voulais pas crier.

Ray lui prit la main, puis se leva.

– Y a plus de problème, alors ? demanda-t-il en langage des signes, visiblement prêt à sauter par la fenêtre en cas de nouvel accès de violence.

– Y a plus de problème, répondit Brendan. Non, y a plus de problème, je suppose.

20

Quand elle rentrera

Les parents de Sean vivaient à Wingate Estates, une sorte de grand lotissement clos composé de petites maisons en stuc à environ soixante kilomètres au sud de la ville. Chaque groupe de vingt pavillons formait une section, et chaque section possédait sa propre piscine ainsi qu'un centre culturel où étaient organisées des soirées dansantes le samedi. Un modeste terrain de golf en forme de croissant de lune, constitué de par trois, bordait la zone résidentielle, et de la fin du printemps au début de l'automne, l'air résonnait du vrombissement des voiturettes.

Le père de Sean ne jouait pas au golf. Il avait décrété un jour qu'il s'agissait d'un sport de riches et que sa pratique serait une trahison de ses racines ouvrières. La mère de Sean s'y était adonnée un temps, mais elle avait fini par renoncer, persuadée que ses partenaires se moquaient en secret de sa technique, de son accent et de ses tenues.

Aussi menaient-ils une existence tranquille, solitaire la plupart du temps, bien que le père de Sean ait lié connaissance avec un petit Irlandais rondouillard nommé Riley, qui avait également habité Buckingham avant de s'installer à Wingate. Riley, qui n'avait pas non plus d'attirance particulière pour le golf, allait de temps en temps boire un verre avec le père de Sean au Ground Round, de l'autre côté de la route 28. Quant à la mère de Sean, d'un naturel charitable, elle s'occupait souvent de leurs voisins âgés affligés de divers maux. Elle les emmenait au drugstore avec leurs ordonnances ou encore chez le docteur, afin que de nouveaux médicaments puissent prendre place à côté des plus anciens dans l'armoire à pharmacie. À bientôt soixante-dix ans, elle avait l'impression de se sentir jeune et pleine de vie lors de ces expéditions, et dans la mesure où la plupart des gens qu'elle aidait étaient veufs, il lui semblait également que la bonne santé dont elle et son mari continuaient de jouir était une bénédiction accordée par le Ciel.

– Ils sont seuls, avait-elle expliqué un jour à Sean au sujet de ses amis malades, et même si les docteurs ne le leur disent pas, c'est ce qui les tue à petit feu.

273

Souvent, lorsqu'il passait devant la guérite du gardien à l'entrée avant de s'engager sur la route principale, barrée tous les dix mètres par des ralentisseurs jaunes qui malmenaient ses amortisseurs, Sean croyait apercevoir le fantôme des rues, des quartiers et des vies que les résidents de Wingate avaient abandonnés derrière eux, comme si les appartements sans eau chaude et les vieux frigos d'un blanc terne, les escaliers de secours en fer forgé et les enfants chahuteurs dérivaient, telles des écharpes de brume matinale juste au-delà de son champ de vision, à travers ce paysage de stuc couleur coquille d'œuf et de pelouses drues. Un sentiment irrationnel de culpabilité s'emparait alors de lui, le fils qui avait mis ses parents dans une maison de retraite. Irrationnel, cependant, dans la mesure où Wingate Estates n'était pas à proprement parler une communauté réservée aux personnes de plus de soixante ans (bien que Sean n'ait jamais vu un résident plus jeune), et où ses parents y avaient emménagé de leur plein gré, mettant fin à des décennies de récriminations concernant la ville, le bruit, la criminalité et les embouteillages pour venir dans cet endroit où, comme le disait son père, « on pouvait se promener la nuit sans regarder tout le temps par-dessus son épaule ».

Pourtant, Sean ne pouvait s'empêcher de penser qu'il les avait trahis, que ses parents espéraient sans doute de sa part de plus gros efforts pour les garder près de lui. Quand il voyait cet endroit, Sean voyait la mort, ou du moins la dernière étape avant la destination finale, et non seulement il détestait savoir ses parents à Wingate – attendant le jour où ils auraient besoin à leur tour de quelqu'un pour les emmener chez le docteur –, mais il détestait également s'imaginer lui-même dans cette résidence, ou dans un lieu similaire. Il se doutait bien néanmoins qu'il avait toutes les chances de finir là. Et vraisemblablement sans enfants ni femme pour s'occuper de lui. À trente-six ans, il avait déjà accompli un peu plus de la moitié du parcours le séparant d'un pavillon à Wingate, et la seconde partie du trajet promettait de passer beaucoup plus vite que la première.

Après que sa mère eut soufflé les bougies sur son gâteau, à la petite table dans l'alcôve entre la minuscule cuisine et le salon plus spacieux, ils mangèrent tranquillement leur part, puis sirotèrent leur thé dans un silence seulement troublé par le tic-tac de l'horloge sur le mur au-dessus d'eux et le ronronnement du climatiseur.

À la fin du repas, le père de Sean se leva.

– Je vais débarrasser, annonça-t-il.

– Laisse, je m'en charge, répliqua sa femme.

– Mais non, reste assise.

– Laisse-moi faire, voyons.

– Ne bouge pas, je te dis. C'est toi la reine de la fête.

Elle se rassit avec un petit sourire, pendant que son mari empilait les assiettes, puis les emportait dans la cuisine.

– Attention aux miettes, hein ? lança-t-elle.

– Je sais.

– Si tu ne les élimines pas dans l'évier, on risque d'avoir encore des fourmis.

– On a eu une fourmi. Une seule.

– On en a eu plus, dit-elle à Sean.

– Il y a six mois, renchérit son père en faisant couler de l'eau.

– Et des souris.

– Il n'y a jamais eu de souris.

– Mme Feingold en a eu. Deux. Il a fallu qu'elle pose des pièges.

– Il n'y a pas de souris chez nous.

– Uniquement parce que je veille à ce que tu ne laisses pas de miettes dans l'évier.

– Oh, Seigneur ! soupira le père de Sean.

Sa mère avala une gorgée de thé, puis regarda Sean par-dessus sa tasse.

– J'ai découpé un article pour Lauren, dit-elle enfin après avoir reposé la tasse sur la soucoupe. Je l'ai rangé quelque part.

Elle découpait toujours des articles de journaux à l'intention de Lauren, qu'elle donnait à Sean lorsqu'il venait en visite. Parfois, elle les envoyait par liasses de neuf ou dix, et quand Sean ouvrait l'enveloppe, c'était pour découvrir les papiers pliés avec soin, comme pour lui rappeler le temps écoulé depuis sa dernière visite. Le sujet des articles variait, mais tous traitaient de problèmes domestiques ou pratiques : recommandations pour entretenir le sèche-linge ; comment éviter le dessèchement des aliments congelés ; le pour et le contre de l'euthanasie ; comment déjouer les ruses des pickpockets pendant les vacances ; conseils de santé destinés aux hommes soumis à un stress important dans leur travail (« Faites de l'exercice pour améliorer votre rythme cardiaque ! »)... Pour sa mère, c'était une façon de lui témoigner son amour, Sean l'avait compris, comme quand elle lui boutonnait son manteau ou lui resserrait son écharpe autour du cou avant qu'il ne parte pour l'école un matin de janvier, et un sourire lui venait invariablement aux lèvres quand il repensait à l'article arrivé l'avant-veille du départ de sa femme – « Jetez-vous sur la fécondation in vitro ! » –, ses parents n'ayant jamais compris que pour Lauren et lui, ne pas avoir d'enfant était un choix motivé par une peur commune (quoique jamais formulée) de ne pas être à la hauteur.

Lorsqu'elle était finalement tombée enceinte, ils ne l'avaient pas dit aux parents de Sean, car ils essayaient de déterminer si elle devait garder le bébé alors que leur mariage battait de l'aile, que Sean avait découvert la liaison de Lauren avec un comédien, qu'il commençait à lui demander : « Qui est le père ? » et elle, à répondre : « T'as qu'à faire un test de paternité, puisque t'es si inquiet. »

Ils avaient décliné les invitations à Wingate, inventé des excuses pour ne pas se trouver chez eux quand les parents de Sean venaient en ville, et Sean s'était torturé l'esprit jusqu'à l'obsession à l'idée que le bébé ne soit pas de lui, ou qu'il n'en veuille pas s'il l'était.

Depuis le départ de sa bru, la mère de Sean s'obstinait à ne voir dans cette absence que « le besoin de s'accorder une période de réflexion », et tous les articles étaient désormais pour Lauren, et non pour son fils, comme s'ils risquaient un jour de déborder du tiroir où il les rangeait, au point que les époux seraient obligés de se réunir à nouveau, ne serait-ce que pour ne pas se laisser submerger.

– Tu lui as parlé, récemment ? demanda le père de Sean, toujours dans la cuisine, le visage dissimulé par la cloison vert menthe entre eux.

– À Lauren ?

– Mmm.

– Évidemment, fit sa mère. À qui d'autre ?

– Elle téléphone, mais elle ne dit rien.

– Peut-être qu'elle bavarde à tort et à travers parce que...

– Non, papa. Elle ne dit rien du tout. Pas un mot.

– Rien de rien ?

– Non.

– Alors, comment tu sais que c'est elle ?

– Je le sais, c'est tout.

– Mais *comment* ?

– Oh, bon sang, marmonna Sean. Je l'entends respirer. O.K. ?

– C'est bizarre, quand même, reprit sa mère. Et toi, tu lui dis quelque chose ?

– Parfois, oui. De moins en moins.

– Eh bien, au moins, vous communiquez, d'une certaine façon, conclut sa mère, qui plaça l'article devant lui. Tiens, j'ai pensé que ça l'intéresserait. (Elle se rassit, puis effaça un pli sur la nappe avec ses paumes.) Quand elle rentrera, ajouta-t-elle en regardant le tissu sous ses mains. Quand elle rentrera, répéta-t-elle d'un ton léger – le ton d'une religieuse certaine de l'ordre fondamental des choses.

– Dave Boyle, dit Sean à son père une heure plus tard, quand ils s'assirent à l'une des grandes tables du Ground Round. Tu te rappelles le jour où il a disparu devant chez nous ?

Son père fronça les sourcils, avant de se concentrer sur le reste de Killian qu'il versait dans sa chope glacée. Alors que la mousse atteignait le haut du verre et que les dernières gouttes de bière tombaient du pichet, il lança :

– Pourquoi ? Tu ne pouvais pas jeter un coup d'œil aux journaux de l'époque ?

– Eh bien...

– Pourquoi tu me demandes ça ? Merde. C'est passé à la télé.

– L'enlèvement, oui, mais pas l'arrestation de son ravisseur, répliqua Sean en espérant que cette explication suffirait, que son père n'insisterait pas pour savoir ce qui le poussait à lui en parler aujourd'hui, car il n'avait pas vraiment de réponse pour le moment.

En fait, il avait sans doute besoin que son père le replace *lui* dans le contexte de cet événement, qu'il l'aide à se former une image de lui-même à l'époque, ce qui était impossible avec les journaux ou les vieux dossiers archivés. Et peut-être aussi qu'il avait besoin d'échanger avec son père autre chose que des commentaires sur les nouvelles du jour, sur la nécessité pour les Red Sox d'engager un lanceur gaucher.

Il arrivait à Sean de se dire qu'autrefois, son père et lui avaient dû aborder des sujets plus importants (comme il avait dû le faire avec Lauren), sauf qu'il ne pouvait absolument pas se rappeler de quoi il s'agissait. Dans le brouillard confus de ses souvenirs de jeunesse, il craignait de s'être inventé des moments d'intimité ou de dialogue sincère entre son père et lui qui, s'ils prenaient des proportions mythiques au fil des années, n'avaient cependant peut-être jamais existé.

Son père était un homme de silences et de demi-phrases qui demeuraient en suspens, et Sean avait passé une bonne partie de sa vie à essayer d'interpréter ces pauses, de remplir les vides laissés par ces ellipses, à imaginer ce que son père voulait dire. Et depuis quelque temps, Sean en venait à se demander si lui-même achevait ses phrases comme il le pensait, ou s'il était lui aussi un être porté aux silences, des silences qu'il avait pu également remarquer chez Lauren, mais dont il ne s'était pas préoccupé jusqu'à ce qu'il ne lui reste plus qu'eux pour témoigner d'elle. Eux, et le sifflement de l'air au téléphone quand elle l'appelait.

– Pourquoi tiens-tu tellement à remuer toute cette histoire ? reprit enfin son père.

– Tu sais que la fille de Jimmy Marcus a été assassinée ?

– Tu veux parler de cette jeune femme retrouvée dans Pen Park ?

De la tête, Sean acquiesça.

– Quand j'ai vu le nom, je me suis dit que c'était sûrement une parente, mais je n'ai pas pensé un seul instant à sa fille... Il a ton âge, non ? Et il a une enfant de dix-neuf ans ?

– Jimmy devait avoir dans les dix-sept ans quand il l'a eue. C'était un peu avant qu'il soit envoyé à Deer Island.

– Bon sang. Le malheureux. Son père est toujours en prison ?

– Il est mort, papa.

Sean vit bien que cette réponse le peinait, le ramenait tout d'un coup dans la cuisine de Gannon Street où, avec le père de Jimmy, ils passaient leurs samedis après-midi à se saouler doucement à la bière et à faire résonner l'air de leurs gros rires pendant que leurs fils jouaient dehors.

– Merde, marmonna-t-il enfin. Il n'est pas mort derrière les barreaux, au moins ?

Un instant, Sean songea à mentir, mais il opinait déjà.

– Si. À Walpole. D'une cirrhose.

– Quand ?

– Un peu après votre déménagement. Ça doit faire six ans, peut-être sept.

« Sept », articula son père en silence. Quand il porta sa chope à ses lèvres, les taches de vieillesse sur le dos de ses mains parurent plus foncées sous la lumière jaune de la lampe au-dessus d'eux.

– C'est tellement facile de perdre le compte des années. De perdre toute notion du temps.

– Désolé, papa.

Celui-ci grimaça. C'était la seule réponse qu'il connaissait aux compliments ou aux témoignages de sympathie.

– Pourquoi ? Ce n'est pas ta faute, que je sache. Tim s'est condamné quand il a tué Sonny Todd.

– À cause d'une partie de billard, si je me souviens bien.

Son père haussa les épaules.

– Ils étaient tous les deux bourrés. Qui peut dire aujourd'hui ce qui a tout déclenché ? Ils étaient bourrés, ils avaient tous les deux des grandes gueules et des caractères de cochon. Sauf que Tim avait un caractère bien pire encore que Sonny Todd. (Il but une nouvelle gorgée de bière.) Bon, mais quel rapport entre l'enlèvement de Dave Boyle et cette... comment elle s'appelait, déjà ? Katherine, c'est ça ? Katherine Marcus ?

– Oui.

– Alors, quel est le rapport ?

– Je n'ai pas dit qu'il y en avait un.

– Tu n'as pas dit non plus qu'il n'y en avait pas.

Sean sourit malgré lui. Qu'on le mette en face d'un criminel patenté lors d'un interrogatoire, d'un type qui tentait de jouer lui-même les avocats parce qu'il connaissait le système mieux que la plupart des juges, et il était sûr de pouvoir le briser. Mais pour ce qui était des anciens, les durs à cuire de la génération de son père – des ouvriers pleins de fierté et sans aucun respect pour les institutions –, on pouvait bien les harceler toute la nuit, s'ils n'avaient rien envie de dire on se retrouvait au matin avec toujours les mêmes questions sans réponse.

– Écoute, papa, ne t'occupe pas d'un éventuel lien pour l'instant, d'accord ?

– Pourquoi ?

– S'il te plaît, fais-moi plaisir.

– Bien sûr, pas de problème, c'est ce qui me maintient en vie, tu sais – la chance de pouvoir faire plaisir à mon fils.

Sean sentit sa main se crisper sur l'anse de sa chope.

– Je me suis replongé dans le dossier concernant l'enlèvement de Dave, expliqua-t-il néanmoins. Le responsable de l'enquête est mort, aujourd'hui. Personne d'autre ne se souvient de l'affaire, et officiellement elle toujours « non résolue ».

– Et ?

– Et je me rappelle que tu es entré dans ma chambre peut-être un an après le retour de Dave en disant : « C'est fini. Ils ont coincé les types. »

Son père haussa les épaules.

– Ils en avaient coincé un.

– Alors, pourquoi...

– À Albany. J'ai vu la photo dans les journaux. Le type avait avoué sa participation à plusieurs viols d'enfants à New York et à quelques-uns aussi dans le Massachusetts et le Vermont. Il s'est pendu dans sa cellule avant de donner les détails. Mais je l'ai reconnu d'après le portrait-robot que ce flic avait dessiné chez nous.

– Tu en es sûr ?

– Certain. L'inspecteur en charge de l'enquête, un certain, ah...

– Flynn, précisa Sean.

– Mike Flynn, oui, c'est ça. Je suis resté en contact avec lui un moment. Et quand j'ai vu la photo dans le journal, je l'ai appelé. Il m'a répondu que c'était bien le même gars. Dave l'avait confirmé.

– Lequel ?

– Hein ?

– Lequel des deux ?

– Oh. Le, ah, comment tu l'avais décrit, déjà ? Le cradingue qui avait l'air endormi.

Les mots employés par Sean autrefois lui parurent étranges dans la bouche de son père.

– Le passager, donc.

– Mouais.

– Et son complice ?

– Tué dans un accident de voiture, répondit son père. Du moins, c'est ce qu'a raconté l'autre. Moi, c'est tout ce que je sais, et je ne me fierais plus trop à ce que je sais. Bon sang, il a fallu que tu m'apprennes la mort de Tim Marcus...

Sean termina sa bière, puis indiqua la chope paternelle vide.

– On s'en reprend une ?

Son père considéra son verre quelques secondes.

– Oh, et puis zut. D'accord.

Lorsque Sean revint du bar avec les boissons, son père regardait *Jeopardy!* qui était diffusé en silence sur l'un des écrans de télévision au-dessus du bar. Au moment il se rasseyait, son père lança :

– Qui est Robert Oppenheimer ?

– Sans le son, comment tu peux savoir qu'ils ont posé cette question-là ?

– Parce que je le sais, c'est tout, répondit son père, qui fronça les sourcils comme s'il jugeait la question idiote. C'est un truc que vous faites tout le temps, vous autres. Franchement, ça me dépasse.

– Qui, « nous autres » ? On fait quoi, au juste ?

Son père tendit sa chope vers lui.

– Les gars de ton âge. Vous posez des tas de questions alors qu'il suffirait de réfléchir un minimum pour trouver la réponse.

– Si tu le dis...

– Cette histoire avec Dave Boyle, par exemple. En quoi ça peut t'intéresser, ce qui lui est arrivé il y a vingt-cinq ans ? De toute façon, tu t'en doutes. Il a été séquestré pendant quatre jours par des violeurs d'enfants. Alors, il lui est arrivé exactement ce que tu peux imaginer. Et pourtant, aujourd'hui, tu essaies de remuer tout ça pour... (Il prit le temps d'avaler une gorgée de bière.) Justement, je ne sais pas pourquoi.

Il le gratifia d'un sourire perplexe, que Sean lui rendit.

– Hé, papa...

– Oui ?

– Tu voudrais me persuader que t'as jamais repensé à un truc du passé, que tu l'as jamais retourné dans ta tête ?

Son père soupira.

– C'est pas le propos.

– Bien sûr que si.

– Absolument pas. Des emmerdes, tout le monde en a dans sa vie, Sean. Tout le monde. Mais ceux de ta génération passent leur temps à gratter les croûtes sur les plaies. Vous ne pouvez pas vous en empêcher. Qu'est-ce qui te permet de supposer que Dave est impliqué dans le meurtre de Katherine Marcus ?

Sean laissa échapper un petit rire. Son père avait opté pour l'approche indirecte, le provoquant avec son petit discours sur « ceux de ta génération », alors que durant tout ce temps, il n'avait eu qu'une idée en tête : essayer de découvrir si Dave était lié d'une façon ou d'une autre à la mort de Katie.

– Eh bien, un certain nombre d'éléments font apparaître Dave comme quelqu'un qu'on préfère tenir à l'œil.

– T'appelles ça une réponse ?

– T'appelles ça une question ?

Un formidable sourire éclaira le visage de son père, le rajeunissant d'une bonne quinzaine d'années – ce même sourire qui, dans le souvenir de Sean, propageait sa gaieté dans toute la maison quand il était jeune, illuminait littéralement l'atmosphère.

– Donc, tu m'interrogeais sur Dave parce que tu te demandes si ce que ces salauds lui ont fait aurait pu le transformer en assassin de petites gamines.

Sean haussa les épaules.

– Y a de ça, oui.

Son père parut s'absorber dans ses réflexions pendant qu'il remuait les cacahouètes dans le bol entre eux, puis buvait encore un peu de bière.

– Je ne crois pas, déclara-t-il enfin.

– Tu le connais donc si bien que ça ? répliqua Sean avec un petit rire.

– Non. Mais je me souviens de lui quand il était gosse. Il n'y avait rien de mauvais en lui.

– Pas mal de gosses gentils deviennent des adultes qui commettent des crimes inimaginables.

Son père arqua un sourcil dans sa direction.

– T'as l'intention de me donner une leçon sur la nature humaine ?

Sean fit non de la tête.

– Juste de te parler de mon expérience dans la police.

– Vas-y, alors, dit son père en s'adossa à sa chaise, l'ombre d'un sourire aux lèvres. Éclaire-moi.

– Non, commença Sean, conscient de rougir, je voulais juste...

– Je t'en prie, vas-y.

Sean se sentait ridicule. Il n'en revenait pas de la facilité avec laquelle son père accomplissait ce tour, lui donnait toujours l'impression que ce que la majorité des gens prendraient pour une série d'observations tout à fait normales n'était qu'une tentative pompeuse de la part du petit Sean pour jouer à l'adulte.

– Reconnais-moi au moins ça. Je crois avoir appris certaines choses sur les gens et le crime. C'est mon boulot, tu comprends.

– Donc, tu crois que Dave aurait pu massacrer une gamine de dix-neuf ans, Sean ? Dave, avec qui tu jouais dans le jardin, autrefois ? Ce Dave-là ?

– Je crois que tout le monde est capable de tout.

– Donc, j'aurais pu moi aussi la tuer. (Il porta une main à sa poitrine.) Ou ta mère.

– Non.

– T'aurais quand même intérêt à vérifier nos alibis.

– Je n'ai jamais dit ça, bon sang !

– Ah bon ? Tu viens pourtant d'affirmer que tout le monde était capable de tout.

– Il y a des limites.

– Oh, désolé. Cette partie-là m'avait échappé.

Le voilà qui recommençait, songea Sean, qui cherchait à le piéger, qui jouait avec lui comme il jouait lui-même avec les suspects. Au fond, ce n'était guère étonnant que lui-même soit doué pour les interrogatoires. Il avait eu affaire à un maître en la matière.

Le silence entre eux se prolongea jusqu'au moment où son père le rompit :

– Hé, t'as peut-être raison.

Sean leva les yeux, attendant la suite.

– Peut-être que Dave en est capable, après tout. Je me rappelle juste le gosse. Je ne sais rien de l'homme, Sean.

Celui-ci tenta alors de se voir à travers les yeux de son père. Quand il regardait son fils, voyait-il encore le gosse, et non l'homme ? Sûrement, oui. Ce devait être difficile de faire autrement.

Il se remémora alors la façon dont ses oncles parlaient autrefois de son père, le petit dernier d'une tribu de douze membres, âgé de cinq ans au moment où la famille avait émigré d'Irlande. « Ce bon vieux Bill », disaient-ils, par allusion à ce Bill Devine qui existait avant la naissance de Sean. « Le cogneur. » Maintenant seulement, Sean décelait dans leurs voix une pointe de cette supériorité typique de l'ancienne génération vis-à-vis de la nouvelle, la plupart de ses oncles ayant au moins douze ou quinze ans de plus que leur benjamin.

Aujourd'hui, ils étaient tous morts. Les onze frères et sœurs de son père. Quant au bébé de la famille, il allait sur ses soixante-quinze ans et vivait reclus dans la banlieue près d'un terrain de golf où il ne mettait jamais les pieds. C'était le seul survivant, le plus jeune aussi, toujours le plus jeune, toujours prêt à se rebiffer au moindre soupçon de condescendance à son égard, particulièrement quand il s'agissait de son fils. Prêt à s'isoler du monde entier s'il le fallait plutôt que de supporter une telle attitude, réelle ou imaginaire. Car tous ceux qui avaient eu le droit de se comporter ainsi envers lui avaient disparu depuis longtemps.

Après avoir jeté un coup d'œil à la bière de Sean, son père fit tomber quelques billets de un dollar sur la table en guise de pourboire.

– C'est bon ? T'as fini avec tes questions ? demanda-t-il.

Ils retraversèrent la route 28, puis s'engagèrent dans la rue principale de la résidence, avec ses ralentisseurs jaunes au milieu et ses arroseurs automatiques sur les côtés.

– Tu sais ce qui fait toujours plaisir à ta mère ? demanda son père.

– Quoi ?

– Quand tu lui écris. Tu sais, une carte de temps en temps, comme ça, sans raison particulière. Elle dit que tes cartes sont drôles et qu'elle aime bien ton style. Elle les garde dans un tiroir de la chambre. Certaines datent de l'époque où t'étais encore à la fac.

– O.K.

– Une de temps en temps, d'accord ?

– Pas de problème.

Ils approchaient de la voiture de Sean quand son père leva les yeux vers les fenêtres sombres de son pavillon.

– Elle est déjà couchée ? demanda Sean.

– Oui. Elle doit emmener Mme Coughlin à une séance de rééducation, demain matin. (Brusquement, il serra la main de Sean.) J'ai été content de te voir, fils.

– Moi aussi, j'ai été content de te voir.

– Elle va revenir ?

Sean n'eut pas besoin de demander de qui il parlait.

– Je l'ignore, papa. Vraiment, je l'ignore.

Son père le regarda à la lueur jaune pâle du lampadaire au-dessus d'eux, et pendant quelques instants, Sean comprit qu'il souffrait de savoir que son fils avait mal, qu'il avait été abandonné, blessé, et que cette blessure-là laisserait une cicatrice permanente, un vide en lui qu'il ne parviendrait jamais à combler.

– En tout cas, reprit son père, t'as plutôt bonne mine. Tu prends soin de toi quand même, on dirait. Tu ne bois pas trop, hein, ni rien ?

Sean fit non de la tête.

– Je bosse beaucoup, c'est tout.

– Le travail, c'est ce qu'y a de mieux, parfois.

– Mouais, répondit Sean, avec l'impression que quelque chose d'amer lui remontait dans la gorge.

– Bon, eh bien... (Son père lui pressa l'épaule.) N'oublie pas d'appeler ta mère dimanche, surtout.

283

Sur ces mots, avec la démarche d'un homme de vingt ans plus jeune, il se dirigea vers la porte de la maison.

– À bientôt, dit encore Sean, ce qui lui valut un petit geste en guise de réponse.

Il venait de déverrouiller les portières de sa voiture et posait déjà la main sur la poignée lorsqu'il entendit son père lancer :

– Hé !

– Oui ?

– Tu as bien fait de ne pas monter dans cette bagnole, ce jour-là. Rappelle-toi toujours ça.

Sean s'appuya contre la carrosserie, les paumes sur le toit, en essayant de distinguer le visage de son père dans l'obscurité.

– Mais on aurait dû protéger Dave.

– Vous n'étiez que des gosses, Sean. Vous ne pouviez pas deviner. Et même si vous aviez pu...

Sean demeura songeur. Ses doigts tambourinaient sur le toit, ses yeux cherchaient ceux de son père.

– C'est ce que je me dis souvent, reprit-il. Mais je me dis aussi qu'on *aurait dû* deviner. D'une façon ou d'une autre. Tu ne crois pas ?

Pendant une bonne minute, ils n'échangèrent plus un mot, et Sean distingua le chant des grillons derrière le sifflement des arroseurs.

– Bonne nuit, déclara enfin son père.

– Bonne nuit, répondit Sean.

Il attendit que son père soit rentré pour remonter dans sa voiture et démarrer.

21

Farfadets

Dave se trouvait au salon lorsque Celeste rentra. Il était assis dans un coin du canapé en cuir craquelé, avec la télécommande sur ses genoux, des boîtes de bière vides formant deux colonnes près de l'accoudoir et une autre boîte pleine à la main. Il regardait un film où tout le monde, semblait-il, s'égosillait.

Celeste enleva son manteau dans le vestibule en observant la lumière qui se reflétait sur le visage de son mari, alors que les cris se faisaient plus forts, plus paniqués, et se mêlaient à des bruitages hollywoodiens de tables fracassées et ce qui ressemblait furieusement à un écrabouillement de membres humains.

– Qu'est-ce que c'est? demanda-t-elle.

– Un truc de vampires, répondit-il, les yeux rivés sur l'écran, en portant sa Bud à ses lèvres. Leur chef est en train de tuer tout le monde à cette fête organisée par les tueurs de vampires. Ils travaillent pour le Vatican.

– Qui?

, – Les tueurs de vampires. Houla! Ça, ça doit faire mal. Il vient d'arracher la tête du mec.

Quand elle s'approcha, Celeste vit à l'écran un homme en noir voler à travers une salle, attraper une femme terrifiée par la tête et lui briser le cou.

– Beurk, c'est dégoûtant.

– Non, c'est cool, parce que maintenant, James Woods est vraiment en rogne.

– C'est lequel?

– Le chef des tueurs de vampires. Il rigole pas, crois-moi.

Elle se concentra alors sur James Woods qui, en blouson de cuir et jean moulant, ramassait une sorte d'arbalète pour la pointer vers le vampire. Mais celui-ci était trop rapide. Il expédia James Woods de l'autre côté de la pièce et s'apprêtait à l'écraser comme un vulgaire moustique lorsqu'un type se précipita à la rescousse en tirant sur le vampire avec un pistolet automatique. Sans grand résultat, apparemment, mais de toute façon, l'ins-

285

tant d'après, les autres le laissaient tomber pour s'occuper d'une affaire plus pressante.

– Ce n'est pas un des frères Baldwin, là ? demanda Celeste, qui s'assit sur l'accoudoir à l'endroit où il rejoignait le dossier, et appuya la tête contre le mur.

– Ouais, je crois.

– Lequel ?

– Aucune idée. Je m'y perds.

Sur l'écran, les personnages traversaient une chambre de motel jonchée d'un nombre incroyable de cadavres.

– Tu te rends compte ? lança Dave. Va falloir que le Vatican entraîne une nouvelle équipe de tueurs, maintenant.

– Qu'est-ce qu'il a donc contre les vampires, le Vatican ?

Un sourire aux lèvres, Dave leva vers elle son visage d'adolescent et ses beaux yeux.

– Ils lui posent un sacré problème, ma chérie. Tout le monde sait qu'ils fauchent les calices.

– Ah bon ? fit-elle, en proie au désir irrépressible de lui glisser une main dans les cheveux maintenant que cette discussion idiote dissipait enfin les effets d'une journée odieuse. Je l'ignorais.

– Si, je t'assure, reprit Dave, qui vida sa bière tandis que James Woods, le frère Baldwin et une fille apparemment shootée, poursuivis par un vampire obstiné, fonçaient sur une route déserte au volant d'une camionette. Où t'étais ?

– Je suis allée déposer la robe au funérarium.

– Ça fait des heures.

– Après, j'ai juste eu envie de m'asseoir quelque part pour réfléchir. Tu comprends ?

– Pour réfléchir, hein. Bien sûr. (Il se leva, passa dans la cuisine et ouvrit le frigo.) T'en veux une ?

Elle n'avait pas soif, mais elle répondit néanmoins :

– Oui, d'accord.

Un instant plus tard, Dave lui apportait sa bière. Souvent, Celeste pouvait juger de son humeur selon qu'il lui ouvrait sa boîte ou pas. En l'occurrence, la boîte était ouverte, mais Celeste était incapable de déterminer si c'était un bon ou un mauvais signe. Elle avait du mal à le cerner.

– Alors, à quoi tu as réfléchi ?

Il tira la languette sur sa propre boîte, et le bruit résonna dans la pièce avec plus de force encore que le crissement des pneus à la télévision quand la camionnette se renversa.

– Oh, tu dois bien t'en douter.

– Pas vraiment, Celeste, non.

– J'ai réfléchi à des tas de trucs, répondit-elle avant d'avaler une gorgée de bière. À cette journée, à la mort de Katie, à Jimmy et Annabeth. Ce genre de choses, quoi.

– Mmm... Tu sais à quoi j'ai pensé en rentrant tout à l'heure avec Michael, Celeste ? Eh bien, j'ai pensé qu'il avait dû se sentir drôlement embarrassé quand sa mère est partie comme ça, sans préciser où elle allait ni quand elle revenait. J'y ai beaucoup pensé, même.

– Je te l'ai dit, Dave.

– Tu m'as dit quoi ? (Il leva les yeux, sourit de nouveau, mais son expression n'avait plus rien de juvénile.) Tu m'as dit quoi, Celeste ?

– J'avais envie de réfléchir, c'est tout. Désolée de ne pas avoir appelé. Mais ces deux derniers jours ont été plutôt rudes, et j'ai l'impression de ne plus être tout à fait moi-même.

– Comme tout le monde.

– Hein ?

– Tiens, prends ce film par exemple. Ils sont incapables de reconnaître les humains des vampires. J'en ai déjà vu des extraits, d'accord, et le frère Baldwin, là ? Eh bien, il tombe amoureux de la petite blonde, alors qu'il sait qu'elle a été mordue. Elle risque de le transformer en vampire, mais il s'en fiche, O.K. ? Parce qu'il l'aime. Comme elle se nourrit de sang, elle va faire de lui un mort vivant, et pourtant, il ne résiste pas. Je veux dire, c'est tout le problème du vampirisme, Celeste : il y a quelque chose de séduisant là-dedans. Même si tu sais que ça va te tuer, que ton âme sera damnée pour l'éternité et que tu passeras ton temps à mordre les gens dans le cou, à éviter le soleil et aussi, ben, les commandos du Vatican. Peut-être qu'un jour, tu te réveilleras en ayant oublié ce que c'était d'être humain. Et peut-être aussi que ce ne sera pas si terrible. Le poison est en toi, mais à force, tu t'y habitues ; tu apprends à vivre avec. (Il posa les pieds sur la table basse, avant d'avaler une longue gorgée de bière.) C'est mon opinion, en tout cas.

Toujours assise sur l'accoudoir du canapé, les yeux fixés sur le visage de Dave, Celeste était aussi immobile qu'une statue.

– De quoi tu me parles ? lança-t-elle enfin.

– Des vampires, ma puce. Des loups garous.

– Des *quoi* ? Je ne comprends pas, Dave.

– Ah non ? Tu crois que j'ai tué Katie, Celeste. C'est tout ce qu'il y a à comprendre.

– Je ne... Où es-tu allé chercher une idée pareille ?

Avec son ongle, il souleva la languette sur sa boîte de bière.

– C'est à peine si tu m'as regardé quand j'étais dans la cuisine, chez Jimmy. Tu tenais cette robe comme une espèce de bouclier, et tu ne me

287

regardais pas. Alors, j'ai commencé à me poser des questions. Je me suis demandé pourquoi ma propre femme avait l'air de trouver ma vue insupportable. Et soudain, j'ai eu une sorte de révélation : Sean t'a dit quelque chose, pas vrai ? Lui et sa saloperie de partenaire t'ont interrogée, c'est ça ?

– Non.

– Non ? Tu mens.

Elle n'aimait pas le voir aussi calme. La bière y était sans doute pour quelque chose, Dave ayant toujours été un peu anesthésié par l'alcool, mais il y avait aussi un aspect effrayant dans son attitude, comme s'il réprimait une force mauvaise à l'intérieur de lui.

– David...

– Ah, parce que c'est David, maintenant ?

– ... je ne crois rien. Je n'ai pas les idées très claires, c'est tout.

Il inclina la tête vers elle.

– Eh bien, pourquoi ne pas en parler, ma chérie ? Après tout, le dialogue, c'est bien la clé d'une relation de couple réussie, non ?

Elle avait cent quarante-sept dollars sur son compte courant et cinq cents dollars de réserve sur sa carte Visa, dont la moitié était déjà dépensée. Si elle voulait partir avec Michael, ils ne pourraient pas aller très loin. Ils prendraient une chambre dans un motel, et au bout de deux ou trois jours, Dave les retrouverait. Il n'était pas stupide, loin de là. Il les traquerait, elle n'en doutait pas.

Le sac. Elle n'avait qu'à remettre le sac-poubelle à Sean Devine, qui parviendrait sûrement à découvrir des traces de sang sur les vêtements de Dave. Elle avait entendu parler de tous ces progrès accomplis dans le domaine de la technologie génétique. Les flics identifieraient le sang de Katie, et ils arrêteraient Dave.

– Allez, ma chérie, je t'écoute. On va parler, d'accord ? On va tout mettre sur la table. Sérieux. Pour que je puisse, comment dire, *apaiser* tes craintes.

– Je n'ai pas peur.

– Ce n'est pas l'impression que tu donnes.

– Non, je n'ai pas peur.

– O.K. (Il ôta ses pieds de la table basse.) Alors, vas-y, dis-moi ce qui te tracasse, Celeste.

– Tu as trop bu.

Il hocha la tête.

– C'est incontestable. Mais ça ne m'empêche pas d'avoir une conversation avec toi.

À l'écran, le vampire décapitait encore quelqu'un – un prêtre, cette fois.

– Sean ne m'a posé aucune question, déclara Celeste. Je l'ai entendu discuter avec son collègue quand tu es allé chercher les cigarettes d'Annabeth. Je ne sais pas ce que tu leur as raconté, Dave, mais ils ne te croient pas. Ils savent que tu étais encore au Last Drop un peu avant la fermeture.

– Quoi d'autre ?

– Quelqu'un a vu ta voiture sur le parking à l'heure où Katie est sortie du bar. Et ils ne croient pas non plus à l'explication que tu leur as donnée pour ta main.

Dave leva sa main droite, qu'il fit jouer devant ses yeux.

– C'est tout ?

– C'est tout ce que j'ai entendu, en tout cas.

– Et qu'est-ce que tu en as déduit ?

De nouveau, Celeste éprouva le désir de le toucher. En cet instant, il ne lui paraissait plus menaçant, mais seulement abattu. Elle le voyait à ses épaules affaissées, à son dos voûté, et elle avait envie de le prendre dans ses bras, mais elle s'abstint.

– Parle-moi de cette agression, Dave.

– L'agression ?

– Oui. Il faudra peut-être que tu passes en jugement. Et alors ? Ça vaut encore mieux que d'être accusé de meurtre, non ?

C'est le moment, songea-t-elle. Dis-moi que ce n'est pas toi. Dis-moi que tu n'as pas vu Katie sortir du Last Drop. Dis-le-moi, Dave.

Au lieu de quoi, il répondit :

– Je commence à comprendre comment tu raisonnes. Si, si, je t'assure. Je suis rentré avec du sang sur mes vêtements le soir où Katie a été assassinée. Donc, je l'ai tuée.

Le mot s'échappa de la bouche de Celeste :

– Et ?

Dave reposa sa bière et partit d'un énorme éclat de rire. Ses pieds se soulevèrent du sol, il s'effondra sur les coussins du canapé et se tordit littéralement de rire. Il riait comme s'il ne devait plus jamais s'arrêter, chaque pause pour reprendre son souffle entraînant une nouvelle crise d'hilarité. Il riait tellement que des larmes jaillirent de ses yeux, que tout son torse se mit à trembler.

– Je... je... je... je...

Il ne parvenait pas à se ressaisir. Le rire était trop puissant. Il déferlait en lui par vagues, et les larmes ruisselaient désormais, inondant ses joues, coulant dans sa bouche ouverte, mouillant ses lèvres.

Cette fois, Celeste n'essayait plus de nier. Jamais elle n'avait été aussi terrifiée de toute sa vie.

– Hen... Henry, bredouilla-t-il enfin quand son fou rire se mua en gloussements moins violents.

– Quoi ?

289

– Henry, répéta-t-il. Henry et George, Celeste. C'étaient leurs noms. Hilarant, non ? Et je peux te dire que George, c'était vraiment un mec bizarre. Henry, lui, il était carrément méchant.

– De qui tu me parles, Dave ?

– Henry et George. Je te parle d'Henry et de George. Ils m'ont emmené faire un tour. Un tour de quatre jours. Ils m'ont enfermé dans une cave avec juste un vieux sac de couchage miteux posé à même le ciment, et putain, Celeste, ils ont pris un sacré pied. Mais à l'époque, y a eu personne pour aider ce bon vieux Dave. Personne pour le sortir de là. Alors, Dave a été obligé de se raconter que tout ça arrivait à quelqu'un d'autre. Fallait qu'il devienne suffisamment fort dans sa tête pour pouvoir se diviser en deux. Et il a réussi. Mouais, Dave est mort. Le gosse qui est ressorti de cette cave, je sais pas qui c'était – enfin si, c'était moi –, mais en tout cas, c'était plus Dave. Parce qu'il était mort.

Celeste était incapable de dire quoi que ce soit. En huit ans, Dave ne lui avait jamais expliqué ce que personne n'ignorait à son sujet. Il lui avait raconté qu'il jouait avec Sean et Jimmy, qu'il avait été enlevé et qu'il s'était échappé, et il avait conclu en disant qu'il n'y avait rien à ajouter. Mais pas une fois il n'avait mentionné le nom de ces hommes. Ni le sac de couchage. Ni rien. C'était comme si, en cet instant, tous deux se réveillaient après avoir rêvé qu'ils étaient mariés, pour se retrouver confrontés aux rationalisations, aux demi-vérités, aux désirs refoulés et à cette part d'ombre en eux sur lesquels reposait leur union. Comme s'ils regardaient leur couple s'effondrer sous les assauts de la vérité : ils ne se comprenaient pas, mais s'étaient contentés d'espérer qu'ils y parviendraient un jour.

– Alors, tu vois ? reprit Dave. Tu vois, c'est comme pour les vampires, Celeste. C'est la même chose. Exactement la même chose.

– Mais quoi, Dave ?

– Tu ne peux plus t'en débarrasser. Une fois que c'est en toi, ça reste.

Il concentrait de nouveau toute son attention sur la table basse, et Celeste eut l'impression qu'il lui échappait.

– Tu ne peux plus te débarrasser de quoi ? demanda-t-elle en lui posant la main sur le bras.

Dave regarda cette main comme s'il voulait la mordre et l'arracher avec les dents.

– Je ne peux plus me faire confiance, Celeste. Je te préviens. Je ne peux plus.

Elle ôta sa main, qui la picotait à l'endroit où elle avait touché la peau de Dave.

Il se leva en titubant, pencha la tête et contempla quelques secondes Celeste en ayant l'air de se demander qui elle était et comment elle s'était retrouvée sur son canapé. Puis il se tourna vers la télé au moment où James Woods tirait avec son arbalète dans la poitrine de quelqu'un, et il murmura :

– Liquide-les tous, vieux. Vas-y, liquide-les tous.

Reportant son attention sur Celeste, il grimaça un sourire idiot.

– Je sors, annonça-t-il.

– O.K.

– J'ai besoin de réfléchir, moi aussi.

– D'accord. Comme tu veux.

– Si je pouvais comprendre ce qui m'arrive, ça irait mieux. Il faut juste que j'arrive à comprendre ce qui m'arrive.

Celeste ne lui demanda pas ce qu'il voulait dire.

– Bon, j'y vais.

Il avait déjà ouvert la porte d'entrée et franchi le seuil lorsque Celeste le vit plaquer la main sur le battant et passer la tête dans l'entrebâillement. Juste la tête.

– Au fait, je me suis occupé des ordures, dit-il.

– Quoi ?

– Le sac-poubelle. Tu sais, celui où t'avais mis mes fringues et tout le reste ? Je l'ai jeté, tout à l'heure.

– Ah, murmura-t-elle, de nouveau gagnée par la nausée.

– Alors, à plus tard.

– C'est ça, à plus tard.

Elle entendit le bruit de ses pas sur le palier. Elle entendit la porte de l'immeuble grincer en s'ouvrant, Dave sortir sur le perron et descendre les marches. Puis elle s'approcha de l'escalier menant à la chambre de Michael, dont elle écouta quelques instants le souffle régulier lui prouvant qu'il dormait profondément. Avant de se précipiter dans la salle de bains pour vomir.

Il ne voyait pas où Celeste avait pu garer la voiture. Parfois, surtout en cas de tempête de neige, il leur arrivait de rouler sur près d'un kilomètre pour trouver une place, et ce soir-là, pour autant qu'il le sache, Celeste avait peut-être laissé la Honda dans le Point, bien qu'il ait remarqué des emplacements libres non loin de l'immeuble. Mais c'était tout aussi bien. Il était vraisemblablement trop saoul pour conduire. Une bonne marche lui éclaircirait sans doute les idées.

Dave remonta Crescent jusqu'à Buckingham Avenue, puis tourna à gauche en se demandant ce qui lui avait pris de vouloir expliquer la situation à Celeste. Dire qu'il avait même prononcé leurs noms – Henry et George. Qu'il avait même mentionné les loups garous. Merde.

Et maintenant, il en avait la confirmation, les flics le soupçonnaient. Ils allaient le surveiller. Il ne serait plus question de considérer Sean comme un vieux copain resurgi du passé. Ils avaient dépassé ce stade, et Dave se rappela soudain ce qu'il n'aimait pas chez Sean Devine quand ils étaient gosses : ce sentiment de supériorité chez lui, cette impression qu'il donnait d'être toujours sûr d'avoir raison, comme la plupart des gamins qui avaient la chance – car c'en était une – d'avoir leurs deux parents, une belle maison, des vêtements neufs et un équipement sportif.

Qu'il aille se faire foutre. Qu'il aille se faire foutre avec ses yeux, sa voix, sa façon d'impressionner les femmes au point qu'elles en mouillaient presque leur culotte quand il était entré dans cette cuisine, un peu plus tôt. Qu'il aille se faire foutre avec sa belle gueule. Qu'il aille se faire foutre avec ses grands airs, ses histoires marrantes, son arrogance de flic et son nom dans le journal.

Mais Dave n'était pas stupide, lui non plus. Il saurait se montrer à la hauteur du défi quand il aurait récupéré ses esprits. Pour le moment, il avait juste besoin de récupérer ses esprits. S'il devait pour cela s'arracher la tête et la secouer un bon coup pour y remettre de l'ordre, il trouverait le moyen de le faire.

Néanmoins, le plus gros problème dans l'immédiat, c'était que le Petit Garçon qui avait échappé aux Loups et Grandi avait tendance à se manifester un peu trop souvent. Dave espérait pourtant qu'après ce qui était arrivé le samedi, le Petit Garçon se serait calmé, qu'il aurait réintégré la forêt dans sa tête. Car ce soir-là, le Petit Garçon avait réclamé du sang ; il avait voulu infliger la souffrance. Alors, Dave s'était conformé à ses désirs.

Au début, les choses n'étaient pas allées trop loin : quelques coups de poing, un coup de pied... Mais peu à peu, submergé par la rage qui bouillonnait de plus en plus fort en lui à mesure que le Petit Garçon prenait le pouvoir, Dave avait perdu le contrôle de la situation. Or le Petit Garçon n'avait rien d'un tendre. Il ne s'était estimé satisfait qu'en voyant des bouts de cervelle.

Alors seulement, il avait lâché prise. Il était parti, laissant Dave se débrouiller pour tout nettoyer. Ce qu'il avait fait. Il s'en était même rudement bien sorti. (Peut-être pas aussi aussi bien qu'il l'aurait voulu, d'accord, mais pas mal quand même.) Et il l'avait fait en particulier dans l'espoir que le Petit Garçon disparaisse un certain temps.

Mais le Petit Garçon était un emmerdeur. Il n'arrêtait pas de revenir, de frapper à la porte, de dire à Dave qu'il allait sortir. « On a du pain sur la planche, Dave. »

L'avenue semblait un peu floue devant lui, elle avait tendance à tanguer sous ses pieds, mais Dave savait que le Petit Garçon et lui se rapprochaient maintenant du Last Drop. Ils avaient atteint ce quartier minable où se côtoyaient paumés et prostituées, tous vendant gaiement ce dont Dave avait été dépouillé par la force.

« Ce dont, moi, j'ai été dépouillé, disait le Petit Garçon. Toi, t'as grandi. Essaie pas de porter ma croix. »

Le pire, c'étaient les gosses. Ils étaient comme des farfadets. Ils surgissaient de l'ombre des porches ou des carcasses de voitures pour vous proposer une pipe. Ou une passe pour vingt sacs. Ils étaient prêts à tout.

Celui que Dave avait vu le samedi soir ne devait pas avoir plus de onze ans. Il avait des cercles de crasse autour des yeux, une peau incroyablement blanche et une tignasse rousse tout emmêlée, ce qui ne faisait qu'accentuer la ressemblance avec un lutin. À cette heure-là, il aurait dû se trouver chez lui, à regarder des feuilletons à la télé ; au lieu de quoi, il traînait dans la rue, offrant ses services à des tordus.

Dave l'avait aperçu de l'autre côté de la rue alors qu'il retournait vers sa voiture en sortant du Last Drop. Appuyé contre un poteau, le gamin fumait une cigarette, et quand ses yeux avaient accroché ceux de Dave, celui-ci avait senti quelque chose remuer en lui. Le désir de fusionner. De prendre le petit rouquin par la main pour l'emmener dans un endroit tranquille. Ç'aurait été tellement facile, tellement apaisant, tellement agréable de s'abandonner. De s'abandonner enfin à ce qui le torturait depuis au moins une décennie.

« Vas-y, lui avait dit le Petit Garçon. Fais-le. »

Mais il savait (d'où cette impression que son cerveau se scindait en deux moitiés) au plus profond de son âme que ce serait le péché le plus terrible de tous. Il savait que s'il cédait, ce serait comme franchir une limite, et qu'il n'y aurait pas de retour en arrière possible. Il savait qu'après, il ne serait plus jamais intègre, qu'il vivrait avec la certitude qu'il aurait mieux valu pour lui demeurer enfermé dans cette cave avec Henry et George pour le restant de ses jours. C'était ce qu'il se répétait dans les moments de tentation, quand il passait devant les arrêts de bus ou les cours de récréation, ou encore les piscines municipales en été. Il se répétait qu'il ne deviendrait jamais comme Henry et George. Il était meilleur qu'eux. Il élevait un fils. Il aimait sa femme. Il serait fort. Ces pensées-là, il devait se les répéter de plus en plus souvent au fil des ans.

Samedi soir, cependant, elles ne lui avaient été d'aucun secours. Samedi soir, le désir s'était manifesté avec une force inconnue jusque-là. Et le rouquin appuyé contre le lampadaire avait semblé s'en rendre compte. La cigarette à la bouche, il avait souri à Dave, qui s'était senti attiré inexorablement vers l'autre côté de la rue, comme s'il se tenait pieds nus au sommet d'une pente recouverte de satin.

Et puis, une voiture s'était arrêtée en face de lui, et après avoir échangé quelques mots avec le conducteur, le gamin y était monté, non sans avoir jeté à Dave un coup d'œil compatissant par-dessus le capot. Dave avait regardé la voiture, une Cadillac bleu foncé et blanche, faire demi-tour dans l'avenue, revenir vers lui, puis aller se garer au fond du parking derrière le Last Drop. Dave s'était assis au volant de sa Honda tandis que la Cadillac s'immobilisait sous les grands arbres bordant le grillage affaissé. Le conducteur avait éteint ses phares mais laissé le moteur tourner, et le Petit Garçon avait chuchoté à l'oreille de Dave : « Henry et George, Henry et George, Henry et George... »

Mais ce soir, avant même d'arriver en vue du Last Drop, Dave rebroussa chemin alors que le Petit Garçon lui criait dans les oreilles. « Je suis toi, je suis toi, je suis toi », hurlait-il sans relâche.

Dave aurait voulu s'arrêter et pleurer. Il aurait voulu appuyer la main contre le mur le plus proche et laisser ses larmes couler, parce qu'il savait que le Petit Garçon avait raison. Le Petit Garçon qui avait échappé aux Loups et Grandi était devenu lui-même un Loup. Il était devenu Dave.

Dave le Loup.

Le changement avait dû se produire récemment, car Dave ne pouvait se rappeler aucun moment où il lui avait semblé que son âme se détachait, puis s'évaporait pour céder la place à cette nouvelle entité. Mais c'était arrivé. Sans doute pendant qu'il dormait.

En attendant, il ne pouvait pas s'arrêter. Cette partie de l'avenue était trop dangereuse, trop susceptible d'être hantée par des junkies pour qui un homme ivre serait une proie facile. Déjà, il voyait une voiture ralentir de l'autre côté de la rue comme pour l'épier, guetter le moment où il dégagerait l'odeur d'une victime.

Dave inspira profondément, puis raffermit sa démarche en s'efforçant d'avoir l'air sûr de lui et indifférent. Il redressa un peu les épaules, prit son regard le plus mauvais et refit le trajet en sens inverse pour rentrer chez lui, les idées toujours aussi embrouillées à cause du Petit Garçon qui lui hurlait dans les oreilles, mais Dave décida de l'ignorer. Il en était capable. Il était fort. Il était Dave le Loup.

Et effectivement, les cris du Petit Garçon finirent par se calmer. Ils se réduisirent au ton de la conversation alors que Dave traversait les Flats.

« Je suis toi, disait le Petit Garçon d'une voix amicale. Je suis toi. »

Celeste sortit de l'immeuble en portant Michael à moitié endormi sur son épaule, pour découvrir que Dave avait pris la voiture. Elle l'avait garée un peu plus loin dans la rue, surprise de trouver une place aussi près de chez eux un soir de semaine, mais il y avait maintenant une Jeep bleue à l'endroit où elle avait laissé la Honda.

Or, elle n'avait pas pris cette possibilité en compte. Elle pensait installer Michael sur le siège passager, mettre leurs sacs sur la banquette arrière puis se rendre directement à l'Econo Lodge, au bord de la voie express, à environ cinq kilomètres.

– Merde, dit-elle à haute voix, résistant au désir de crier.

– Maman ? marmotta Michael.

– Ne t'inquiète pas, Mike. Tout va bien.

Et c'était sans doute le cas, puisqu'au moment où elle relevait les yeux, Celeste vit un taxi déboucher de Pertshire pour s'engager dans Buckingham Avenue. Elle agita la main avec laquelle elle tenait le sac de Michael, et lorsque la voiture s'arrêta le long du trottoir, elle songea qu'elle pouvait bien dépenser six dollars pour aller jusqu'à l'Econo Lodge. Elle en dépenserait même cent si cela devait lui permettre de partir tout de suite, de se réfugier dans un endroit sûr où elle aurait la possibilité de réfléchir sans avoir à guetter la poignée de la porte et le retour d'un homme qui la prenait maintenant pour un vampire tout juste digne de recevoir un pieu en plein cœur et de se faire décapiter en prime, histoire de s'assurer que tout était bien fini.

– Où je vous emmène, ma p'tite dame ? demanda le chauffeur lorsque Celeste posa les sacs à l'arrière, puis se glissa sur la banquette avec Michael.

N'importe où, eut-elle envie de répondre. N'importe où, du moment que c'est loin d'ici.

IV

Revalorisation

22

Le poisson chasseur

– Vous avez envoyé sa voiture à la fourrière ? lança Sean.

– Sa voiture a été envoyée à la fourrière, répondit Whitey. Ce n'est pas la même chose.

Lorsqu'ils quittèrent les embouteillages matinaux sur la voie express pour prendre la sortie vers East Buckingham, Sean demanda :

– Pour quelle raison ?

– Elle était abandonnée, expliqua le sergent en sifflant légèrement entre ses dents avant de tourner dans Roseclair Street.

– Où ? Près de chez lui ?

– Non, pas du tout. La voiture a été retrouvée dans Rome Basin, au bord de la route. Une chance que la route en question soit sous la juridiction de l'État, pas vrai ? Apparemment, quelqu'un l'a fauchée, s'est payé une petite virée et l'a abandonnée. Vous aurez peut-être du mal à le croire, mais ça arrive, ce genre de choses.

Sean s'était réveillé ce matin-là après avoir rêvé qu'il tenait sa fille dans ses bras en prononçant son nom, alors qu'il ne le connaissait pas. Et comme il ne parvenait pas à se rappeler ce qu'il avait dit d'autre dans ce rêve, il se sentait toujours un peu embrumé.

– On a retrouvé des traces de sang, reprit Whitey.

– Où ?

– Sur le siège avant de la Honda.

– Beaucoup ?

Whitey leva la main, le pouce et l'index à un millimètre d'écart.

– Un peu. Y en avait plus dans le coffre.

– Hein ?

– Nettement plus, en fait.

– Et ?

– Le labo s'en occupe.

– Non, déclara Sean. Je veux dire, O.K., vous avez retrouvé des traces de sang dans le coffre. Et après ? Katie Marcus n'a jamais été enfermée dans le coffre d'une voiture.

– Évidemment, c'est embêtant.

– Les indices découverts dans cette voiture ne seront pas recevables, sergent.

– Oh, si.

– Comment ça?

– La Honda a été volée, puis abandonnée sur un territoire placé sous la juridiction de l'État. Ne serait-ce que pour des raisons d'assurances et, je dirais, dans l'intérêt du propriétaire...

– Vous avez procédé à une fouille en règle et rédigé un rapport.

- Bravo, mon garçon, vous avez l'esprit vif.

Ils s'arrêtèrent devant l'immeuble de Dave Boyle, Whitey repassa au point mort et coupa le moteur.

– J'ai de quoi le convoquer au poste pour une petite discussion. C'est tout ce que je veux pour le moment.

Sean acquiesça d'un mouvement de tête, sachant pertinemment qu'il était inutile de discuter. Si Whitey avait accédé au grade de sergent à la Criminelle, c'était grâce à sa capacité de s'accrocher à ses intuitions comme un chien à un os. On ne le faisait pas renoncer à ses intuitions; on s'en accommodait.

– Et pour la balistique? demanda Sean.

– Là encore, c'est bizarre, répondit Whitey, qui contemplait l'immeuble de Dave sans faire mine de vouloir bouger. Le meurtrier s'est bel et bien servi d'un Smith calibre .38, comme on le pensait. Volé en 81 chez un armurier du New Hampshire, avec tout un lot d'armes à feu. Et figurez-vous que ce même revolver qui a tué Katie Marcus a été utilisé pour braquer un magasin de spiritueux en 82. Ici même, à Buckingham.

– Dans les Flats?

Whitey fit non de la tête.

– À Rome Basin. Le magasin s'appelait Looney Liquors. Ils ont monté le coup à deux, le visage caché par des masques en caoutchouc. Ils sont entrés par-derrière alors que le propriétaire venait de fermer la boutique, et un des gars a tiré un coup de feu en guise d'avertissement. La balle a fracassé une bouteille de whisky avant d'aller se loger dans le mur. Tout le reste de l'opération s'est passé comme sur des roulettes, mais la balle a été récupérée. D'après la balistique, elle provient de la même arme que celle qui a tué la petite Marcus.

– Ce qui semblerait nous diriger vers une autre piste, vous ne croyez pas? En 1982, Dave avait dans les dix-sept ans, et il entrait chez Raytheon. À mon avis, il avait d'autres chats à fouetter que de braquer des magasins de spiritueux.

– N'empêche, le revolver a très bien pu atterrir entre ses mains. Merde, Devine, vous savez que les flingues circulent, non?

Whitey n'avait pas l'air aussi sûr de lui que la veille au soir. Pourtant, il lança : « Allez, on va le chercher » et ouvrit sa portière.

Sean descendit à son tour, et tous deux se dirigèrent vers l'immeuble, Whitey caressant les menottes sur sa hanche comme s'il n'attendait qu'un prétexte pour les utiliser.

Jimmy gara sa voiture sur le parking défoncé puis, tenant un plateau chargé de tasses de café et d'un sachet de beignets, il s'avança vers la Mystic River. Les véhicules fonçaient sur les travées métalliques du Tobin Bridge au-dessus de sa tête, et devant lui il apercevait Katie agenouillée sur la rive à côté de Juste Ray Harris, scrutant l'eau d'un air concentré. Dave Boyle était là lui aussi, avec une main enflée au point de ressembler à un gant de boxe. Il était assis dans une vieille chaise longue près de Celeste et d'Annabeth. Celeste était bâillonnée par une espèce de dispositif à fermeture Éclair, et Annabeth fumait deux cigarettes à la fois. Tous trois, les yeux dissimulés par des lunettes noires, ne regardaient pas Jimmy. Ils contemplaient le dessous du pont en donnant l'impression qu'ils n'avaient aucune envie d'être dérangés, merci.

Après avoir posé le plateau près de sa fille, Jimmy s'agenouilla à son tour entre Katie et Juste Ray. Il distingua son reflet dans l'eau, ainsi que celui de sa fille et de Juste Ray, qui tenait entre les dents un gros poisson rouge frétillant.

– J'ai laissé tomber ma robe dans le fleuve, dit Katie.

– Je ne vois rien, répondit Jimmy.

Le poisson sauta de la bouche de Juste Ray, mais resta à frétiller à la surface de la rivière.

– Il va la retrouver, expliqua Katie. C'est un poisson chasseur.

– Il avait un goût de poulet, déclara Ray.

Jimmy sentit la main chaude de Katie se poser dans son dos, puis celle de Ray se placer sur sa nuque.

– Pourquoi tu ne vas pas la chercher, papa ?

Tous deux le poussèrent brutalement, et en voyant les eaux sombres et le poisson frétillant se porter à sa rencontre, Jimmy comprit qu'il allait se noyer. Il ouvrait la bouche pour hurler lorsque le poisson sauta à l'intérieur, l'empêchant de respirer, et il eut l'impression de plonger dans de la peinture noire.

Jimmy ouvrit les yeux, tourna la tête et constata que le réveil indiquait sept heures seize, mais il ne se souvenait plus d'être allé se coucher. Il l'avait fait, en tout cas, puisque Annabeth était endormie à côté de lui, et à présent il avait devant lui une nouvelle journée qui commencerait par un rendez-vous dans un peu plus d'une heure pour aller choisir une pierre tombale, alors que Juste Ray Harris et la Mystic River revenaient frapper à sa porte.

Le secret d'un interrogatoire réussi, c'était de gagner le plus de temps possible avant que le suspect n'exige la présence d'un avocat. Les vrais durs – dealers, membres de gangs, *bikers*, truands en tous genres – n'attendaient pas pour réclamer « un bavard ». On pouvait toujours les bousculer un peu, essayer de leur tirer les vers du nez avant l'arrivée de leur avocat, mais en général il valait mieux compter sur les preuves matérielles pour faire avancer une enquête. Sean avait rarement obtenu des résultats probants en questionnant les individus de ce genre.

Lorsqu'il s'agissait de citoyens normaux, en revanche, ou de novices dans le domaine du crime, la plupart des affaires étaient résolues lors des interrogatoires. Celle de « l'altercation mortelle », le plus beau succès de Sean jusque-là, avait été bouclée de cette façon. Un gars, dans le Middlesex, rentrait chez lui un soir quand la roue avant droite de son 4 x 4 s'était détachée à cent vingt kilomètres/heure. Détachée, tout simplement, avant de traverser toute seule l'autoroute. Le 4 x 4 avait fait une dizaine de tonneaux, et le conducteur, Edwin Hurka, était mort sur le coup.

Il s'était avéré que les boulons de ses deux roues avant étaient desserrés. Du coup, Sean et son partenaire, Adolph, avaient envisagé au pire un homicide involontaire, l'explication la plus plausible étant celle d'une erreur imputable à un mécanicien négligent, vu que le conducteur avait fait changer ses pneus quelques semaines plus tôt. Mais Sean avait également découvert, dans la boîte à gants de la victime, un morceau de papier qui l'intriguait. Y figurait un numéro d'immatriculation griffonné en hâte, et lorsque Sean avait vérifié auprès du service des cartes grises, il avait obtenu un nom : Alan Barnes. Il s'était alors rendu à l'adresse indiquée, où il avait demandé à l'homme qui lui ouvrait la porte s'il était bien Alan Barnes. Son interlocuteur, en proie à une extrême nervosité, avait répondu : « Oui, pourquoi ? » Et Sean, certain en cet instant d'avoir raison, avait déclaré : « J'aimerais vous parler d'une histoire de boulons desserrés. »

Barnes avait aussitôt craqué, là, sur le seuil, avouant à Sean qu'il avait juste voulu trafiquer un peu la voiture de ce type pour lui faire peur, après qu'une violente altercation eut éclaté entre eux une semaine plus tôt sur la file d'accès au tunnel de l'aéroport. À la fin, Barnes était dans une telle rage qu'il avait reculé, annulé son rendez-vous, suivi Edwin Hurka jusque chez lui et attendu que toutes les lumières de la maison soient éteintes pour se mettre au travail avec sa manivelle.

Les gens sont stupides. Ils s'entretuent pour les motifs les plus bêtes, traînent ensuite dans le secteur avec l'espoir d'être arrêtés, puis entrent au tribunal en plaidant non coupable après avoir signé des aveux de quatre pages. Et cette stupidité, c'est la meilleure arme dont disposent les flics. Il leur suffit de laisser parler les suspects. Toujours. De les laisser s'expliquer, se décharger de leur fardeau de culpabilité tout en les gavant de café pendant que tournent les bobines du magnétophone.

Et quand ils demandent un avocat – d'ordinaire, le citoyen moyen se contente de *demander* –, les flics n'ont qu'à froncer les sourcils, leur faire répéter encore et encore que c'est bien ce qu'ils veulent, se débrouiller pour que de mauvaises vibrations emplissent la pièce jusqu'au moment où le prévenu se dit que, finalement, mieux vaut rester amis et bavarder encore un peu avant que l'arrivée de cet avocat ne gâche l'ambiance.

Dave, lui, ne demanda pas d'avocat. Il n'y fit même pas allusion. Assis sur une chaise dont les pieds se dérobaient quand on se balançait trop en arrière, il avait l'air bourré, contrarié, furieux contre le monde entier en général et Sean en particulier, mais il n'avait pas l'air effrayé, il n'avait pas l'air nerveux non plus, et de toute évidence, cette attitude déstabilisait Whitey.

– Écoutez, monsieur Boyle, disait-il, on sait que vous avez quitté le McGills avant l'heure que vous nous avez indiquée. On sait aussi que vous vous trouviez sur le parking du Last Drop à peu près au moment où Katie Marcus quittait le bar. Et on sait pertinemment que si vous avez la main enflée, ce n'est pas parce que vous l'avez tapée contre un mur en jouant au billard.

Un grognement s'échappa des lèvres de Dave.

– Je pourrais avoir un Sprite, un truc comme ça ? demanda-t-il.

– Tout à l'heure, répondit Whitey pour la quatrième fois depuis le début de l'entretien, une demi-heure plus tôt. Dites-nous d'abord ce qui s'est réellement passé ce soir-là, monsieur Boyle.

– Je vous l'ai déjà dit.

– Vous avez menti.

Dave haussa les épaules.

– C'est ce que vous pensez.

– Non, répliqua Whitey. C'est un fait. Vous avez menti sur l'heure à laquelle vous avez quitté le McGills. Leur foutue horloge s'est arrêtée, monsieur Boyle, cinq minutes *avant* l'heure à laquelle vous prétendez être sorti du bar.

– Cinq minutes entières ?

– Vous trouvez ça drôle ?

Lorsque Dave se pencha en arrière, Sean attendit le grincement annonciateur de la chute imminente de la chaise, mais rien de tel ne se produisit ; Dave flirtait avec le point d'équilibre, mais ne le dépassait pas.

– Non, sergent, déclara-t-il. Je ne trouve pas ça drôle du tout. Je suis fatigué. J'ai une méchante gueule de bois. Et non seulement ma voiture a été volée, mais vous êtes en train de m'expliquer que vous ne voulez pas me la rendre. Vous dites que j'ai quitté le McGills cinq minutes avant l'heure que je vous ai indiquée ?

– Au moins.

– D'accord. Je veux bien vous croire. Peut-être que c'est vrai. Apparemment, je ne regarde pas ma montre aussi souvent que vous, les gars. Donc, si vous affirmez que j'ai quitté le McGills à une heure moins dix et pas à une heure moins cinq, je vous réponds : O.K., c'est possible. Oups, désolé. Mais c'est tout. Après, je suis rentré directement chez moi. Je ne me suis pas arrêté dans un autre bar.

– On vous a vu sur le parking de...

– Non, l'interrompit Dave. Une Honda avec une bosse sur l'aile a été vue sur ce parking. Je me trompe ? À votre avis, combien y a-t-il de Honda dans cette ville ? Hein, je vous le demande ?

– Mais combien avec une bosse exactement au même endroit que la vôtre, monsieur Boyle ?

Dave haussa les épaules.

– Un paquet, je parie.

Whitey jeta un coup d'œil à Sean, comme pour lui signifier qu'ils perdaient du terrain. Dave avait raison : ils n'auraient sans doute aucun mal à recenser vingt Honda avec une bosse à l'avant côté passager. Vingt, voire plus. Et si Dave était capable de leur opposer ce genre d'argument, son avocat ne manquerait pas d'en invoquer un tas d'autres.

Parvenu derrière la chaise de Dave, Whitey demanda :

– Parlez-nous un peu de ces traces de sang dans votre voiture.

– Quelles traces de sang ?

– Celles retrouvées sur le siège avant. Pour commencer.

– Hé, Sean, il vient, ce Sprite ? lança Dave.

– O.K.

Dave sourit.

– Je vois le genre. T'es un gentil flic. Tu pourrais aussi me rapporter un sandwich, pendant que tu y es ?

Sean, qui se levait déjà, se rassit.

– Je suis pas ton chien, Dave. Je crois que tu vas devoir attendre encore un peu.

– T'es pourtant bien le chien de quelqu'un, j'ai l'impression. Je me trompe, Sean ?

Il y avait une lueur démente dans son regard lorsqu'il prononça ces mots, une sorte d'arrogance provocatrice, et Sean commença à se demander si Whitey n'avait pas raison, en fin de compte. Et si son propre père, en voyant Dave Boyle en ce moment, conserverait sur lui la même opinion que la veille au soir.

– Ces traces de sang sur ton siège, se borna-t-il à répliquer. Réponds au sergent, Dave.

Celui-ci reporta son attention sur Whitey.

– Y a un grillage dans la cour de mon immeuble, commença-t-il. Vous voyez le genre, avec des mailles qui se finissent en pointes torsadées au sommet ? Bref, je faisais un peu d'entretien, l'autre jour. Mon propriétaire n'est plus tout jeune, vous comprenez. Je lui rends service, et en contrepartie il n'augmente pas trop le loyer. Et donc, je coupais ces trucs qui ressemblent à des bambous quand tout d'un coup...

Whitey soupira, mais Dave ne parut pas s'en rendre compte.

– ... j'ai glissé. J'avais ce taille-haie électrique dans la main, et comme je ne voulais pas le lâcher, je suis tombé sur la clôture et je me suis coupé. (Il tapota sa cage thoracique.) Juste là. Y avait rien de grave, mais j'ai saigné comme un cochon. Là-dessus, dix minutes plus tard, il a fallu que j'aille récupérer mon gosse à l'entraînement de base-ball. Ça saignait toujours, je suppose. En tout cas, c'est la seule explication que je voie.

– Donc, ce sang sur le siège, ce serait le vôtre ? lança Whitey.

– Je vous le répète, je ne vois pas d'autre explication.

– Et vous êtes de quel groupe ?

– B négatif.

Un grand sourire éclairait le visage de Whitey lorsqu'il vint se percher sur le coin de la table devant Dave.

– Comme le sang dans votre voiture, dites donc. C'est marrant, hein ?

Dave leva les mains.

– Eh bien, ça prouve que j'avais raison.

Whitey singea le geste de Dave.

– Pas tout à fait, monsieur Boyle. Vous avez aussi une explication pour le sang dans le coffre ? Celui-là n'était pas B négatif.

– Je ne sais pas de quoi vous parlez.

Un petit rire s'échappa des lèvres de Whitey.

– Ah bon ? Vous n'avez vraiment aucune idée de la façon dont au moins vingt décilitres de sang se sont retrouvés dans le coffre de votre voiture ?

– Non, aucune, affirma Dave.

Whitey se pencha pour lui tapoter l'épaule.

– Je vous conseillerais, monsieur Boyle, de ne pas vous engager dans cette voie. À votre avis, quand vous déclarerez au tribunal que vous ignorez comment ce sang est arrivé dans votre voiture, qui vous croira ?

– Tout le monde, j'imagine.

– Vous êtes bien sûr de vous.

De nouveau, Dave se pencha en arrière, et Whitey ôta la main qu'il lui avait laissée sur l'épaule.

– Vous avez rédigé un rapport, sergent, non ? lança Dave.

– Quoi ?

Voyant où il voulait en venir, Sean songea : Oh, merde. Il nous a coincés.

– Un rapport sur le vol de cette voiture, je veux dire.

– Et alors ?

– Cette voiture n'était pas en ma possession la nuit dernière. J'ignore ce que les voleurs ont fabriqué avec, mais peut-être que vous auriez intérêt à creuser la question, parce que j'ai l'impression qu'ils ont fait un mauvais coup.

Une bonne trentaine de secondes, Whitey demeura complètement immobile, et Sean n'eut aucun mal à deviner les pensées qui l'agitaient : il avait voulu jouer au plus fin, et il s'était lui-même piégé. Rien de ce qu'ils retrouveraient dans cette voiture ne serait recevable au tribunal, car il suffirait à l'avocat de Dave de rétorquer que les voleurs l'y avaient mis.

– Le sang était là depuis un certain temps, monsieur Boyle. Plus de quelques heures, en tout cas.

– Ah oui ? Vous pouvez le prouver ? Je veux dire, de façon formelle, sergent ? Vous êtes sûr qu'il n'a pas séché rapidement ? Si je me souviens bien, l'air n'était pas humide, hier soir.

– On peut le prouver, rétorqua Whitey, mais Sean décela une nuance de doute dans sa voix, et il fut presque certain que Dave l'avait perçue lui aussi.

Whitey se redressa, puis tourna le dos à Dave. Il tapotait sa lèvre supérieure lorsqu'il rejoignit Sean à l'autre bout de la table, les yeux rivés sur le sol.

– Au fait, j'ai des chances d'avoir mon Sprite ? lança Dave.

– On va convoquer le gamin dont nous a parlé Souza, celui qui a aperçu la voiture. Tommy, ah... Comment, déjà ?

– Moldanado, répondit Sean.

– Ouais. (Whitey acquiesça d'un air furieux – l'air de quelqu'un à qui on aurait retiré sa chaise au moment où il s'asseyait, et qui se retrouverait le cul par terre en se demandant comment il est arrivé là.) On va organiser une séance d'identification, mettre Boyle au milieu et voir si ce Moldanado le reconnaît.

– C'est déjà quelque chose.

Whitey s'adossa au mur dans le couloir au moment où une secrétaire passait près d'eux, laissant dans son sillage un parfum semblable à celui que portait Lauren, et Sean se dit que pour une fois il pourrait peut-être appeler sa femme sur son téléphone portable ; peut-être que s'il prenait l'initiative, elle accepterait de lui parler.

– Il est beaucoup trop calme, ce gars-là, reprit Whitey. Jamais il n'avait subi d'interrogatoire jusque-là, et il ne transpire même pas ?

– Ça me paraît assez mal parti, sergent.

– Sans déc'.

– Non, je veux dire, même si on ne s'était pas fait avoir avec la bagnole, ce n'est pas le sang de Katie Marcus sur le siège. On n'a strictement rien pour le rattacher à cette affaire.

Whitey jeta un coup d'œil à la porte de la salle d'interrogatoire.

– Je pourrais le casser.

– Il nous a déjà donné pas mal de fil à retordre, répliqua Sean.

– Je n'ai pas eu le temps de m'échauffer.

Pourtant, Sean le voyait sur son visage, le doute engendré par l'effritement d'une intuition profonde. Whitey pouvait se montrer obstiné, sournois aussi, s'il pensait avoir raison, mais il était trop malin pour s'accrocher à une intuition qui se heurtait sans cesse à des problèmes concrets.

– Bon, si on le laissait mariner dans son jus encore un moment ? suggéra Sean.

– Il transpire même pas.

– Ça viendra peut-être, s'il reste tout seul à réfléchir.

De nouveau, Whitey regarda la porte comme s'il avait envie de la défoncer.

– Peut-être.

– À mon avis, tout tourne autour du revolver, reprit Sean. Il faut qu'on s'y intéresse de plus près.

Whitey, qui se mordillait l'intérieur de la joue, finit par acquiescer.

– Mouais, ce serait bien d'en savoir un peu plus sur cette arme. Vous vous en occupez ?

– Le propriétaire du magasin de spiritueux, c'est toujours le même ?

– Aucune idée, répondit Whitey. Le dossier date de 1982, et à l'époque c'était un certain Lowell Looney.

Le nom arracha un petit sourire à Sean.

– Ça sonne bien, non ?

– Pourquoi vous n'iriez pas faire un tour là-bas ? Moi, je vais surveiller ce connard à travers la vitre, des fois qu'il se mettrait à chanter des chansons sur des gamines assassinées dans le parc.

Lowell Looney devait avoir dans les quatre-vingts ans, et pourtant il avait l'air capable de laisser Sean sur place au cent mètres. Il portait un T-shirt orange au nom d'un club de gym sur un pantalon de survêtement bleu avec une rayure blanche, des Reebok flambant neuves, et il se déplaçait avec tant de souplesse qu'il semblait prêt à sauter pour attraper la plus haute bouteille derrière le comptoir si un client la lui demandait.

– C'était juste là, dit-il à Sean en indiquant les alcools derrière le comptoir. Elle a traversé la bouteille pour aller se loger dans le mur juste là.

– Ça fait froid dans le dos, hein ?

Le vieil homme haussa les épaules.

– Un p'tit peu plus que d'avoir à avaler un verre de lait, peut-être. Mais pas autant que ce qui se passe certains soirs dans le coin. Un jeune cinglé m'a mis un fusil sous le nez y a dix ans, il avait cette expression de chien fou dans le regard et il arrêtait pas de cligner des yeux pour chasser la sueur qui lui dégoulinait du front. Ça, fiston, ça m'a fait froid dans le dos. Mais les gars qui ont logé cette balle dans le mur, c'étaient des pros. Et les pros, ça me pose pas trop de problèmes. Ils en ont juste après le fric, mais c'est pas pour autant qu'ils en veulent au monde entier.

– Et donc, ces deux types...

– ... sont entrés par-derrière, dit Lowell Looney, avant de filer à l'autre bout du comptoir, où un rideau noir masquait l'entrée de la réserve. Y a une porte au fond qui donne sur une cour. À l'époque, j'avais ce gamin qui bossait pour moi à mi-temps, qui sortait les poubelles et se fumait un petit joint là-bas dehors. Une fois sur deux, quand il revenait, il oubliait de refermer la porte derrière lui. P'têt parce qu'il était dans le coup, ou p'têt que les autres l'avaient surveillé suffisamment souvent pour savoir qu'il avait rien dans le crâne. En tout cas, ce soir-là, ils sont passés par la porte de derrière, ils ont tiré ce coup de feu pour m'empêcher de sortir mon arme, et ils ont pris ce qu'ils étaient venus chercher.

– Ils sont repartis avec combien ?

– Dans les six mille.

– Joli magot.

– Le jeudi, c'était le jour où j'encaissais les chèques. Je procède plus comme ça aujourd'hui, mais à l'époque, j'étais idiot. Évidemment, si les voleurs avaient été un peu plus malins, ils m'auraient braqué le matin, avant que je passe à la banque. (Il haussa les épaules.) J'ai dit que c'étaient des pros, mais c'étaient peut-être pas les pros les plus futés du monde.

– Et ce gosse qui a laissé la porte ouverte ?

– Marvin Ellis. Possible qu'il ait été complice. Je l'ai viré dès le lende-main. Parce que, vous comprenez, je voyais qu'une seule raison à ce coup de feu : les types étaient au courant que je gardais ce flingue sous le comptoir. Or, comme c'était pas le genre de truc que tout le monde savait, j'en ai conclu que c'était sûrement Marvin qui avait vendu la mèche, ou un des gars qui avaient bossé ici.

– Vous avez raconté ça à la police ?

– Bien sûr. (Tout à ses souvenirs, le vieil homme agita la main.) Ils ont passé en revue mes archives, interrogé tous mes anciens employés... Enfin, à les en croire. Mais ils ont jamais arrêté personne. Et vous dites que ce même revolver a servi pour un autre crime ?

– Tout juste. Monsieur Looney...

– Lowell, fiston.

– D'accord. Dites-moi, Lowell, vous auriez encore ces dossiers du personnel ?

Dave regardait le miroir dans le salle d'interrogatoire en sachant que quelqu'un, de l'autre côté – peut-être Sean, peut-être le partenaire de Sean, ou peut-être les deux –, le regardait aussi.

Parfait.

Comment ça se passe, pour vous ? Moi, je me régale avec mon Sprite. Qu'est-ce qu'ils mettent dedans, déjà ? Du citron. C'est ça, oui. Je me régale avec ma boisson au citron, sergent. Mmm, délicieux. Oui, m'sieur. J'ai hâte d'en avoir une autre.

Il se sentait bien, assis à cette longue table, tandis qu'il contemplait fixe-ment un point au centre du miroir. D'accord, il ne savait pas où Celeste était partie avec Michael, et la peur qui accompagnait cette ignorance lui polluait plus le cerveau que la quinzaine de bières vidées la veille. Mais elle reviendrait. Il lui semblait se rappeler l'avoir effrayée, la veille. Étant donné le discours plutôt incohérent qu'il lui avait tenu sur les vampires et les trucs dont on ne pouvait plus se débarrasser une fois qu'on les avait attrapés, elle avait dû avoir une sacrée frousse.

Il ne pouvait pas lui en vouloir, cela dit. Après tout, c'était lui qui avait laissé le Petit Garçon se manifester et montrer son visage répugnant de créature sauvage.

Pourtant, hormis l'inquiétude liée à l'absence de Celeste et de Michael, il se sentait sûr de lui. Il n'éprouvait plus cette indécision qui le minait depuis quelques jours. Il avait même réussi à dormir six heures dans la nuit. Quand il s'était réveillé, il avait l'impression d'avoir la bouche desséchée, pâteuse, et un bloc de pierre à la place du crâne, mais aussi, étrange-ment, d'avoir les idées plus claires.

Il savait qui il était. Il savait aussi qu'il avait agi au mieux. Tuer quelqu'un (et Dave ne pouvait plus accuser le Petit Garçon, à présent ; c'était lui, Dave, qui avait commis ce meurtre) l'avait rendu plus fort maintenant qu'il comprenait ce qui était arrivé. Il avait entendu dire quelque part que, dans certaines civilisations anciennes, les hommes dévoraient le cœur de leurs victimes. De cette façon, ils fusionnaient avec les morts. Ils en retiraient une force nouvelle – la force de deux corps, de deux esprits. C'était exactement ce que ressentait Dave. Il n'avait dévoré le cœur de personne. Il n'était pas dingue à ce point. Mais il avait goûté au triomphe du prédateur. Il avait tué. Il avait fait ce qu'il y avait à faire. Résultat, il avait réduit au silence le monstre en lui qui rêvait de toucher la main d'un gosse et de se fondre dans son étreinte.

Et le monstre était parti, maintenant. Dave l'avait expédié droit en enfer avec l'autre type. En le tuant, il avait aussi tué sa part de faiblesse, cet être répugnant qui avait pris possession de lui quand il avait onze ans, quand il regardait de derrière la fenêtre de son appartement la fête organisée dans Rester Street en l'honneur de son retour. Il s'était senti tellement faible, tellement vulnérable ce jour-là... Il lui semblait que les gens se moquaient de lui derrière son dos, que les sourires des parents étaient on ne peut plus factices, et qu'au fond, derrière leur masque social, les gens le plaignaient, le craignaient et le détestaient, et il avait dû s'en aller pour échapper à cette haine qui lui donnait le sentiment de n'être rien de plus qu'une flaque de pisse.

Mais à présent, la haine des autres allait le rendre fort, parce que *maintenant*, il avait un secret beaucoup plus important que ce pauvre vieux secret que tout le monde semblait toujours deviner, de toute façon. À présent, il avait un secret qui le grandissait, au lieu de le rabaisser.

Approchez, aurait-il envie de dire aux gens, j'ai un secret. Venez plus près, et je vous murmurerai à l'oreille :

J'ai tué quelqu'un.

Dave riva son regard à celui du gros flic derrière le miroir.

J'ai tué quelqu'un. Et toi, tu ne peux pas le prouver.

Alors, qui est le plus faible, aujourd'hui ?

Lorsque Sean revint au poste, il trouva Whitey dans le bureau de l'autre côté du miroir sans tain installé dans la salle d'interrogatoire C. Debout, un pied sur l'assise déchirée d'un fauteuil en cuir, le sergent observait Dave en buvant un café.

– Vous avez organisé la séance d'identification ?

– Pas encore, répondit Whitey.

Sean vint se placer à côté de lui. Dave regardait droit vers eux, comme s'il les voyait, comme s'il voulait river ses yeux à ceux de Whitey. Mais le plus étrange, c'était ce sourire qui flottait sur ses lèvres. Un petit sourire, d'accord, mais un sourire quand même.

– Z'avez pas trop le moral, hein ? lança Sean.

– Je me suis déjà senti mieux, répliqua Whitey.

Sean opina.

Whitey tendit sa tasse vers lui.

– Vous avez découvert un truc. J'en mettrais ma main au feu. Allez, crachez le morceau, Devine.

Celui-ci aurait bien fait traîner un peu les choses, histoire d'amener Whitey à ronger son frein, mais en fin de compte il eut pitié de son collègue.

– Figurez-vous que quelqu'un de très intéressant a bossé chez Looney Liquors, à une certaine époque.

Après avoir reposé sa tasse sur la table derrière lui, Whitey ôta son pied du fauteuil.

– Ah bon ? Qui ça ?

– Ray Harris.

– Ray...

Le sourire de Sean s'élargit.

– Le père de Brendan Harris, sergent. Et il a un casier.

23

Le p'tit Vince

Whitey s'assit sur le bureau en face de celui de Sean, tenant à la main le rapport établi par l'agent de probation.

— Raymond Matthew Harris, né le 6 septembre 1955, lut-il. A grandi dans les Flats, à Mayhew Street. Sa mère, Dolores, était femme au foyer. Son père, Seamus, travaillait comme ouvrier avant d'abandonner le domicile conjugal en 1967. S'ensuivent toutes sortes d'emmerdes prévisibles quand le père est arrêté pour divers larcins à Bridgeport, dans le Connecticut, en 1973. Pas mal d'arrestations aussi pour conduite en état d'ivresse et troubles de l'ordre public. Le père meurt à Bridgeport, en 1979, d'un infarctus du myocarde. La même année, Raymond épouse Esther Scannell — on l'envierait presque, le salaud, hein ? — et décroche une place de conducteur de métro au MBTA, la régie des transports de Boston. Premier enfant, Brendan Seamus, né en 1981. Un peu plus tard cette année-là, Raymond est soupçonné d'avoir monté une combine pour détourner vingt mille dollars en jetons de métro. Les charges sont finalement abandonnées, mais Raymond est viré du MBTA pour faute professionnelle. Par la suite, il accumule les petits boulots : ouvrier à la journée dans une équipe d'artisans, responsable du stock chez Looney Liquors, barman, cariste. Ce job-là, il le perd suite à la disparition d'une certaine somme en liquide. Encore une fois, les charges sont abandonnées et Raymond se fait virer. Interrogé en 1982 dans l'enquête sur le braquage de Looney Liquors, relâché faute de preuves. Interrogé la même année dans l'enquête sur le braquage de Blanchard Liquors, dans le comté du Middlesex ; encore une fois, relâché faute de preuves.

— Mais il commence à être connu, souligna Sean.

— À devenir populaire, même, convint Whitey. Un de ses complices, un dénommé Edmund Reese, le balance après le vol en 1983 d'une collection de bandes dessinées rares chez un marchand à...

— Des putains de bandes dessinées ? s'esclaffa Sean. Sacré Raymond, va !

— D'une valeur totale de cent cinquante mille dollars, précisa Whitey.

– Oups, désolé.

– Bref, Raymond restitue ladite littérature, écope de quatre mois ferme et d'un an avec sursis, et sort au bout de deux mois. Avec, apparemment, un léger problème de dépendance vis-à-vis de certaine substance chimique.

– Aïe.

– La cocaïne, bien sûr, tellement à la mode dans les années 80. Et c'est là que le casier commence à s'étoffer. Raymond est assez malin pour rester discret sur les activités qui lui permettent de se payer sa coke, mais pas assez pour éviter de se faire coincer en essayant de *se procurer* ledit stupéfiant. Il a enfreint les conditions de sa liberté conditionnelle, et cette fois, il passe un an en taule.

– Où il prend conscience de ses erreurs.

– Même pas. Un peu plus tard, il est arrêté lors d'une embuscade tendue par les Crimes Majeurs et le FBI dans le cadre d'un trafic de marchandises volées. Attendez, vous allez adorer. Devinez ce qu'il avait fauché. Resituez ça en 84.

– Vous me mettez sur la voie ?

– Dites la première pensée qui vous vient à l'esprit.

– Des appareils photos.

Whitey le toisa d'un air dédaigneux.

– Des appareils photos ? Peuh. Allez donc me chercher un café, Devine, vous n'êtes plus digne d'être flic.

– Alors, quoi ?

– Des boîtes de Trivial Pursuit, répondit Whitey. Ça vous en bouche un coin, hein ?

– Des bandes dessinées et le Trivial Pursuit. Il avait du panache, ce gars-là !

– Mais ça lui a rapporté un maximum de problèmes. Il avait volé le camion à Rhode Island, avant de le conduire dans le Massachusetts.

– D'où les charges fédérales.

– Exact. En gros, les flics le tiennent par les couilles, et pourtant, il n'est pas condamné.

Sean se redressa, puis ôta ses pieds du bureau.

– Il a donné quelqu'un ?

– Ça m'en a tout l'air. Ensuite, plus rien sur le casier. D'après son agent de probation, Raymond vient à tous ses rendez-vous jusqu'à la fin de sa mise à l'épreuve fin 86. Vous avez trouvé quelque chose, de votre côté ? ajouta Whitey en regardant Sean par-dessus son rapport.

– Oh, parce que j'ai le droit parler, maintenant ? (Il ouvrit son propre dossier.) Bulletins de salaire, déclarations de revenus, cotisations à la Sécurité sociale, tout s'arrête en août 1987. Là, *pouf*, il disparaît.

– Vous avez fait des recherches au niveau national?

– C'est en cours, cher monsieur.

– Et quelles sont les possibilités?

Sean posa de nouveau les pieds sur son bureau, puis se pencha en arrière sur sa chaise.

– Un, il est mort. Deux, il bénéficie du programme de protection des témoins. Trois, il s'est enterré très très profondément en attendant le moment de resurgir dans le quartier pour récupérer son flingue et descendre la petite copine de son fils.

Whitey jeta le dossier sur sa table.

– On ne sait même pas si c'est bien son flingue. On ne sait rien, à vrai dire. Merde, Devine, qu'est-ce qu'on fout?

– On se prépare pour aller au bal, sergent. Non, sérieux, ne vous défoulez pas sur moi dès le matin. On a un type qui apparaît comme le principal suspect dans une histoire de braquage il y a dix-huit ans, impliquant la même arme que celle utilisée pour tuer Katie Marcus. Le fils de ce type fréquentait la victime. Le type en question a un casier. Alors, je vais me pencher sur son cas, et aussi sur le cas de son fils. Vous voyez de qui je veux parler? Le petit jeune qui n'a pas d'alibi.

– Qui a aussi passé avec succès le test du détecteur de mensonge, et qu'on n'estime pas capable, ni vous ni moi, d'avoir commis ce crime.

– Peut-être qu'on s'est trompés.

Poussant un soupir las, Whitey se frotta les yeux.

– Bon sang, je commence à en avoir marre de me planter tout le temps.

– Pourquoi? Vous pensez que vous vous êtes planté au sujet de Boyle?

Les mains toujours sur les paupières, Whitey fit non de la tête.

– Je n'ai pas dit ça. Je reste persuadé que ce gars n'est vraiment pas clair, mais j'ignore pour l'instant comment le rattacher au meurtre de la petite Marcus. (Il baissa les bras, révélant des yeux désormais rougis.) Quant à la piste de ce Raymond Harris, elle ne me semble pas très prometteuse non plus. O.K., on va retourner voir le fils. D'accord. Et on va tenter de retrouver la trace du père. Et après?

– On établit le lien entre ce revolver et son propriétaire, répondit Sean.

– Il y a toutes les chances pour que le propriétaire en question l'ait balancé à la mer, son flingue. Moi, c'est ce que j'aurais fait.

Sean pencha la tête vers lui.

– C'est aussi ce que vous auriez fait après le braquage de ce magasin de spiritueux il y a dix-huit ans, non?

– Exact.

– Mais lui, il ne s'en est pas débarrassé. Autrement dit...

– Il n'est pas aussi intelligent que moi.

– Ou que moi.

– Les débats restent ouverts sur la question.

Sean s'étira sur sa chaise, levant les bras le plus haut possible vers le plafond jusqu'à sentir ses muscles tendus au maximum. Il laissa échapper un bâillement qui lui arracha un frisson, puis se redressa.

– Sergent ? reprit-il, essayant de différer encore un peu la question qu'il savait devoir poser depuis le début de la matinée.

– Mouais ?

– Dans votre dossier, vous avez quelque chose sur les complices de Raymond Harris ?

Whitey récupéra la chemise sur son bureau, l'ouvrit et tourna quelques pages.

– Complices connus des services de police, lut-il. Reginald (alias Reggie Duke) Neil, Patrick Moraghan, Kevin Sirracci dit Le Tueur, Nicholas Savage – tiens donc –, Anthony Waxman... (Quand il s'interrompit pour regarder Sean, celui-ci comprit aussitôt qu'il avait vu juste.) James Marcus, poursuivit Whitey, alias Jimmy des Flats, chef d'une association de criminels connue sous le nom de « la bande de Rester Street ».

Il referma le dossier.

– Tout se recoupe, pas vrai ? fit Sean.

La pierre tombale choisie par Jimmy était blanche et dépouillée. Le vendeur parlait à voix basse, d'un ton respectueux mais détaché laissant supposer qu'il aurait préféré se trouver ailleurs, et pourtant il essayait d'orienter Jimmy vers des modèles plus onéreux, ceux avec des anges, des chérubins ou des roses gravés dans le marbre.

– Peut-être une croix celtique, disait-il, une option assez répandue chez...

Jimmy s'attendait à ce qu'il ajoute « les gens comme vous », mais l'homme se ravisa et déclara :

– ... beaucoup de gens aujourd'hui.

Jimmy aurait trouvé l'argent pour un mausolée s'il avait imaginé un seul instant que cela puisse plaire à Katie, mais sa fille n'avait jamais été portée sur l'ostentation ni les ornements. Elle choisissait toujours des tenues et des bijoux simples, et elle ne se maquillait que pour les grandes occasions. Katie aimait les choses épurées, avec juste une touche subtile d'élégance, et c'était la raison pour laquelle Jimmy avait opté pour du blanc et une gravure calligraphiée. Quand le vendeur lui avait fait remarquer que cette écriture-là reviendrait deux fois plus cher, Jimmy l'avait toisé avec un tel mépris que le petit vautour avait reculé de quelques pas, puis il avait juste dit :

– Liquide ou chèque ?

Jimmy avait demandé à Val de le conduire chez le marbrier, et après avoir quitté l'établissement, il s'installa de nouveau sur le siège passager de la Mitsubishi 3000 GT en se demandant peut-être pour la dixième fois comment un type ayant passé la trentaine pouvait conduire une voiture pareille sans se rendre compte qu'il avait l'air complètement ridicule.

– Je t'emmène où, maintenant, Jim ?

– On va prendre un café.

En général, Val écoutait à fond une espèce de rap inaudible, les basses faisant vibrer les vitres teintées tandis qu'un gamin noir de la classe moyenne ou un aspirant rappeur blanc parlait des garces, des putes et de sortir son feu, et multipliait ce que Jimmy supposait être des allusions à tous ces petits chanteurs efféminés de MTV dont il aurait ignoré l'existence s'il n'avait pas entendu Katie mentionner leurs noms au téléphone avec ses copines. En l'occurrence, Val ne toucha pas à sa chaîne stéréo ce jour-là, ce dont Jimmy lui fut reconnaissant. Il détestait le rap, pas parce que c'était une musique noire née du ghetto – après tout, c'était de là que venaient le *psychedelic funk*, la soul et le blues pur et dur –, mais parce qu'il ne voyait absolument pas où était le talent là-dedans. Il suffisait de débiter un certain nombre de phrases truffées de « keufs », de « meufs » et autres termes poétiques, de demander à un DJ de grattouiller quelques disques et de gonfler la poitrine devant le micro. Ah, bien sûr, c'était du brut, c'était du vrai, c'était la rue. Mais bon, pisser dans la neige et dégueuler, ça aussi, c'était du vrai. Il avait entendu un jour un critique musical dire à la radio que le sampling était une « forme d'art », et Jimmy, qui n'y connaissait pas grand-chose en matière d'art, aurait bien aimé balancer la main à travers le haut-parleur pour gifler cette espèce de crétin manifestement blanc, manifestement snob et manifestement dégonflé. Si le sampling était une forme d'art, alors la plupart des voleurs que Jimmy avait fréquentés autrefois étaient des artistes, eux aussi. Ils seraient sûrement surpris de l'apprendre.

Mais peut-être qu'il vieillissait, tout simplement. Il savait que c'était le signe, pour une génération donnée, de passer le flambeau à la suivante quand elle ne comprenait pas sa musique. Pourtant, au fond de lui, il était pratiquement sûr que le problème ne se situait pas là. Le rap lui portait sur le système, point final, et dans son optique, le fait que Val écoute ce genre de musique ou conduise ce genre de voiture relevait de la même tentative obstinée pour s'accrocher à quelque chose qui n'en valait pas la peine.

Ils s'arrêtèrent acheter un café chez Dunkin'Donuts, jetèrent le couvercle de leurs gobelets dans la poubelle en sortant, puis allèrent s'adosser au becquet fixé au coffre de la voiture.

– On s'est baladés un peu, hier soir, pour poser quelques questions, comme tu nous l'avais demandé, déclara Val.

Jimmy tapa dans la main de son beau-frère.

– Merci.

Son beau-frère lui tapa dans la main à son tour.

– C'est pas seulement pour les deux ans que t'as tirés à cause de moi, Jim. Et c'est pas non plus parce que j'ai pas réussi à diriger la bande à ta place. Katie était ma nièce, vieux.

– Je sais.

– Peut-être pas par le sang ni rien, mais je l'aimais.

– Vous étiez les oncles les plus géniaux dont puisse rêver un gosse.

– Sérieux ?

– Sérieux.

Val avala un peu de café et demeura silencieux un moment.

– Bon, O.K., je t'explique : apparemment, les flics avaient raison pour O'Donnell et Fallow. O'Donnell a passé le week-end en taule et Fallow était à une fête. On a personnellement parlé avec peut-être neuf mecs qui répondent de lui.

– Tous fiables ?

– La moitié, au moins. On s'est aussi renseignés à droite et à gauche, et y pas eu de contrats lancés dans le quartier depuis un bon moment. Sans compter, Jim, que le dernier doit remonter à un et demi.

Jimmy hocha la tête, puis porta son gobelet à ses lèvres.

– C'est clair que les flics se démènent, enchaîna Val. Ils se sont déployés dans les bars, le quartier autour du Last Drop, partout. Toutes les putes à qui j'ai parlé ont déjà été interrogées. Tous les barmen aussi. Et tous les clients qui se trouvaient au McGills ou au Last Drop ce soir-là. Je veux dire, ils ont mis le paquet, Jim. Tout le monde essaie de se rappeler quelque chose.

– T'en as trouvé qui avaient réussi ?

Val leva deux doigts en avalant une autre gorgée de café.

– D'abord ce type, Tommy Moldanado. Tu connais ?

Jimmy fit non de la tête.

– Un gars de Rome Basin qui peint des baraques. Bref, il a raconté qu'il avait vu quelqu'un sur le parking du Last Drop juste avant que Katie sorte du bar. Et il est sûr que c'était pas un flic. Le mec conduisait une bagnole étrangère avec une bosse sur l'aile avant, côté passager.

– O.K.

– L'autre truc bizarre, c'est ce que m'a dit Sandy Greene. Tu te souviens de Sandy ? Elle était à Looey.

Jimmy eut l'image d'une gamine à couettes brunes et dents de travers, qui mâchouillait toujours ses crayons en classe jusqu'à ce qu'ils cassent et qu'elle doive en recracher un bout.

— Ouais, je vois. Qu'est-ce qu'elle devient ?

— Elle tapine, répondit Val. Et crois-moi, elle est marquée. C'est une fille de notre âge, pas vrai ? Ben, ma mère avait encore meilleure mine *dans son cercueil*. Bref, c'est la plus ancienne des pros qui bossent près du Last Drop. Elle m'a raconté qu'elle avait plus ou moins pris ce gosse sous son aile. Il a fait une fugue, un machin comme ça, et il se retrouve sur le trottoir.

— Un gosse ?

— Dans les onze, douze ans.

— Merde, c'est pas vrai.

— Hé, c'est la vie, qu'est-ce que tu veux. Bref, ce gosse, Sandy pense que son vrai nom, c'est Vincent, mais tout le monde l'appelle « le p'tit Vince », sauf elle. Soi-disant, il préfère « Vincent ». Et ce Vincent, dans sa tête, il a beaucoup plus que douze ans, tu vois. C'est un vrai pro, lui aussi. Capable de t'amocher si tu tentes de lui jouer un sale tour, se balade avec une lame de rasoir sous le bracelet de sa Swatch, ce genre de truc. Il est dans la rue six nuits par semaine. Du moins, il l'était jusqu'à samedi.

— Qu'est-ce qui lui est arrivé, samedi ?

— Personne le sait. Il s'est littéralement volatilisé. Sandy m'a raconté qu'il venait de temps en temps crécher chez elle. Quand elle est rentrée dimanche matin, il avait repris toutes ses affaires. Comme s'il voulait se tirer de la ville.

— Ah bon ? Tant mieux pour lui. Peut-être qu'il a décidé de changer de vie.

— C'est ce que j'ai tout de suite supposé. Mais d'après Sandy, il est vraiment *accro*, et il va devenir un adulte sacrément effrayant. En attendant, c'est encore qu'un môme, et le boulot lui plaît. Pour Sandy, y a qu'une seule raison qui a pu le pousser à partir : la trouille. Elle est persuadée qu'il a vu quelque chose, et quelque chose qui lui flanqué une frousse de tous les diables, parce qu'il en faut beaucoup pour faire peur au p'tit Vince.

— T'as des antennes dans le quartier ?

— Mouais. Mais c'est pas facile. Pour ce qui est des gamins qui tapinent, y a pas de système organisé. Ils vivent dans la rue, se démerdent comme ils peuvent pour gagner quelques dollars et foutent le camp dès qu'ils en ont envie. Mais j'ai mis des gars sur le coup. Je me suis dit que si on le retrouvait, ce Vincent nous en apprendrait peut-être un peu plus sur le type assis dans sa bagnole près du Last Drop, ou même sur le meurtre de Katie.

— Encore faudrait-il que le type en question y soit mêlé.

– Moldanado a dit que ce mec dégageait de mauvaises vibrations, qu'il était bizarre. Comme y faisait noir, Moldanado le voyait pas bien, mais il a raconté que cette voiture avait quelque chose d'inquiétant.

De mauvaises vibrations, songea Jimmy. Tout à fait le genre de précision qui allait les aider.

– Et c'était juste avant le départ de Katie ?

– Juste avant, mouais, répondit Val. Le lundi matin, les flics ont bloqué le parking, ils étaient toute une armée à gratter le bitume.

Jimmy hocha la tête.

– Donc, il a dû se passer quelque chose près du Last Drop samedi soir.

– Tout juste. Sauf que je comprends pas quoi. Katie a été attaquée dans Sydney, vieux. C'est pas à côté.

– Et si elle y était retournée ? suggéra Jimmy après avoir vidé son café.

– Où ?

– Au Last Drop. Je sais que pour l'instant, l'explication la plus plausible c'est qu'elle a d'abord déposé Eve et Diane, et qu'elle a ensuite pris Sydney Street pour rentrer. Mais si, pour une raison ou pour une autre, elle était revenue au Last Drop ? Là, elle tombe sur l'assassin, il l'enlève, la force à le conduire jusqu'à Pen Park, et ensuite seulement, tout se déroule comme les flics le supposent.

Val jouait avec son gobelet vide, qu'il faisait passer d'une main à l'autre.

– Possible. Mais pourquoi elle serait revenue au Last Drop, dans ce cas ?

– Aucune idée. (Ils se dirigèrent vers la poubelle, où ils jetèrent leurs gobelets.) Et pour le fils de Juste Ray ? T'as du nouveau de ce côté-là ?

– J'ai posé quelques questions. Ce gamin, il est plus discret qu'une souris. Il a jamais eu d'emmerdes avec personne. S'il avait pas sa belle petite gueule, je me demande même si les gens se souviendraient de lui. Eve et Diane m'ont dit toutes les deux qu'il l'aimait, Jim. Que c'était même le grand amour de sa vie. Mais je vais m'y intéresser d'un peu plus près, si tu veux.

– Pas pour l'instant, Val. On garde un œil sur lui, c'est tout. Essaie plutôt de mettre la main sur ce Vincent.

– O.K.

Jimmy ouvrit la portière côté passager, et en voyant son beau-frère le regarder d'un drôle d'air par-dessus le toit, il comprit que celui-ci n'en avait pas fini.

– Quoi ?

– Hein ? fit Val qui, ébloui par le soleil, cligna des yeux, puis sourit.

– T'as encore quelque chose à me dire. Alors, vas-y, crache le morceau.

Val baissa la tête, avant d'appuyer les bras sur le toit.

– O.K. J'ai entendu un truc ce matin. Juste avant qu'on parte.

– Ah bon ?

– Mouais. (Dave concentra quelques instants son attention sur le magasin de beignets.) Ces deux flics étaient encore chez Dave Boyle, Jim. Tu sais, Sean, du Point, et son partenaire, le gros ?

– Dave était au McGills ce soir-là. Les flics avaient sûrement des précisions à lui demander.

Le regard de Val revint se poser sur Jimmy.

– Ils l'ont emmené avec eux, Jim. Tu comprends ? Ils l'ont fait monter *à l'arrière...*

Le marshal Burden arriva à la Criminelle à l'heure du déjeuner et s'adressa à Whitey au moment où il poussait le petit battant sur le côté du comptoir d'accueil.

– C'est vous qui vouliez me voir ?

– Oui, répondit Whitey. Venez.

Le marshal Burden avait vingt-neuf ans de service à son actif, et chacune avait gravé son empreinte sur lui. Il avait le regard éteint d'un homme qui a en appris beaucoup plus qu'il ne l'aurait voulu sur le monde et sur lui-même, et quelque chose dans la façon dont se mouvait son grand corps mou laissait supposer qu'il avait envie de reculer plutôt que d'avancer, comme si ses membres étaient en guerre avec son cerveau, et comme si son cerveau n'attendait que le moment de battre en retraite. Il y avait maintenant sept ans qu'il s'occupait du local des scellés, mais auparavant il avait fait partie des éléments les plus brillants de la police d'État – un de ceux manifestement promis au grade de colonel –, gravissant sans encombre tous les échelons, des Stupéfiants aux Crimes Majeurs, jusqu'à ce qu'un jour, à ce qu'on racontait, il se réveille avec la peur au ventre. Ce genre de maladie touchait surtout les hommes affectés à des opérations d'infiltration, et parfois aussi les patrouilleurs de la route qui, tout d'un coup, ne pouvaient plus arrêter une seule voiture tellement ils étaient certains que cette fois-ci ils allaient tomber sur un conducteur armé n'ayant plus rien à perdre. Pourtant, le marshal Burden l'avait attrapée lui aussi, et il était peu à peu devenu le dernier à passer la porte en cas d'alerte, le type qui se pétrifiait dans les cages d'escalier quand les autres continuaient à monter.

Il prit un siège à côté du bureau de Sean, pour qui il évoquait irrésistiblement un fruit talé, puis feuilleta le calendrier *Sporting News* arrêté au mois de mars que Sean gardait sur sa table.

– Devine, c'est ça ? lança-t-il sans lever les yeux.

– C'est ça. Heureux de vous rencontrer. On a étudié certains de vos travaux à l'école de police, vous savez.

Le marshal haussa les épaules, comme si le souvenir de son ancienne personnalité l'embarrassait, avant de se concentrer de nouveau sur le calendrier.

– Alors, qu'est-ce qui se passe, les gars ? Il faut que je sois parti dans une demi-heure.

Whitey fit pivoter sa chaise vers lui.

– Au début des années 80, vous avez bossé avec les Fédéraux, je crois, commença-t-il.

Burden hocha la tête.

– Et vous avez coincé un truand à la petite semaine nommé Raymond Harris, qui avait fauché un camion de Trivial Pursuit sur une aire de repos à Cranston, Rhode Island.

En lisant une des citations de Yogi Berra sur le calendrier, Burden sourit.

– Exact. Le chauffeur était parti pisser sans se douter qu'il était surveillé. Ce gars, Harris, lui a tiré son camion, mais le chauffeur a signalé tout de suite le vol, et on est intervenus à Needham.

– Mais Harris a été libéré, intervint Sean.

Lorsque Burden le regarda pour la première fois depuis son arrivée, Sean décela dans ses yeux la peur et la haine de soi, et il en vint à espérer ne jamais attraper la même maladie que lui.

– Parce qu'il nous a donné le gars qui l'avait engagé pour le coup du camion. Un certain Stillson, je crois. C'est ça, oui. Meyer Stillson.

Sean avait déjà entendu parler de la mémoire phénoménale de Burden, mais le voir ainsi remonter de dix-huit années en arrière et faire resurgir des noms enfouis dans ses souvenirs aussi facilement que s'il en avait parlé la veille, c'était à la fois impressionnant et déprimant. Bon sang, songea-t-il, dire que ce gars-là aurait pu diriger tout le département !

– Donc, il a balancé son commanditaire, et ça s'est arrêté là ? reprit Whitey.

Burden fronça les sourcils.

– Non. Il avait un casier, et la brigade antigang du BPD s'en est mêlée, parce qu'ils avaient besoin d'informations sur une autre affaire. Harris a balancé encore un gars.

– Qui ?

– Le chef de la bande de Rester Street. Jimmy Marcus.

Whitey tourna la tête vers Sean en arquant un sourcil.

– C'était après le braquage de la salle des coffres au MBTA, non ? demanda Sean.

– Quel braquage ? s'enquit Whitey.

– Celui pour lequel Jimmy est tombé, répondit Sean.

Burden opina.

– Lui et un autre type ont dévalisé la salle des coffres du MBTA un vendredi soir. Il leur a fallu exactement deux minutes pour entrer et sortir. Ils savaient à quelle heure était la relève des gardiens, et à quelle heure avait lieu la mise en sacs de l'argent. Ils avaient deux complices dans la rue qui ont bloqué le camion de la Brinks venu prendre son chargement. Ces gars-là ont parfaitement manœuvré, et ils étaient trop bien renseignés pour ne pas avoir un informateur à l'intérieur, ou au moins un contact avec quelqu'un qui avait bossé pour les transports de Boston un ou deux ans avant.

– Ray Harris, déclara Whitey.

– Tout juste. Il nous a donné Stillson et il a donné au BPD la bande de Rester Street.

– Tous ?

Burden fit non de la tête.

– Non, juste Marcus, mais c'était lui le cerveau. Une fois qu'on a coupé la tête, le corps meurt, pas vrai ? Bref, le BPD l'a coincé à la sortie d'un entrepôt le matin du défilé de la Saint-Patrick. Comme c'était le jour où ils avaient prévu de se partager le butin, Marcus se trimballait avec une valise pleine de fric.

– Une petite minute, l'interrompit Sean. Est-que Ray Harris a témoigné au tribunal ?

– Non. Marcus a conclu un arrangement avant le procès. Il a refusé de révéler avec qui il travaillait, et c'est lui qui a pris. Pour le reste, tous les autres coups dont personne n'ignorait qu'il en était à l'origine, on n'a rien pu prouver. Il avait peut-être dix-neuf ans à l'époque. Vingt à tout casser. Il dirigeait cette bande depuis l'âge de dix-sept ans, et il n'avait jamais été arrêté. L'adjoint du procureur lui a infligé deux ans ferme et trois avec sursis, car il savait qu'il n'y aurait vraisemblablement pas assez d'éléments pour l'inculper au tribunal. J'ai entendu dire que les gars de l'antigang étaient fous de rage, mais qu'est-ce qu'on pouvait y faire ?

– Donc, Jimmy Marcus n'a jamais su que Ray Harris l'avait balancé ?

Burden délaissa de nouveau le calendrier pour fixer Sean de son regard embrumé, teinté néanmoins d'un léger mépris.

– En l'espace de trois ans, Marcus a organisé quelque chose comme seize braquages d'envergure. Une fois, il a réussi à dévaliser douze bijoutiers différents dans l'immeuble de la Bourse de la joaillerie, dans Washington Street. Encore aujourd'hui, on se demande comment il a bien pu s'y prendre. Il a dû désactiver près de vingt systèmes d'alarme – des alarmes reliées à des lignes téléphoniques, des satellites et même des téléphones cellulaires, ce qui constituait une technologie complètement inédite à l'époque. Lui, il avait dix-huit ans. Non, mais vous imaginez? Dix-huit ans, et il était capable de décrypter des codes d'alarme auxquels des pros d'une quarantaine d'années n'osaient pas s'attaquer. Tenez, pour le casse de Keldar Technics, sa bande et lui sont passés par le toit, ils ont brouillé la fréquence des pompiers et sont parvenus à déclencher le système d'extinction automatique. La seule explication qu'on ait pu trouver, c'est qu'ils sont restés suspendus au plafond jusqu'à ce que les extincteurs automatiques court-circuitent les détecteurs de mouvement. Ce Marcus, c'était un sacré petit génie. S'il avait travaillé pour le compte de la NASA, plutôt que pour le sien, il emmènerait aujourd'hui femme et enfants en vacances sur Pluton, je parie. Et vous croyez qu'un type aussi brillant n'aurait pas découvert qui l'avait vendu? Ray Harris a disparu de la surface de la terre environ deux mois après que Marcus eut réintégré le monde libre. Vous en déduisez quoi?

– Que vous êtes persuadé que Jimmy Marcus a descendu Ray Harris.

– Ou qu'il a confié le boulot à cette demi-portion, Val Savage. Écoutez, appelez donc Ed Folan de ma part, si vous voulez. Il est capitaine aujourd'hui, mais il a travaillé un bon moment à la brigade antigang. Lui, il pourra vous en raconter plus sur Marcus et Ray Harris. Tous les flics qui patrouillaient à East Bucky dans les années 80 vous diront la même chose. Si Jimmy Marcus n'a pas descendu Ray Harris, je suis le prochain pape juif. (Il repoussa le calendrier sur la table, se leva, puis rajusta son pantalon.) Bon, faut que j'aille déjeuner. Bonne chance, les gars.

Il retraversa la salle de garde, tournant la tête à droite et à gauche comme s'il voulait revoir le bureau où il s'était assis autrefois, le tableau où son planning était affiché à côté de celui des autres, la personne qu'il était dans cette pièce avant de craquer et de se retrouver au local des scellés, en attendant le jour où il pourrait enfin se retirer et partir dans un endroit où personne ne saurait qui il était autrefois.

Whitey se tourna vers Sean.

– Le pape Marshal le Paumé, c'est ça?

Plus il restait sur cette chaise branlante dans cette pièce froide, et plus Dave se rendait compte que ce qu'il avait pris pour une bonne gueule de bois en début de matinée n'était que la suite de la cuite prise la veille. Les premiers effets de la véritable gueule de bois commencèrent à se faire sentir vers midi, s'insinuant en lui comme des essaims d'insectes, se propageant dans tout son système sanguin, comprimant son cœur, harcelant son cerveau. Sa bouche se dessécha, la sueur trempa ses cheveux, et soudain il eut conscience de son odeur alors que l'alcool suintait peu à peu par tous ses pores. Il lui semblait avoir les bras et les jambes remplis de boue. Sa poitrine l'élançait. Et puis, une vague de lassitude et de déprime le submergea.

Tout son courage l'avait déserté. Toute sa force aussi. La lucidité qui, à peine deux heures plus tôt, lui paraissait désormais aussi permanente qu'une cicatrice, le quitta pour de bon, cédant la place à un sentiment de terreur comme il n'en avait jamais éprouvé. Il allait mourir bientôt, il en avait la certitude, et sa mort n'aurait rien de paisible. Peut-être qu'il allait y passer ici même, sur cette chaise, qu'il partirait à la renverse et se cognerait l'arrière du crâne par terre, que son corps serait agité de convulsions, que des larmes de sang jailliraient de ses yeux et qu'il avalerait sa langue si profondément que personne ne pourrait l'aider. Peut-être que l'infarctus le guettait, avec son cœur qui se démenait à l'intérieur de son thorax comme un rat piégé dans une boîte. Peut-être qu'une fois sorti d'ici, il déboucherait dans la rue, entendrait un coup de klaxon derrière lui et se retrouverait couché sous les énormes pneus d'un bus qui lui écraserait la figure avant de poursuivre sa route.

Où était Celeste? Savait-elle qu'il avait été emmené au poste? S'en souciait-elle seulement? Et Michael? Est-ce que son père lui manquait? Le pire, s'il mourait, c'était que Celeste et Michael continueraient sans lui. Oh, ils souffriraient certainement un moment, mais ils surmonteraient l'épreuve et entameraient une nouvelle existence, comme d'autres le faisaient tous les jours. C'était seulement dans les films que les gens ne se consolaient pas de la perte des êtres chers, que leur vie se figeait comme des horloges brisées. Dans la réalité, la mort était banale, oubliable.

Dave se demandait parfois si les défunts voyaient ceux qu'ils avaient laissés, s'ils pleuraient en découvrant avec quelle facilité leurs proches survivaient sans eux. Comme Eugene, le fils de Stanley le Géant. Était-il là-haut, quelque part dans l'éther, avec sa petite tête chauve et sa blouse d'hôpital, en train de regarder son père rire dans un bar et de penser: Hé, papa, et moi? Tu te souviens de moi? J'ai été vivant, un jour, moi aussi.

Michael aurait un nouveau papa, et peut-être que plus tard, à la fac, il parlerait à une fille de ce père qui lui avait appris à jouer au base-ball, et dont il se souvenait à peine. « Ça remonte à si loin, ajouterait-il. Si loin... »

Car Celeste était suffisamment jolie pour attirer un autre homme. Elle ne pourrait pas faire autrement, de toute façon. « La solitude, dirait-elle à ses amies. Je ne la supportais plus. Et il est gentil. Il s'occupe bien de Michael. » Et les amies en question trahiraient la mémoire de Dave. Elles diraient: « Tant mieux pour toi, ma chérie. C'est plus sain. Il faut que tu remontes en selle, que tu ailles de l'avant... »

Et lui, il serait là-haut avec Eugene, et tous deux crieraient leur amour d'une voix que les vivants ne pouvaient entendre.

Grands dieux. Dave aurait voulu se blottir dans un coin, se recroqueviller sur lui-même. Il avait l'impression de s'effondrer. Et il savait que si les flics revenaient maintenant, il craquerait. Il répondrait à toutes leurs questions, ne serait-ce que pour obtenir de leur part un peu de chaleur humaine et un autre Sprite.

Et puis, la porte de la salle d'interrogatoire s'ouvrit, livrant passage à une jeune recrue en uniforme qui avait l'air costaud et possédait déjà le regard à la fois impersonnel et impérieux caractéristique des flics.

– Suivez-moi, monsieur Boyle.

Dave se leva, puis s'approcha de la porte, les mains tremblant légèrement alors que son organisme s'efforçait de chasser l'alcool en lui.

– Où ?

– Vous allez participer une séance d'identification, monsieur Boyle. Quelqu'un voudrait vous voir.

Tommy Moldanado portait un jean et un T-shirt vert éclaboussé de peinture. Il y avait des taches de peinture dans ses cheveux bruns bouclés, des traînées de peinture sur ses bottes fauves et des projections de peinture sur la monture de ses épaisses lunettes.

C'étaient les lunettes qui inquiétaient Sean. Le témoin qui entre au tribunal avec des lunettes pourrait tout aussi bien arborer une cible sur la poitrine face à l'avocat de la défense. Quant aux jurés, ce n'était même pas la peine d'en parler. Tous experts dans le domaine de l'optique et de la loi grâce à des séries comme *Matlock* ou *The Practice*, ils ne considéraient pas les binoclards à la barre d'un œil plus favorable que les dealers, les Noirs sans cravate ou les indics qui avaient conclu un arrangement avec le bureau du procureur.

Moldanado colla son nez contre la vitre de la salle d'observation pour mieux voir les cinq hommes alignés de l'autre côté.

– Je suis pas trop sûr, étant donné qu'ils sont de face. C'est possible qu'ils se tournent vers la gauche ?

Whitey pressa un bouton sur la console devant lui, avant de parler dans le micro.

– Tout le monde se tourne à gauche.

Les cinq hommes s'exécutèrent.

Les paumes appuyées contre le verre, Moldanado plissa les yeux.

– Le numéro deux. Peut-être bien que c'est le numéro deux. Vous pouvez lui demander d'approcher un peu ?

– Le numéro deux ? répéta Sean.

L'individu en question était un certain Scott Paisner, des Stups, qui travaillait normalement dans le comté de Norfolk.

– Numéro deux, appela Whitey avec un soupir. Avancez de trois pas.

Petit, barbu et rondouillard, affligé en outre d'une calvitie galopante, Scott Paisner ressemblait autant à Dave Boyle que Whitey. Quand il marcha vers la vitre, Moldanado déclara :

– Ouais, ouais. C'est lui.

– Vous en êtes sûr ?

– À quatre-vingt-quinze pour cent. Bon, c'était la nuit, d'accord. En plus, y a pas de lumière sur ce parking, et j'étais un peu parti. Mais sinon, je suis presque certain que c'est lui.

– Vous n'avez pas parlé de barbe dans votre déposition.

– Ben non, mais maintenant que j'y repense, je crois bien qu'il avait une barbe.

– Personne d'autre dans ce groupe ne ressemble au type que vous avez aperçu ? interrogea Whitey.

– Ah ça, non. Y a aucun rapport. C'est qui, ces gars-là ? Des flics ?

Whitey baissa la tête en marmonnant :

– Mais pourquoi je m'emmerde avec ce boulot, bordel ?

– Quoi ? Quoi ? demanda Moldanado en regardant Sean.

Celui-ci ouvrit la porte derrière lui.

– Merci d'être venu, monsieur Moldanado. On vous tiendra au courant.

– J'ai bien fait, hein ? Je veux dire, je vous ai aidé ?

– Oh, c'est sûr, répondit Whitey. On vous postera une médaille d'honneur.

Sean adressa un sourire à Moldanado, le salua de la tête et lui laissa à peine le temps de sortir avant de refermer la porte.

– On n'a pas de témoin, déclara-t-il.

– J'avais compris.

– Les indices relevés dans la voiture ne seront pas recevables au tribunal.

– J'en suis conscient.

De l'autre côté de la vitre, Dave se passa une main sur les yeux. Il avait l'air de ne pas avoir dormi depuis un mois.

– Sergent ? Allez...

Whitey tourna vers lui des yeux rougis par la fatigue. Il paraissait épuisé, lui aussi.

– Et merde, marmonna-t-il. Relâchez-le.

24

Une tribu bannie

Celeste était assise près de la fenêtre au café Nate & Nancy sur Buckingham Avenue, en face de l'immeuble où habitaient les Marcus, lorsque Jimmy et Val Savage se garèrent un peu plus loin dans la rue, puis descendirent de voiture.

Si elle voulait le faire, si elle voulait vraiment le faire, songea Celeste, elle devait se mettre debout maintenant, tout de suite, pour aller les trouver. Elle se redressa d'un coup, les jambes tremblantes, et sa main heurta le dessus de la table. Celeste baissa les yeux. Sa main tremblait, elle aussi, et la peau était tout éraflée sur une bonne moitié du pouce. Elle l'amena à ses lèvres, puis se tourna vers la porte. Elle n'était toujours pas certaine d'avoir la force de passer à l'acte, de prononcer les mots qu'elle avait préparés dans sa tête au motel le matin même. Elle avait décidé de raconter à Jimmy tout ce qu'elle savait – de lui donner les détails du comportement étrange de Dave depuis le dimanche matin, mais sans essayer d'interpréter leur éventuelle signification – et de le laisser en tirer ses propres conclusions. En l'absence des vêtements que Dave portait ce soir-là, cela ne l'avancerait à rien de s'adresser à la police. C'est ce qu'elle s'était dit. C'est ce qu'elle s'était dit, car elle doutait que la police réussisse à la protéger. Elle devait continuer à vivre ici, après tout, et la seule chose capable de protéger quelqu'un dans le quartier, c'était le quartier lui-même. Alors, si elle parlait à Jimmy, lui et les Savage pourraient former autour d'elle un rempart que Dave n'oserait jamais attaquer.

Elle franchit la porte au moment où Jimmy et Val atteignaient le perron, leva sa main douloureuse, puis appela Jimmy alors qu'elle s'engageait sur la chaussée en ayant l'air d'une folle, elle en était sûre, avec ses cheveux emmêlés et ses yeux gonflés aux pupilles dilatées par la peur.

– Hé, Jimmy ! Val !

Ils se retournèrent et la regardèrent approcher. Jimmy esquissa un sourire perplexe, et de nouveau elle songea combien son sourire était charmant. Il était spontané, puissant, sincère. Il semblait dire : « Je suis ton ami, Celeste. Comment puis-je t'aider ? »

Lorsqu'elle rejoignit les deux hommes, Val l'embrassa sur la joue.

– Salut, cousine.

– Salut, Val.

Jimmy la gratifia à son tour d'un léger baiser qui lui sembla pénétrer dans sa chair et propager une onde de chaleur jusqu'à la naissance de sa gorge.

– Annabeth a voulu t'appeler, ce matin, commença-t-il. Mais elle n'a pas réussi à te joindre, ni chez toi ni à ton travail.

De la tête, Celeste acquiesça.

– J'étais, euh... (Elle détacha son regard du visage ratatiné de Val, qui l'observait d'un air inquisiteur.) Jimmy ? Je pourrais te parler une minute ?

– Bien sûr, répondit-il, le même sourire perplexe reparaissant sur ses lèvres. (Il se tourna vers Val.) On rediscutera de tout ça plus tard, O.K. ?

– Pas de problème. À plus, cousine.

– Merci, Val.

Celui-ci rentra dans l'immeuble, et Jimmy s'assit sur la troisième marche en laissant de la place pour Celeste. Elle s'installa près de lui et posa sa main meurtrie sur ses genoux en s'efforçant de trouver ses mots. Jimmy la contempla quelques instants, attendant qu'elle prenne la parole, puis il dut se douter qu'elle était trop tendue pour dire ce qu'elle avait sur le cœur.

– Tu sais à quoi j'ai repensé, l'autre jour ? demanda-t-il d'un ton léger.

Celeste ébaucha un mouvement de dénégation.

– À ce vieil escalier qui domine Sydney Street. Tu te souviens ? Là où on allait voir les films du drive-in, et fumer quelques joints ?

Elle sourit.

– Tu sortais avec...

– Non, tais-toi.

– ... Jessica Lutzen et son physique de rêve, et moi, j'étais avec Duckie Cooper.

– Ce bon vieux Duckster. Qu'est-ce qu'il est devenu, au fait ?

– On m'a raconté qu'il s'était engagé dans les marines, qu'il avait attrapé une maladie bizarre quelque part et qu'il vivait maintenant en Californie.

– Ah oui ?

Jimmy releva un peu la tête, perdu dans la contemplation de cette autre époque de sa vie, et Celeste eut l'impression de le revoir faire exactement la même chose dix-huit ans plus tôt, du temps où ses cheveux étaient d'un blond un peu plus clair et où il était lui-même beaucoup plus dingue, où il grimpait aux poteaux téléphoniques quand il y avait de l'orage alors que toutes les filles le regardaient en priant pour qu'il ne tombe pas. Et pourtant, même dans ses moments les plus fous, il y avait toujours en lui cette tranquillité, ces pauses soudaines d'introspection, ce sentiment qu'il donnait, même dans sa jeunesse, de soigneusement réfléchir à tout sauf à sauver sa peau.

Enfin, il se tourna vers elle et lui effleura le genou d'un revers de main.

— Alors, quoi de neuf, miss ? T'as l'air, ben...

— Vas-y, ne te gêne pas.

— Hein ? Non, t'as l'air un peu fatigué, c'est tout. (Il se pencha en arrière en poussant un profond soupir.) Remarque, je crois qu'on l'est tous, pas vrai ?

— J'ai passé la nuit dans un motel. Avec Michael.

Jimmy fixa ses yeux sur un point droit devant lui.

— Ah.

— Je me pose des questions, Jim. Je vais peut-être quitter Dave pour de bon.

Elle remarqua un changement sur le visage de Jimmy, une certaine crispation de la mâchoire, peut-être, et soudain elle eut l'impression qu'il n'ignorait rien de ce qu'elle allait lui révéler.

— Tu l'as quitté, donc.

Il s'exprimait maintenant d'une voix monotone, le regard toujours rivé sur l'avenue.

— Oui, il... Il agit... Enfin, ces derniers jours, il s'est conduit de façon insensée. Il n'est plus lui-même. Et il... il me fait peur.

Quand Jimmy reporta son attention sur elle, il arborait un sourire tellement glacial qu'elle eut envie de l'effacer d'une gifle. Dans ses yeux, elle revoyait l'adolescent qui grimpait aux poteaux téléphoniques sous la pluie.

— Pourquoi tu ne reprends pas tout depuis le début ? suggéra-t-il. Par le moment où Dave s'est mis à déconner.

— Qu'est-ce que tu sais, Jimmy ?

— Comment ça ?

— Tu sais quelque chose. Tu n'es même pas surpris.

Le sourire hideux s'évanouit, et Jimmy se pencha en avant, les mains sur les genoux.

— Je sais qu'il a été emmené au poste ce matin. Je sais qu'il a une bagnole étrangère avec une bosse sur l'aile avant côté passager. Je sais qu'il m'a servi une histoire sur la façon dont il s'était bousillé la main, et qu'il en a servi une autre aux flics. Et je sais qu'il a vu Katie le soir où elle est morte, mais il ne m'en a pas parlé avant que ces mêmes flics l'interrogent. (Il écarta les mains.) J'ignore quoi en penser au juste, mais ça commence à me chiffonner, c'est vrai.

Celeste éprouva un bref élan de pitié à la pensée de son mari dans une salle d'interrogatoire, peut-être menotté à une table, une lumière crue braquée sur son visage blême. Mais soudain, elle revit Dave passer la tête par l'entrebâillement de la porte, la veille, et la regarder de son air fou, et la peur en elle l'emporta sur la pitié.

Elle prit une profonde inspiration, puis se lança :

– Dimanche, à trois heures du matin, Dave est rentré chez nous couvert de sang.

Voilà, elle l'avait dit. Les mots avaient franchi ses lèvres pour entrer dans l'atmosphère. Ils formaient maintenant une sorte de mur devant elle, un mur qui se prolongea en un plafond, puis en un autre mur derrière eux, et brusquement, tous deux se retrouvèrent cloîtrés à l'intérieur d'une minuscule cellule créée par une seule phrase. Les bruits dans l'avenue refluèrent, le vent tomba, et Celeste ne perçut plus que l'eau de toilette de Jimmy et l'odeur des marches à leurs pieds, chauffées par le soleil radieux de mai.

Lorsque Jimmy reprit la parole, ce fut d'une voix étranglée :

– Qu'est-ce qu'il t'a raconté ?

Celeste le lui dit. Elle lui dit tout, y compris l'épisode dément sur les vampires. Elle lui dit tout, consciente que chacune de ses paroles devenait une attaque que Jimmy cherchait à éviter. Elles le brûlaient. Elles pénétraient dans sa chair telles des pointes acérées. Ses lèvres se retroussaient et ses yeux semblaient se révulser, la peau se tendait sur son visage jusqu'à révéler l'ossature en dessous, et un froid terrible envahit Celeste quand elle l'imagina soudain couché dans un cercueil, avec de longs ongles crochus, une mâchoire effritée et une touffe de cheveux filandreux.

Et puis, des larmes roulèrent sur ses joues, et Celeste dut résister à l'envie de l'attirer contre elle, de sentir ces larmes couler dans son chemisier et dans son dos.

Au lieu de quoi, elle continua à parler, car si elle s'arrêtait, elle le savait, ce serait pour de bon ; or il fallait qu'elle explique à quelqu'un pourquoi elle était partie, pourquoi elle avait abandonné un homme qu'elle avait juré d'accompagner dans les bons moments comme dans les mauvais, un homme qui était le père de son enfant, qui la faisait rire, lui caressait la main, lui offrait son torse pour qu'elle puisse s'endormir. Un homme qui ne s'était jamais plaint, qui ne l'avait jamais frappée, qui avait toujours été un mari et un père merveilleux. Elle avait besoin de confier à quelqu'un combien elle se sentait perdue maintenant que cet homme-là semblait avoir disparu, comme s'il avait laissé tomber le masque pour révéler le monstre sournois tapi derrière.

330

– Je ne sais toujours pas ce qu'il a fait, Jimmy, conclut-elle. Je ne sais toujours pas à qui appartenait ce sang. Je n'ai aucune certitude. Aucune, non. Mais j'ai tellement, tellement peur...

Jimmy se détourna légèrement, de façon à pouvoir appuyer son dos contre la balustrade en fer forgé. Ses larmes avaient séché, ses lèvres formaient un petit ovale choqué. Il regardait Celeste, mais il ne paraissait pas la voir, comme si son regard se portait sur un point à des centaines de mètres de là, invisible pour tous sauf pour lui.

– Jimmy ? murmura Celeste.

Mais d'un geste, il lui intima le silence et ferma les yeux, pressant fort les paupières, avant de baisser la tête et d'inspirer par la bouche.

La cellule autour d'eux s'était volatilisée, et Celeste salua machinalement Joan Hamilton qui leur jetait un coup d'œil compatissant, quoique légèrement soupçonneux, puis poursuivait son chemin dans un cliquetis de talons. Les bruits de l'avenue – coups de klaxon, grincements de porte, appels lointains – résonnaient de nouveau autour d'eux.

Lorsque Celeste se tourna vers Jimmy, celui-ci la regardait directement. Ses yeux étaient limpides, sa bouche fermée, ses genoux remontés vers sa poitrine, et elle eut l'impression d'une sorte d'intelligence farouche et belliqueuse au travail, d'un cerveau qui fonctionnait plus vite et avec plus d'originalité que chez la plupart des gens.

– Les vêtements qu'il portait ce soir-là ont disparu, c'est ça ? reprit-il.

– Oui. J'ai vérifié.

Il appuya le menton sur ses genoux.

– Jusqu'à quel point tu as peur, Celeste ? Franchement.

Elle s'éclaircit la gorge.

– Hier soir, Jimmy, j'ai vraiment cru qu'il allait me mordre. Me déchiqueter jusqu'à ce qu'il ne reste plus rien de moi.

Il inclina la tête de façon à poser cette fois la joue sur ses genoux, puis ferma les yeux.

– Celeste ? murmura-t-il.

– Oui ?

– Tu crois que Dave a tué Katie ?

La réponse monta dans sa gorge telle la bile de la veille, accélérant les battements de son cœur.

– Oui.

Jimmy ouvrit brusquement les yeux.

– Jimmy ? Oh, mon Dieu.

Sean jeta un coup d'œil à Brendan Harris de l'autre côté de son bureau. Le gamin avait l'air perdu, épuisé et effrayé, comme il le souhaitait. Il avait envoyé deux agents le chercher pour l'amener au poste, puis il l'avait fait asseoir en face de lui pendant qu'il se concentrait sur son écran d'ordinateur pour étudier toutes les données qu'il avait rassemblées sur Ray Harris, prenant son temps, feignant d'ignorer sa présence, le laissant s'agiter sur sa chaise.

Enfin, juste pour ménager un petit effet, il pressa la touche de défilement vers le bas sur son clavier avec la pointe de son stylo, puis lança :

– Parle-moi de ton père, Brendan. Tu permets que je tutoie, hein ?

– Quoi ?

– Ton père, Raymond senior. Tu te souviens de lui ?

– À peine. J'avais dans les six ans quand il nous a abandonnés.

– Donc, tu ne te souviens pas de lui.

Brendan haussa les épaules.

– Je me rappelle quelques trucs. Quand il avait trop bu, il rentrait en chantant. Il m'a emmené à Canobie Lake Park, un jour, il m'a acheté de la barbe à papa, et j'en ai mangé la moitié avant d'être malade sur un manège. Il n'était pas beaucoup à la maison. Ça, j'en suis sûr. Pourquoi ?

– Tu te souviens d'autre chose ? répliqua Sean, les yeux rivés sur l'écran.

– Ben, je sais pas. Il sentait souvent la bière et les bonbons à la menthe. Il...

Décelant une intonation étrange dans la voix de Brendan, Sean tourna la tête vers lui juste à temps pour voir un sourire fugitif éclairer son visage.

– Oui, Brendan ? Il quoi... ?

Brendan changea de position sur sa chaise, le regard fixé sur un point au-delà de la salle de garde, au-delà même du présent.

– Il trimballait toujours plein de petite monnaie. Les pièces alourdissaient ses poches et faisaient du bruit lorsqu'il marchait. Quand j'étais gosse, je restais assis dans le salon, qui donnait sur la rue. On ne vivait pas dans le même appart qu'aujourd'hui. L'autre était beaucoup mieux. Et moi, j'allais m'installer au salon vers cinq heures, et je gardais les yeux fermés jusqu'à ce que je l'entende approcher avec ses pièces. Après, je courais le rejoindre dehors, et si j'arrivais à deviner combien il avait dans ses poches – si je tombais pas trop loin, vous voyez ? –, il me donnait les sous. (Le sourire de Brendan s'élargit, et il remua la tête.) Il avait toujours beaucoup de monnaie.

– Et un revolver, peut-être ? Ton père avait un revolver ?

Le sourire se figea sur les lèvres de Brendan, qui plissa les yeux comme s'il ne comprenait pas la question.

– Hein ?

– Est-ce que ton père avait un revolver ?

– Non.

Sean hocha la tête, avant de répliquer :

– Tu me sembles bien sûr de toi pour quelqu'un qui n'avait que six ans quand il est parti.

À cet instant, Connolly entra dans la salle de garde, les bras chargés d'un carton qu'il alla placer sur le bureau de Whitey.

– C'est quoi ? demanda Sean.

– Des tas de trucs, répondit son collègue en jetant un coup d'œil au contenu de la boîte. Rapports des services scientifiques, rapports balistiques, analyse des empreintes, l'enregistrement de l'appel passé au 911... Des tas de trucs, quoi.

– J'avais compris, rétorqua Sean. Qu'est-ce qu'on a, sur les empreintes ?

– Aucune correspondance avec celles dans nos fichiers informatiques.

– Vous avez fait une recherche dans la base de données nationales ?

– Et celle d'Interpol aussi. Il n'y a qu'une seule empreinte parfaitement nette qu'on a relevée sur la porte. Celle d'un pouce. Si elle appartient au meurtrier, notre homme est petit.

– Petit ?

– Mouais. Petit. Mais bon, ça pourrait être n'importe qui. On en a relevé six autres à peu près lisibles, mais sans pouvoir établir la moindre correspondance.

– Vous avez écouté l'enregistrement de l'appel au 911 ?

– Non. Je devrais ?

– Évidemment. Vous auriez intérêt à vous familiariser avec tous les détails de l'affaire, mon vieux.

Connolly opina.

– Et vous ? Vous allez l'écouter ?

– C'est pour ça que je vous ai demandé de l'apporter, répondit Sean. (Il se tourna de nouveau vers Brendan Harris.) Au sujet de ce revolver...

– Mon père avait pas de revolver, décréta Brendan.

– C'est vrai ?

– Mouais.

– Alors, je suppose qu'on m'aura mal informé, déclara Sean. À propos, Brendan, vous parliez beaucoup, ton père et toi ?

– Non. Un jour, il a dit qu'il allait boire un verre, et il est jamais revenu. Il nous a abandonnés, ma mère et moi, et en plus, elle était enceinte.

Sean esquissa un léger mouvement de tête, comme s'il partageait sa douleur.

– Pourtant, ta mère n'a pas signalé sa disparition à la police.

– Parce qu'il avait pas vraiment disparu, répliqua Brendan, un soupçon de défi dans le regard. Il avait dit à ma mère qu'il l'aimait pas, qu'elle était toujours après lui. Deux jours plus tard, il a foutu le camp.

– Elle n'a jamais essayer de le retrouver ?

– Non. Du moment qu'il nous envoie du fric, on n'en a rien à cirer, de lui.

Sean récupéra son stylo, puis le posa sur le bureau avant de se concentrer de nouveau sur Brendan, s'efforçant de lire en lui, mais ne percevant qu'une bouffée de tristesse et de colère.

– Il vous envoie de l'argent ?

– Tous les mois. C'est réglé comme une horloge.

– D'où ?

– Hein ?

– L'enveloppe qui contient l'argent. D'où elle est postée ?

– De New York.

– Toujours ?

– Mouais.

– C'est du liquide ?

– Mouais. En général, cinq cents dollars. Un peu plus à Noël.

– Il y a un message, avec ?

– Non.

– Alors, comment tu sais que ça vient de lui ?

– Qui d'autre nous enverrait du fric tous les mois ? C'est parce qu'il se sent coupable. M'man dit qu'il a toujours été comme ça : il fait des conneries, et après, il s'imagine que s'il a des remords, ça le rachète.

– J'aimerais voir une de ces enveloppes, Brendan.

– Ma mère les garde pas.

– Merde, marmonna Sean, avant d'orienter l'écran de façon à ne plus l'avoir devant les yeux.

Tout, dans cette affaire, lui posait problème : que Dave Boyle soit le principal suspect, que Jimmy Marcus soit le père de la victime, que la victime elle-même ait été tuée avec l'arme ayant appartenu au père de son petit ami. Et puis, il songea à un autre point qui le troublait, mais sans rapport avec l'enquête en cours.

– Brendan ? Puisque ton père a abandonné ta mère alors qu'elle était enceinte, pourquoi a-t-elle donné au bébé le même nom que lui ?

Le regard de Brendan erra dans la salle de garde.

– Ma mère, elle... Enfin, elle est pas vraiment avec nous, vous comprenez ? Elle essaie et tout, mais...

– O.K.

– Elle l'a appelé Ray pour pas oublier.

– Pas oublier quoi ?

– Les hommes. (Il haussa les épaules.) Qu'à la moindre occasion, ils vous trahissent juste pour prouver qu'ils en sont capables.

– En découvrant que ton petit frère était muet, comment elle a réagi ?

– Pas bien, répondit Brendan, l'ombre d'un sourire aux lèvres. Mais en même temps, ça lui prouvait qu'elle avait raison. Dans sa tête, en tout cas.

Il effleura la boîte à trombones sur le bureau de Sean, et son petit sourire s'évanouit.

– Pourquoi vous m'avez demandé si mon père avait un revolver ?

Brusquement, Sean en eut assez de jouer, assez de se montrer poli et prudent.

– Tu sais très bien pourquoi, Brendan.

– Non, j'en sais rien.

Sean se pencha vers sa table, luttant pour résister au désir inexplicable de se jeter sur Brendan Harris, de l'étrangler de ses propres mains.

– L'arme qui a tué ta petite copine, Brendan, est la même que celle utilisée par ton père pour faire un casse il y a dix-huit ans. Tu peux m'expliquer ça ?

– Mon père avait pas d'arme, s'obstina Brendan.

Pourtant, Sean s'aperçut que quelque chose commençait à le travailler.

– Ah non ? Arrête tes conneries, maintenant. (Il assena un coup de poing sur la table, faisant sursauter Brendan.) Tu prétends que t'aimais Katie Marcus ? Eh bien, moi, je vais te dire ce que j'aime, Brendan. J'aime maintenir mon taux d'élucidation. J'aime ma capacité à résoudre mes enquêtes en soixante-douze heures. Mais là, tu me mènes en bateau.

– Non, je...

– Oh, si. Tu étais au courant que ton père était un voleur ?

– Il était conducteur de...

– C'était un putain de voleur, Brendan. Il bossait avec Jimmy Marcus. Qui était aussi un putain de voleur. Et maintenant, on apprend que la fille de Jimmy a été assassinée avec l'arme de ton père...

– Mon père avait pas d'arme.

– Je t'emmerde ! hurla Sean. (Connolly se leva d'un bond, avant de se tourner vers eux.) Tu veux vraiment raconter des salades, Brendan ? Pas de problème, tu vas aller les raconter en cellule.

Sean attrapa les clés accrochées à sa ceinture, puis les lança à Connolly.

– Bouclez-moi ce crétin.

– J'ai rien fait, protesta Brendan en se redressant.

Au même instant, Connolly s'approcha de lui par-derrière.

– T'as pas d'alibi, Brendan, tu connaissais bien la victime et elle a été tuée avec le flingue de ton père, poursuivit Sean. Tant que je n'aurai pas la preuve du contraire, je te considère comme suspect. Alors, repose-toi un peu, et profites-en pour réfléchir.

– Vous avez pas le droit de me garder. (Brendan jeta un coup d'œil à Connolly.) Vous avez pas le droit.

Connolly interrogea Sean du regard, car le gamin avait raison. Techniquement, ils ne pouvaient le mettre en détention à moins d'avoir des charges contre lui. Or ils n'avaient rien de tel. Et dans cet État, la loi ne permettait pas d'inculper quelqu'un sur de simples présomptions.

Sauf que Brendan n'en savait rien, et Sean retourna à son collègue un coup d'œil éloquent, style « Bienvenue à la Criminelle, vieux ».

– Si tu ne me dis pas la vérité, Brendan, je te place en garde à vue.

Au moment où Brendan entrouvrait les lèvres, il parut avoir une révélation terrible qui le fit tressaillir comme sous l'effet d'une décharge électrique. Puis il referma la bouche et remua la tête, manifestement déterminé à se murer dans le silence.

– O.K., lança Sean à Connolly. Cet individu est soupçonné de meurtre qualifié. Enfermez-le.

Lorsque Dave rentra dans son appartement vide, en milieu d'après-midi, il commença par aller se chercher une bière dans le frigo. N'ayant rien avalé depuis le début de la matinée, il se sentait l'estomac vide, comme rempli de bulles d'air, et ce n'étaient sans doute pas les conditions idéales pour boire de la bière, mais il en avait besoin. Il avait besoin de relâcher la pression dans sa tête, de soulager la tension de sa nuque, d'apaiser les battements fous de son cœur.

C'est à peine s'il eut conscience de vider la première boîte alors qu'il déambulait dans les pièces désertes. Celeste avait très bien pu rentrer pendant qu'il était interrogé, puis repartir au travail, et il songea à téléphoner au salon de coiffure pour savoir si elle y était en ce moment même, si elle était occupée à couper des cheveux, bavarder avec les clientes ou flirter avec Paolo, son collègue gay qui avait les mêmes horaires qu'elle et flirtait avec les femmes de cette manière décontractée, mais pas totalement innocente, propre aux gays. À moins qu'il n'aille attendre Michael à la sortie de l'école, où il lui ferait de grands signes, puis le serrerait très fort dans ses bras avant de lui offrir un chocolat chaud sur le trajet du retour.

Mais Michael n'était pas à l'école et Celeste n'était pas au travail. Ils se cachaient quelque part à cause de lui, devina Dave en terminant sa deuxième bière assis à la table de la cuisine, conscient des premiers effets de l'alcool qui circulait dans son corps, calmait toute l'agitation en lui, rendait l'air devant ses yeux légèrement scintillant, légèrement ondoyant aussi.

Il aurait dû lui dire. Dès le départ, il aurait dû raconter à Celeste ce qui s'était réellement passé. Il aurait dû lui faire confiance. Elles n'étaient pas si nombreuses à pouvoir supporter de vivre avec un ex-joueur de base-ball violé dans sa jeunesse et incapable de décrocher un emploi correct. Mais Celeste était de ces femmes-là. Il la revit soudain penchée devant l'évier l'autre soir pour laver ces fichus vêtements, affirmant qu'elle allait se débarrasser des preuves... Bon sang, c'était quelqu'un ! Comment avait-il pu l'oublier ? Comment pouvait-on en arriver à ne plus voir la personne dont on partageait l'existence depuis si longtemps ?

Dave sortit du frigo la troisième et dernière bière, puis erra de nouveau dans l'appartement, le cœur débordant soudain d'amour pour son épouse et son fils. Il aurait voulu se blottir contre Celeste nue pendant qu'elle lui caressait les cheveux, lui dire combien elle lui avait manqué dans cette salle d'interrogatoire avec sa chaise branlante et son atmosphère glaciale. Un peu plus tôt, il avait cru désirer un peu de chaleur humaine, mais en réalité, c'était celle de Celeste, et uniquement la sienne, qu'il désirait. Il avait envie de s'envelopper de son corps, de la faire sourire, de lui embrasser les paupières, de lui caresser le dos, de se fondre en elle.

Il n'est pas trop tard, lui dirait-il lorsqu'elle rentrerait. C'est juste qu'il y a eu quelques court-circuits dans mon cerveau, ces derniers temps, et qu'il est un peu déréglé. Cette bière dans ma main n'arrange pas les choses, je suppose, mais j'en ai besoin pour tenir le coup en attendant ton retour. Après, j'arrêterai. J'arrêterai de boire, je prendrai des cours d'informatique ou un truc comme ça, et je trouverai un travail de bureau. La Garde nationale paie des formations à ses volontaires, c'est peut-être une solution, non ? Dans l'intérêt de ma famille, je peux bien suivre leur entraînement un week-end par mois et aussi quelques semaines l'été. Pour ma femme et mon fils, je serais même prêt à le faire en marchant sur les mains. Et puis, ça m'aidera à retrouver la forme, à perdre ce début de brioche et à m'éclaircir les idées. Plus tard, quand je l'aurai, ce travail de bureau, je vous emmènerai loin d'ici, loin de ce quartier avec ses loyers qui n'arrêtent pas d'augmenter, ses projets de stades, sa foutue revalorisation. Pourquoi se battre ? Tôt ou tard, de toute façon, ils nous chasseront. Ils nous chasseront, ils se créeront un beau petit univers chic, et ils discuteront de leurs résidences secondaires dans les cafés branchés et les allées des supermarchés bios.

Pendant ce temps-là, nous, on ira s'installer dans un endroit formidable, dirait-il à Celeste. Un endroit formidable où élever notre fils. Et on recommencera tout de zéro. Alors, je te raconterai ce qui s'est passé, Celeste. C'est moche, mais pas aussi moche que tu l'imagines. Je te parlerai de ces pensées effrayantes, perverses, qui me hantent, et peut-être qu'il faudra que j'aille voir quelqu'un pour m'aider. J'ai des désirs qui me dégoûtent, mais j'essaierai, ma chérie, j'essaierai d'être quelqu'un de bien. J'essaierai d'enterrer le Petit Garçon. Ou du moins, de lui apprendre la compassion.

Peut-être que c'est ce qu'il cherchait, ce type dans la Cadillac : un peu de compassion. Mais le Petit Garçon qui avait échappé aux Loups n'en avait rien à foutre de la compassion, samedi soir. Il avait serré cette carabine dans sa main, et il s'en était servi pour frapper l'inconnu par la vitre ouverte de la Cadillac, pour le frapper avec tant de force qu'un craquement d'os avait résonné dans l'habitacle alors que le gamin roux se dépêchait de sortir puis, bouche bée, regardait Dave cogner son client encore et encore, allant même jusqu'à l'attraper par les cheveux pour le traîner hors de la voiture. Mais l'homme n'était pas aussi vulnérable qu'il le paraissait. Il avait fait le mort, et Dave n'avait vu le couteau qu'au moment où la lame fendait sa chemise et sa peau. C'était un cran d'arrêt, lancé sans grande force, mais suffisamment tranchant pour blesser Dave avant qu'il n'ait eu le temps de donner un coup de genou dans le poignet du type et de lui clouer le bras contre la portière. Lorsque le couteau était tombé sur le goudron, Dave l'avait expédié sous la voiture.

Le rouquin avait l'air affolé, mais également excité, et Dave, aveuglé par une fureur sans borne, avait abattu la crosse de son arme sur le crâne du type avec tant de violence qu'il en avait cassé la poignée. À peine l'homme avait-il roulé sur le ventre que Dave se jetait sur son dos, cédant la place au loup en lui, libérant sa haine contre cet inconnu, ce tordu, ce salopard de dégénéré de violeur d'enfant, le saisissant par les cheveux pour lui taper la tête sur le bitume. Il avait tapé, et tapé sans relâche, ne pensant plus qu'à annihiler ce Henry, ce George, ce, oh Seigneur, ce Dave, ce Dave.

Crève, fils de pute. Crève, crève, crève.

Quand le rouquin avait pris la fuite, Dave s'était rendu compte qu'il prononçait les mots à voix haute. « Crève, crève, crève, crève, crève. » Il avait regardé le gosse filer sur le parking, puis il s'était élancé derrière lui, les mains dégoulinantes de sang. Il aurait voulu dire au rouquin que ce qu'il avait fait, il l'avait fait pour lui. Qu'il l'avait sauvé. Et qu'il le protégerait toujours s'il le désirait.

Parvenu dans l'impasse derrière le bar, Dave s'était arrêté, hors d'haleine, sachant le môme déjà loin. Il avait alors levé les yeux vers le ciel, et demandé : « Pourquoi ? »

Pourquoi m'avoir fait naître ? Pourquoi m'avoir donné la vie ? Pourquoi m'avoir transmis cette maladie, une maladie que je méprise plus que tout au monde ? Pourquoi, dans ces conditions, m'accorder des moments de beauté, de tendresse et d'amour pour mon enfant et ma femme – des aperçus de cette vie qui aurait pu être la mienne si cette voiture n'était pas apparue dans Gannon Street pour m'emmener au fond de cette cave ? Pourquoi ?

Répondez-moi, je vous en prie. Oh, je vous en prie, je vous en prie, répondez-moi.

Mais bien sûr, il n'avait rien entendu. Rien que le silence, le bruit de l'eau dans les gouttières et celui de la pluie qui tombait plus fort.

Il était ressorti de l'impasse au bout de quelques minutes, pour découvrir l'homme immobile près de sa voiture.

Waouh, avait-il songé. Je l'ai tué.

Au même moment, le type avait roulé sur le flanc, ouvrant et fermant la bouche comme un poisson. Il avait des cheveux blonds et une bedaine proéminente sur un corps par ailleurs plutôt mince. Dave avait essayé de se rappeler son visage avant que lui-même ne passe la main par la vitre ouverte pour le frapper avec son arme. Mais il ne se souvenait que de ses lèvres, trop rouges, trop grandes.

En l'occurrence, le type n'avait plus de visage. C'était comme si on lui avait écrasé la figure contre le réacteur d'un jet, et Dave s'était senti submergé par une vague de nausée en voyant cette créature ensanglantée suffoquer devant lui.

Sans se rendre compte, apparemment, de la présence de Dave, l'homme avait réussi à se mettre à genoux et à se traîner vers les arbres derrière la voiture. Là, il avait escaladé le petit talus avant d'agripper le grillage qui séparait le parking de l'entrepôt du ferrailleur de l'autre côté. Sans le quitter des yeux, Dave avait enlevé la chemise de flanelle qu'il portait par-dessus son T-shirt, puis il l'avait enroulée autour de son arme tandis qu'il se dirigeait vers lui.

Le type avait encore tenté de se redresser en attrapant une autre maille du grillage, mais soudain, toute son énergie l'avait déserté. Il était retombé, parti sur la droite, et pour finir il s'était retrouvé assis contre la clôture, les jambes écartées, sa tête sans visage levée vers Dave.

– Non, avait-il chuchoté. Non...

Mais Dave voyait bien qu'il ne le pensait pas. Il se sentait manifestement aussi fatigué que Dave d'être ce qu'il était.

Alors, le Petit Garçon s'était agenouillé, et il lui avait appuyé le ballot de flanelle contre le torse, juste au-dessus de l'abdomen, tandis que Dave, flottant quelque part au-dessus d'eux, observait la scène.

– Je vous en prie, avait croassé l'inconnu.

– Chut..., avait murmuré Dave, juste avant que le Petit Garçon ne presse la détente.

Un violent sursaut avait encore agité la créature sans visage, qui avait envoyé un coup de pied dans l'aisselle de Dave, puis l'air s'était échappé de son corps avec un sifflement rappelant celui d'une bouilloire.

Et le Petit Garçon avait dit : « Bien. »

C'était seulement après avoir transporté le cadavre jusque dans le coffre de la Honda que Dave avait pensé à l'autre voiture. Il avait déjà remonté les vitres de la Cadillac, coupé le moteur et essuyé avec la chemise de flanelle le siège avant ainsi que toutes les parties sur lesquelles il avait peut-être posé les doigts. Mais pourquoi garder le mort dans la Honda jusqu'à trouver un endroit où s'en débarrasser, quand la solution du problème était juste devant lui ?

Dave avait donc garé la Honda à côté de la Caddy, tout en surveillant la porte de service du bar, au cas où quelqu'un sortirait. Il avait ouvert son coffre, puis celui de la Cadillac, et transféré le corps de l'un à l'autre. Il avait ensuite refermé les deux, enveloppé le couteau et son arme dans la chemise de flanelle, jeté le tout sur le siège avant de la Honda, et démarré sans demander son reste.

À la sortie de Roseclair Street, il s'était arrêté sur le pont pour balancer la chemise, la carabine et le cran d'arrêt dans le Penitentiary Channel, loin de se douter qu'au même moment, Katie Marcus était sans doute elle-même en train d'agoniser dans le parc en contrebas. Et puis, il était rentré chez lui, sûr que d'un instant à l'autre quelqu'un serait intrigué par la Cadillac et découvrirait le corps à l'intérieur.

Il était repassé devant le Last Drop le dimanche, et sur le parking il n'avait vu qu'une seule voiture en plus de la Caddy. Il l'avait reconnue ; elle appartenait à Reggie Damone, un des barmen. Quant à la Cadillac, elle n'avait pas l'air suspecte, juste oubliée. Un peu plus tard ce même jour, il y était retourné, mais cette fois, il avait cru avoir une crise cardiaque en constatant qu'elle avait disparu. Il ne pouvait pas entrer se renseigner au bar, l'air de rien, et demander : « Hé, Reggie ? Vous appelez la fourrière, quand une bagnole reste trop longtemps sur le parking ? » Et puis, il avait conclu que quel que soit le sort réservé à cette voiture, rien ne permettait d'établir un lien entre elle et lui.

Rien, à part le rouquin.

En y repensant, il s'était dit que le gosse avait eu peur, d'accord, mais qu'il était également excité, heureux de ce qui arrivait. Il était de son côté. Inutile de s'inquiéter.

Et à présent, Dave savait que les flics n'avaient rien. Ils n'avaient pas de témoin, et ils ne pouvaient même pas se servir contre lui des indices retrouvés dans la Honda. Donc, il pouvait commencer à se détendre. Il parlerait à Celeste, lui avouerait tout et assumerait ensuite les conséquences de ses aveux, il se mettrait à nu devant sa femme en espérant qu'elle accepterait de le considérer comme un homme imparfait, mais désireux de changer. Un homme bon qui avait fait quelque chose de mal, mais pour une bonne raison. Un homme qui mettait tout en œuvre pour éliminer le vampire dans son âme.

J'arrêterai de rôder autour des parcs et des piscines municipales, se promit Dave en terminant sa troisième bière. Puis il leva la boîte vide. Et j'arrêterai ça aussi.

Mais pas aujourd'hui. Aujourd'hui, il avait déjà avalé trois bières, et de toute évidence, Celeste n'allait pas rentrer de sitôt. Demain, peut-être. Oui, demain, ce serait bien. Il leur fallait à tous les deux un peu d'espace et de temps pour panser leurs plaies, réparer les dégâts. Et lorsqu'elle reviendrait enfin, ce serait pour découvrir un nouveau mari, une version améliorée de l'ancien Dave, quelqu'un qui n'avait plus de secrets.

« Parce que les secrets, c'est du poison, lança-t-il à voix haute dans la cuisine où il avait fait l'amour à sa femme. Les secrets, c'est des murs. » Et d'ajouter, avec un sourire : « Et moi, j'ai plus de bière. »

Il se sentait bien, presque joyeux, quand il sortit de l'immeuble pour se rendre chez Eagle Liquors. Le soleil brillait, inondait littéralement la rue. Quand ils étaient gosses, le métro aérien passait dans Crescent Street, qu'il coupait en deux, l'emplissant de suie et masquant le ciel. Cela ne faisait qu'ajouter au sentiment que les habitants des Flats étaient isolés du reste de la ville, exclus telle une tribu bannie, libres de vivre comme ils l'entendaient du moment qu'ils restaient exilés.

Mais après la démolition du métro aérien, les Flats étaient apparus au grand jour, et au début, ses habitants avaient pensé que c'était pour le mieux. Moins de suie, plus de soleil, bonne mine garantie. Sauf que sans cet écran, tout le monde pouvait maintenant regarder le quartier, apprécier les rangées de petits bâtiments en brique, la vue sur le canal et la proximité du centre-ville. Soudain, les Flats n'étaient plus le repaire d'une tribu souterraine. C'était un emplacement immobilier de premier choix.

Dave se dit qu'il y songerait en rentrant chez lui tout à l'heure, qu'il essaierait d'échafauder une explication avec son pack de douze. Ou alors, rien ne l'empêchait de se trouver un bar agréable, de s'asseoir dans la pénombre par une journée radieuse, de commander un hamburger et de discuter avec le barman, des fois qu'en s'y mettant à deux, ils réussiraient à comprendre quand les Flats avaient commencé à bouger, quand le monde entier s'était mis à tourner autour d'eux.

Oui, c'est peut-être ce qu'il allait faire. S'asseoir sur un tabouret garni de cuir devant un comptoir en acajou et traînasser tout l'après-midi. Il réfléchirait à son avenir. Il réfléchirait à l'avenir de sa famille. Il envisagerait toutes les façons de se racheter. C'était fou, tout de même, le bien que pouvaient faire trois bières après une rude matinée. C'était comme si elles le prenaient par la main pour l'aider à monter la pente vers Buckingham Avenue. Comme si elles disaient : « Hé, c'est pas génial d'être avec nous ? C'est pas génial d'avoir la possibilité de tout recommencer, de te débarrasser de tous tes sales secrets, de te préparer à renouveler tes engagements auprès de tes proches et à devenir l'homme que tu as toujours voulu être ? Bon sang, c'est dément. Et regarde qui est là-bas, devant nous, au coin de la rue dans sa belle voiture de sport brillante. Il nous sourit. C'est Val Savage, l'air tout réjoui, qui nous adresse de grands signes. Viens, on va lui dire bonjour. »

— Tiens, tiens, Dave Boyle le Dandy, lança Val quand Dave s'approcha de la voiture. Comment elles se portent, vieux ?

— Toujours à gauche, répondit Dave, qui s'accroupit près de la portière, puis posa les coudes sur la rainure dans laquelle la vitre avait disparu, avant de lever les yeux vers Val. À part ça, quoi de neuf ?

Val haussa les épaules.

— Pas grand-chose. Je cherchais juste quelqu'un pour aller boire une bière, peut-être aussi casser une petite croûte.

Dave n'en croyait pas ses oreilles. C'était exactement ce qu'il avait en tête.

— Ah ouais ?

— Ouais. Une ou deux mousses, et pourquoi pas une partie de billard, ça te dirait, Dave ?

— Tu parles.

De fait, Dave était un peu étonné. Il s'entendait plutôt bien avec Jimmy et Kevin Savage, pas trop mal aussi avec Chuck, mais il ne se souvenait pas que Val ait jamais manifesté autre chose qu'une apathie totale en sa présence. C'est sûrement à cause de Katie, songea-t-il. Sa mort les rapprochait tous. Leur chagrin les unissait, l'expérience de la tragédie partagée leur permettait de nouer des liens.

— Monte, dit Val. Je connais un bar sympa de l'autre côté de la ville. C'est un copain qui le tient.

— De l'autre côté de la ville, tu dis ? (Dave jeta un coup d'œil à la rue déserte derrière lui.) C'est que, je voudrais pas rentrer trop tard quand même.

— O.K., pas de problème. Je te ramènerai dès que t'en auras marre. Allez, monte. On va se faire une soirée entre mecs en plein après-midi.

Dave sourit, et il souriait toujours lorsqu'il passa devant le capot pour se diriger vers la portière côté passager. Une soirée entre mecs en plein après-midi. Exactement ce qu'il lui fallait. Lui et Val, partant en virée comme de vieux potes. C'était ce qu'il y avait de formidable dans les Flats, et qui risquait bien de se perdre : la façon dont les vieilles rancœurs et des passés entiers pouvaient s'effacer avec le temps, à mesure qu'on vieillissait et qu'on prenait conscience que tout changeait, que les seuls repères stables demeuraient les gens avec lesquels on avait grandi et l'endroit où on était né. Le quartier. Puisse-t-il exister toujours, songea Dave en ouvrant la portière, au moins dans nos mémoires.

25

Le macchabée du coffre

Sean et Whitey prirent un déjeuner tardif chez Pat, un petit restaurant non loin du poste, à la sortie de la première bretelle d'accès à la voie express. L'établissement, construit à l'époque de la Seconde Guerre mondiale, servait de repaire aux flics depuis si longtemps que Pat troisième du nom se plaisait à répéter qu'il appartenait à la seule famille de restaurateurs épargnée par les braquages depuis trois générations.

Whitey avala une bouchée de hamburger, qu'il arrosa d'une gorgée de soda.

– Vous ne pensez pas une seconde que c'est le gamin qui a fait le coup, hein ?

À son tour, Sean mordit dans son sandwich au thon.

– En tout cas, il m'a menti, j'en suis sûr. Je crois qu'il sait quelque chose au sujet de ce revolver. Et je commence à croire que son paternel est toujours de ce monde.

– À cause des cinq cents dollars envoyés de New York ? fit Whitey, qui trempa un oignon frit dans de la sauce tartare.

– Exact. Vous savez combien ça représente au total, depuis toutes ces années ? Presque quatre-vingt mille dollars. Qui lui aurait expédié une telle somme, sinon son père ?

Whitey s'essuya les lèvres avec une serviette, et en le voyant engloutir un énorme morceau de cheeseburger, Sean se demanda comment il avait évité la crise cardiaque jusque-là, étant donné ce qu'il mangeait et buvait, sans compter les semaines de soixante-douze heures qu'il accumulait lorsqu'il s'investissait dans une enquête.

– Admettons qu'il soit en vie.

– Admettons, concéda Sean.

– De quoi s'agirait-il, alors ? D'une sorte de vaste machination diabolique pour se venger de Jimmy Marcus en éliminant sa fille ? Parce qu'on joue dans un film, maintenant ?

Sean partit d'un petit rire.

– Si c'était le cas, vous verriez qui dans votre rôle, sergent ?

Avant de répondre, celui-ci aspira son soda avec la paille jusqu'à atteindre la glace au fond de son gobelet.

– J'y ai beaucoup réfléchi, figurez-vous. Si on résout cette affaire, Superflic, ils pourraient en tirer un film génial. Un truc dans le genre « Le fantôme de New York », pourquoi pas ? Et nous, on serait là, sur grand écran. J'imagine que Brian Dennehy serait prêt à tout pour décrocher mon rôle.

Sean s'accorda quelques instants de réflexion.

– C'est pas idiot, répliqua-t-il en se demandant comment il avait pu ne pas s'apercevoir de la ressemblance jusque-là. Vous n'êtes pas aussi grand, sergent, mais vous en avez dans le ventre.

Avec un petit hochement de tête, Whitey écarta son assiette.

– Je me disais aussi qu'à votre place, Devine, je verrais bien un de ces minets de la série *Friends*. Vous savez, ces petits jeunots qui donnent l'impression de passer une heure tous les matins à se tailler les poils du nez et à s'épiler les sourcils, et de s'offrir une pédicure une fois par semaine ? Mouais, je crois que n'importe lequel d'entre eux conviendrait.

– Vous êtes jaloux.

– Peuh ! En attendant, pour en revenir à nos moutons, la piste Ray Harris ne me paraît guère convaincante. J'estimerais son coefficient de probabilité à quoi, peut-être six.

– Sur dix ?

– Sur mille. Bon, récapitulons. Ray Harris balance Jimmy Marcus. Marcus l'apprend par un biais ou par un autre, sort de taule et lance un contrat sur Ray. Celui-ci réussit à filer, arrive à New York où il se dégote un super job qui lui permet d'envoyer à sa famille cinq cents dollars tous les mois pendant treize ans, jusqu'à ce qu'un beau jour, il se réveille en pensant : « O.K., c'est le moment. L'heure de la vengeance a sonné. » Alors, il prend le bus pour Buckingham, où il liquide Katherine Marcus. Mais attention, hein, il ne se contente pas de la liquider proprement, oh non ; il s'acharne sur elle pour faire un maximum de dégâts. Ce qui s'est passé dans ce parc témoigne d'une véritable folie meurtrière. Ensuite, une fois que ce bon vieux Ray – et quand je dis vieux, je veux dire plus tout jeune, vu qu'il doit avoir dans les quarante-cinq ans – a bien cavalé après sa victime, il remonte dans le bus et repart à New York avec son flingue, c'est ça ? Vous avez vérifié auprès de New York ?

Sean hocha la tête.

– Aucune trace de lui au niveau de la Sécurité sociale, aucune carte de crédit à son nom, rien non plus du côté des services administratifs. Le NYPD et la police d'État n'ont jamais arrêté de suspect dont les empreintes correspondent aux siennes.

– Pourtant, vous le soupçonnez quand même d'avoir tué Katherine Marcus.

– Non, je n'en suis pas sûr, répondit Sean. J'ignore même s'il est vivant. Mais c'est une possibilité. Parce qu'il est tout à fait probable que l'arme du crime soit son revolver. De plus, je crois que Brendan sait quelque chose, et il n'y a personne pour confirmer qu'il se trouvait dans son lit lorsque Katie Marcus a été assassinée. Mais bon, j'espère que s'il passe suffisamment de temps en cellule, il se montrera plus bavard.

Whitey laissa échapper un rot sonore qui résonna entre eux.

– Vous êtes un prince, sergent.

Celui-ci haussa les épaules.

– On n'est même pas en mesure d'affirmer que Ray Harris a braqué ce magasin de spiritueux il y a dix-huit ans. Ni que le revolver lui appartenait. Tout ça, ce ne sont que des suppositions. Au mieux, des présomptions. Ça ne tiendra jamais au tribunal. D'ailleurs, un adjoint du procureur digne de ce nom ne s'en servirait sans doute même pas.

– Peut-être, mais j'ai le sentiment qu'on est sur la bonne voie.

– Le sentiment, hein ? (Whitey jeta un coup d'œil par-dessus l'épaule de Sean au moment où la porte d'entrée derrière lui s'ouvrait.) Aïe, manquait plus que les deux débiles de service.

Souza s'approcha de leur box, Connolly sur les talons.

– Et vous qui disiez que c'était pas important, sergent ! s'exclama Souza.

Portant une main à son oreille, Whitey leva les yeux vers lui.

– Comment ? Faut parler plus fort, mon garçon. Je suis un peu sourd, vous comprenez.

– On s'est intéressés aux fichiers de la fourrière pour voir s'il n'y avait pas eu d'autres bagnoles embarquées sur le parking du Last Drop, expliqua Souza.

– C'était au BPD de s'en occuper, rétorqua Whitey. On a déjà eu cette discussion, non ?

– On est tombés sur une voiture que personne n'a encore réclamée, sergent.

– Et ?

– Par téléphone, on a demandé à un employé d'aller s'assurer qu'elle était toujours là. Quand il est revenu, il nous a dit qu'un truc coulait du coffre.

– Un truc ? Quel truc ? lança Sean.

– Aucune idée. Il a juste ajouté que ça puait drôlement.

C'était une Cadillac bicolore, hard-top blanc sur carrosserie bleu marine. Whitey se pencha vers la vitre côté passager, les mains de chaque côté des yeux.

– Cette tache brune, près de la portière du conducteur, m'a l'air hautement suspecte, déclara-t-il.

– Nom d'un chien ! fit Connolly, près du coffre. Qu'est-ce que ça schlingue ! On se croirait à Wollaston à marée basse.

Whitey s'approchait de lui lorsque l'employé de la fourrière remit un pied-de-biche à Sean.

Celui-ci s'avança vers Connolly, qu'il écarta de la voiture en disant. ·

– Servez-vous de votre cravate, vieux.

– Comment ça ?

– Pour vous couvrir la bouche et le nez. Servez-vous de votre cravate.

– Et vous, vous utilisez quoi ?

– On se passe du Vicks pour tenir le choc, répondit Whitey en indiquant la peau luisante au-dessus de sa lèvre supérieure. Désolé, les gars, y en a plus.

Après avoir positionné l'extrémité du pied-de-biche sous la bordure du coffre, Sean l'introduisit dans la rainure, sentit le métal glisser sur le métal, puis trouver prise et agripper le cylindre de verrouillage.

– C'est bon ? demanda Whitey. Du premier coup et tout ?

– C'est bon.

Sean tira avec force, arracha le cylindre et aperçut le vide à la place du système de verrouillage juste avant que le loquet ne libère le couvercle du coffre, que l'odeur de varech ne soit remplacée par quelque chose de bien pire, une puanteur évoquant un mélange d'émanations marécageuses et de viande bouillie en train de se décomposer sur des restes d'œufs pourris.

– Oh, putain, lâcha Connolly qui, la cravate pressée contre son visage, s'éloigna de la voiture.

– Quelqu'un veut un gros sandwich Monte Cristo ? demanda Whitey à la cantonade.

Cette fois, Connolly vira au verdâtre.

Mais Souza ne semblait pas affecté outre mesure. Il s'approcha du coffre en se pinçant le nez, puis lança :

– Où est le visage de ce type ?

– Sous vos yeux, répondit Sean.

Le type en question était recroquevillé en position fœtale, la tête renversée en arrière comme s'il avait la nuque brisée. Il portait un costume et des chaussures chic, et en regardant ses mains et la ligne d'implantation de ses cheveux, Sean lui donna une cinquantaine d'années. Remarquant un petit trou à l'arrière de la veste du mort, il se servit d'un stylo pour écarter le tissu. La sueur et la chaleur avaient jauni la chemise blanche en dessous, mais Sean découvrit un autre trou semblable à celui de la veste à peu près au milieu du dos, où l'étoffe s'était mêlée à la chair.

– On a tiré sur lui, sergent, sans aucun doute. La balle est ressortie par là, près de la colonne vertébrale. (Il examina l'intérieur du coffre.) Mais je ne vois pas la douille.

Whitey se tourna vers Connolly, qui commençait à tituber.

– Remontez dans votre voiture et retournez au Last Drop. Surtout, n'oubliez pas de prévenir le BPD. On n'a vraiment pas besoin d'une guerre de territoires en ce moment. Vous passerez le parking au peigne fin en commençant par l'endroit où vous avez retrouvé la flaque de sang. Y a de bonnes chances pour qu'une douille traîne quelque part dans le coin, agent Connolly. Vous m'avez bien compris ?

Connolly hocha la tête en aspirant de grandes goulées d'air.

– La balle a pénétré dans le sternum sous la quatrième côte. Elle l'a atteint pratiquement au milieu.

– Rameutez les services scientifiques, poursuivit Whitey à l'adresse de Connolly, et autant de gars que vous le pourrez sans vous brouiller avec le BPD. Quand vous aurez récupéré cette douille, emportez-la vous-même au labo.

Sean se pencha vers le coffre pour mieux regarder le visage pulvérisé.

– À en juger par la quantité de gravillons incrustés dans la peau, quelqu'un lui a cogné la tête sur le bitume jusqu'à en avoir mal au bras.

Une main sur l'épaule de Connolly, Whitey poursuivit :

– Dites au BPD de nous envoyer une équipe de la Criminelle au grand complet : techniciens, photographes, adjoint du procureur et légiste. Dites-leur aussi que le sergent Powers demande quelqu'un pour faire sur place une analyse de sang. Allez, c'est parti.

Trop heureux de fuir la puanteur, Connolly s'élança vers sa voiture, démarra et sortit du parking en moins d'une minute.

Whitey photographia l'extérieur de la Cadillac, avant d'adresser un signe de tête à Souza, qui enfila une paire de gants chirurgicaux pour déverrouiller la portière avec une tige métallique.

– Vous avez trouvé des papiers d'identité ? lui demanda Whitey.

– Son portefeuille est dans sa poche arrière. Prenez quelques clichés, le temps que j'enfile mes gants.

Le sergent s'approcha pour photographier le corps, puis laissa pendre l'appareil au bout de la lanière autour de son cou pendant qu'il griffonnait sur son calepin un schéma de la scène du crime.

Après avoir retiré le portefeuille glissé dans la poche du mort, Sean le feuilleta au moment où Souza leur criait :

– Le véhicule est immatriculé au nom d'un certain August Larson, domicilié au 323 Sandy Pine Lane, à Weston.

– C'est notre homme, déclara Sean en jetant un coup d'œil au permis de conduire.

– Il a une carte de donneur d'organes, quelque chose comme ça ? s'enquit Whitey.

Sean vit des cartes de crédit, des cartes de vidéo-clubs, une carte de membre d'un club de sport, une carte de mutuelle, et enfin une carte où était inscrit son groupe sanguin. Il la montra à Whitey.

– Il est du groupe A.

– Souza ? appela Whitey. Prévenez le central. Lancez un avis de recherche au nom de David Boyle, 15 Crescent Street, East Buckingham. Blanc, cheveux bruns, yeux bleus, dans les un mètre quatre-vingts, quatre-vingt-cinq kilos. Considéré comme armé et dangereux.

– Armé et dangereux ? répéta Sean. J'en doute, sergent.

– Mouais, allez donc dire ça au macchabée du coffre, rétorqua Whitey.

Le siège du BPD n'étant situé qu'à environ huit cents mètres de la fourrière, il ne s'était pas écoulé cinq minutes depuis le départ de Connolly qu'un bataillon de voitures de patrouille et de véhicules banalisés franchissait les grilles, suivi par la fourgonnette de la morgue et celle des services scientifiques. Sean ôta ses gants, puis s'écarta du coffre dès qu'il aperçut les flics du BPD. C'était à eux de jouer, à présent. S'ils voulaient lui poser des questions, pas de problème, mais sinon, il se retirait.

Le premier enquêteur de la Criminelle à sortir de sa Crown Vic couleur fauve fut Burt Corrigan, un vétéran de la génération de Whitey ayant lui aussi une vie privée désastreuse et des habitudes alimentaires déplorables. Il serra la main de Whitey, tous deux passant régulièrement leurs jeudis soir au JJ Foley et appartenant au même club de fléchettes.

– Vous lui avez pas encore filé un PV, à ce cadavre ? lança-t-il à l'adresse de Sean. Vous préférez attendre l'enterrement, peut-être ?

– Elle est bonne, répliqua Sean, pince-sans-rire. Qui vous les écrit, ces derniers temps, Burt ?

Celui-ci le gratifia d'une bonne claque sur l'épaule avant de se diriger vers l'arrière de la voiture. Il jeta un coup d'œil au coffre, renifla, puis déclara :

– Ça sent pas la rose.

Whitey le rejoignit.

– On pense que le meurtre a été commis sur le parking du Last Drop, à East Bucky, dans la nuit de samedi à dimanche dernier.

Burt opina.

– C'est pas là qu'une de nos équipes a retrouvé vos gars lundi après-midi ?

– Si, c'est bien là, répondit Whitey. Pour la même affaire. T'as envoyé des hommes là-bas ?

– Y a quelques minutes, oui. D'ailleurs, je suis censé rencontrer un certain Connolly sur place, pour chercher une douille, je crois.

– Tout juste.

– Vous avez identifié un suspect, si j'ai bien compris ?

– David Boyle, répondit Whitey.

Burt reporta son attention sur le visage du mort.

– On aura besoin de toutes tes notes, Whitey.

– O.K. Quoi qu'il en soit, je vais rester un peu avec vous, pour voir ce que ça donne.

– J'espère que t'as eu le temps de prendre ta douche, aujourd'hui.

– C'est la première chose que j'ai faite ce matin.

– Tant mieux. (Burt se tourna vers Sean.) Et vous ?

– J'ai un gars en cellule d'attente. C'est vous qui prenez le relais, maintenant. Moi, je repars avec Souza.

Whitey hocha la tête, puis l'accompagna jusqu'à leur voiture.

– Si on peut prouver que Boyle a tué ce gars-là, on arrivera peut-être aussi à le coincer pour le meurtre de la petite Marcus. À faire d'une pierre deux coups, quoi.

– Il aurait commis deux crimes dans un rayon d'un kilomètre ?

– Il est possible que la gamine ait assisté au premier en sortant du bar.

– Non, les heures ne collent pas. Si c'est bien lui qui a liquidé ce type, ça s'est passé entre une heure et demie et deux heures moins cinq. Ensuite, il aurait fallu qu'il remonte dans sa voiture pour rejoindre Katie Marcus au niveau de Sydney Street à deux heures *moins le quart*. J'ai du mal à le croire.

– Moi aussi, admit Whitey, adossé à la voiture.

– En plus, vous avez vu la blessure dans le dos de ce type ? Le trou est petit. Le coup de feu n'a pas été tiré avec un calibre .38, si vous voulez mon avis. Différentes armes, différents meurtriers.

Les yeux fixés sur ses chaussures, Whitey opina.

– Vous allez ré-interroger le jeune Harris ?

– Je n'en ai pas fini avec le revolver de son père.

– Vous pourriez aussi essayer d'obtenir une photo de Ray Harris senior, non ? suggéra Whitey. Demandez ensuite à ce qu'elle soit retouchée en tenant compte du vieillissement, et faites-la circuler, des fois que quelqu'un l'aurait aperçu dans le coin.

À cet instant, Souza s'approcha de la portière côté passager.

– Je pars avec vous, c'est ça ?

Sean acquiesça, puis se tourna de nouveau vers Whitey.

– C'est juste un détail.

– Hein ?

– Ce qui nous manque. C'est juste un détail de rien de tout. Quand j'aurai mis la main dessus, je bouclerai cette affaire.

Whitey sourit.

– C'est quoi, votre dernière enquête non élucidée, fiston ?

Le nom jaillit des lèvres de Sean.

– Eileen Fields, morte depuis huit mois.

– On ne réussit pas à tous les coups, reprit Whitey, qui s'éloignait déjà en direction de la Cadillac. Vous voyez ce que je veux dire ?

Le séjour de Brendan Harris en cellule d'attente ne lui avait pas fait du bien. Il semblait plus petit, plus jeune, mais aussi moins innocent, comme s'il avait vu certaines choses dont il aurait préféré ignorer l'existence. Pourtant, dans la mesure où Sean s'était assuré qu'on le plaçait dans une cellule vide, à l'écart des junkies et autres paumés, il ne s'expliquait pas ce qui avait pu lui paraître si horrible, sauf s'il ne supportait pas l'isolement.

– Où est ton père ? demanda-t-il.

Brendan, qui se rongeait les ongles, haussa les épaules.

– À New York.

– Et tu ne l'as pas revu ?

– Pas depuis l'âge de six ans.

– C'est toi qui as tué Katherine Marcus ?

Après avoir laissé retomber sa main, Brendan se contenta de le dévisager.

– Réponds-moi, Brendan.

– Non, c'est pas moi.

– Où est le revolver de ton père ?

– Je l'ai jamais entendu parler d'un revolver.

Cette fois, Brendan avait répondu sans ciller. Sans chercher à éviter le regard de Sean. Il ne lui opposait qu'une expression de fatigue à la fois vaincue et cruelle qui laissa entrevoir à Sean un potentiel de violence insoupçonné jusque-là.

Qu'est-ce qui avait bien pu se passer dans cette cellule, bonté divine ?

– Pour quelle raison ton père aurait-il voulu tuer Katie Marcus ?

– Mon père a tué personne, répliqua Brendan.

– Tu sais quelque chose, Brendan. Et tu refuses de me le dire. Bon, écoute, je vais voir si le détecteur de mensonge est disponible. J'aimerais te poser encore quelques questions.

– Je veux parler à un avocat, l'interrompit Brendan.

– Bientôt. On va d'abord...

– Je veux parler à un avocat. Tout de suite.

– D'accord, répondit Sean d'une voix calme. Tu as quelqu'un en tête ?

– Ma mère en connaît un. Laissez-moi lui téléphoner.

– Écoute, Brendan...

– Maintenant.

Avec un soupir, Sean poussa vers lui le téléphone sur son bureau.

– Fais le 9 pour sortir.

L'avocat de Brendan était un vieux baratineur irlandais qui avait dû courir après les affaires durant toute sa carrière, mais qui connaissait néanmoins suffisamment son métier pour savoir que Sean n'avait pas le droit de placer son client en garde à vue sans autre motif que l'absence d'alibi.

– Comment ça, je l'ai placé en garde à vue ? lança Sean.

– Vous avez enfermé mon client dans une cellule, précisa l'avocat.

– Pas du tout, prétendit Sean. C'est lui qui a voulu aller voir à quoi ça ressemblait.

Son interlocuteur grimaça comme s'il était déçu par cette réponse, puis sortit de la salle de garde avec Brendan sans que ni l'un ni l'autre ne jette un regard en arrière. Après leur départ, Sean tenta bien de lire certains dossiers, mais les mots demeuraient vides de sens pour lui. Il reposa les classeurs sur sa table, s'adossa à sa chaise, ferma les yeux et évoqua sa femme et sa fille telles qu'il les avait vues en rêve. Il eut même l'impression de percevoir leur odeur.

Alors, il ouvrit son portefeuille, puis en retira le morceau de papier sur lequel il avait inscrit le numéro du portable de Lauren et le défroissa avec ses doigts. Il n'avait jamais voulu d'enfants. À part la possibilité d'embarquer avant tout le monde à l'aéroport, il ne voyait pas d'avantages à devenir père. Les gosses n'étaient bons qu'à accaparer leurs parents, à leur donner des sueurs froides, à user leurs forces, et pourtant, lesdits parents agissaient comme si leur progéniture était une bénédiction, en parlaient avec ces mêmes intonations respectueuses qu'ils réservaient auparavant aux dieux. Or, quand on y songeait, il ne fallait pas oublier que tous ces connards qui vous coupaient la route en voiture, encombraient les rues, hurlaient dans les bars, écoutaient leur musique trop fort, vous agressaient, vous violaient et vous revendaient des bagnoles trafiquées étaient des enfants qui avaient vieilli. Pas de quoi crier au miracle. Il n'y avait rien de sacré là-dedans.

De plus, il n'était même pas sûr que le bébé soit de lui. Il n'avait jamais fait le test de paternité, car sa fierté le lui interdisait. Merde, faire un test pour prouver que je suis le père ? Quoi de plus humiliant ? Euh, s'il vous plaît, je voudrais que vous me preniez du sang parce que ma femme est tombée enceinte après avoir baisé avec un autre...

D'accord, elle lui manquait. D'accord, il l'aimait. Et oui, il avait rêvé de prendre son enfant dans ses bras. Et après ? Lauren l'avait trahi, elle l'avait abandonné, elle avait accouché loin de lui, et pourtant elle ne lui avait jamais présenté d'excuses, jamais dit : « Je me suis trompée, Sean. Je regrette de t'avoir blessé »

Et lui, l'avait-il blessée ? Oh, bien sûr. Quand il avait découvert sa liaison, il avait failli la frapper, et s'il avait ramené sa main au dernier moment avant de la fourrer dans sa poche, Lauren avait toutefois bien vu qu'il en mourait d'envie. Et toutes ces insultes qu'il lui avait jetées à la figure... Bon sang.

Il n'empêche, la colère qu'il éprouvait, son désir de maintenir Lauren à l'écart n'étaient que des émotions réactives. C'était lui qui avait été bafoué, et non elle.

Pas vrai ? Il s'accorda quelques secondes de réflexion, puis conclut : C'est vrai.

Sean replaça le numéro de téléphone dans son portefeuille, ferma de nouveau les paupières et somnola sur sa chaise. Il fut réveillé par un bruit de pas dans le couloir, et il ouvrit les yeux au moment où Whitey franchissait le seuil de la salle de garde. Sean vit l'alcool dans son regard avant même de le sentir dans son haleine. Whitey se laissa choir sur sa chaise, posa les pieds sur son bureau, puis repoussa le carton que Connolly avait apporté en début d'après-midi.

– Quelle putain de journée interminable, commença-t-il.

– Vous l'avez trouvé ?

– Qui, Boyle ? (Whitey fit non de la tête.) Non. Son propriétaire nous a dit qu'il l'avait entendu sortir vers trois heures, mais qu'il n'était pas revenu. Il nous a dit aussi qu'il n'avait pas vu la femme de Boyle et son gosse depuis un certain temps. On a téléphoné à l'employeur de Boyle. Mais comme il travaille du mercredi au samedi, ils n'ont rien pu nous apprendre. (Il éructa.) De toute façon, il va bien finir par reparaître.

– Et pour la douille ?

– On l'a récupérée près du parking. Le problème, c'est qu'elle a percuté un poteau métallique juste derrière l'endroit où le type a été abattu. Les gars de la balistique ne sont pas sûrs de pouvoir l'analyser. (Il haussa les épaules.) Et du côté Harris ?

– Il a demandé un avocat.

– C'est vrai ?

Sean s'approcha du bureau de Whitey, puis se mit à fouiller machinalement dans le carton apporté par Connolly.

– Pas d'empreintes de pas, marmonna-t-il. Les empreintes digitales ne correspondent à aucune de celles contenues dans notre base de données. L'arme du crime a été utilisée au cours d'un braquage il y a dix-huit ans. Je veux dire, merde à la fin ! (Il laissa retomber dans le carton le rapport de la balistique.) Le seul à ne pas avoir d'alibi, c'est aussi le seul que je ne considère pas comme un suspect.

– Rentrez chez vous, lui conseilla Whitey. Sérieux.

– Mouais, fit Sean, qui sortit la cassette contenant l'enregistrement de l'appel au 911.

– C'est quoi ? demanda Whitey.

– Le dernier Snoop Dogg.

– Ah bon ? Je le croyais mort, celui-là.

– C'est peut-être Tupac, alors.

Sean inséra la cassette dans le magnétophone au coin de son bureau, puis pressa la touche Play.

« Vous êtes bien au 911. Quel est votre problème ? »

Whitey tendit un élastique entre ses doigts, puis l'expédia vers le plafond.

« Y a cette voiture avec du sang dedans et, ben, la portière est ouverte et, euh...

– Elle est où, cette voiture ?

– Dans les Flats. Près de Pen Park. Avec mon copain, on l'a vue, et...

– Tu connais le nom de la rue ? »

Whitey étouffa un bâillement avec son poing, puis attrapa un autre élastique. Sean se leva, avant de s'étirer en se demandant s'il lui restait quelque chose à manger dans le frigo.

« Sydney Street. Y a du sang dedans, et la portière est ouverte.

– Comment tu t'appelles, fiston ?

– Hé, y veut savoir comment elle s'appelle ! Et y m'a appelé " fiston " !

– Fiston ? C'est à toi que j'ai posé la question. Comment tu t'appelles ?

– On se tire, vieux. Bonne chance. »

La communication fut interrompue, puis l'opérateur relaya l'appel au central, et Sean éteignit le magnétophone.

– J'ai toujours pensé que Tupac avait une meilleure section rythmique, commenta Whitey.

– C'était Snoop. Je vous l'avais bien dit.

Whitey bâilla de nouveau.

– Rentrez chez vous, fiston. O.K. ?

Sean hocha la tête, récupéra la cassette, la rangea dans son boîtier puis la jeta dans le carton. Il retira ensuite du premier tiroir son Glock et son holster, qu'il fixa à sa ceinture.

– Elle, fit-il soudain.

– Comment ?

– Le gosse sur l'enregistrement. Il a dit : « Y veut savoir comment *elle* s'appelle. » Il parlait de Katie Marcus.

– Très juste. En général, quand on se réfère à une victime de sexe féminin, on utilise le pronom « elle ».

– Mais comment pouvait-il le savoir ?

– Qui ?

– Le gosse qui a téléphoné. Comment pouvait-il savoir que le sang dans cette voiture était celui d'une femme ?

Whitey ôta son pied du bureau, contempla un instant la boîte, puis en ressortit la cassette, qu'il lança à Sean.

– Repassez-la

26

Perdus dans l'espace

Dave et Val traversèrent la ville, puis franchirent la Mystic River avant d'arriver dans ce boui-boui de Chelsea où la bière, servie fraîche, ne coûtait presque rien, et où il n'y avait pas grand monde, sinon quelques vieux habitués ayant l'air d'avoir travaillé toute leur vie sur les docks, et quatre ouvriers du bâtiment en train de se disputer au sujet d'une certaine Betty qui, apparemment, avait des nichons fantastiques mais aussi un caractère de chien. Niché sous le Tobin Bridge, le bar tournait le dos à la Mystic River et semblait se trouver là depuis plusieurs décennies. À l'intérieur, tout le monde connaissait Val, visiblement. Le propriétaire, un homme d'une maigreur squelettique avec des cheveux d'un noir incroyable et une peau d'une blancheur tout aussi incroyable, s'appelait Henry. Il leur offrit les deux premières tournées.

Après avoir joué au billard un moment, Dave et Val s'installèrent dans un box avec un pichet de bière et deux verres de whisky. Les fenêtres étroites qui donnaient sur la rue avaient viré du doré à l'indigo, la nuit étant tombée dans l'intervalle – si vite que Dave en était presque perturbé. Mais presque seulement, car Val se révélait plutôt sympathique, quand on commençait à le connaître. Il raconta un tas d'anecdotes sur la prison et les cambriolages foireux, et si toutes faisaient froid dans le dos, Val n'en parvenait pas moins à les rendre drôles. Dave en vint à se demander ce que pouvait ressentir quelqu'un comme lui, inaccessible à la peur et plein d'assurance, mais aussi terriblement petit.

– Attends, j'en ai une autre, Dave. À l'époque, Jimmy était en taule, et nous, on tentait de rester quand même une équipe. On avait pas encore compris que si on réussissait à être des voleurs, c'était uniquement parce que Jimmy s'occupait de l'organisation pour nous. Tout ce qu'on avait à faire, c'était de l'écouter, de suivre ses ordres, et on pouvait être sûrs qu'y aurait pas d'embrouilles. Mais sans lui, on était plus bons à rien. Tiens, cette fois-là, on avait braqué un collectionneur de timbres. Après, on l'a ligoté dans son bureau, et moi, mon frère Nick et ce gamin, Carson Leverett, qui était même pas foutu de lacer ses godasses tout seul, on a pris

356

l'ascenseur pour descendre. On était pas inquiets. On portait tous des costumes, histoire de se fondre dans le paysage. Et puis, cette nana est montée dans la cabine, et elle s'est à moitié étranglée. Nous, évidemment, on s'est bien demandé ce qui arrivait. Merde, on avait l'air respectables, non ? Je me suis tourné vers Nick, et là, je me suis rendu compte qu'il ouvrait des yeux comme des soucoupes, parce que cette espèce de débile profond de Carson portait toujours son masque. (Val, hilare, donna une grande claque sur la table.) Non, mais t'imagines ? Il avait encore son masque de Ronald Reagan ! Tu sais, celui avec le grand sourire, qu'on trouvait partout à ce moment-là ?

— Et aucun de vous n'avait rien remarqué ?

— Ben non. C'est bien ce que j'essaie de t'expliquer. Quand on est sortis du bureau, Nick et moi, on a enlevé les nôtres, et on est partis du principe que Carson avait enlevé le sien aussi. Ce genre de conneries, ça arrive tout le temps quand t'es sur un coup. T'es à cran, t'es pas super futé, tu penses qu'à te tirer, et résultat, tu passes à côté du truc le plus évident. Ça saute aux yeux, mais toi, t'es aveugle. (Il éclata de rire, puis vida son verre de whisky.) C'est pour ça qu'on a tant regretté Jimmy. Lui, il oubliait jamais un détail. Tu sais, on dit souvent qu'un bon quart-arrière a toujours une vision globale du terrain ? Ben pour Jimmy, c'était pareil, il voyait toujours l'ensemble du terrain quand on montait un casse. Il envisageait tout ce qui pouvait mal tourner. Ce gars-là, c'était un putain de génie.

— Pourtant, il s'est rangé.

— Mouais, fit Val en allumant une cigarette. À cause de Katie. Et après, à cause d'Annabeth. Pourtant, entre nous, je suis pas sûr que ça lui convienne, mais c'est comme ça. Des fois, les mecs grandissent. Ma première femme me répétait que c'était mon problème : je pouvais pas grandir. J'aime trop la nuit, tu comprends. Le jour, c'est bon pour roupiller.

— Moi, j'ai toujours cru que ce serait différent.

— Quoi ? Qu'est-ce qui serait différent ?

— De grandir. Je me figurais qu'une fois grand, on devait se sentir quelqu'un d'autre. Un adulte. Un homme.

— Et c'est pas le cas ?

Dave sourit.

— Si, des fois. Brièvement. Mais la plupart du temps, j'ai encore l'impression d'avoir dix-huit ans. Tu peux pas savoir le nombre de fois où je me réveille en pensant : « J'ai un gosse ? J'ai une femme ? Bon sang, j'ai rien vu arriver ! » (Dave avait la voix de plus en plus pâteuse, la sensation de flottement qu'il éprouvait devenait de plus en plus intense, car il n'avait rien dans le ventre, mais il avait besoin de s'expliquer. Il voulait montrer à Val qui il était, lui donner des raisons de l'apprécier.) J'ai toujours supposé qu'un jour, ce serait permanent. Tu vois ? Un matin, t'ouvres les yeux, et tu te sens adulte. Tu sens que tu maîtrises les choses, comme les pères de famille dans les vieux feuilletons télé.

– Ceux avec Ward Cleaver, tu veux dire ?

– Ouais, c'est ça. Ou même ceux avec les shérifs. Tiens, James Arness, des mecs de ce genre. Eux, c'étaient des hommes. Des vrais, et de façon permanente.

Val hocha la tête, puis but encore un peu de bière.

– Y a ce type en prison qui m'a dit un jour : « Le bonheur, c'est l'affaire d'un moment, et après, il s'en va jusqu'à la prochaine fois. Ça peut prendre des années pour qu'il revienne. Mais la tristesse... (Val lui adressa un clin d'œil.) Ben, la tristesse, elle s'installe en toi. » (Il écrasa sa cigarette.) Je l'aimais bien, ce type-là. Il disait toujours des trucs profonds. Bon, je vais me chercher un autre whisky, ajouta-t-il en se levant. T'en veux un ?

De la tête, Dave lui signifia que non.

– J'ai pas fini celui-là.

– Allez, vieux, lâche-toi un peu !

Dave leva les yeux vers le visage chiffonné et souriant en face de lui.

– O.K., dit-il enfin. D'accord.

– Super.

Val le gratifia d'une tape sur l'épaule avant de se diriger vers le comptoir.

En le regardant bavarder avec un des vieux dockers pendant qu'il attendait les boissons, Dave songea que tous les types réunis dans ce bar se savaient des hommes. Des hommes qui ne connaissaient pas le doute, des hommes qui ne remettaient jamais en cause le bien-fondé de leurs actes, des hommes qui ne se laissaient pas perturber par le monde extérieur ou par le rôle qu'on attendait d'eux.

C'était la peur, devina-t-il. C'était elle qui faisait la différence entre eux et lui. La peur s'était installée en lui quand il était tout jeune – et de façon permanente, comme cette tristesse dont parlait le copain de Val. Elle avait trouvé une place dans son cœur et n'en était plus jamais partie, si bien que depuis des années il avait toujours peur de se tromper, peur de courir à l'échec, peur de ne pas être assez intelligent, peur de ne pas être un bon mari ni un bon père, ni même un homme digne de ce nom. La peur était en lui depuis si longtemps qu'il n'était même pas certain de pouvoir se rappeler l'époque où il vivait sans elle.

Une voiture dehors balaya de ses phares l'entrée du bar, lui projetant une vive clarté blanche dans les yeux lorsque la porte s'ouvrit, et Dave cilla à plusieurs reprises, incapable de distinguer sur le seuil autre chose qu'une silhouette masculine. Le nouveau venu, assez corpulent, portait une sorte de blouson de cuir. Il ressemblait un peu à Jimmy, mais en plus costaud, en plus large d'épaules.

De fait, c'était bien Jimmy, constata Dave une fois la porte refermée, quand sa vue se fut de nouveau éclaircie. C'était bien Jimmy qui, vêtu d'un blouson de cuir noir sur un col roulé sombre et un pantalon de toile, le salua de la tête avant de rejoindre Val au comptoir. Il glissa quelques mots à l'oreille de son beau-frère, et après avoir jeté un coup d'œil à Dave, Val lui répondit.

Dave se sentait légèrement hébété. Le résultat de tout cet alcool sur un estomac vide, sans doute. Mais c'était aussi en rapport avec Jimmy, avec la façon dont il l'avait salué en entrant, le visage inexpressif et le regard pourtant déterminé. Et pourquoi paraissait-il aussi massif, comme s'il avait pris cinq ou six kilos depuis la veille ? Et qu'est-ce qu'il fabriquait à Chelsea, la veille de la veillée funèbre organisée pour sa fille ?

Enfin, Jimmy s'approcha, puis s'assit en face de lui à la place occupée par Val un peu plus tôt.

– Tout va comme tu veux ? demanda-t-il.

– Je suis un peu bourré, admit Dave. T'as grossi, ou quoi ?

Un sourire étrange se dessina sur les lèvres de Jimmy.

– Non.

– Ah bon ? C'est marrant, t'as l'air plus carré.

Jimmy haussa les épaules.

– Qu'est-ce que tu fais ici ? reprit Dave.

– Oh, je viens souvent. Val et moi, on connaît Huey depuis des années. Depuis une éternité, à vrai dire. Mais tu bois pas, Dave ?

– Je me sens déjà bien parti, répondit Dave en prenant néanmoins son verre.

– Et alors ? Où est le problème ? répliqua Jimmy qui, constata soudain Dave, avait lui aussi un whisky à la main. (Il le leva pour trinquer.) À nos enfants.

– À nos enfants, articula Dave, de plus en plus déstabilisé, comme s'il avait glissé hors de la réalité pour pénétrer dans un rêve, un rêve où les visages étaient tous trop proches, où les voix semblaient monter du fond d'un égout.

Il venait de vider son verre d'un trait et grimaçait encore sous la brûlure de l'alcool, lorsque Val s'installa sur la banquette à côté de lui. Il passa un bras autour des épaules de Dave, avant de boire de la bière directement au pichet.

– J'ai toujours bien aimé ce bar, déclara-t-il.

– C'est tranquille, renchérit Jimmy. Au moins, ici, personne t'emmerde.

– Et dans la vie, c'est important qu'on t'emmerde pas, renchérit Val. Que personne vienne te faire chier, ou faire chier ta famille et tes amis. Pas vrai, Dave ?

– Absolument.

– Ce mec est trop marrant, reprit Val. Je t'assure, avec lui, t'es sûr de rigoler.

– Ah oui ? lança Jimmy.

– Ouais, répondit Val, qui pressa l'épaule de Dave. Hein, mon pote ?

Celeste était assise sur son lit dans la chambre d'hôtel où Michael regardait la télé. Elle avait placé le téléphone sur ses genoux, et sa main serrait le combiné.

Au cours des quelques heures passées avec Michael sur des chaises rouillées près de la minuscule piscine, elle avait commencé à se sentir toute petite et vide, comme si, en se regardant d'en haut, elle ne voyait qu'une créature mise au rebut, idiote, et – pire – déloyale.

Son mari. Elle avait trahi *son mari*.

Peut-être que Dave avait tué Katie. Oui, peut-être. Mais où avait-elle la tête lorsqu'elle en avait parlé à Jimmy, la dernière personne à qui elle aurait dû s'adresser ? Pourquoi n'avait-elle pas attendu, réfléchi encore un peu ? Pourquoi n'avait-elle pas envisagé une autre solution ? Parce qu'elle avait peur de Dave ?

Mais ce nouveau Dave apparu depuis quelques jours était une aberration, un produit du stress.

Peut-être qu'il n'avait pas tué Katie. Peut-être.

En tout cas, elle devait au moins lui accorder le bénéfice du doute jusqu'à ce que les choses soient clarifiées. Elle n'était pas certaine de pouvoir encore vivre avec lui, ni de vouloir exposer Michael à un quelconque danger, mais elle savait maintenant qu'elle aurait mieux fait d'aller trouver la police plutôt que Jimmy Marcus.

Avait-elle tenté de nuire à Dave ? Avait-elle espéré quelque chose en confiant ses soupçons à Jimmy ? Et auquel cas, quoi, au juste ? Parmi tous les gens vers qui elle pouvait se tourner, pourquoi avoir choisi Jimmy ?

Il y avait une foule de réponses possibles, mais aucune ne plaisait à Celeste. Elle souleva le combiné, puis composa le numéro des Marcus. Son poignet tremblait lorsqu'elle pensa : Répondez, je vous en prie. Oh, répondez-moi. Je vous en prie.

Le sourire sur le visage de Jimmy ne cessait de tanguer, de droite à gauche, de haut en bas, et Dave tenta de se concentrer sur le bar, mais il tanguait lui aussi comme un bateau ballotté sur une mer houleuse.

– Tu t'souviens de cette fois où on a emmené Ray Harris là-bas derrière ? demanda Val.

– Évidemment, répondit Jimmy. Ce bon vieux Ray.

– Ce gars-là, reprit Val en assenant de nouveau une claque sur la table devant Dave, c'était un sacré rigolo.

– Mouais, dit doucement Jimmy. C'est vrai, Ray était assez marrant. Il nous faisait rire, des fois.

– Presque tout le monde l'appelait Juste Ray, enchaîna Val, tandis que Dave essayait désespérément de comprendre de qui ils parlaient. Mais moi, je l'appelais Ray la Ferraille.

Jimmy claqua des doigts.

– Ah oui ! Je me rappelle. À cause de toutes ces pièces qu'il trimballait.

Val se pencha vers Dave pour lui glisser à l'oreille :

– Ce mec, tu le croisais n'importe quand, il avait toujours l'équivalent de dix dollars en monnaie. Personne savait pourquoi. C'est juste qu'il aimait bien avoir toute cette ferraille sur lui, des fois qu'il aurait à passer un coup de fil en Libye ou dans un putain de pays de ce style, je suppose. Bizarre, hein ? Bref, il se baladait les mains dans les poches, et il tripotait ses petites pièces toute la journée. Tu te rends compte ? Ce gars-là, c'était un voleur, et t'avais envie de lui dire : « Hé, tu crois qu'on va pas t'entendre arriver ? » Mais apparemment, il laissait son fric à la maison quand il était sur un coup. (Val soupira.) Mouais, un marrant, quoi.

Il ôta le bras qu'il avait passé sur les épaules de Dave, puis alluma une autre cigarette. La fumée monta vers le visage de Dave, lui effleura les joues et s'insinua dans ses cheveux. À travers, il voyait Jimmy l'observer de ce même air à la fois neutre et déterminé, et il y avait quelque chose de déplaisant dans ses yeux, quelque chose d'étrangement familier aussi.

C'était le même regard que celui de ce flic, comprit soudain Dave. Le sergent Powers. Ce regard qui semblait scruter l'âme. Et puis, le sourire reparut sur les lèvres de Jimmy, oscillant tel un dinghy sur une mer démontée, et Dave eut l'impression que son estomac suivait le mouvement.

Il déglutit à plusieurs reprises, avant d'inspirer profondément.

– T'es pas bien ? interrogea Val.

Dave leva une main. Si tout le monde se taisait, son malaise finirait par se dissiper.

– Si, si. Ça va.

– T'es sûr ? demanda Jimmy. T'es verdâtre, vieux.

À cet instant, le flot remonta en lui, et Dave sentit sa trachée se bloquer, pour se rouvrir presque aussitôt, alors que son front se couvrait de sueur.

– Oh, merde.

– Dave ?

– Je... je vais être malade, bredouilla-t-il, en proie à un nouveau haut-le-cœur. Sérieux.

– O.K., O.K., fit Val, qui se leva en hâte. Sors par la porte du fond. Huey apprécie pas trop d'avoir à récurer les chiottes. Tu piges ?

À grand-peine, Dave parvint à s'extraire du box, puis Val l'attrapa par les épaules pour le faire pivoter, de sorte qu'il put voir la porte tout au bout du bar, derrière la table de billard.

Il partit dans cette direction en s'efforçant de marcher droit, de bien poser un pied devant l'autre, mais le battant en face de lui avait tendance à pencher un peu. C'était une petite porte recouverte d'une peinture noire tout éraflée et écaillée. Soudain, Dave prit conscience de la chaleur qui régnait dans la salle. L'air épais, moite, l'oppressait tandis qu'il titubait vers la sortie. Enfin, il posa la main sur la poignée en cuivre dont la fraîcheur sous ses doigts le soulagea lorsqu'il la tourna.

La première chose qu'il vit, dehors, ce fut de l'herbe. Puis il découvrit l'eau. Il avança de quelques pas chancelants, surpris de voir combien l'endroit était obscur, et soudain, comme pour répondre à ses pensées, une ampoule s'alluma au-dessus de la porte, éclairant le bitume fendillé devant lui. Il entendait la rumeur de la circulation sur le pont au-dessus de sa tête, et peu à peu, la sensation de nausée reflua. Peut-être n'allait-il pas vomir, en fin de compte. Il avala une grande goulée d'air nocturne. Sur sa gauche se dressait une montagne de palettes en bois pourri et de casiers à homards rouillés, dont certains comportaient d'énormes trous aux bords déchiquetés, comme s'ils avaient été attaqués par des requins. Dave se demanda ce que de tels pièges pouvaient bien faire là, aussi loin à l'intérieur des terres, qui plus est au bord d'une rivière, avant de conclure qu'il était trop saoul de toute façon pour chercher une explication. Derrière cet empilement, il y avait un grillage tout aussi rouillé que les casiers à homards et envahi par les ronces. Un terrain vague s'étendait sur sa droite, recouvert de broussailles aussi hautes qu'un homme, dont certaines poussaient aussi à travers le revêtement craquelé de l'arrière-cour.

Un nouveau spasme contracta l'estomac de Dave, plus fort que les précédents, et cette fois il n'eut que le temps de s'approcher de l'eau et de baisser la tête avant de vomir dans les eaux huileuses de la Mystic un flot de bière, de Sprite et de peur mélangés. Il ne rendit que du liquide. Et pour cause, il ne se rappelait même pas la dernière fois où il avait mangé. Mais à peine avait-il régurgité ses boissons qu'il se sentait mieux. L'air nocturne rafraîchissait ses cheveux humides de sueur. Une légère brise soufflait, venue de la rivière. Il resta à genoux, au cas où il aurait un autre haut-le-cœur, mais il en doutait. Il était comme purifié.

Il leva les yeux vers le pont où les automobilistes bataillaient pour entrer dans la ville ou la quitter avec la même hâte exaspérée, sans se rendre compte qu'ils ne seraient vraisemblablement pas de meilleure humeur une fois arrivés chez eux. La moitié ressortirait aussitôt pour aller au super-marché, au bar, au vidéo-club, ou encore au restaurant – autant d'endroits où il leur faudrait de nouveau faire la queue. Et pourquoi ? Pourquoi fait-on ainsi la queue ? Pour aller où ? Et pourquoi, une fois parvenus à destination, n'est-on jamais aussi heureux qu'on pensait l'être ?

À cet instant, Dave remarqua sur sa droite un petit bateau à moteur amarré à une planche affaissée tellement minuscule qu'on ne pouvait guère la qualifier de ponton. Le bateau de Huey, songea-t-il, avant de sourire en imaginant cet individu d'une pâleur spectrale voguant sur les eaux grasses de la Mystic, le vent dans ses cheveux de jais.

Il tourna la tête, contempla un moment les palettes et les mauvaises herbes. Pas étonnant que les clients du bar sortent vomir ici. L'endroit était complètement isolé. À moins de se tenir sur l'autre rive avec des jumelles, il était impossible de l'apercevoir des alentours. Il était protégé sur trois côtés, et il y régnait un calme presque total, car la distance atténuait le bruit des voitures sur le pont, et les broussailles sur le terrain vague agissaient comme un filtre bloquant tout sauf les cris des mouettes et le clapotis de la rivière. Si Huey était malin, il nettoierait les lieux et construirait une terrasse pour attirer ici les premiers yuppies qui s'installaient à Admiral Hill, déterminés à faire de Chelsea un nouveau territoire à revaloriser, une fois réglé le sort d'East Bucky.

Dave cracha plusieurs fois puis, d'un revers de main, s'essuya la bouche. En se redressant, il décida de dire à Val et à Jimmy qu'il avait besoin de manger quelque chose avant de continuer à boire. Pas forcément un plat recherché, juste de quoi se caler l'estomac. Or, quand il se retourna, il découvrit les deux hommes près de la porte noire, Val à gauche, Jimmy à droite, leurs silhouettes se découpant sur le battant fermé, et Dave leur trouva un air bizarre, comme s'ils devaient livrer des meubles mais ne savaient pas trop où les poser parmi toutes ces broussailles.

– Z'êtes venu voir si j'étais pas tombé à l'eau, les mecs ? lança Dave.

L'ampoule au-dessus de la porte s'éteignit juste au moment où Jimmy se détachait du mur pour s'avancer vers lui. Forme plus sombre que la nuit, il s'approcha lentement, les lumières du pont se reflétant par inter-mittences sur son visage, blanc sur fond d'ombre.

– Non, je suis venu te parler un peu de Ray Harris, répondit Jimmy d'une voix si douce que Dave dut se pencher vers lui pour l'entendre. Ray

Harris était un bon copain, Dave. Il me rendait visite quand j'étais en taule. Il allait souvent voir si Marita, Katie et ma mère avaient besoin de quelque chose. Je pensais que c'était par amitié, mais en réalité, il se sentait coupable. Mouais, il se sentait coupable de m'avoir balancé aux flics qui l'avaient coincé. Et crois-moi, il en était pas fier. Pourtant, au bout de quelques mois, il s'est produit un truc bizarre. (Jimmy s'arrêta devant Dave, la tête légèrement inclinée.) J'ai découvert que j'aimais bien Ray. Je veux dire, j'appréciais vraiment sa compagnie. Quand il venait à la prison, on parlait de sport, on parlait de Dieu, des bouquins, de nos femmes, de nos gosses, de politique, et j'en passe. Ray était le genre de gars capable de parler de tout. Parce qu'il s'intéressait à tout. C'est rare. Et puis, un jour, ma femme est morte. Un gardien est venu m'annoncer dans ma cellule : « Désolé, votre femme est morte hier soir à huit heures et quart. C'est fini. » C'était déjà terrible, mais ce qui m'a complètement foutu en l'air, c'est qu'elle ait dû affronter ça toute seule. Oh, je sais ce que tu vas me dire, on est toujours tout seul au moment de mourir. C'est vrai. Le grand saut, on le fait tout seul. Sauf que ma femme avait un cancer de la peau. Les six derniers mois de sa vie n'ont été qu'une lente agonie. Et j'aurais pu me trouver auprès d'elle. J'aurais pu l'aider. Pas à mourir, non, juste à s'y préparer. Mais je n'étais pas là. Pourquoi ? Parce que Ray, un type que j'aimais bien, nous avait privés de la possibilité d'être ensemble.

Dave voyait un petit bout de rivière bleu foncé – parcourue de scintillements sous les lumières en provenance du pont – se refléter dans les pupilles de Jimmy.

– Pourquoi tu me racontes ça, Jimmy ?

Celui-ci indiqua un point derrière l'épaule gauche de Dave.

– J'ai obligé Ray à s'agenouiller là-bas, et je l'ai abattu de deux balles. Une dans la poitrine, l'autre dans la gorge.

À son tour, Val s'écarta du mur près de la porte pour s'approcher de Dave par la gauche, marchant sans se presser, les hautes herbes formant comme un écran derrière lui. Dave sentit sa gorge se dessécher, son estomac se nouer.

– Hé, Jimmy, je sais pas ce que...

– Ray m'a supplié, l'interrompit Jimmy. Il m'a dit qu'on était copains. Il m'a dit qu'il avait un fils. Il m'a dit qu'il avait une femme, et qu'elle était enceinte. Il m'a dit qu'il partirait, que je n'entendrais plus jamais parler de lui. Il m'a supplié de le laisser vivre pour que le bébé puisse connaître son père. Il m'a dit aussi qu'il savait quel genre d'homme j'étais, que je n'avais pas envie de faire ça. (Jimmy tourna la tête vers le pont.) Et moi, j'aurais voulu lui répondre que j'aimais ma femme, qu'elle était morte, que je le tenais pour responsable de ce qui était arrivé, et que de toute façon, en règle générale, on ne balance pas ses copains aux flics quand on tient à la vie. Mais je n'ai pas prononcé un mot, Dave. Je pouvais pas, je chialais trop. T'imagines même pas à quel point c'était pathétique. Il pleurait comme un veau, je pleurais comme un veau. C'est tout juste si je le voyais encore devant moi.

– Pourquoi tu l'as tué, alors ? demanda Dave, une note d'urgence désespérée dans la voix.

– Je viens de te l'expliquer, répondit Jimmy comme s'il s'adressait à un môme. Pour une question de principe. À vingt-deux ans, je me retrouvais veuf avec une gamine de cinq ans sur les bras. Je n'avais pas été là pour ma femme pendant les deux dernières années de sa vie. Et ce connard de Ray n'avait pas le droit d'ignorer la règle numéro un dans ce métier : on ne donne pas ses amis.

– C'est ce que tu crois que j'ai fait, Jimmy ? Réponds-moi.

– Quand j'ai tué Ray, enchaîna Jimmy, je me suis senti, comment dire, complètement *absent* de moi-même. J'avais l'impression que Dieu me regardait lester le corps de Ray, puis le jeter dans la Mystic. Et Dieu se contentait de soupirer. Il n'était pas vraiment en colère, non. Plutôt dégoûté, mais pas du tout surpris, tu comprends ? Un peu comme si ton chiot avait chié sur le tapis. Je me rappelle encore, je me tenais juste là, derrière toi, et Ray s'enfonçait petit à petit dans la rivière. C'est sa tête qui a disparu en dernier, et à ce moment-là, je me suis souvenu que tout gosse, je croyais que si on nageait jusqu'au fond de n'importe quelle étendue d'eau, il suffirait de pousser un bon coup pour ressortir dans l'espace de l'autre côté. Je veux dire, c'est comme ça que je me représentais le globe, tu comprends ? Et moi, j'en émergeais, je découvrais tout cet espace, ces étoiles et ce ciel noir autour de moi, et *pouf*, je tombais. C'était une chute interminable, une dérive d'un million d'années dans les ténèbres et dans le froid. Alors, à l'instant où Ray a coulé, c'est ce que j'ai imaginé. Qu'il continuerait à descendre jusqu'à ce qu'il ressorte par un trou dans la planète et se perde dans l'espace.

– Je sais à quoi tu penses, Jimmy, mais tu te trompes. Tu penses que j'ai tué Katie, hein ? C'est ça ?

– Tais-toi.

– Non ! s'écria Dave en remarquant soudain l'arme dans la main de Val. J'ai rien à voir avec la mort de Katie.

Ils vont me tuer, comprit-il. Oh, mon Dieu. La mort, on devrait pouvoir s'y préparer. On ne sort pas d'un bar parce qu'on a envie de vomir, pour découvrir brusquement que tout est fini. Non. Je suis censé rentrer chez moi. Je suis censé recoller les morceaux avec Celeste. Je suis censé m'acheter quelque chose à manger.

Jimmy fouilla dans la poche de son blouson, dont il retira un couteau. Sa main tremblait légèrement lorsqu'il déplia la lame. Son menton et sa lèvre supérieure aussi, s'aperçut Dave. Alors, il y avait de l'espoir. Surtout, ne pas se laisser paralyser par la peur. Il y avait de l'espoir.

– Le soir où Katie a été assassinée, t'es rentré chez toi couvert de sang, Dave. T'as donné deux versions différentes de la façon dont tu t'es bousillé la main, et ta voiture a été aperçue sur le parking du Last Drop à l'heure où Katie en est sortie. T'as menti aux flics comme t'as menti à tout le monde.

– Jimmy ? Regarde-moi. S'il te plaît, regarde-moi.

Mais Jimmy garda les yeux rivés au sol.

– O.K, Jimmy, c'est vrai, j'avais du sang sur moi. J'ai dérouillé quelqu'un, Jimmy. Je l'ai salement dérouillé.

– Oh, l'histoire du type qui voulait te prendre ton portefeuille, c'est ça ?

– Non. C'était un pédophile. Il avait fait monter ce gosse dans sa voiture. C'était un vampire, Jim. Il empoisonnait ce môme.

– Ah, c'était pas une agression, donc. T'as vu un mec qui, si je comprends bien, voulait s'envoyer un gosse. Bien sûr, Dave. Et tu l'as tué, ce salopard ?

– Oui. Enfin, on l'a tué. Moi et... moi et le Petit Garçon.

Dave n'avait absolument pas prévu de dire ça. Il n'avait jamais mentionné le Petit Garçon. Il ne pouvait pas. Les gens n'auraient pas compris. Mais peut-être était-ce la peur qui lui avait dicté les mots, le besoin de montrer à Jimmy l'intérieur de son crâne, de lui prouver que, d'accord, c'était la pagaille là-dedans, mais bon, il était toujours Dave Boyle. Et Dave Boyle n'était pas du genre à tuer un innocent.

– Alors, toi et ce pauvre gosse maltraité, vous avez...

– Non, l'interrompit Dave.

– Non quoi ? Tu m'as dit que toi et ce petit garçon...

– Non, non. Laisse tomber. Des fois, tout se mélange dans ma tête. Je...

– O.K., coupa Jimmy. T'as tué ce tordu. Et tu veux bien m'en parler à moi, mais pas à ta femme ? C'est pourtant la première personne à qui t'aurais dû te confier, non ? En particulier hier soir, quand elle t'a avoué qu'elle avait des doutes sur ton histoire d'agression. C'est vrai, quoi, pourquoi ne pas lui en parler *à elle* ? La mort d'un pédophile, ça ne dérange pas vraiment les gens, Dave. Ta femme te soupçonne d'avoir assassiné ma fille. Et tu voudrais me faire croire que tu préfères encore qu'elle te pense coupable du meurtre de Katie plutôt que de celui d'un violeur de gosses ? Je voudrais que tu m'expliques, là, Dave.

Je l'ai tué parce que j'avais peur de devenir comme lui, aurait voulu répondre Dave. En mangeant son cœur, j'avais la possibilité d'absorber son esprit, de l'anéantir. Mais je ne peux pas te révéler ça. Je ne peux pas te l'avouer. Aujourd'hui, je le sais, j'ai juré qu'il n'y aurait plus de secrets. Mais il y en a un que je dois garder à tout prix, quel que soit le nombre de mensonges nécessaires pour le protéger.

– Vas-y, Dave, je t'écoute. Explique-moi pourquoi tu ne pouvais pas raconter la... hum, vérité à ta femme ?

Mais la seule chose que Dave trouva à dire fut :

– Je ne sais pas.

– Tu ne sais pas ? O.K. Donc, dans ce conte de fées, toi et ce gosse – c'est qui, au fait ? Toi quand t'étais plus jeune ? –, vous...

– Non, c'était juste moi. J'ai tué la créature sans visage.

– La quoi ? s'écria Val.

– Le type. Le violeur. Je l'ai tué. Moi. Moi, et moi seul. Sur le parking du Last Drop.

– À ma connaissance, on n'a pas retrouvé de cadavre près du Last Drop, objecta Jimmy, qui jeta un coup d'œil à Val.

– Tu veux vraiment laisser cet enfoiré s'expliquer, Jimmy ? gronda Val. Qu'est-ce que tu fous, bordel ?

– Non, c'est la vérité, affirma Dave. Je le jure sur la tête de mon fils. J'ai mis le type dans le coffre de sa voiture. J'ignore ce qui est arrivé à cette bagnole, mais je l'ai fait, je le jure devant Dieu. Je veux revoir ma femme, Jimmy. Je veux vivre ma vie. (Dave leva les yeux vers le pont, entendit le bruit des pneus qui s'éloignaient, aperçut le reflet des phares jaunes qui se fondaient en un ruban lumineux.) Jimmy ? Je t'en prie, ne m'enlève pas ça.

Quand Jimmy le regarda de nouveau, Dave vit la mort sur ses traits. Elle était en lui tels les loups. Et Dave aurait voulu posséder suffisamment de courage pour l'affronter. Mais il ne le pouvait pas. Il ne pouvait pas envisager de mourir. Il se tenait là – juste là, les pieds sur le bitume, avec son cœur qui diffusait le sang dans son organisme, avec son cerveau qui envoyait des messages à ses nerfs, ses muscles et ses organes, avec ses glandes surrénales grandes ouvertes –, et d'une seconde à l'autre, une lame allait s'enfoncer dans sa poitrine. Et avec la douleur viendrait la certitude que sa vie – sa vie entière, sa vue, sa capacité de manger, de faire l'amour, de rire, de toucher et de sentir – s'achevait. Non, c'était au-dessus de ses forces. Il supplierait Jimmy. Oh oui. Il ferait tout ce que voulait Jimmy, du moment que celui-ci ne le tuait pas.

– Je crois que t'es monté dans cette voiture il y a vingt-cinq ans, Dave, et que quelqu'un d'autre est revenu à ta place, reprit Jimmy. Je crois que ça t'a bousillé le cerveau, un truc comme ça. Elle avait dix-neuf ans, Dave, tu sais. Et elle n'avait rien contre toi. Au contraire, elle t'aimait bien, figure-toi. Et toi, tu l'as tuée ? Pourquoi, Dave ? Parce que t'es un raté ? Parce que tu ne supportes pas la beauté ? Parce que je ne suis pas monté dans cette bagnole avec toi ? Pourquoi, hein ? Dis-le-moi, Dave. Dis-moi juste ça. Dis-le-moi, et je te laisse vivre.

— Non ! s'écria Val. Jimmy ? Non. Merde, t'éprouves de la pitié pour cette espèce de fumier ? Écoute...

— Ta gueule, Val ! répliqua son beau-frère, le doigt tendu vers lui. Je t'ai confié la responsabilité de toute l'organisation quand je suis parti en taule, et toi, tu l'as flinguée. Aujourd'hui, malgré tout ce que je t'ai donné, aujourd'hui t'es bon qu'à jouer les gros bras et à vendre de la putain de dope ! Alors, t'avise pas de me donner des conseils, O.K. ? Surtout, la ramène pas, Val.

Celui-ci se détourna, puis envoya un coup de pied dans les broussailles tout en marmonnant dans sa barbe.

— Dis-le-moi, Dave, répéta Jimmy en reportant son attention sur lui. Mais ne me ressers pas tes conneries au sujet de ce type qui aimait trop les mômes, parce que ce soir, les conneries, j'en ai ma claque. Tu comprends ? Alors, dis-moi la vérité. Et si tu me sors encore un bobard, je te plante cette lame dans le ventre sans la moindre hésitation.

Jimmy inspira à plusieurs reprises. Il maintint quelques instants le couteau devant le visage de Dave, puis le glissa entre sa ceinture et son pantalon, au-dessus de sa hanche droite, avant d'écarter les deux mains.

— Je te laisserai vivre, Dave. Dis-moi juste pourquoi tu l'as tuée. T'iras en taule, c'est sûr. Mais tu vivras. Tu respireras.

Dave en conçut un tel soulagement qu'il faillit remercier Dieu à haute voix. Il aurait voulu embrasser Jimmy. Trente secondes plus tôt, il se sentait submergé par le désespoir le plus sombre. Il était prêt à tomber à genoux, à implorer Jimmy, à lui crier : « Je ne veux pas mourir. Je ne suis pas prêt. Je ne suis pas prêt à partir. Je ne sais pas ce qu'il y a de l'autre côté. Je ne crois pas que ce soit le paradis. Je ne crois pas que ce soit la lumière. Je crois qu'il y a juste un néant obscur et glacé. Comme ton trou dans la planète, Jim. Et je ne veux pas me retrouver seul dans le néant, seul face à des années, des siècles même de néant glacial. Je ne veux pas dériver seul, tout seul... »

À présent, cependant, il avait la possibilité de vivre. Il lui suffisait de mentir. De se lancer, de prononcer les mots que Jimmy voulait entendre. Il serait injurié. Il serait probablement frappé. Mais il vivrait. Il le voyait dans les yeux de Jimmy. Jimmy ne mentait pas. Les loups étaient partis, et tout ce qui restait, c'était un homme avec un couteau qui avait besoin d'une réponse, un homme qui croulait sous le poids de toutes ses questions, qui pleurait une enfant disparue à jamais.

Je reviendrai vers toi, Celeste. On se construira une existence meilleure. Crois-moi. Et il n'y aura plus de mensonges, je te le promets. Plus de secrets. Mais je vais devoir mentir une dernière fois, et ce sera le pire mensonge de toute ma vie de menteur, parce que je ne peux pas avouer la pire des vérités. Je préfère encore lui laisser croire que j'ai assassiné sa fille plutôt que de lui révéler pourquoi j'ai tué ce pédophile. Si je mens, c'est pour la bonne cause, Celeste. Pour racheter à Jimmy nos vies.

– Dis-le-moi, répéta Jimmy.

Alors, Dave choisit de rester aussi près que possible de la vérité.

– Quand je l'ai vue au McGills ce soir-là, elle m'a rappelé ce rêve que j'avais eu.

– Sur quoi ?

– La jeunesse, répondit Dave.

Jimmy baissa la tête.

– Je ne me souviens pas d'en avoir eu une, reprit Dave. Et elle, c'était le rêve devenu réalité. Du coup, j'ai disjoncté.

Chacune de ses paroles lui coûtait, il souffrait de déchirer ainsi Jimmy, mais il voulait juste rentrer chez lui, s'éclaircir les idées et voir sa famille, et s'il fallait en passer par là pour y parvenir, il irait jusqu'au bout. Il réussirait à arranger les choses. Et d'ici un an, quand le vrai meurtrier aurait été arrêté et jugé, Jimmy comprendrait pourquoi il avait été obligé d'agir de cette façon.

– Une partie de moi n'est jamais ressortie de cette voiture, Jim. T'as raison. C'est un autre Dave qui est revenu dans le quartier, un garçon habillé comme lui, mais qui n'était pas lui. Le vrai Dave est toujours au fond de cette cave, tu comprends ?

Jimm opina, et lorsqu'il releva la tête, Dave vit qu'il avait les yeux brillants, embués et emplis de compassion, peut-être même d'amour.

– Alors, c'était à cause du rêve ? chuchota-t-il.

– Oui, c'était à cause du rêve, répéta Dave.

Son mensonge l'emplit soudain d'un froid terrible qui se propagea dans tout son estomac, au point qu'il songea à le mettre sur le compte de la faim, puisqu'il avait vidé ses entrailles quelques minutes plus tôt dans la Mystic River. Pourtant, c'était une sensation différente de tout ce qu'il avait éprouvé jusque-là. Un froid saisissant. Un froid tellement glacial qu'il en devenait presque chaud. Brûlant, même. À présent, c'était une véritable traînée de feu qui remontait de son bas-ventre jusqu'à sa poitrine, chassant l'air de ses poumons.

Du coin de l'œil, il vit Val Savage faire un bond en criant :

– Voilà ! C'est ça dont je te parlais !

De nouveau, Dave se concentra sur le visage de Jimmy. Celui-ci, dont les lèvres bougeaient à la fois trop vite et trop lentement, déclara :

– C'est ici qu'on enterre nos péchés, Dave. C'est ici qu'on les lave.

Dave s'assit en regardant le sang s'écouler de son corps et tremper son pantalon. Le flot s'échappait en continu, et lorsque Dave y porta la main, il sentit sous ses doigts une crevasse ouverte sur toute la largeur de son abdomen.

Tu as menti, dit-il.

Jimmy se pencha vers lui.

– Quoi ?

Tu as menti.

– T'as vu ? Ses lèvres remuent, intervint Val. Il bouge les lèvres.

– Je ne suis pas aveugle, Val.

À cet instant seulement, Dave eut une révélation, sans doute la révélation la plus odieuse à laquelle il ait jamais été confronté. Elle s'imposa à lui de façon brutale, impitoyable, indifférente. « Je suis en train de mourir, disait-elle. Je ne peux pas revenir en arrière. Je ne peux pas tricher ni m'échapper. Je ne peux plus essayer de sauver ma peau ni me cacher derrière mes secrets. Je ne peux pas espérer de pitié. La pitié de qui ? Tout le monde s'en fout. Tout le monde s'en fout, sauf moi. Moi, je ne m'en fous pas. Oh non, pas du tout. Et ce n'est pas juste. Je ne suis pas capable d'affronter seul ce néant. Je vous en prie, ne me laissez pas partir seul. Je vous en prie, réveillez-moi. Je veux me réveiller. Je veux te sentir, Celeste. Je veux sentir tes bras. Je ne suis pas prêt. »

Il s'efforça de fixer son regard sur Jimmy, qu'il vit prendre un objet dans la main de Val, puis quelque chose se posa sur son front. C'était frais. Un petit cercle de fraîcheur, de douceur et de soulagement au milieu de ce brasier qui le consumait.

Attends ! Non. Non, Jimmy ! Je sais ce que c'est. J'aperçois la détente. Fais pas ça, oh non. Fais pas ça. Regarde-moi. Fais pas ça, Jimmy. Je t'en prie. Si tu m'emmènes à l'hôpital maintenant, je m'en sortirai. Ils trouveront un moyen de réparer les dégâts. Oh mon Dieu Jimmy fais pas ça avec ton doigt fais pas ça j'ai menti j'ai menti je t'en prie me prive pas de ma vie je t'en prie fais pas ça je suis pas prêt à recevoir une balle dans la tête. Personne est jamais prêt pour ça. Personne. Je t'en prie fais pas ça.

Jimmy laissa retomber son arme.

Merci, songea Dave. Merci, merci.

Allongé sur le dos, il vit les flèches de lumière sur le pont traverser en scintillant la nuit noire. Merci, Jimmy. À partir de maintenant, je serai quelqu'un de bien. Tu m'as appris quelque chose. C'est vrai. Et je te dirai ce que c'est dès que j'aurai repris mon souffle. Je serai un bon père. Je serai un bon mari. Je le promets. Je jure...

– O.K., lança Val. C'est fini.

Jimmy baissa les yeux vers le corps de Dave, regarda le canyon qu'il lui avait ouvert dans l'abdomen, le trou laissé par la balle qu'il lui avait tirée dans le front. Il se déchaussa et ôta son blouson. Ensuite, il enleva son col roulé ainsi que le pantalon de toile éclaboussé de sang. Il se débarrassa aussi du survêtement en nylon qu'il portait en dessous et l'ajouta à la pile de vêtements près de Dave. Il entendit derrière lui Val placer les parpaings et la chaîne dans le bateau de Huey, puis revenir avec le grand sac-poubelle vert. Sous le survêtement, Jimmy était habillé d'un T-shirt et d'un jean, et Val retira du sac en plastique une paire de chaussures qu'il donna à son beau-frère. Celui-ci les enfila, avant de vérifier que ni le T-shirt ni le pantalon n'étaient souillés. Le survêtement lui-même était à peine taché.

Il s'accroupit près de Val, fourra les vêtements dans le sac, puis emporta couteau et revolver sur le minuscule débarcadère, d'où il les envoya l'un après l'autre au milieu de la Mystic River. Il aurait pu les placer avec ses habits et les jeter du bateau plus tard, en même temps que le corps de Dave, mais pour une raison qui lui échappait, il avait besoin d'agir maintenant, de sentir son bras fendre l'air et de voir les armes s'élever en tournoyant, décrire un arc de cercle puis tomber à l'eau dans un petit jaillissement d'écume, et disparaître.

Un instant plus tard, il s'agenouillait sur la rive. Le vomi de Dave avait été depuis longtemps emporté par le courant, et Jimmy plongea ses mains ensanglantées dans la rivière huileuse et polluée. Parfois, en rêve, il effectuait ce même geste – celui de se laver les mains dans la Mystic – quand la tête de Juste Ray Harris émergeait à la surface.

Et Juste Ray disait toujours la même chose :

– Tu ne peux pas aller plus vite que le train.

– Euh, non, répondait Jimmy, perplexe. Personne ne le peut.

Un sourire se dessinait sur les lèvres de Juste Ray, qui disait aussi, en s'enfonçant de nouveau :

– Toi encore moins que les autres, Jimmy.

Il y avait treize ans qu'il faisait le même rêve, treize ans que la tête de Ray émergeait de l'eau, et Jimmy n'avait toujours pas la moindre idée de ce qu'il entendait par là.

27

Quelqu'un que t'aimes

Lorsque Brendan rentra chez lui, sa mère était partie jouer au Bingo. Elle avait laissé un petit mot : « Poulet froid dans le frigo. J'espère que tout va bien. Prends pas l'habitude de rester dehors trop tard. »

Il alla jeter un coup d'œil à leur chambre, mais Ray était sorti lui aussi, et il emporta dans le cellier une chaise de la cuisine. Quand il grimpa dessus, elle s'affaissa sur la gauche, où il manquait une vis à l'un des pieds. Brendan examina les dalles du plafond, et lorsqu'il aperçut des traces de doigts dans la poussière, il lui sembla que l'air devant ses yeux se peuplait de minuscules mouches noires. Il appuya sa paume droite contre la plaque, la souleva légèrement, puis laissa retomber sa main, qu'il essuya sur son pantalon avant d'inspirer à plusieurs reprises.

Il est des questions dont on ne veut pas connaître la réponse. Devenu grand, Brendan n'avait jamais souhaité rencontrer son père, de crainte de lire sur le visage paternel combien il avait été facile de les quitter, sa mère et lui. Il n'avait jamais interrogé Katie sur ses ex-petits copains, pas même sur Bobby O'Donnell, car il ne voulait pas l'imaginer en train de faire l'amour à un autre, de l'embrasser comme elle l'embrassait lui.

Brendan en savait long sur la vérité. La plupart du temps, le problème avec la vérité, c'était de déterminer si on préférait la regarder droit dans les yeux ou plutôt vivre dans le confort procuré par l'ignorance ou le mensonge – trop souvent sous-estimés. Presque tous les gens qu'il côtoyait ne passaient pas une journée sans s'offrir une bonne assiette d'ignorance avec une garniture de mensonges.

Mais cette fois, il lui fallait l'affronter, cette vérité. Parce qu'il l'avait déjà envisagée en cellule et qu'elle l'avait transpercé comme un coup de feu avant d'aller se loger dans son estomac, d'où elle ne sortirait plus. Autrement dit, il ne pouvait pas lui échapper, prétendre qu'elle n'était pas là. L'ignorance n'était pas une option. Le mensonge n'était plus une donnée susceptible de figurer dans l'équation.

« Merde », dit-il à haute voix.

Et de repousser la dalle pour glisser la main dans l'obscurité où ses doigts rencontrèrent de la poussière, des éclats de bois, et encore de la poussière, mais pas de revolver. S'il avait déjà compris que l'arme avait disparu, il n'en resta pas moins à tâtonner ainsi encore une bonne minute. Le revolver de son père ne se trouvait plus à l'endroit où il aurait dû être. Il se baladait quelque part dehors, et il avait tué Katie.

Enfin, il remit la dalle en place. Il alla ensuite chercher une pelle et une balayette pour enlever la poussière tombée par terre. Il rapporta la chaise à la cuisine. Il éprouvait le besoin d'effectuer des gestes précis. C'était important de rester calme, il le sentait. Il se servit un verre de jus d'orange, qu'il posa sur la table avant de s'asseoir sur la chaise au pied défectueux et de pivoter pour se positionner en face de la porte d'entrée. Il avala une gorgée de jus d'orange, puis attendit Ray.

– Regardez-moi ça, fit Sean en retirant du carton le dossier avec les empreintes pour l'ouvrir devant Whitey. C'est la plus nette qu'ils aient relevée sur la porte. Elle est petite, parce que c'est celle d'un gosse.

– La vieille Mme Prior a entendu deux gamins jouer dans la rue juste avant que Katie ne percute le trottoir. Elle a même précisé qu'ils jouaient avec des crosses de hockey.

– Et d'après elle, Katie aurait dit : « Salut. » Mais ce n'était peut-être pas Katie. La voix d'un jeune garçon peut se confondre avec celle d'une femme. Quant à l'absence d'empreintes de pas ? Évidemment, qu'ils n'en ont pas laissé. Combien ils pèsent, dans les cinquante kilos ?

– Vous avez reconnu la voix de ce gosse ?

– Elle ressemblait beaucoup à celle de Johnny O'Shea.

Whitey hocha la tête.

– Et son copain est resté silencieux...

– ... parce qu'il ne peut pas parler, conclut Sean.

– Hé, Ray ? lança Brendan lorsque les deux garçons entrèrent dans l'appartement.

Ray le salua de la tête, Johnny lui fit un signe de la main, et tous deux se dirigèrent vers la chambre.

– Tu peux venir une seconde, Ray ?

Celui-ci jeta un coup d'œil à Johnny.

– Juste une seconde, Ray. J'ai un truc à te demander.

Son cadet se détourna pendant que Johnny O'Shea allait poser son sac de sport sur le lit de Mme Harris, puis entra dans la cuisine, les mains écartées, en dévisageant Brendan d'un air de dire : « Quoi ? »

Avec son pied, Brendan repoussa une chaise de sous la table, avant de la désigner d'un geste.

Ray grimaça comme s'il avait reniflé quelque chose, une odeur déplaisante. Ses yeux allèrent de Brendan à la chaise.

– Qu'est-ce que j'ai fait ? interrogea-t-il en langage des signes.

– À toi de me l'expliquer, répliqua Brendan.

– J'ai rien fait.

– Alors, assieds-toi.

– J'ai pas envie.

– Pourquoi ?

D'un haussement d'épaules, Ray balaya la question.

– Il y a quelqu'un que tu détestes, Ray ?

Son petit frère le regarda comme s'il était devenu fou.

– Vas-y, je t'écoute, insista Brendan. Il y a quelqu'un que tu détestes ?

La réponse de Ray fut brève.

– Non. Personne.

Brendan opina.

– O.K. Il y a quelqu'un que t'aimes ?

De nouveau, Ray le gratifia de la même expression déroutée.

Les paumes sur les genoux, Brendan se pencha en avant.

– Il y a quelqu'un que t'aimes ?

Ray contempla ses chaussures, avant de se concentrer sur Brendan, la main tendue vers lui.

– Tu m'aimes, c'est ça ?

Se dandinant d'un pied sur l'autre, Ray acquiesça.

– Et m'man ?

Son cadet fit non de la tête.

– T'aimes pas maman ?

– Je la déteste pas, mais je l'aime pas non plus.

– Donc, je suis la seule personne que t'aimes ? le pressa Brendan.

Les sourcils froncés, son petit visage levé vers son aîné, Ray fit voltiger ses doigts.

– *Oui*. Je peux y aller, maintenant ?

– Non. Assieds-toi, Ray.

Celui lorgna vers la chaise, les joues rouges, l'air furieux. Enfin, il reporta son attention sur Brendan, leva une main, tendit son majeur et se détourna pour sortir de la cuisine.

Brendan n'eut conscience d'avoir bondi de son siège qu'au moment où il saisit son frère par les cheveux avec tant de force qu'il le souleva de terre. Il ramena son bras vers lui d'un coup sec, comme s'il tirait le cordon d'une tondeuse à gazon, avant de le repousser brusquement, et Ray partit en arrière, alla s'écraser contre le mur puis retomba sur la table, qu'il entraîna dans sa chute.

— Tu m'aimes, hein ? s'écria Brendan sans même le regarder. Tu m'aimes tellement que t'assassines ma copine, Ray ? C'est ça ?

Il n'en fallut pas plus pour inciter Johnny O'Shea à déguerpir, ainsi que l'avait supposé Brendan. Le temps de récupérer son sac de sport, et Johnny filait vers la porte, mais déjà Brendan se jetait sur lui. Le saisissant par la gorge, il le plaqua contre la porte.

— Mon frangin fait jamais rien sans toi, O'Shea. Jamais.

En le voyant serrer son poing, Johnny hurla :

— Non, Bren ! Non !

Brendan lui décocha un coup si violent qu'il sentit le nez de Johnny se briser sous ses doigts. Puis il le frappa encore. Johnny s'écroula, se roula en boule et cracha du sang.

— Je reviens tout de suite, gronda Brendan. Et j'achèverai de te démolir, pauvre taré de mes deux.

Ray se tenait sur des jambes flageolantes, ses tennis glissant parmi les débris d'assiettes, quand Brendan retourna dans la cuisine. D'une gifle magistrale, il envoya son cadet contre l'évier. Puis il l'agrippa par son T-shirt, indifférent aux larmes qui jaillissaient de ses yeux remplis de haine et au sang qui lui barbouillait la bouche, l'expédia par terre et, lui ayant écarté les bras, il s'agenouilla dessus pour les clouer sous son poids.

— Parle ! ordonna Brendan. Je sais que tu peux. Alors, parle, espèce de putain de dégénéré, ou je te tue, Ray, je le jure devant Dieu. Parle ! s'écria-t-il en enfonçant ses poings dans les oreilles de Ray. Parle ! Vas-y, dis son nom ! Dis-le ! Dis « Katie », Ray. Dis « Katie » !

Les yeux de Ray se troublèrent, devinrent opaques, et il cracha lui aussi du sang.

— Parle ! Parle ou je te tue, Ray !

Il lui attrapa les cheveux au niveau des tempes, puis le secoua jusqu'à ce que le regard de Ray se fixe sur lui. Alors, Brendan scruta les prunelles grises de son cadet, où il découvrit tellement d'amour et de haine qu'il aurait voulu lui arracher la tête et la jeter par la fenêtre.

— Parle, répéta-t-il, mais cette fois dans un chuchotement rauque, étranglé. Parle.

Lorsqu'une toux sonore résonna derrière lui, Brendan jeta un coup d'œil par-dessus son épaule et vit Johnny O'Shea debout, s'essuyant les lèvres, serrant le revolver de Ray senior dans sa main.

Sean et Whitey montaient l'escalier lorsqu'ils entendirent le vacarme, les hurlements dans l'appartement, le bruit reconnaissable entre tous de la chair frappant la chair. « Je vais te tuer ! » cria une voix d'homme, et Sean avait déjà la main sur son Glock quand il atteignit la porte.

– Attendez, l'avertit Whitey.

Mais Sean pressa la poignée, entra dans l'appartement et se retrouva en face d'un canon de revolver pointé à dix centimètres de sa poitrine.

– Du calme ! Ne tire pas, gamin.

Sean regarda le visage ensanglanté de Johnny O'Shea, et ce qu'il vit le glaça jusqu'aux os. Il n'y avait rien, sur ce visage. Et sans doute n'y avait-il jamais rien eu. Ce gosse ne presserait pas la détente parce qu'il était furieux ou effrayé. Non, il la presserait parce que pour lui, Sean n'était qu'une image vidéo grandeur nature, et le revolver, un *joystick*.

– Johnny ? Baisse ton arme.

Derrière lui, Sean percevait la respiration saccadée de Whitey figé de l'autre côté du seuil.

– Johnny...

– Il m'a frappé, le salaud ! s'exclama Johnny O'Shea. Deux fois. Il m'a cassé le nez.

– Qui ?

– Brendan.

Sean tourna brièvement la tête vers sa gauche et découvrit Brendan pétrifié à l'entrée de la cuisine, les bras collés au corps. Johnny O'Shea, comprit-il, était sur le point de l'abattre au moment où lui-même avait franchi la porte. À présent, Brendan osait à peine respirer.

– On va l'arrêter, si tu veux, dit-il à Johnny.

– M'en fous, que vous l'arrêtiez. Ce que je veux, c'est qu'il meure.

– La mort, c'est sérieux, Johnny. Les morts ne reviennent jamais, tu sais ?

– Ouais, je sais, répondit le gamin. Sûr que je le sais déjà. Vous allez vous en servir ?

Avec tout le sang qui coulait de son nez cassé et dégoulinait sur son menton, sa figure présentait un aspect pitoyable.

– De quoi ? demanda Sean.

D'un mouvement de tête, Johnny O'Shea indiqua la hanche de Sean.

– De ce flingue, là. C'est un Glock, pas vrai ?

– Oui, c'est un Glock.

– Les Glock, y a pas mieux. Ça me plairait vachement d'en avoir un comme ça. Alors, vous allez vous en servir ?

– Maintenant, tu veux dire ?

– Ben ouais. Vous allez dégainer ?

Sean sourit.

– Non, Johnny.

– Pourquoi vous souriez ? Dégainez, bordel ! On verra bien ce qui se passe. Ce sera cool.

Brusquement, il tendit son bras, amenant le canon du revolver à environ deux centimètres de la poitrine de Sean.

– T'as l'avantage sur moi, partenaire, déclara Sean. Tu comprends ce que je veux dire ?

– Hé, j'ai l'avantage, Ray ! appela-t-il. Sur un putain de flic. Moi ! Merde, tu te rends compte ?

– Écoute, on ne va pas..., commença Sean.

– J'ai vu un film, un jour, O.K. ? Y avait un flic qui poursuivait un Noir sur un toit. Ben, le Nègre, il l'a balancé tout en bas. Le flic, il a fait « Arghhhh » avant de s'écraser. Et le Nègre, il était tellement salaud qu'il en avait rien à foutre que le flic il ait une femme et des mioches à la maison. Parce qu'il était trop grave, mec.

Sean avait déjà été témoin de ce genre de comportement. À l'époque où il était encore en uniforme, il avait été appelé pour surveiller la foule devant une banque où un cambriolage avait mal tourné, et pendant deux heures, galvanisé par le pouvoir de l'arme dans sa main, par la puissance qu'il lui conférait, le type à l'intérieur avait peu à peu gagné en assurance. Sur le moniteur relié aux caméras de surveillance, Sean l'avait regardé défier tout le monde. Au début, l'homme était terrifié, mais il avait surmonté sa peur. Il était littéralement tombé amoureux de son flingue.

Et soudain, Sean eut la vision de Lauren allongée sur leur lit, en appui sur un coude, la main pressée contre sa tempe. Il eut aussi celle de sa fille telle qu'il l'avait imaginée en rêve, il eut l'impression de sentir son odeur et songea combien ce serait absurde de mourir sans l'avoir rencontrée, ou sans avoir tenté une réconciliation avec Lauren.

Alors, il reporta son attention sur le visage dénué d'expression en face de lui.

– Tu sais, ce gars sur ta gauche, Johnny. Celui qui est derrière moi...

Les yeux du jeune garçon filèrent dans cette direction.

– Ouais, ben quoi ?

– Il n'a aucune envie de tirer sur toi. Absolument aucune.

– Toute façon, il a qu'à tirer, j'en ai rien à foutre, répliqua Johnny.

Pourtant, il était déstabilisé, Sean s'en aperçut à la façon dont son regard ne se fixait plus sur rien.

– Mais si tu tires sur moi, reprit-il, tu ne lui laisses pas le choix.

– J'ai pas peur de mourir.

– Si tu le dis... Le problème, c'est qu'il ne visera pas la tête ni rien. On ne tue pas les gosses, Johnny. Mais s'il tire d'où il se trouve en ce moment, tu as une petite idée de l'endroit où va aller se loger la balle ?

Sean s'obligeait à regarder Johnny alors même qu'il était irrésistiblement attiré par le revolver, qu'il éprouvait le besoin de voir où était la détente et si le gamin avait déjà le doigt dessus. Je ne veux pas me faire descendre, et certainement pas par un môme. Il n'imaginait pas de façon plus pathétique d'en finir. Et il avait conscience de la présence de Brendan, toujours immobile à environ trois mètres de lui, qui devait sans doute penser la même chose.

Sans répondre, Johnny s'humecta les lèvres.

– Elle va traverser ton aisselle jusqu'à ta colonne vertébrale, mon garçon, poursuivit Sean. Elle va te paralyser. Tu seras comme ces gosses dans les publicités pour la recherche médicale. Tu sais, ceux dans un fauteuil roulant, avec un côté de la figure complètement figé et la tête qui pend sur la poitrine. Tu baveras, Johnny. On devra te nourrir avec une paille toute ta vie.

Johnny prit sa décision. Sean eut l'impression qu'une lumière s'éteignait dans l'esprit torturé de O'Shea, et il sentit la peur s'emparer de lui à l'idée que ce gamin allait presser la détente, peut-être juste pour entendre le bruit produit.

– Il m'a cassé le nez, merde, lâcha-t-il, avant de se tourner vers Brendan.

Un hoquet de surprise jaillit des lèvres de Sean, qui baissa les yeux juste à temps pour voir l'arme s'éloigner de son torse. Il réagit en un éclair, comme si quelqu'un d'autre contrôlait son bras, et referma la main sur le revolver au moment où Whitey pénétrait dans l'appartement, son Glock dirigé vers la poitrine de Johnny. Celui-ci poussa une exclamation d'étonnement déçu semblable à celle qu'il aurait poussée en ouvrant un cadeau de Noël avec juste une chaussette sale à l'intérieur, et sans lui laisser le temps de se ressaisir, Sean le plaqua contre le mur pour le désarmer.

– Sale petit con, dit-il en adressant un clin d'œil à Whitey à travers les gouttes de sueur qui s'accrochaient à ses cils.

Johnny se mit à pleurer à la manière des jeunes de son âge, comme si tout le poids du monde lui tombait soudain sur les épaules.

Sean le força à pivoter, puis lui ramena les bras derrière le dos. Il vit Brendan prendre enfin une profonde inspiration, lèvres et mains tremblantes, tandis que Ray demeurait immobile derrière lui dans une cuisine qui semblait avoir été ravagée par un cyclone.

Whitey s'approcha de son collègue, dont il pressa l'épaule.

– Ça va ?

– Il allait le faire, répondit Sean, conscient de la sueur qui imprégnait ses vêtements, et mêmes ses chaussettes.

– Non, c'est même pas vrai, se lamenta Johnny. C'était juste pour rire.

– Ta gueule, rétorqua Whitey, qui approcha son visage de celui du gamin. Tes larmes, ça touche personne sauf ta mère, morveux. Va falloir t'y habituer.

Après avoir menotté Johnny O'Shea, Sean le tira par sa chemise jusqu'à la cuisine, où il l'obligea à s'asseoir sur une chaise.

– Toi, t'as l'air de quelqu'un qu'on aurait balancé de l'arrière d'un camion, lança Whitey à l'adresse de Ray.

Celui-ci leva les yeux vers son frère.

Brendan, appuyé contre le four, paraissait sur le point de s'effondrer.

– On sait, Brendan, déclara Sean.

– Qu'est-ce que vous savez ? demanda-t-il dans un souffle.

Sean jeta un coup d'œil à Johnny O'Shea qui reniflait sur son siège, puis au petit muet qui les regardait comme s'il n'attendait que leur départ pour retourner jouer avec sa console dans sa chambre. Il était presque sûr que lorsqu'il les interrogerait sur leurs motivations en présence d'un interprète pour Ray et d'une assistante sociale, les deux gosses répondraient qu'ils l'avaient tuée « parce que ». Parce qu'ils avaient une arme. Parce qu'ils étaient dans la rue au moment où Katie s'y était engagée au volant de sa voiture. Peut-être parce que Ray ne l'avait jamais aimée. Parce que l'idée leur avait paru chouette. Parce qu'ils n'avaient jamais tué auparavant. Parce que lorsqu'on a le doigt sur la détente, il vaut mieux tirer, sinon ce doigt risque de vous démanger pendant des semaines.

– Qu'est-ce que vous savez ? répéta Brendan d'une voix altérée.

Sean haussa les épaules. Il aurait aimé répondre à Brendan, mais en voyant les deux jeunes meurtriers, rien ne lui venait à l'esprit. Rien du tout.

Jimmy emporta une bouteille à Gannon Street. Il y avait une maison de retraite au bout de la rue, un bâtiment de deux étages datant des années 60, tout en granit et en calcaire, qui s'étendait jusqu'à Heller Court, le prolongement de Gannon. Après s'être assis sur le perron blanc, il laissa son regard dériver aux alentours. Il avait entendu dire que les pensionnaires de la maison de retraite seraient bientôt chassés, le Point jouissant désormais d'une telle popularité que le propriétaire de la résidence avait décidé de vendre à un promoteur spécialisé dans l'aménagement d'appartements destinés aux jeunes couples. En réalité, le Point n'existait plus. Il avait toujours été le frère snob des Flats, mais à présent, c'était comme si les deux quartiers n'appartenaient même plus à la même famille. Bientôt, ses habitants lui attribueraient le statut d'une ville, changeraient le nom et se désolidariseraient de Buckingham.

Il retira de sa poche le quart de bourbon, puis le porta à ses lèvres en fixant du regard l'endroit où, avec Sean, ils avaient vu Dave Boyle pour la dernière fois le jour où ces hommes l'avaient emmené, avec son petit visage à peine visible à travers la vitre arrière, obscurci par l'ombre, de moins en moins distinct à mesure qu'il s'éloignait.

J'aurais tellement voulu que ce ne soit pas toi, Dave. Tellement.

Jimmy porta un toast à sa fille. Papa l'a retrouvé, ma chérie. Papa l'a rayé de la surface de la terre.

– Tu parles tout seul, maintenant ?

Surpris, Jimmy leva les yeux. Sean descendait de voiture, une bière à la main, et il sourit en indiquant la bouteille de Jimmy.

– C'est quoi, ton excuse ?

– Une mauvaise nuit.

Sean hocha la tête.

– Pareil pour moi. J'ai vu une balle avec mon nom écrit dessus.

Lorsque Jimmy se fut poussé, Sean s'assit à côté de lui.

– Comment t'as su que j'étais là ? lança Jimmy.

– C'est ta femme qui me l'a dit.

– Ma femme ? répéta Jimmy, étonné.

Il n'avait jamais parlé à Annabeth de ses expéditions à Gannon Street. Bon sang, quelle personnalité.

– Mouais. Écoute, Jimmy, on a arrêté quelqu'un.

Jimmy, qui sentait s'accélérer les battements de son cœur, avala une longue rasade de bourbon.

– Ah bon ?

– Les assassins de Katie, lui révéla Sean. Cette fois, on les tient.

– *Les* assassins ? Parce qu'il y en a plusieurs ?

Sean opina.

– Deux gosses de treize ans. Le fils de Ray Harris, Ray junior, et un certain Johnny O'Shea. Ils ont avoué il y a une demi-heure.

Pour Jimmy, ce fut comme si un poignard lui traversait le crâne de part en part. Un poignard brûlant qui lui fendait le cerveau.

– Vous êtes sûrs que c'est eux ? demanda-t-il.

– Certains.

– Pourquoi ?

– Pourquoi ils l'ont tuée, tu veux dire ? Ils ne le savent pas eux-mêmes. Ils jouaient avec un revolver. Ils ont vu la Toyota de Katie approcher, et l'un d'eux s'est couché en travers de la route. La voiture a fait une embardée, et quand elle a calé, O'Shea s'est précipité avec son arme, juste pour flanquer la frousse au conducteur, d'après lui. Mais le coup est parti. Là-dessus, Katie l'a frappé avec sa portière, et après, O'Shea affirme qu'ils ont perdu la tête. Ils l'ont poursuivie pour qu'elle n'aille pas raconter qu'ils avaient un revolver.

– Ils ont expliqué pourquoi ils s'étaient acharnés sur elle ? reprit Jimmy, qui but encore un peu de bourbon.

– Ray junior était sorti avec sa crosse de hockey, ce soir-là. Il n'a répondu à aucune de nos questions. Il est muet, tu comprends ? Il est resté assis là sans bouger, sans ouvrir la bouche non plus. Mais O'Shea nous a raconté qu'ils l'avaient tapée parce qu'elle s'était enfuie. (Il haussa les épaules, comme s'il était lui aussi dépassé par l'absurdité totale de ce crime.) Ils avaient peur d'être punis, ces deux petits cons, alors ils l'ont tuée.

Jimmy se leva. Il ouvrit la bouche pour avaler de l'air, mais ses jambes se dérobèrent, et il se retrouva assis sur le perron plus vite qu'il ne l'aurait voulu.

– Doucement, lui conseilla Sean en le prenant par le coude. Respire à fond, Jimmy.

Celui-ci se remémora Dave par terre, effleurant la blessure béante sur son abdomen. Il eut l'impression d'entendre sa voix : « Regarde-*moi*, Jimmy. Regarde-moi. »

– Au fait, j'ai reçu un appel de Celeste Boyle, déclara Sean. Elle m'a dit que Dave avait disparu. Si j'ai bien compris, elle a un peu perdu les pédales, ces derniers jours, et elle pense que tu sais peut-être où il est.

Jimmy essaya de répondre. Il entrouvrit les lèvres, mais sa trachée se remplit aussitôt de ce qui ressemblait à des compresses de coton.

– Personne n'a la moindre idée d'où il a pu aller. Or, c'est très important qu'on lui parle, Jim, parce qu'il a vraisemblablement des informations à nous donner sur un type abattu près du Last Drop, l'autre nuit.

– Un type ? parvint à articuler Jimmy, juste avant que sa trachée ne se bloque de nouveau.

– Mouais, répondit Sean d'une voix dure. Un pédophile déjà condamné trois fois pour sévices sur mineurs. Un moins que rien. L'hypothèse qui prévaut pour le moment au poste, c'est que quelqu'un l'a surpris en pleine action avec un gosse et l'a expédié ad patres. Bref, il faut qu'on en discute avec Dave. Tu sais où il est, Jim ?

Celui-ci fit non de la tête. Son champ de vision s'était rétréci, il lui semblait qu'un tunnel s'était formé devant ses yeux.

– Ah bon ? Celeste m'a aussi raconté qu'elle soupçonnait Dave d'avoir tué Katie, et qu'elle s'était confiée à toi. Apparemment, tu le soupçonnais aussi. Et elle a l'impression que tu prévoyais d'agir en conséquence.

À travers le tunnel, Jimmy contemplait une plaque d'égout.

– Tu vas aussi envoyer cinq cents dollars par mois à Celeste ? lança Sean.

À peine avait-il prononcé ces mots que Jimmy tourna la tête vers lui, et tous deux lurent la réponse à leurs questions sur le visage de l'autre : Sean comprit ce que Jimmy avait fait, et Jimmy comprit que Sean avait tout deviné.

– Putain, c'est pas vrai ! s'exclama Sean. Tu l'as tué.

Jimmy se leva, la main crispée sur la balustrade.

– Je ne vois pas de quoi tu veux parler.

– Tu les as tués tous les deux, Ray Harris et Dave Boyle. Bon sang, Jimmy, je suis venu ici en pensant que c'était complètement dingue, mais c'est écrit sur ta figure. T'es vraiment qu'un salaud, Jimmy, un putain de cinglé ! Merde, j'arrive pas à croire que t'as tué Dave. Dave Boyle. Notre ami, Jimmy !

Celui-ci le toisa avec mépris.

– Notre ami, hein ? Bien sûr, Sean Devine du Point, c'était ton vieux pote. Vous traîniez tout le temps ensemble, pas vrai ?

– C'était notre ami, bordel, répéta Sean en se redressant à son tour. Tu te rappelles pas ?

Jimmy le regarda droit dans les yeux en se demandant s'il allait recevoir un coup de poing.

– La dernière fois que j'ai vu Dave, c'était hier soir, chez moi, répondit Jimmy. (Il écarta Sean, puis traversa la rue pour rejoindre Gannon Street.) C'est la dernière fois que je l'ai vu, Sean.

– Tu mens.

Au milieu de la chaussée, Jimmy se retourna, les bras écartés.

– Ben alors, vas-y, arrête-moi, puisque t'en es tellement sûr.

– Je trouverai des preuves. Compte sur moi.

– Tu trouveras que dalle. Merci pour avoir arrêté les assassins de ma fille, Sean. Sincèrement. Mais peut-être que si t'avais été un peu plus rapide...

Il haussa les épaules, puis lui tourna le dos et s'éloigna dans Gannon Street.

Sean le suivit des yeux jusqu'à ce qu'il disparaisse dans l'ombre au niveau du lampadaire cassé, devant l'ancienne maison des Devine.

Tu l'as fait, songea-t-il. Tu l'as vraiment fait, espèce de monstre insensible. Et le pire, c'est que je sais aussi à quel point t'es malin. T'auras bien pris soin de ne pas laisser d'indices. Parce que t'es comme ça, Jimmy, on ne peut plus minutieux.

– Tu l'as buté, dit-il à voix haute. Hein, vieux ?

Il jeta la boîte de bière dans le caniveau, puis regagna sa voiture et appela Lauren sur son téléphone portable.

Lorsqu'elle répondit, il déclara :

– C'est Sean.

Silence.

Il savait maintenant ce qu'elle avait besoin d'entendre, ce qu'il s'était refusé à dire depuis plus d'un an. Tout, s'était-il répété, je veux bien tout lui dire sauf ça.

Mais cette fois, il le lui dit. Il le lui dit en repensant à ce gamin sans âme qui le visait avec son arme, et aussi à ce pauvre Dave le jour où il lui avait proposé d'aller boire une bière, à l'étincelle d'espoir avide qu'il avait alors vue dans son regard, comme s'il avait du mal à croire que quelqu'un puisse avoir envie d'aller boire une bière avec lui. Il le lui dit aussi parce qu'il éprouvait au fond de lui-même le besoin de prononcer les mots, autant pour Lauren que pour lui.

— Je te demande pardon.

Et soudain, Lauren prit la parole :

— De quoi ?

— Pour t'avoir rendue responsable de tout.

— Ah.

— Je...

— Je...

— Vas-y, Lauren, commence.

— Je...

— Quoi ?

— Je... Bon sang, Sean, moi aussi, je te demande pardon. Je ne voulais pas...

— Ça n'a plus d'importance. Vraiment. (Il prit une profonde inspiration, inhala l'air vicié, empestant la sueur, à l'intérieur de la voiture de patrouille.) Écoute, j'aimerais te voir. J'aimerais voir ma fille.

— Comment sais-tu qu'elle est de toi ?

— C'est mon enfant.

— Mais le test...

— C'est mon enfant. Je n'ai pas besoin de ce test. Tu veux bien rentrer, Lauren ? S'il te plaît.

Quelque part dans la rue, il entendait ronronner un générateur.

— Nora, reprit Lauren.

— Quoi ?

— C'est le nom de ta fille, Sean.

— Nora, répéta-t-il, avant que le mot ne s'étrangle dans sa gorge.

Lorsque Jimmy rentra, Annabeth l'attendait dans la cuisine. Il s'assit en face d'elle, et elle lui adressa ce petit sourire énigmatique qu'il aimait tant, ce sourire laissant supposer qu'elle le connaissait tellement bien que même s'il n'ouvrait plus la bouche de toute sa vie, elle saurait toujours ce qu'il avait l'intention de dire. Il lui prit la main et lui caressa le pouce en essayant de puiser un peu de force dans l'image de lui-même qu'elle lui renvoyait.

L'interphone spécial bébé était posé sur la table entre eux. Ils l'avaient utilisé le mois précédent, lorsque Nadine avait attrapé une mauvaise angine, pour épier les gargouillis qui montaient de sa gorge dans son sommeil, Jimmy imaginant sa fille en train de se noyer, guettant le bruit d'une toux si déchirante qu'il ne ferait qu'un bond hors de son lit pour la prendre dans ses bras et se précipiter aux urgences sans même prendre le temps de passer des vêtements par-dessus son T-shirt et son caleçon. Elle s'était remise assez rapidement, mais Annabeth n'avait pas rangé l'appareil dans le buffet de la salle à manger. Depuis, elle l'allumait le soir pour écouter leurs filles dormir.

En l'occurrence, Nadine et Sara ne dormaient pas. Par le petit haut-parleur, Jimmy les entendait chuchoter et glousser, et il fut horrifié de se représenter ses enfants en même temps qu'il pensait à ses péchés.

J'ai tué un homme. Ce n'était pas le bon.

La honte, le remords lié à cette certitude le consumaient de l'intérieur.

J'ai tué Dave Boyle.

La sensation de brûlure devenait de plus en plus intolérable, ravageant son ventre, se répandant dans tout son être.

J'ai assassiné un innocent.

— Oh, mon Dieu, dit Annabeth en scrutant son visage. Oh, mon chéri, qu'est-ce qui ne va pas ? C'est Katie ? Tu as l'air de souffrir le martyre.

Les yeux remplis d'un mélange intolérable d'inquiétude et de tendresse, elle contourna la table, vint s'asseoir sur les genoux de Jimmy et lui prit la figure entre ses mains pour l'obliger à lever les yeux vers elle.

— Réponds-moi. Dis-moi ce qui ne va pas.

Il aurait voulu s'enfuir. L'amour qu'elle lui portait lui faisait trop mal. Il aurait voulu se dissoudre entre ses bras, se réfugier au plus profond d'un endroit sombre, d'une sorte de grotte inaccessible à la lumière et à tout sentiment, où il pourrait se rouler en boule et crier dans le noir sa douleur et sa haine de soi.

— Jimmy, murmura-t-elle. (Elle lui embrassa les paupières.) Jimmy, parle-moi. Je t'en prie.

Elle pressa ses paumes contre les tempes de Jimmy, glissa les doigts dans ses cheveux et l'embrassa. De sa langue, elle lui explora la bouche, cherchant la source de sa douleur, s'efforçant de localiser ses maux pour les éliminer, les aspirer hors de lui.

— Raconte-moi, Jimmy. S'il te plaît.

Il sut alors, au regard de cet amour, qu'il devait tout lui révéler, ou sinon, il serait perdu. Il n'était pas certain qu'elle puisse le sauver, mais il ne doutait pas que s'il gardait tous ses secrets en lui, il mourrait.

Alors, il se lança.

Il lui dit tout. Il lui parla de Juste Ray Harris et de la tristesse ancrée en lui depuis qu'il avait onze ans, lui expliqua que réussir à aimer Katie lorsqu'il était sorti de prison était sans doute le plus bel accomplissement d'une existence jusque-là sans intérêt, que Katie à cinq ans – cette enfant inconnue qui avait besoin de son père tout autant qu'elle se méfiait de lui – représentait le défi le plus effrayant auquel il avait été confronté, la seule obligation qu'il n'avait pas cherché à fuir. Son amour pour Katie, dit-il encore, son désir de la protéger fondaient son existence ; sans elle, il avait perdu sa raison d'être.

– Alors, conclut-il dans cette cuisine devenue minuscule qui semblait s'être resserrée autour d'eux, j'ai tué Dave. Je l'ai tué, j'ai jeté son corps dans la Mystic, et ensuite, comme si ce crime n'était déjà pas suffisamment atroce, j'ai découvert qu'il était innocent. Mais je n'ai aucun moyen de défaire ce que j'ai fait, Anna. Il vaudrait mieux que j'avoue le meurtre de Dave et que je retourne en prison, parce que je crois que ma place est là-bas. Je t'assure, ma chérie. Je ne peux plus vivre parmi vous. Parce que je ne suis pas digne de confiance.

Il avait l'impression de s'exprimer d'une voix qui n'était pas la sienne. Une voix tellement différente de celle à laquelle il était habitué qu'il en vint à se demander si Annabeth voyait un inconnu devant elle, une copie carbone, un homme qui s'évanouissait dans l'éther.

Pourtant, elle restait calme, parfaitement maîtresse d'elle-même, si immobile en vérité qu'elle aurait pu poser pour un peintre. Tête haute, regard limpide et indéchiffrable.

De nouveau, Jimmy entendit les filles chuchoter dans leur chambre, et le bruit de leurs conversations lui rappela celui des feuilles agitées par la brise.

Et puis, Annabeth commença à lui déboutonner sa chemise, et Jimmy, comme anesthésié, regarda s'activer ses doigts agiles. Enfin, elle écarta les pans du vêtement, les repoussa sur ses épaules, puis appuya la joue contre son torse.

– Je...

– Chut, murmura-t-elle. Je veux juste entendre battre ton cœur.

Elle fit glisser ses mains sur la cage thoracique de Jimmy, puis dans son dos, avant de presser plus fort la joue contre sa poitrine. Les yeux fermés, elle ébaucha un sourire.

Ils restèrent longtemps ainsi. Les chuchotements provenant de l'interphone s'espacèrent peu à peu, cédant la place à l'écho étouffé de deux respirations régulières.

Quand Annabeth se redressa, Jimmy fut persuadé que l'empreinte de sa joue s'était gravée pour toujours sur lui. Et puis, elle s'assit par terre et

385

plongea son regard dans le sien avant d'incliner la tête vers l'interphone. Pendant quelques instants, ils écoutèrent leurs filles dormir.

– Tu sais ce que je leur ai dit, quand je les ai couchées, ce soir ?

Jimmy fit non de la tête.

– Je leur ai dit qu'elles devaient se montrer drôlement gentilles avec toi, car nous, on avait beau aimer Katie, toi, tu l'aimais encore plus. Je leur ai dit que si tu l'aimais autant, c'est parce que tu l'avais créée, tenue dans tes bras quand elle était toute petite, et je leur ai dit aussi que, parfois, ton amour pour elle était si grand qu'il gonflait ton cœur comme un ballon prêt à éclater.

– Oh, Seigneur, murmura Jimmy.

– Je leur ai dit que leur papa les aimait pareillement. Qu'il avait quatre cœurs, et qu'ils étaient tous comme des ballons, tous gonflés d'amour. Et que pour cette raison, elles n'auraient jamais à s'inquiéter. Du coup, Nadine m'a demandé : « Jamais ? »

– Je t'en prie... (Jimmy se sentait anéanti, écrasé par des blocs de granit.) Arrête, Anna.

Le maintenant captif de son regard, elle poursuivit :

– Et moi, je lui ai répondu : « Non, jamais. Parce que ton papa est un roi, pas seulement un prince. Les rois savent toujours ce qu'il faut faire, même si c'est difficile, pour arranger les choses. Et puisque papa est un roi, il fera...

– Anna...

– ... il fera toujours ce qu'il faut pour protéger ceux qu'il aime. Tout le monde commet des erreurs. Tout le monde. En particulier les grands hommes qui essaient d'arranger les choses. Mais le plus important, la seule réalité qui compte, c'est cet amour immense. C'est pour ça que papa est un grand homme. »

Jimmy avait la vue qui se brouillait.

– Non, chuchota-t-il.

– Celeste a appelé, déclara Annabeth d'une voix soudain dure, décochant ses paroles comme autant de flèches acérées.

– Ne...

– Elle voulait savoir où tu étais. Elle m'a raconté qu'elle t'avait confié ses soupçons au sujet de Dave.

D'un revers de main, Jimmy s'essuya les yeux, et il eut l'impression de voir Annabeth pour la première fois.

– Quand elle m'a dit ça, Jimmy, j'ai pensé : quel genre de *femme* faut-il être pour trahir ainsi son mari ? Comment peut-on être lâche au point de cafter comme un gosse ? Et pourquoi s'adresser à toi ? Hein, Jim ? Pourquoi se précipiter vers toi ?

386

Jimmy avait bien une petite idée sur la question – il en avait toujours eu une, étant donné la façon dont Celeste le dévisageait, quelquefois – mais il préféra garder le silence.

Comme si elle lisait dans ses pensées, Annabeth sourit.

– J'aurais pu te joindre sur ton portable, Jim. Oui, j'aurais pu. Pendant qu'elle me parlait, je me suis souvenue de t'avoir vu partir avec Val, et j'ai deviné ce que tu projetais, Jimmy. Je ne suis pas complètement idiote.

Ce dont il n'avait jamais douté.

– Mais je ne l'ai pas fait. Je ne t'ai pas arrêté.

– Pourquoi ? demanda-t-il d'une voix brisée.

Annabeth pencha légèrement la tête, l'air de dire que la réponse était évidente. Puis, le regardant toujours de ce drôle d'air, elle ôta ses chaussures, ouvrit la braguette de son jean et le baissa jusqu'à ses chevilles. Elle s'en débarrassa en même temps qu'elle ôtait sa chemise et son soutien-gorge. Après avoir forcé Jimmy à se mettre debout, elle se plaqua contre lui et couvrit de baisers ses pommettes humides.

– Ils sont faibles, Jimmy.

– Qui ?

– Les autres. Tous les autres, sauf nous.

Lorsqu'elle lui repoussa sa chemise sur les épaules, Jimmy la revit près du Pen Channel le premier soir où ils étaient sortis ensemble. Elle lui avait demandé s'il avait le crime dans le sang, et il l'avait persuadée que ce n'était pas le cas, car il pensait à l'époque qu'elle n'attendait pas d'autre réponse. Aujourd'hui seulement, douze ans et demi plus tard, il comprenait que tout ce qu'elle désirait entendre de sa bouche ce soir-là, c'était la vérité. S'il lui avait donné une réponse différente, elle l'aurait acceptée. Elle l'aurait supportée. Elle l'aurait prise en compte pour organiser leur vie.

– Nous, on n'est pas faibles, répéta-t-elle.

Jimmy sentait son désir pour elle prendre possession de lui, comme s'il le contenait depuis sa naissance, n'attendant que le moment de le libérer. S'il avait pu la dévorer vivante sans lui infliger de souffrance, il l'aurait fait.

– On ne sera jamais faibles.

Elle s'assit sur la table de la cuisine, les jambes dans le vide.

Sans la quitter des yeux, Jimmy enleva son pantalon, conscient qu'il s'agissait seulement d'un répit provisoire, d'une tentative pour échapper à la souffrance liée au meurtre de Dave en se laissant envelopper par la force et le corps de sa femme. Pour ce soir, néanmoins, c'était tout ce qu'il lui fallait. Peut-être pas pour demain ou les jours à venir. Mais après tout, n'était-ce pas ainsi qu'on progressait vers la guérison ? Par petites étapes ?

Annabeth lui plaça les mains sur les hanches, enfonça les ongles dans sa chair.

— Après, Jimmy ?

— Oui ? dit-il dans un souffle, déjà étourdi par sa chaleur.

— N'oublie pas d'aller embrasser les filles.

Épilogue

Jimmy des Flats

Dimanche

28

On vous gardera une place

Le dimanche matin, Jimmy fut tiré du sommeil par un roulement de tambours dans le lointain.

Cela ne ressemblait pas au *ta-ta-poum* ponctué de coups de cymbales produit par un groupe de jeunes au nez percé dans un night-club étouffant, mais plutôt au *boum-boum* profond, régulier, d'un orchestre militaire dont le campement serait établi à la périphérie de la ville. Et puis, il entendit le bêlement des cuivres, aussi soudain que faux. Encore une fois, c'était un son lointain, porté par l'air matinal sur une distance d'un kilomètre, peut-être un kilomètre et demi, qui mourut sitôt émis. Dans le calme qui suivit, Jimmy demeura immobile dans son lit, à écouter le silence sonore d'un dimanche en fin de matinée – un dimanche également ensoleillé, à en juger par la vive clarté jaune de l'autre côté des stores baissés. Les pigeons roucoulaient sur le rebord de la fenêtre, un chien aboyait dans la rue. Quelqu'un ouvrit une portière de voiture, puis la claqua, et Jimmy guetta le bruit du moteur, mais il ne vint pas, et de nouveau, il entendit ce même *boum-boum*, plus distinct, plus assuré.

Il jeta un coup d'œil au réveil sur la table de nuit. Onze heures. La dernière fois où il avait dormi aussi tard, c'était... À vrai dire, il ne s'en souvenait même plus. Il y avait des années de cela. Une décennie, peut-être. Il se remémora l'épuisement des quelques derniers jours écoulés, l'horrible impression que le cercueil de Katie montait et descendait dans son corps telle une cabine d'ascenseur. Il avait aussi reçu la visite de Juste Ray Harris et de Dave Boyle la veille au soir, alors qu'il était assis dans son salon, ivre mort, un revolver à la main, juste avant qu'ils ne grimpent à l'arrière de cette voiture qui sentait la pomme. Et il avait vu la tête de Katie entre eux tandis qu'ils s'éloignaient dans Gannon Street; elle ne s'était pas retournée, contrairement à Juste Ray et à Dave, qui lui avaient adressé de grands signes, un sourire idiot aux lèvres, et petit à petit, le métal de l'arme sous sa paume avait commencé à le démanger. En respirant l'odeur du lubrifiant, il avait songé à mettre le canon dans sa bouche.

La veillée funèbre avait été un véritable cauchemar. Celeste avait fait irruption dans la salle à huit heures, au moment où il y avait le plus de monde, et s'était jetée sur lui, le frappant de ses poings, le traitant de meurtrier. « Toi, tu as *son corps* ! avait-elle hurlé. Et moi, il me reste *quoi* ? Où est-il, Jimmy ? Où ? » Bruce Reed et ses fils l'avaient rapidement saisie par les bras pour la traîner vers la sortie, mais Celeste avait eu le temps de crier à pleins poumons : « Assassin ! C'est un assassin ! Il a tué mon mari ! Assassin ! »

Assassin.

Ensuite, il y avait eu l'enterrement, et la cérémonie au cimetière, et Jimmy n'avait pas bougé pendant que des inconnus descendaient son bébé dans un trou, puis projetaient sur le cercueil des pelletées de terre et de débris de pierres jusqu'à ce que Katie soit complètement ensevelie, jusqu'à ce qu'elle disparaisse plus sûrement que si elle n'avait jamais existé.

Le contrecoup de toutes ces épreuves l'avait atteint de plein fouet la veille au soir, se frayant un chemin jusqu'au plus profond de son être, faisant inlassablement monter et descendre en lui le cercueil de Katie, si bien qu'au moment de ranger enfin le revolver dans un tiroir et de s'effondrer sur son lit, il se sentait totalement paralysé, comme si les morts s'étaient insinués dans sa moelle, comme si son sang s'était coagulé.

Oh, Seigneur, avait-il pensé. Je n'ai jamais été aussi fatigué. Fatigué, triste, impuissant et seul. Je suis épuisé par mes erreurs, ma colère, et toute cette tristesse tellement amère. Éreinté par mes péchés. Oh, Seigneur, laissez-moi mourir, pour que je n'aie plus à me tromper, ni à connaître la fatigue, ni à assumer le fardeau de ma nature et de mes amours. Libérez-moi de tout ça, car je suis trop vidé pour le faire moi-même.

Annabeth avait tenté de comprendre les remords qui l'assaillaient, cette répulsion qu'il avait de lui-même, mais en vain. Parce qu'elle n'avait pas appuyé sur la détente.

Et aujourd'hui, il avait dormi jusqu'à onze heures. Douze heures d'affilée, et sans doute d'un sommeil de plomb, car il n'avait pas entendu Annabeth se lever.

Il avait lu quelque part que la dépression se caractérisait par une lassitude permanente, un besoin compulsif de dormir, mais lorsqu'il s'assit dans son lit pour écouter les tambours, auxquels se mêlaient désormais les sonorités des cuivres, il se sentit soudain revigoré. Comme s'il avait de nouveau vingt ans. Il était incroyablement bien réveillé, comme s'il ne devait plus jamais avoir besoin de dormir.

La parade, comprit-il alors. Les tambours et les cuivres, c'étaient ceux de la fanfare qui répétait une dernière fois en prévision du défilé dans Buckingham Avenue à midi. Il sortit de son lit, s'approcha de la fenêtre et remonta le store. Si la voiture n'avait pas démarré, quelques instants plus tôt, c'était parce qu'ils avaient bloqué la route des Flats jusqu'à Rome Basin. Trente-six pâtés de maisons. Il jeta un coup d'œil dehors. L'avenue dessinait sous un soleil éblouissant un ruban d'asphalte bleu-gris d'une propreté impeccable. Des barrières bleues en empêchaient l'accès à tous les coins de rue, et s'alignaient le long des caniveaux aussi loin que son regard pouvait porter dans les deux directions.

Les gens commençaient tout juste à quitter leur domicile pour réserver une place sur le trottoir. Jimmy les regarda poser des glacières, des radios et des paniers de pique-nique, et il salua Dan et Maureen Guden qui dépliaient des chaises de jardin devant la laverie Hennessey. Lorsqu'ils lui rendirent son salut, il fut touché par l'inquiétude sur leurs visages. Les mains en porte-voix, Maureen l'appela. Alors, Jimmy ouvrit la fenêtre et, s'appuyant contre la moustiquaire, huma une bouffée de soleil matinal, d'air vif et de poussière printanière encore accrochée à l'écran métallique.

– Qu'est-ce que t'as dit, Maureen ?

– J'ai dit : « Comment ça va, mon grand ? » répéta-t-elle. Tu tiens le coup ?

– Oui, affirma Jimmy.

À son grand étonnement, Jimmy se rendit compte qu'effectivement, il allait plutôt bien. Katie était toujours en lui comme un second cœur blessé et furieux qui ne cesserait jamais, il en était certain, de battre à un rythme frénétique. Il ne se faisait pas d'illusion là-dessus. Son chagrin était une constante, à présent, encore plus indissociable de son corps qu'un de ses membres. Mais étrangement, durant son sommeil, il était parvenu à une sorte d'acceptation fondamentale. La douleur serait pour toujours inscrite en lui, et il s'y résignait. Dans ces conditions, il se sentait mieux qu'il ne l'aurait cru possible.

– Je... Ça va, oui, cria-t-il encore à Maureen et Dan. Aussi bien que ça peut aller, disons.

Maureen hocha la tête, et Dan demanda :

– T'as besoin de quelque chose, Jim ?

– De n'importe quoi ? renchérit sa femme.

Alors, Jimmy éprouva un élan de fierté et d'amour durable pour eux, pour le quartier tout entier, lorsqu'il déclara :

– Non, c'est bon. Mais merci. Merci beaucoup.

– Tu descends ? lança Maureen.

– Sûrement, oui, déclara Jimmy, qui n'était pas certain de sa réponse avant d'avoir prononcé les mots. On vous retrouve en bas dans un petit moment ?

– O.K., on vous gardera une place.

Ils échangèrent un petit signe de la main, puis Jimmy s'écarta de la fenêtre, la poitrine toujours gonflée par cet irrésistible mélange d'amour et de fierté. Ces gens, c'était sa famille. Et ce quartier, c'était son foyer. Ils lui garderaient une place. Sans aucun doute. Car il était Jimmy des Flats.

C'était comme ça que le surnommaient ses aînés, à l'époque, avant qu'il soit envoyé à Deer Island. Ils l'emmenaient dans les clubs de Prince Street, dans le North End, et disaient : « Hé, Carlo, c'est le copain dont je te parlais. Jimmy. Jimmy des Flats. »

Alors, Carlo, ou Gino, ou un autre type au prénom en O écarquillait les yeux en répondant : « Sérieux ? Jimmy des Flats ? Heureux de te rencontrer, Jimmy. Ça fait un bail que j'admire ta façon de bosser. »

S'ensuivaient généralement des blagues sur son âge – « Ah ouais, t'as ouvert ton premier coffre avec l'épingle à nourrice qui retenait ta couche ? » –, mais Jimmy avait néanmoins conscience du respect, sinon d'une pointe d'admiration, qu'éprouvaient ces durs à cuire en sa présence.

Il était Jimmy des Flats. Il avait formé sa première bande à dix-sept ans. *Dix-sept ans*, vous imaginez ? Ce gars-là, c'était du sérieux. Mieux valait ne pas se le mettre à dos. C'était un homme qui savait se taire, qui connaissait les règles du jeu et le prix du respect. Un homme capable de trouver de l'argent pour ses amis.

Il était Jimmy des Flats à l'époque, tout comme il était Jimmy des Flats aujourd'hui, et ces gens qui commençaient à se masser derrière les barrières éprouvaient de l'affection pour lui. Ils s'inquiétaient, se déclaraient prêts à le décharger comme ils le pouvaient d'une toute petite partie de son chagrin. Mais en contrepartie, lui, que leur donnait-il ? La question méritait réflexion. Qu'avait-il à leur offrir ?

Tout ce que le quartier avait connu en matière de présence protectrice depuis que les fédéraux et la loi antimafia avaient permis de démanteler la bande de Louie Jello, c'était... Qui ? Bobby O'Donnell ? Bobby O'Donnell et Roman Fallow. Deux dealers poids coq qui s'étaient reconvertis dans le racket et les activités d'usurier. Jimmy avait entendu certaines rumeurs, selon lesquelles les deux lascars auraient conclu une espèce de pacte avec les gangs vietnamiens à Rome Basin, procédé à une répartition du territoire, puis fêté leur nouvelle alliance en incendiant la boutique de fleurs de Connie, histoire de lancer un avertissement à ceux qui refuseraient de payer leur prime d'assurance.

Ce n'était pas la bonne façon de procéder. On organisait son business en dehors du quartier, on ne faisait pas du quartier son business. On s'arrangeait pour maintenir ses habitants en sécurité, et eux, en gage de reconnaissance, surveillaient vos arrières, gardaient les yeux et les oreilles grands ouverts, prêts à vous avertir au moindre soupçon de problème. Et si, de temps à autre, leur gratitude prenait la forme d'une enveloppe par-ci, d'un gâteau ou d'une voiture par-là, c'était leur choix, et votre récompense pour avoir su veiller au grain.

La seule manière de s'imposer, c'était avec bienveillance. En gardant un œil sur leurs intérêts, l'autre sur les vôtres. On ne laissait pas les Bobby O'Donnell et les apprentis caïds bridés s'imaginer qu'ils pouvaient débarquer comme ça et rafler tout ce qu'ils désiraient. En particulier s'ils avaient envie de garder les deux jambes que Dieu leur avait accordées.

Lorsque Jimmy sortit de la chambre, il découvrit l'appartement déserté. La porte au bout du couloir était ouverte, et la voix d'Annabeth lui parvint de l'appartement d'au-dessus, de même que les pas précipités de ses filles en train de courir après le chat de Val. Jimmy passa dans la salle de bains, fit couler la douche, attendit que l'eau soit chaude pour pénétrer dans la cabine, puis leva son visage vers le jet.

Si O'Donnell et Fallow n'avaient jamais osé attaquer son magasin, songea-t-il, c'était uniquement à cause des Savage. Comme tous ceux qui possédaient un minimum de cervelle, O'Donnell et Fallow les craignaient. Et s'ils les craignaient, par contrecoup, ils en venaient aussi à craindre Jimmy.

Ils le craignaient, lui, Jimmy des Flats. À juste titre. Car lui, il possédait la matière grise, sans aucun doute, et avec le soutien des Savage il disposait de tout ce dont on pouvait avoir besoin en matière de gros bras et de témérité absolue, démente. Que Jimmy Marcus et les frères Savage s'associent *pour de bon*, et ils seraient capables de...

De quoi ?

De rendre le quartier aussi sûr qu'il le méritait.

De diriger tout cette fichue ville.

De la posséder.

« Ne fais pas ça, Jimmy, je t'en prie. Je veux revoir ma femme. Je veux vivre ma vie. Jimmy ? Je t'en prie, ne m'enlève pas ça. Regarde-moi ! »

Jimmy ferma les yeux, laissant l'eau chaude lui marteler le crâne.

« Regarde-*moi* ! »

Je te regarde, Dave. Je te regarde.

Jimmy revit le visage implorant de Dave et la bave sur ses lèvres, guère différente de la bave sur les lèvres et le menton de Juste Ray Harris treize ans plus tôt.

« Regarde-moi ! »

Je te regarde, Dave. Je te regarde toujours. Tu n'aurais jamais dû descendre de cette voiture, tu sais. Tu n'aurais jamais dû revenir. À ton retour ici, il te manquait certaines choses essentielles. Tu n'as jamais pu retrouver une place parmi nous, Dave, parce qu'ils t'avaient empoisonné, et que ce poison ne demandait qu'à se transmettre.

« Je n'ai pas tué ta fille, Jimmy. Je n'ai pas tué Katie. Ce n'est pas moi, ce n'est pas moi. »

Non, ce n'est sans doute pas toi, Dave. Aujourd'hui, je commence à le croire. Apparemment, tu n'es pas responsable de sa mort. Bon, il est toujours possible que les flics aient commis une erreur en arrêtant ces deux gamins, mais je veux bien admettre que tu ne sois pas coupable en ce qui concerne Katie.

« Alors ? »

Alors, tu as quand même tué *quelqu'un*, Dave. Tu as tué quelqu'un. Celeste avait raison sur ce point. De plus, tu sais ce qui arrive aux enfants victimes de sévices.

« Non, Jim. Mais vas-y, explique-moi. »

Ils deviennent eux-mêmes des bourreaux d'enfants. Tôt ou tard. Le poison est en eux, et il faut qu'il sorte. J'ai juste protégé une de tes futures victimes, Dave. Peut-être ton fils.

« Laisse mon fils en dehors de ça. »

D'accord. Alors, peut-être un de ses amis. Mais Dave, tôt ou tard, tu te serais montré sous ton véritable jour.

« C'est ce que tu te dis pour justifier tes actes ? »

Une fois monté dans cette voiture, Dave, tu n'aurais jamais dû revenir. C'est ce que je me dis pour justifier mes actes. Tu n'étais pas des nôtres. Tu ne comprends pas ? Un quartier, c'est ça : l'endroit où vivent tous les gens *qui lui sont attachés*. Les autres n'ont rien à y faire.

La voix de Dave se mêla à l'eau qui s'abattait sur le crâne de Jimmy.

« Je vis en toi, maintenant, Jimmy. Tu ne peux pas me réduire au silence. »

Oh si, Dave, je peux.

Jimmy ferma le robinet de la douche, puis sortit de la cabine. Il se sécha en reniflant pour inspirer la vapeur dans ses narines, ce qui eut pour effet de lui éclaircir encore un peu plus les idées. Il essuya la buée sur la petite fenêtre dans l'angle, avant de jeter un coup d'œil à la ruelle derrière l'immeuble. La journée était si lumineuse, si radieuse, que même cette fichue ruelle semblait propre. Bon sang, quel temps magnifique ! Quel dimanche parfait ! Quel jour idéal pour un défilé ! Il allait emmener ses filles et sa femme y assister, et ils se tiendraient par la main pour regarder passer sous un soleil éclatant les différents participants, les fanfares, les chars et les politiciens. Ensuite, ils mangeraient des hot-dogs, de la barbe à papa, et il achèterait à Nadine et à Sara des drapeaux aux couleurs de Buckingham et aussi des T-shirts. Le processus de guérison se déclencherait parmi les cymbales, les percussions et les acclamations de la foule. Il était sûr, à présent, que leurs blessures commenceraient à se refermer dehors, au milieu de tous ces gens qui célébraient la fondation de leur ville. Et lorsque la mort de Katie s'imposerait de nouveau à eux dans la soirée, quand leurs corps s'affaisseraient sous le poids de son absence, ils auraient au moins le souvenir d'avoir vécu un bon moment pour contrebalancer un peu leur chagrin. Ce serait le début de la cicatrisation. Ils se rendraient tous compte que, lors de ces quelques heures dans l'après-midi, ils avaient réussi à éprouver du plaisir, sinon de la joie.

Il s'écarta de la fenêtre, s'aspergea le visage d'eau chaude, puis étala de la mousse à raser sur ses joues et sa gorge. Au moment d'approcher le rasoir de son visage, il lui vint à l'esprit qu'il était mauvais. Cette pensée ne le bouleversa pas, ne déclencha pas en lui un vacarme de tous les diables. Non, ce ne fut rien d'autre qu'une prise de conscience fugace qui lui fit l'effet de doigts légers se promenant sur sa poitrine.

Eh bien, je suis comme ça.

Jimmy leva les yeux vers le miroir sans rien ressentir de particulier. Il aimait ses filles et il aimait sa femme. De leur côté, elles l'aimaient aussi. Il puisait en elles des certitudes – des certitudes absolues. Rares étaient ceux qui avaient cette chance.

Il avait tué un homme pour un crime que celui-ci n'avait probablement pas commis. Et comme si cela ne suffisait pas, il n'éprouvait pas spéciale-ment de regrets. Autrefois, il avait tué un autre homme. Et il avait lesté les deux corps de façon à ce qu'ils s'enfoncent pour toujours dans les profon-deurs de la Mystic. Or il avait nourri une affection sincère pour les eux – peut-être un peu plus pour Ray, mais à peine. Pourtant, il les avait élimi-nés. Par principe. Posté sur un muret de pierre surplombant la rivière, il avait regardé sombrer le visage de Ray, sa peau blanche et flasque sous la surface, ses yeux ouverts, privés de vie. Et durant toutes ces années, il n'en avait pas conçu beaucoup de remords, même s'il avait tenté de se persua-der du contraire. En réalité, ce qu'il appelait le remords, c'était la crainte d'un mauvais karma ; il avait peur que ce qu'il avait fait ne se retourne contre lui ou contre un parent proche. À cet égard, la mort de Katie lui apparaissait comme l'accomplissement ultime de ce mauvais karma, puisque Ray était revenu par le ventre de sa femme pour assassiner Katie sans autre raison que le karma lui-même.

Quant à Dave ? Avec Val, ils l'avaient lesté de parpaings maintenus par une chaîne, puis ils avaient soulevé son corps des vingt centimètres néces-saires pour le balancer par-dessus le bord du bateau, mais étrangement, c'était Dave enfant, et non adulte, que Jimmy avait vu couler. Comment savoir où il était tombé exactement ? Peu importait, de toute façon. Il était maintenant là-bas, au fond de la Mystic. Restes-y, Dave. Surtout, restes-y.

La vérité, c'était que Jimmy n'avait pas vraiment de conscience. D'accord, il s'était arrangé avec un de ses vieux amis à New York pour faire envoyer cinq cents dollars par mois aux Harris pendant treize ans, mais il s'agissait d'une mesure dictée par le bon sens plutôt que par un quelconque sentiment de culpabilité : tant que sa famille pensait Ray en vie, elle ne lancerait personne sur sa piste. Et maintenant que le fils de Ray était en prison, Jimmy n'avait plus besoin d'expédier cet argent. Autant l'utiliser pour une bonne cause.

Comme le quartier, par exemple. Oui, il s'en servirait pour protéger son quartier. Car c'était le sien, se dit-il, les yeux fixés sur son reflet dans le miroir. À partir de maintenant, il en était propriétaire. Il avait vécu dans le mensonge pendant treize ans en feignant de raisonner comme un bon citoyen, alors que tout autour de lui il ne voyait qu'une avalanche d'occasions manquées. Ils voulaient construire un stade par ici ? Parfait. Parlons donc de ces ouvriers qu'on représente. Non ? Oh, O.K. Feriez mieux de garder un œil sur votre projet, les enfants. Ce serait dommage qu'il parte en fumée.

Il allait se réunir avec Val et Kevin pour discuter de l'avenir. La ville attendait de nouvelles perspectives. Et pour ce qui était de Bobby O'Donnell, son propre avenir ne se présentait pas sous les meilleurs auspices s'il avait prévu de traîner ses guêtres encore un moment à East Bucky.

Jimmy acheva de se raser, avant de jeter un dernier coup d'œil à son reflet. Il était mauvais ? Ainsi soit-il. Il s'en accommoderait, car l'amour et la certitude habitaient son cœur. Au fond, ce n'était pas si terrible, comme compromis.

Une fois habillé, il traversa la cuisine avec l'impression que l'homme pour lequel il s'était fait passer toutes ces années avait été évacué en même temps que l'eau de la douche un peu plus tôt. Il entendait ses filles rire et pousser des cris de joie, sans doute parce qu'elles s'amusaient avec le chat de Val, et il songea : Quel son merveilleux !

Dans la rue, Sean et Lauren se postèrent devant le café Nate & Nancy. Nora dormait dans sa poussette, qu'ils placèrent à l'ombre sous l'auvent. Puis ils s'adossèrent au mur pour manger leurs glaces, et Sean regarda sa femme en se demandant s'ils réussiraient à s'entendre de nouveau, ou si cette séparation d'un an avait déjà provoqué trop de dégâts, abîmé irrémédiablement leur amour et toutes les belles années de mariage qu'ils avaient connues avant le désastre des deux dernières. Et puis, Lauren lui prit la main et la pressa, et il baissa les yeux vers leur fille en se disant qu'elle ressemblait bien à une créature digne d'adoration, une petite déesse, peut-être, dont la seule vue le comblait.

De l'autre côté du cortège devant eux, il apercevait Jimmy et Annabeth Marcus. À côté, leurs deux jolies petites filles, juchées sur les épaules de

Val et de Kevin Savage, agitaient la main pour saluer tous les chars et voitures décapotables qui passaient.

Deux cent seize ans plus tôt, Sean le savait, on avait bâti le premier pénitencier de la région dans la zone bordant les rives du canal qui portait aujourd'hui son nom. Les fondateurs de Buckingham étaient les geôliers et leur famille, ainsi que les femmes et les enfants des détenus. Il n'avait jamais été facile de faire régner le calme dans la communauté. Lorsque les prisonniers étaient libérés, ils étaient souvent trop fatigués ou trop vieux pour envisager d'aller s'installer loin, et Buckingham avait bientôt acquis une réputation de dépotoir pour les rebuts en tous genres. Les saloons avaient fleuri le long de cette avenue et de toutes les autres rues crasseuses, et peu à peu, les gardiens avaient investi les collines, édifiant leurs maisons dans le Point, de façon à pouvoir de nouveau dominer ceux qu'ils avaient surveillés quand ils étaient enfermés. Au XIXe siècle, il s'était produit une véritable explosion de l'élevage ; des parcs à bestiaux et des abattoirs avaient surgi à l'emplacement de l'actuelle voie express, des rails avaient été posés parallèlement à Sydney Street et les troupeaux qui descendaient des wagons partaient pour une longue marche à travers la ville correspondant aujourd'hui au trajet du défilé. Des générations entières de prisonniers et d'employés des abattoirs avaient repoussé les Flats jusqu'à la voie ferrée. Le pénitencier avait fermé à la suite d'un mouvement de réforme oublié depuis longtemps, la grande époque de l'élevage s'était achevée, mais les bars avaient continué à se multiplier. La vague d'immigration italienne avait précédé la vague d'immigration irlandaise, deux fois plus importante, et le métro aérien avait été construit, permettant aux habitants des Flats d'affluer dans le centre-ville pour trouver du travail, mais aussi de toujours revenir en fin de la journée. Ils revenaient dans les Flats, car c'était un village qu'ils avaient fondé, dont ils connaissaient les dangers et les plaisirs, et surtout, où rien de ce qu'il se passait ne pouvait les surprendre. Il y avait une logique derrière la corruption, les règlements de compte, les rixes de bar, les jeux dans la rue et les ébats amoureux du dimanche matin. Personne d'autre ne la voyait, cette logique, et c'était normal. Car personne d'autre n'était le bienvenu ici.

Lauren s'appuya contre lui, la tête sous son menton, et Sean devina les doutes qui la taraudaient, mais aussi sa détermination, son besoin de retrouver confiance en lui.

– Jusqu'à quel point t'as eu peur lorsque ce gamin t'a mis cette arme sous le nez ? s'enquit-elle.

– Tu veux la vérité ?

– S'il te plaît.

– J'ai bien cru que ma vessie allait me trahir.

Elle s'avança un peu pour le regarder.

– Sérieux ?

– Je t'assure, répondit-il.

– Et t'as pensé à moi, alors ?

– Oui. J'ai pensé à vous deux.

– Mais tu t'es dit quoi ?

– Que j'aimerais vivre une journée comme celle-là.

– Avec le défilé, et tout ?

Il hocha la tête.

– Tu racontes des bêtises, mon chéri, répliqua Lauren en l'embrassant dans le cou, mais c'est gentil quand même.

– Je ne mens pas, Lauren.

Elle contempla quelques instants Nora.

– Elle a tes yeux, observa-t-elle.

– Et ton nez.

Lauren regardait toujours leur bébé lorsqu'elle ajouta :

– J'espère que ça va marcher.

– Moi aussi, répondit-il, avant de lui donner un baiser.

Ils étaient de nouveau adossés au mur, occupés à regarder le flot de gens qui circulaient dans l'avenue quand soudain, Celeste s'immobilisa devant eux. Pâle, les cheveux parsemés de pellicules, elle n'arrêtait pas de tirer sur ses doigts comme pour se les arracher.

– Bonjour, agent Devine, fit-elle en cillant.

Sean lui tendit la main, car elle semblait avoir besoin d'un contact pour ne pas partir à la dérive.

– Bonjour, Celeste. Appelez-moi Sean, je vous en prie.

Elle avait la paume moite, les doigts brûlants, et à peine avait-elle effleuré la main de Sean qu'elle retirait la sienne.

– Voici Lauren, ma femme.

– Bonjour, dit Lauren.

– Bonjour.

Durant quelques instants, personne ne trouva rien pour relancer la conversation. Tous trois demeurèrent immobiles, mal à l'aise et silencieux, jusqu'au moment où Celeste tourna la tête, et en suivant la direction de son regard, Sean vit Jimmy de l'autre côté de la rue, un bras passé autour des épaules d'Annabeth, tous deux aussi radieux que la journée elle-même, entourés de leur famille et de leurs amis. Il semblait qu'aucun malheur ne devait plus jamais les frapper.

Les yeux de Jimmy survolèrent Celeste pour accrocher ceux de Sean. Il esquissa un petit salut de la tête, que Sean lui rendit.

– Il a tué mon mari, murmura Celeste.

Sean sentit Lauren se figer contre lui.

– Je sais, répondit-il. Je ne peux pas le prouver pour l'instant, mais je le sais.

– Vous le ferez ?

– Quoi ?

– Vous le prouverez ?

– J'essaierai, en tout cas. Je vous le promets, Celeste.

Celle-ci reporta son attention sur l'avenue en se grattant le cuir chevelu avec une férocité nonchalante, comme si elle cherchait des poux.

– J'arrive plus trop à mettre le doigt sur ma tête, ces temps-ci. (Elle émit un petit rire.) Non, ça n'a pas de sens, ce que je vous dis. Mais j'ai du mal à faire face. J'ai vraiment du mal.

Sans réfléchir, Sean lui saisit le poignet. Quand elle leva ses yeux bruns vers lui, il crut voir une vieille femme égarée. Elle semblait persuadée qu'il allait la gifler.

– Je peux vous donner le nom d'un docteur, Celeste. Un spécialiste qui s'occupe des personnes comme vous, qui ont perdu un être cher dans des circonstances brutales.

Celeste acquiesça, bien que ces mots n'aient pas eu l'air de la réconforter beaucoup, puis ramena à elle la main qu'il tenait toujours, avant de recommencer à tirer sur ses doigts. Soudain, surprenant le regard de Lauren, elle laissa retomber ses bras, et les leva de nouveau pour les croiser sur sa poitrine, les mains fourrées à l'intérieur de ses coudes comme pour les empêcher de s'envoler. Sean remarqua alors le petit sourire hésitant que lui adressait sa femme – un sourire qu'il jugea répugnant de compassion –, et il fut d'autant plus étonné quand Celeste la remercia d'une esquisse de sourire et d'un battement de cils reconnaissant.

En cet instant, il eut l'impression de retrouver intact tout son amour pour Lauren, et il admira sa capacité à établir une communion immédiate avec les âmes souffrantes. Il ne doutait plus, à présent, d'avoir lui-même provoqué le naufrage de leur mariage à mesure qu'émergeait son ego de flic, que grandissait son mépris pour les failles et la fragilité des autres.

Il caressa la joue de Lauren, un geste qui amena Celeste à détourner les yeux.

Elle se concentra de nouveau sur l'avenue au moment où un char en forme de gant de base-ball passait devant eux, environné de tous côtés par une nuée de petits joueurs rayonnants qui saluaient frénétiquement la foule, excités par l'adoration dont ils étaient l'objet.

Mais quelque chose dans ce char glaça Sean, peut-être la façon dont le gant paraissait moins abriter les enfants que vouloir se refermer pour les piéger, eux qui n'avaient pas conscience de la menace, qui arboraient des sourires jusqu'aux oreilles.

Sauf un. Le regard rivé sur ses chaussures, il ne partageait visiblement pas l'enthousiasme des autres, et Sean le reconnut tout de suite. C'était le fils de Dave.

– Michael ! (Celeste agita la main dans sa direction, mais il ne tourna pas la tête vers elle. Il s'obstina dans cette attitude quand elle l'appela de nouveau.) Michael, mon cœur ! Hé, mon chéri, maman est là ! Michael !

Le char continua d'avancer et Celeste continua d'appeler, mais son fils l'ignorait toujours. Sean crut reconnaître en lui Dave jeune, à sa beauté presque délicate, à sa façon de voûter les épaules et de laisser retomber le menton sur sa poitrine.

– Michael ! appela encore Celeste.

Tout en malmenant ses doigts, elle descendit sur la chaussée.

Le char les dépassa, et Celeste s'élança à sa suite, se frayant un chemin au milieu de la foule, agitant la main, criant le nom de son fils.

Sean, dont Lauren caressait le bras, chercha de nouveau à localiser Jimmy de l'autre côté de la rue. Il le coincerait, même s'il lui fallait y consacrer le reste de son existence. Tu m'as bien vu, Jimmy ? Allez, regarde-moi encore une fois.

Jimmy tourna légèrement la tête, et sourit à Sean.

Celui-ci leva la main, l'index tendu, le pouce replié pour évoquer le chien d'une arme, puis il fit mine de tirer.

Le sourire de Jimmy s'élargit.

– Qui était cette femme ? demanda Lauren.

Sean reporta son attention sur Celeste qui trottinait le long des barrières, devenant de plus en plus petite à mesure qu'elle s'éloignait, son manteau flottant derrière elle.

– Elle vient de perdre son mari.

En repensant à Dave Boyle, Sean se dit qu'il aurait dû l'emmener boire cette bière le deuxième jour de l'enquête. Il se dit qu'il aurait dû se montrer plus gentil avec lui quand ils étaient gosses, que le père de Dave n'aurait pas dû partir, que sa mère n'aurait pas dû devenir folle, que jamais le malheur n'aurait dû s'acharner ainsi sur lui. Alors qu'il assistait au défilé en compagnie de sa femme et de sa fille, Sean plaignait sincèrement Dave Boyle. Et aujourd'hui, s'il y avait bien une chose qu'il lui souhaitait, c'était la paix. Par-dessus tout, il espérait que Dave, où qu'il soit, en avait enfin trouvé un peu.

Dans la même collection

Cesare Battisti, *Terres brûlées* (anthologie sous la direction de)
Cesare Battisti, *Avenida Revolución*
William Bayer, *Labyrinthe de miroirs*
William Bayer, *Tarot*
Marc Behm, *À côté de la plaque*
Marc Behm, *Et ne cherche pas à savoir*
Marc Behm, *Crabe*
Marc Behm, *Tout un roman!*
James Carlos Blake, *Les Amis de Pancho Villa*
James Carlos Blake, *L'Homme aux pistolets*
Edward Bunker, *Aucune bête aussi féroce*
Edward Bunker, *La Bête contre les murs*
Edward Bunker, *La Bête au ventre*
Edward Bunker, *Les Hommes de proie*
James Lee Burke, *Prisonniers du ciel*
James Lee Burke, *Black Cherry Blues*
James Lee Burke, *Une saison pour la peur*
James Lee Burke, *Une tache sur l'éternité*
James Lee Burke, *Dans la brume électrique avec les morts confédérés*
James Lee Burke, *Dixie City*
James Lee Burke, *La Pluie de néon*
James Lee Burke, *Le Brasier de l'ange*
James Lee Burke, *Cadillac Juke-Box*
James Lee Burke, *La Rose du Cimarron*
James Lee Burke, *Sunset Limited*
Daniel Chavarría, *Un thé en Amazonie*
Daniel Chavarría, *L'Œil de Cybèle*
George C. Chesbro, *Bone*
George C. Chesbro, *Les Bêtes du Walhalla*
Christopher Cook, *Voleurs*
Robin Cook, *Cauchemar dans la rue*
Robin Cook, *J'étais Dora Suarez*
Robin Cook, *Le Mort à vif*
Robin Cook, *Quand se lève le brouillard rouge*
Tim Dorsey, *Florida Roadkill*
Wessel Ebersohn, *Le Cercle fermé*

James Ellroy, *Le Dahlia noir*
James Ellroy, *Clandestin*
James Ellroy, *Le Grand Nulle Part*
James Ellroy, *Un tueur sur la route*
James Ellroy, *L. A. Confidential*
James Ellroy, *White Jazz*
James Ellroy, *Dick Contino's Blues*
James Ellroy, *American Tabloid*
James Ellroy, *Crimes en série*
James Ellroy, *American Death Trip*
Barry Gifford, *Sailor et Lula*
Barry Gifford, *Perdita Durango*
Barry Gifford, *Jour de chance pour Sailor*
Barry Gifford, *Rude journée pour l'Homme-Léopard*
Barry Gifford, *La Légende de Marble Lesson*
Barry Gifford, *Baby Cat Face*
James Grady, *Le Fleuve des ténèbres*
James Grady, *Tonnerre*
James Grady, *Comme une flamme blanche*
Vicki Hendricks, *Miami Purity*
Tony Hillerman, *Le Voleur de temps*
Tony Hillerman, *Porteurs-de-peau*
Tony Hillerman, *Dieu-qui-parle*
Tony Hillerman, *Coyote attend*
Tony Hillerman, *Les Clowns sacrés*
Tony Hillerman, *Moon*
Tony Hillerman, *Un homme est tombé*
Tony Hillerman, *Le Premier Aigle*
Tony Hillerman, *Blaireau se cache*
Craig Holden, *Les Quatre Coins de la nuit*
Thomas Kelly, *Le Ventre de New York*
William Kotzwinkle, *Midnight Examiner*
William Kotzwinkle, *Le Jeu des Trente*
Terrill Lankford, *Shooters*
Michael Larsen, *Incertitude*
Michael Larsen, *Le Serpent de Sydney*
Dennis Lehane, *Un dernier verre avant la guerre*
Dennis Lehane, *Ténèbres, prenez-moi la main*
Dennis Lehane, *Sacré*
Dennis Lehane, *Mystic River*

Elmore Leonard, *ZigZag Movie*
Elmore Leonard, *Maximum Bob*
Elmore Leonard, *Punch créole*
Elmore Leonard, *Pronto*
Elmore Leonard, *Beyrouth-Miami*
Elmore Leonard, *Loin des yeux*
Elmore Leonard, *Viva Cuba libre!*
Bob Leuci, *Odessa Beach*
Bob Leuci, *L'Indic*
Jean-Patrick Manchette, *La Princesse du sang*
Dominique Manotti, *À nos chevaux!*
Dominique Manotti, *Kop*
Dominique Manotti, *Nos fantastiques années fric*
Tobie Nathan, *Saraka bô*
Tobie Nathan, *Dieu-Dope*
Jim Nisbet, *Prélude à un cri*
Jack O'Connell, *B.P. 9*
Jack O'Connell, *La Mort sur les ondes*
Jack O'Connell, *Porno Palace*
Jack O'Connell, *Et le verbe s'est fait chair*
Hugues Pagan, *Tarif de groupe*
Hugues Pagan, *Dernière station avant l'autoroute*
David Peace, *1974*
Andrea Pinketts, *La Madone assassine*
Andrea Pinketts, *L'Absence de l'absinthe*
Michel Quint, *Le Bélier noir*
John Ridley, *Ici commence l'enfer*
Édouard Rimbaud, *Les Pourvoyeurs*
Pierre Siniac, *Ferdinaud Céline*
Les Standiford, *Johnny Deal*
Les Standiford, *Johnny Deal dans la tourmente*
Richard Stark, *Comeback*
Richard Stark, *Backflash*
Richard Stratton, *L'Idole des camés*
Paco Ignacio Taibo II, *À quatre mains*
Paco Ignacio Taibo II, *La Bicyclette de Léonard*
Ross Thomas, *Les Faisans des îles*
Ross Thomas, *La Quatrième Durango*
Ross Thomas, *Crépuscule chez Mac*
Ross Thomas, *Voodoo, Ltd*

Cet ouvrage a été réalisé par

FIRMIN DIDOT

GROUPE CPI

Mesnil-sur-l'Estrée

pour le compte des Éditions Payot & Rivages
en février 2002

Imprimé en France
Dépôt légal : février 2002
N° d'impression : 58308